BASTEI
LÜBBE

Band I der
GESCHICHTE DES ZWEITEN WELTKRIEGS
trägt die Bestellnummer 65 021

Liddell Hart

GESCHICHTE DES ZWEITEN WELTKRIEGS

BAND 2

Aus dem Englischen übertragen
von Wilhelm Duden
und Rolf Hellmut Foerster

BASTEI-LÜBBE-TASCHENBUCH
Band 65 022

Titel der bei Cassell & Co. Ltd., London,
erschienenen Originalausgabe:
HISTORY OF THE SECOND WORLD WAR

1. Auflage 1980
2. Auflage 1982

Lizenzausgabe: Gustav Lübbe Verlag GmbH, Bergisch Gladbach
Printed in Western Germany 1979
Die Karten gestaltete Manfred Steuerer
Einbandgestaltung: Manfred Peters
Gesamtherstellung: Zettler, Schwabmünchen
ISBN 3-404-01350-6

Der Preis dieses Bandes versteht sich einschließlich
der gesetzlichen Mehrwertsteuer

INHALT

Band II:

TEIL VI

DER ANFANG VOM ENDE

KAPITEL 25

AFRIKA WIRD FEINDFREI

Die erste Folge des Fehlschlages des alliierten Versuches, im Dezember 1942 Tunis zu nehmen, war die Aufgabe der ursprünglichen Idee, Rommel zwischen der ihn verfolgenden britischen 8. Armee und der neuen 1. Armee in Tunesien in die Zange zu nehmen. Jetzt mußten die beiden Armeen noch eine geraume Zeit sich einzeln mit den Streitkräften Rommels in Tripolitanien und Arnims in Tunesien auseinandersetzen; die Deutschen aber durften, je näher Rommel an Arnim heranrückte, die strategischen Vorteile einer mittleren Position ausnutzen, die ihnen gestattete, ihr kombiniertes Gewicht gegen den einen oder den anderen Angreifer zu werfen.

Nachdem Eisenhower vor Weihnachten in Tunesien zum Stehen gebracht worden war und jetzt vor die Aussicht gestellt wurde, bis zum Ende der Regen- und Schlammzeit warten zu müssen, suchte er durch einen Vorstoß mehr in südlicher Richtung die Küste bei Sfax zu erreichen und dadurch Rommels Nachschub- und Rückzugslinie abzuschneiden. Für diese »Operation Satin« wollte er hauptsächlich amerikanische Truppen einsetzen, die er im Raum Tebessa zusammenziehen und mit denen er das neue II. US-Korps unter Generalmajor Fredendall bilden wollte. Doch als er auf der Konferenz von Casablanca Mitte Januar 1943 den Vereinigten Stabschefs, die mit Roosevelt und Churchill zur Konferenz gekommen waren, diesen Plan auseinandersetzte, überwog bei der Erörterung die Ansicht, ein solcher Vorstoß ungeübter Truppen in einen Raum, wo sie bald mit Rommels Veteranen zu tun haben würden, sei zu riskant; vor allem General Alan Brooke war dieser Ansicht. Eisenhower ließ sich dazu bewegen, den Plan aufzugeben.

Diese Entscheidung überließ die nächste Aktion Montgomery, der Mitte Dezember bei Nofilia verhielt, um seine Kräfte zu sammeln, ehe er die Stellung bei Buerat 220 Kilometer weiter westlich angriff, auf die Rommel die Reste seiner Armee nach seinem langen Rückzug aus Ägypten zurückgezogen hatte.

Mitte Januar begann Montgomery seine neue Offensive. Sie war nach demselben Schema geplant wie die früheren: ein Angriff auf die Front des Feindes, der ihn dort festhalten sollte, kombiniert mit einem Flankenmanöver durch die Wüste im Innern, um ihm den Rückzug abzuschneiden. Diesmal jedoch vermied er jede vorbereitende Erprobung, die seine Absicht verraten und »den Feind aus seiner jetzigen Linie verscheuchen« würde. Außerdem wurde nur ein dünner Schleier von Panzern dazu benutzt, die feindliche Position zu beobachten, und das Gros von Montgomerys Armee wurde weit hinter der Front gehalten – bis zum Tag der Offensive, und dann ging die Truppe am Morgen des 15. direkt von dem langen Anmarsch zum Angriff über. Die 51. Division griff mit Panzerunterstützung an der Küstenstraße an, während die 7. Panzer- und die neuseeländische Division das Umfassungsmanöver ausführten. Zuerst stieß man auf keinerlei Widerstand, und dann leisteten westlich von Buerat nur feindliche Nachhuten einige Gegenwehr. Rommel hatte nämlich die Stellung bei Buerat schnell verlassen und war wiederum der Falle entkommen. Dies fiel ihm um so leichter, als, wie Alexander in seinem Bericht mit höflichem Tadel bemerkte, »die Neuseeländer und die 7. Panzerdivision nur sehr vorsichtig das südliche Ende des feindlichen Panzerabwehrschirmes umgingen«.

Rommel hatte seinen schwersten Kampf wiederum mit dem Oberkommando der Achse. Im fernen Rom hatte Mussolini wieder einmal jeden Kontakt mit der Wirklichkeit verloren, und in der Woche vor Weihnachten hatte er einen Befehl erlassen, »bis zum äußersten« an der Buerat-Stellung festzuhalten. Daraufhin fragte Rommel durch Funkspruch Marschall Cavallero, den Chef des Comando Supremo, was er denn tun solle, wenn die Briten diese leicht zu umgehende Position ignorieren und weiter westlich vorstoßen würden. Cavallero beantwortete die Frage nicht, aber betonte, die italienischen Truppen dürften nicht wieder dem Feind zur Beute fallen wie bei Alamein.

Rommel wies General Bastico auf den offenkundigen Widerspruch zwischen Mussolinis Befehl und Cavalleros Forderung hin. Wie die meisten Diener eines autoritären Regimes, suchte Bastico der Entscheidung und der Verantwortung für ein Vorgehen auszuweichen, das nicht den Hoffnungen und Illusionen seines Führers entsprach. Aber durch seine Hartnäckigkeit gelang es Rommel, ihn zum Befehl zum Rückzug der nichtmotorisierten italienischen Truppen auf die Linie Tarhuna-Homs, 200 Kilometer weiter westlich, zu veranlassen. Dann verlangte Cavallero in der zweiten Januarwoche, eine deutsche Divison solle bis zur Enge von Gabes zurückgezogen werden, um dort den erwarteten amerikanischen Angriff abzuhalten – der dann, wie berichtet, nicht erfolgte. Rommel war natürlich gern bereit, einem Verlangen zu entsprechen, das gut in seinen Plan paßte, und bestimmte die 21. Panzerdivision dazu. Dies ließ ihm nur die 36 Panzer der 15. Panzerdivision und die 57 veralteten italienischen Panzer der Centauro-Division, um den 450 Panzern entgegenzutreten, die Montgomery für seinen neuen Vorstoß zusammengezogen hatte. Rommel hatte aber keine Absicht, einen hoffnungslosen Kampf gegen eine solche Überlegenheit zu führen; daher zog er sich von der Buerat-Stellung zurück, sobald er durch seine Funkaufklärung erfuhr, daß die Briten zur Offensive am 15. Januar bereit seien.

Zwei Tage hielt er die britischen Truppen noch auf, in denen sie nicht nur wegen der weithin verstreuten Minen, sondern auch wegen des Verlusts von etwa 50 Panzern bei der Durchbrechung des dünnen deutschen Abwehrschirms nur vorsichtig operierten. Dann aber zog er am 17. seine motorisierten Truppen auf die Linie Tarhuna–Homs zurück und befahl der dort stehenden italienischen Infanterie, bis Tripolis zurückzugehen. Die Linie Tarhuna–Homs war leichter zu verteidigen als die Stellung bei Buerat; aber die massierten Panzerverbände, die Montgomery gegen seine Flanke im Landesinnern einsetzte, überzeugten Rommel am 19., daß auch hier ein längerer Widerstand unmöglich war und seine Rückzugsstraße gefährden würde. Daher begann er noch in der Nacht, seine Truppen von dort zurückzuziehen, während bereits die Hafenanlagen Tripolis' gesprengt wurden.

Am nächsten Morgen kam eine Nachricht von Cavallero, die

Rommel Mussolinis schärfste Mißbilligung des Rückzuges und entschiedene Forderung überbrachte, die Linie noch mindestens drei Wochen zu halten. Am Nachmittag kam Cavallero angeflogen, um dieser Botschaft noch persönlichen Nachdruck zu verleihen. Rommel wies sarkastisch darauf hin, daß jeder solche Termin vom Verhalten des Feindes abhänge, solange man keine ausreichenden Verstärkungen habe, um dem Feind entgegenzutreten. Schließlich legte er Cavallero den Kern der Frage in der gleichen Form vor, wie er sie im November Bastico vorgelegt hatte, als dieser verlangte, die Mersa-Brega-Linie zu halten: »Wir können entweder Tripolis einige Tage länger halten und unsere Armee verlieren, oder Tripolis einige Tage früher aufgeben und die Armee für Tunesien retten. Entscheiden Sie sich!« Cavallero vermied, eine klare Entscheidung zu treffen; aber er traf sie indirekt, indem er Rommel anwies, die Armee müsse gerettet und Tripolis so lange wie möglich gehalten werden. Rommel begann darauf sofort die nichtmotorisierten italienischen Truppen und die transportablen Vorräte nach rückwärts zu verlegen. Dann zog er in der Nacht zum 22. den Rest der Truppen aus der Linie Tarhuna—Homs zurück und ging direkt bis zur tunesischen Grenze, 160 Kilometer westlich von Tripolis, und dann bis zur Mareth-Linie, 130 Kilometer weiter zurück.

Die Briten folgten ihm über die Buerat-Linie hinaus nur »zähflüssig«, wie Montgomery selbst es beschrieb. Das lag nicht nur an den Minen und Straßensprengungen, sondern auch an der äußersten Vorsicht, mit der man die Nachhut des Feindes anfaßte. Montgomery betont in seinen Erinnerungen, der Vormarsch an der Küstenstraße habe es ganz allgemein »an Initiative und Elan fehlen lassen«; er unterstrich diesen Kommentar durch das Zitat einer Tagebucheintragung vom 20. Januar: »Rief den Kommandeur der 51. Division an und gab ihm eine majestätische Abreibung, dies hatte eine sofortige Wirkung.« Doch in Wahrheit hatte sich Rommel bereits auf die Linie Tarhuna—Homs zurückgezogen, und nicht der stärkere feindliche Druck an der Küstenstraße, sondern die Massierung von Panzern gegen seine rechte Flanke hatten ihn zu dem Befehl veranlaßt, am 22. auch diese Linie aufzugeben

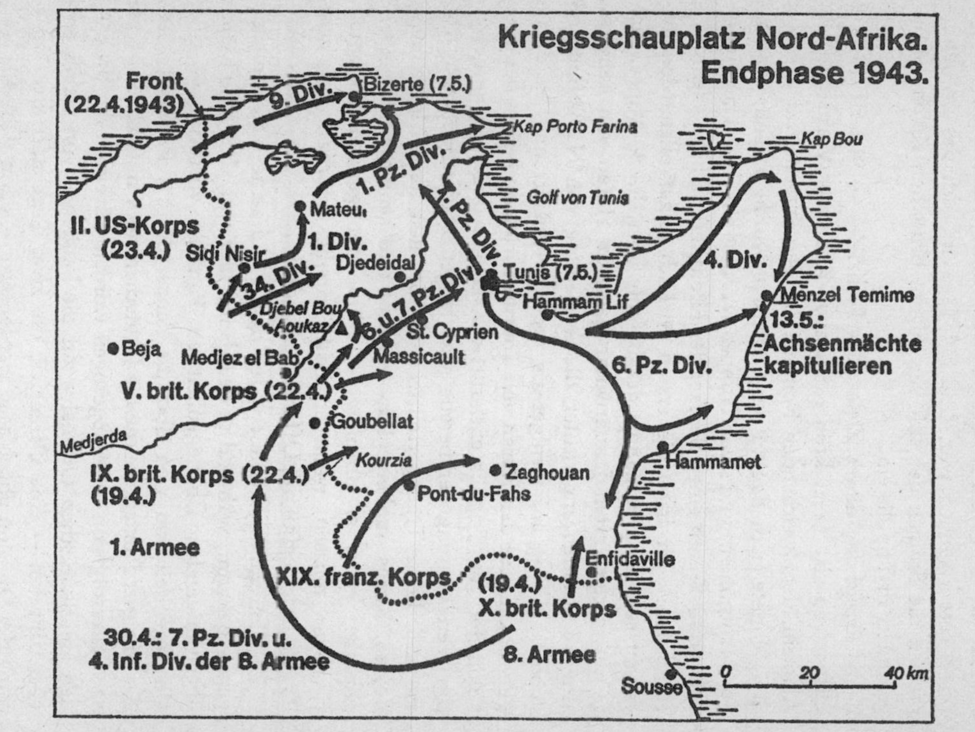

Kriegsschauplatz Nord-Afrika.
Endphase 1943.
Front (22.4.1943)
9. Div.
Bizerte (7.5.)
Kap Porto Farina
Kap Bou
1. Pz. Div.
Golf von Tunis
Mateur
II. US-Korps (23.4.)
Sidi Nisir
1. Div.
34. Div.
Djedeidal
Pz. Div.
Tunis (7.5.)
Djebel Bou Aoukaz
6. u. 7. Pz. Div.
Hammam Lif
4. Div.
Menzel Temime
13.5.: Achsenmächte kapitulieren
Beja
Medjez el Bab
St. Cyprien
Massicault
6. Pz. Div.
V. brit. Korps (22.4.)
Goubellat
Medjerda
Kourzia
Zaghouan
Hammamet
IX. brit. Korps (22.4.) (19.4.)
Pont-du-Fahs
1. Armee
Enfidaville
XIX. franz. Korps
(19.4.)
X. brit. Korps
30.4.: 7. Pz. Div. u. 4. Inf. Div. der 8. Armee
8. Armee
Sousse
0
20
40 km

und sich auf die tunesische Grenze zurückzuziehen. Als die 51. Division beim Mondschein vorrückte, wobei die Spitzen der Infanterie auf den Panzern aufgesessen waren, fanden sie, daß der Feind verschwunden war. Und bei Tagesanbruch des 23. Januar rückten die Spitzen der sich vereinigten britischen Kolonnen ungehindert in Tripolis ein.

Die Erreichung dieses Zieles, des Fernzieles so vieler britischer Offensiven seit 1941, krönte den 2000-Kilometer-Vormarsch von Alamein, dem weichenden Rommel auf den Fersen. Auf den Tag drei Monate nach Beginn der Offensive wurde Tripolis erreicht. Für Montgomery und seine Truppen war dies ein Grund zum Jubel; aber er stieß auch einen Seufzer der Erleichterung aus — denn, wie er schrieb: »Ich habe die ersten wirklich angstvollen Momente gehabt seit der Übernahme des Befehls über die 8. Armee.« Ein Sturm in der ersten Januarwoche hatte im Hafen von Benghasi schwere Schäden angerichtet, die Ausladung von Nachschub von 3000 t am Tag auf weniger als 1000 t reduziert und die Briten gezwungen, auf den Hafen von Tobruk zurückzugreifen, der 1200 Kilometer von Tripolis entfernt war. Dies bedeutete eine gewaltige Verlängerung der bereits sehr langen Nachschubstraße. Um die zusätzlichen Transportmittel bereitzustellen, hatte Montgomery das 10. Korps »unbeweglich« gemacht und seinen Fahrzeugpark requiriert; aber er fürchtete, er würde den ganzen Vormarsch einstellen müssen, wenn er nicht Tripolis innerhalb von zehn Tagen nach Beginn der Offensive erreichte.

Zu Montgomerys Glück waren dem Feind seine Nachschubsorgen unbekannt, während es dem Feind klar war, daß er mit einer überwältigenden Überlegenheit an Panzern vorrückte — einer Überlegenheit von 14:1 über die Panzer der 15. Panzerdivision, die einzigen Panzer, welche die Deutschen noch hatten. Wenn die 21. Panzerdivision nicht abgezogen worden wäre, um der drohenden amerikanischen Offensive auf die Landenge von Gabes entgegenzutreten — eine Offensive, die zwei Tage nach der Verlegung der Division abgeblasen worden war —, dann wäre ein Festhalten an der Linie Tarhuna–Homs vielleicht möglich gewesen. Dann hätte Montgomery, nach eigener Aussage, den Vormarsch abbrechen und sich bis Buerat zurückziehen müssen — denn als er in Tripolis einrückte, war es zwei Tage vor Ablauf seiner Zehn-Tage-Frist.

In Tripolis machten die Briten mehrere Wochen Pause, um den durch Sprengungen blockierten Hafen instand zu setzen. Erst am 3. Februar konnte das erste Schiff wieder einlaufen, erst am 9. der erste Geleitzug. Dem Rückzug des Feindes waren nur leichte Truppen gefolgt, und Montgomerys Spitzendivision rückte erst am 16. Februar über die tunesische Grenze vor — Rommels Nachhut hatte sich in der Nacht zuvor auf das Vorfeld der Mareth-Linie zurückgezogen. Diese Linie hatten ursprünglich die Franzosen gebaut, um eine italienische Invasion Tunesiens von Tripolitanien aus zu verhindern. Sie bestand nur aus einer Kette von Blockhäusern, und Rommel hielt es für besser, sich auf neu ausgehobene Schützengräben zwischen den einzelnen Häusern zu verlassen. Nach einer Inspektion der Mareth-Linie meinte er sogar, es wäre klüger, die Verteidigung des Raums von Tunis auf die Linie bei dem Wadi Akarit zu stützen — 60 Kilometer weiter hinten und 25 Kilometer westlich von Gabes. Diese Linie konnte nicht umgangen werden, da sich ihre Inland-Flanke an die Salzsümpfe von Schott el Dscherid anlehnte.

Aber dieser Vorschlag war nicht im Sinne weit vom Schuß lebender Diktatoren, die immer noch hoffnungsvoll Luftschlösser errichteten, und Rommels eigenes Prestige war auf einem Tiefpunkt. Mussolini machte seinem Ärger über den Verlust von Tripolis Luft, indem er Bastico zurückberief und Cavallero entließ, der durch General Ambrosio ersetzt wurde. Auch Rommel hatte schon am 26. Januar ein Telegramm bekommen, in dem ihm mitgeteilt wurde, angesichts seines schlechten Gesundheitszustandes werde er nach der Konsolidierung seiner neuen Stellung an der Mareth-Linie des Kommandos enthoben; seine Armee werde den Namen 1. italienische Armee erhalten, und General Giovanni Messe werde ihr Befehlshaber werden. Es blieb ihm jedoch überlassen, das Datum der Übergabe und der Abreise zu bestimmen

— ein Zugeständnis, von dem er zum Schaden der Alliierten ausgiebigen Gebrauch machte.

Rommel war ein kranker Mann, und die Belastung der letzten drei Monate hatte ihre Spuren hinterlassen. Aber er sollte jetzt im Februar zeigen, daß immer noch viel in ihm steckte.

Statt über den Vormarsch der Amerikaner auf seine Rückzugslinie nach Südtunesien beunruhigt zu sein, witterte er eine gute Gelegenheit anzugreifen, bevor Montgomery wieder in seine Nähe kommen konnte. Obwohl die Mareth-Linie eine schwache Verteidigungsstellung war, bot sie doch ein Hindernis für Panzer und würde Montgomery zum mindesten aufhalten. Außerdem hatte Rommel seine Kräfte wieder verstärken können: Durch seinen Rückzug nach Westen war er seinen Nachschublägern näher gekommen und erhielt jetzt mehr Nachschub, als er auf dem langen Rückzug verloren hatte. An Truppen hatte er jetzt wieder ebensoviel wie beim Beginn der Schlacht von Alamein: Bei seiner Ankunft in Tunesien betrug seine Armee knapp 30 000 Deutsche[1] und etwa 48 000 Italiener — einschließlich der 21. Panzerdivision, die in den Raum Gabes—Sfax kommandiert worden war, und der italienischen Centauro-Panzerdivision, die zur Bewachung des Engpasses von El Guettar gegenüber der amerikanischen Stellung bei Gafsa abgestellt worden war. In bezug auf Bewaffnung war seine Lage freilich nicht annähernd so gut: Die deutschen Einheiten hatten nur etwa ein Drittel ihrer Sollstärke an Panzern, ein Viertel ihrer Sollstärke an Panzerabwehrgeschützen und ein Sechstel der von Artillerie. Außerdem waren von seinen etwa 130 Panzern weniger als die Hälfte wirklich einsatzfähig. Trotz allem aber war die Gesamtsituation relativ besser, als sie werden würde, sobald Montgomery vollen Gebrauch von dem Hafen Tripolis machen und seine überlegenen Kräfte an der tunesischen Grenze zusammenziehen konnte. Rommel war bestrebt, dieses Intervall auszunutzen.

Er plante einen doppelten Schlag in napoleonischem Stil; er wollte seine mittlere Position zwischen zwei feindlichen Streit-

1 Das war etwa die Hälfte ihrer Sollstärke und die gleiche Zahl wie bei Beginn der Schlacht von Alamein.

kräften ausnutzen, um die einen anzugreifen, bevor die anderen zu Hilfe kommen konnten. Wenn es ihm gelänge, die hinter ihm stehenden Amerikaner zusammenzuschlagen, dann würde er beide Hände frei haben, um Montgomerys 8. Armee anzugreifen, die jetzt durch die Verlängerung ihrer Nachschublinien geschwächt war.

Es war ein brillanter Plan; aber sein größtes Handicap war, daß seine Durchführung zum großen Teil von Kräften abhing, die nicht unter Rommels Befehl standen. Er selbst konnte von der Mareth-Linie nur gerade genug Kräfte einsparen, um eine große Kampfgruppe – weniger als eine halbe Division – unter Oberst von Liebenstein zu bilden. Seine bewährte 21. Panzerdivision, schon vorher nach Tunesien entsandt, stand gerade da, wo sie angreifen sollte; aber sie war jetzt der Armee Generaloberst von Arnims unterstellt. Daher mußte Arnim über die Ziele des Hauptangriffs und die dabei einzusetzenden Kräfte entscheiden, während Rommel nur mitwirken konnte.

Das Objekt dieses Gegenangriffes war das II. US-Korps, zu dem eine französische Division gehörte. Seine Front war 150 km breit; aber das Schwergewicht lag auf den drei Straßen durch die Berge zum Meer, vor allem bei den Pässen in der Nähe von Gafsa, Faid und Fonduk. Diese Pässe waren so eng, daß sich die Amerikaner sicher fühlten.

Doch Ende Januar machten die Panzer der 21. Division einen plötzlichen Vorstoß zum Faid-Paß, überwältigten die schlecht bewaffneten Franzosen, bevor die Amerikaner zur Hilfe kommen konnten, und schufen sich dadurch ein Sprungbrett für den geplanten größeren Angriff. Dieser Coup machte die alliierten Befehlshaber darauf aufmerksam, daß eine solche Offensive vom Feind geplant wurde; aber sie erwarteten den Angriff nicht aus dieser Richtung, sondern hielten den Überfall auf den Faid-Paß für ein Ablenkungsmanöver und vermuteten, der eigentliche Angriff würde bei Fonduk erfolgen. General Bradley schreibt in seinen Erinnerungen: »Diese Annahme wurde fast zu einem Glaubenssatz.« Sie bestand sowohl in Eisenhowers Hauptquartier wie in dem der britischen 1. Armee unter Anderson, der jetzt die gesamte alliierte Front in Tunesien bis zur Ankunft von General Alexander befehligte. Dieser war auf der Casablanca-Konferenz zum Befehlshaber – unter Eisenhower – der neuen 18. Armeegruppe ernannt worden, die aus der 1. und 8. Armee gebildet werden sollte, sobald die letztere in Tunesien einrückte. Um sich gegen den erwarteten Angriff abzusichern, hielt Anderson das Kampfkommando B mit der Hälfte der amerikanischen Panzer hinter Fonduk in Reserve. Diese Fehlkalkulation erleichterte den Vorstoß des Feindes.

Bis Anfang Februar waren die Truppen der Achse in Tunesien auf gut 100 000 Mann verstärkt worden – ein besseres Verhältnis zu der Stärke der Alliierten, als es im Dezember bestand oder als es bestehen würde, wenn die Alliierten ihre Kräfte konzentriert haben würden. Etwa 30 Prozent davon waren Verwaltungs- und Versorgungseinheiten; die Zahl der Panzer – es waren jetzt fast nur deutsche Panzer – betrug über 280, davon 110 der 10. Panzerdivision, 91 der 21. Panzerdivision, ein Dutzend »Tiger« einer Spezialeinheit, während Rommel jetzt 26 Panzer der Gruppe Liebenstein und 23 restliche italienische Panzer der Centauro-Division mitbrachte. Diese Gesamtzahl war zwar wesentlich geringer als die der alliierten Panzer und machte auch eine zahlenmäßige Überlegenheit an dem für den Angriff ausgewählten Frontabschnitt unmöglich. Denn die erste US-Panzerdivision, die an diesem Abschnitt im südlichen Tunesien stand, hatte zwar nicht ihre volle Stärke, aber immerhin etwa 300 einsatzfähige Panzer – wenn auch 90 veraltete »Stuarts« – und 36 Panzerzerstörer; sie war auch an Artillerie weit stärker als eine Panzerdivision[1]. Zu Rommels Enttäuschung war aber nur ein Teil der 10. Panzerdivision zur Verstärkung der 21. abgestellt worden und auch nur für den Anfang, da Arnim die 10. Division für einen späteren Angriff weiter nördlich einsetzen wollte.

1 Diese Zahlen zeigen, wie irreführend es sein kann, die Stärke der Alliierten und der Achse nach der Zahl der auf beiden Seiten stehenden Divisionen zu vergleichen, wie es die alliierten Befehlshaber und viele der amtlichen Kriegshistoriker getan haben. Zu dieser Zeit war die Sollstärke einer amerikanischen Panzerdivision mit 390 Panzern über doppelt so groß wie die einer normalen deutschen Panzerdivision mit 180 Panzern. Das wirkliche Verhältnis war meist noch krasser, da es

Am 14. Februar begann der deutsche Angriff, als die 21. Panzerdivision zusammen mit dem Kontingent der 10. von Faid weiter vorstieß. Arnims Stellvertreter, General Ziegler, hatte das unmittelbare Kommando. Während zwei Kampfgruppen der 10. Panzerdivision vom Faid-Paß in zwei Kolonnen vorrückten, um die vorgeschobenen Einheiten der 1. US-Panzerdivision in die Zange zu nehmen, versuchten zwei Kampfgruppen der 21. Panzerdivision durch eine größere Flankenbewegung im Süden während der Nacht in den Rücken der Amerikaner zu gelangen. Obwohl es Teilen der US-Division gelang, zu entkommen, ehe der Ring sich schloß, war der Verlust an Material sehr hoch: Das Kampffeld war besät mit brennenden amerikanischen Panzern, von denen 40 dabei verlorengingen. Am nächsten Morgen wurde die Kampfgruppe C eilig nach vorne geschickt, um einen Gegenangriff zu führen; sie wurde prompt von deutschen Verbänden eingeschlossen, und nur vier seiner Panzer entkamen.

Zum Glück für die Alliierten nutzten die Deutschen ihren Erfolg nicht schnell genug aus. Rommel hatte Ziegler am 14. beschworen, die ganze Nacht durchzufahren und den Anfangserfolg so gründlich wie möglich auszunutzen: »Die Amerikaner hatten keine praktische Kampferfahrung, und es mußte unsere Aufgabe sein, ihnen von Anfang an einen tiefen Minderwertigkeitskomplex beizubringen.« Aber Ziegler hielt sich für verpflichtet zu warten, bis er Arnims Genehmigung erhielt; erst am 17. stieß er 40 Kilometer bis nach Sbeitla vor. Dort aber hatten die Amerikaner Kräfte zusammengezogen, und infolgedessen stießen die Deutschen auf härteren Widerstand. Die Kampfgruppe B (jetzt unter Brigadegeneral Robinett hielt die Deutschen bis zum späten Nachmittag in Schach und half, den Rückzug der geschlagenen Reste der anderen zwei Kampfkommandos zu decken – bis es

die Deutschen schwerer hatten, Ausfälle wieder zu ersetzen. Wie man sieht, hatte selbst die dezimierte 1. US-Panzerdivision rund dreimal soviel Panzer wie der Durchschnitt der feindlichen Panzerdivisionen. Die Sollstärke einer britischen Panzerdivision war kurz vorher auf etwa 270 Panzer vermindert worden; aber im Jahr 1944 wurde sie wieder auf 310 erhöht, da auch die Aufklärungseinheiten mit Panzern statt mit Panzerspähwagen ausgerüstet wurden. Die tatsächliche Stärke der alliierten Panzerdivisionen war meist zwei- bis dreimal so hoch wie die einer deutschen.

sich selbst zurückzog im Rahmen der von Anderson angeordneten Zurücknahme des ganzen alliierten Südflügels auf die Linie der Dorsal-Bergrücken. Insgesamt hatten die Deutschen über 100 Panzer erbeutet und fast 3000 Gefangene gemacht.

Unterdessen war die von Rommel mitgebrachte Kampfgruppe, die bei Gafsa die äußerste südliche Flanke der Alliierten angriff, in diese Stadt eingerückt, nachdem sie am 15. geräumt worden war. Sie beschleunigte ihr Tempo, schwenkte nach Nordwesten, stieß am 17. 80 Kilometer weit über Feriana hinaus vor und nahm den amerikanischen Flugplatz bei Thelepte. General Alexander – der am gleichen Tag in Nordafrika eintraf und am 19. den Oberbefehl über beide Armeen übernahm – schrieb in seinem Bericht: »In der Verwirrung des Rückzuges wurden amerikanische, französische und britische Truppen unentwirrbar durcheinandergemischt; es gab keinen gemeinsamen Abwehrplan mehr und dafür völlige Unklarheit darüber, wer kommandierte.« Rommel erfuhr, daß die Alliierten sogar ihr Nachschublager in Tebessa, 60 Kilometer weiter hinter dem nächsten Gebirgszug, in Brand gesetzt hatten. Dies schien ihm ein klarer Beweis, daß sie einer Panik nahe waren.

Aber jetzt erfolgte die entscheidende Wende – obwohl die alliierten Befehlshaber meinten, diese sei erst drei Tage später eingetreten. Rommel wollte die Verwirrung und Panik beim Feind durch einen kombinierten Vorstoß aller verfügbaren Kräfte auf Tebessa ausnutzen. Er glaubte, ein so tiefer Vorstoß zu den Hauptverbindungswegen der Alliierten »würde die Briten und Amerikaner zwingen, das Gros ihrer Truppen nach Algerien zurückzuziehen« – eine Möglichkeit, die jetzt von den nervös gewordenen alliierten Befehlshabern ernsthaft erörtert wurde. Doch er stellte fest, daß Arnim, der bereits die 10. Panzerdivision zurückgezogen hatte, nicht zu einem solchen Abenteuer bereit war. So sandte Rommel seine Vorschläge an das Comando Supremo in Rom – er zählte auf Mussolinis Wunsch, »seine innenpolitische Stellung durch einen Sieg zu stärken«. Gleichzeitig gewann sein Stabschef Bayerlein den Luftwaffenbefehlshaber in Tunesien für den Plan.

Doch die Stunden verrannen, und erst gegen Mitternacht am 18. kam eine Meldung aus Rom, die den Angriff genehmigte, Rommel mit seiner Durchführung beauftragte und beide Panzerdivisionen ihm unterstellte. Jedoch der Befehl lautete weiter, der Angriff solle in nördlicher Richtung auf Thala und Le Kef erfolgen, nicht in nordwestlicher Richtung auf Tebessa. Nach Rommels Ansicht war dies »eine erschreckende und unglaubliche Kurzsichtigkeit« – denn es bedeutete, daß der kombinierte Vorstoß »viel zu nahe an der alliierten Front erfolgte und starke feindliche Reserven gegen uns ins Feld führen mußte«.

So erfolgte der Angriff genau dort, wo Alexander ihn erwartete, da er Anderson bereits befohlen hatte, seine Panzer für die Verteidigung Thalas zu konzentrieren – wenn auch aufgrund der irrigen Berechnung, Rommel werde eher einen »taktischen Sieg« anstreben als ein indirektes strategisches Ziel verfolgen. Diese irrige Annahme erwies sich als ein Glücksfall für die Alliierten, dank dem Comando Supremo – aber die Alliierten wären stark aus dem Konzept gebracht worden, hätte Rommel so angreifen dürfen, wie er wollte. Denn das Gros der alliierten Verstärkungen wurde in den Raum Thala kommandiert, während Tebessa nur dürftig von den Resten der 1. US-Panzerdivision gehalten wurde.

Rommels Angriff begann am frühen Morgen des 19. Februar, wenige Stunden nach Eintreffen der Meldung des Comando Supremo. Aber die Erfolgsaussichten waren geringer geworden, sowohl durch die Verzögerung als auch durch Arnims Verlegung der 10. Panzerdivision nach Norden, so daß sie jetzt zurückgerufen werden mußte und nicht rechtzeitig ankam, um bei der ersten Phase des Angriffs mitzuwirken. Rommel beschloß, die Kampfgruppe seines Afrika-Korps nach Norden zu schwenken, um den Vorstoß auf Le Kef durch Thala zu führen, während die 21. Panzerdivision Le Kef auf einer Umgehungsstraße über Sbiba erreichen sollte.

Der Weg nach Thala führte durch den Kasserine-Paß zwischen Sbeitla und Feriana, und die Stellung dort wurde von einem amerikanischen Verband unter Oberst Stark gehalten. Ein erster

Versuch scheiterte, den Paß im Überraschungsangriff zu nehmen, und am Nachmittag wurden Starks Kräfte so weit verstärkt, daß sie denen des Afrika-Korps erheblich überlegen waren. Dennoch gelang es den Deutschen, am Abend an einigen Stellen einzudringen, und erst recht nach Dunkelwerden. Der Vorstoß der 21. Panzerdivision nach Sbiba war unterdessen durch ein Minenfeld und starke alliierte Abwehr mit überlegenen Panzern und Geschützen (die 21. Divison hatte nur noch 40 Panzer im Einsatz) blockiert worden. So beschloß Rommel, sich auf die Bezwingung des Kasserine-Passes zu konzentrieren, wo die Verteidigung erschüttert zu sein schien, und dabei die verspätet eintreffende 10. Panzerdivision einzusetzen. Doch es stellte sich heraus, daß die Division nur aus einem Panzerbataillon bestand: Arnim hatte fast die halbe Division zurückgehalten und ebenso das Bataillon mit »Tiger«-Panzern, mit dem Rommel besonders gerechnet hatte.

Sein konzentrierter Angriff auf den Paß konnte erst nach Eintreffen dieser Teile der 10. Panzerdivision am Nachmittag des 20. erfolgen. Nachdem er selbst hier an die vorderste Front gekommen war, setzte er die gesamte verfügbare Infanterie – fünf Bataillone, darunter ein italienisches Bersaglieri-Bataillon – zu einem gleichzeitigen Angriff an, und diesem gelang ein Durchbruch. Aber die Angreifer fanden dann hartnäckigen Widerstand einer kleinen britischen Einheit, die erst überwunden werden konnte, nachdem ein Panzerbataillon zur Verstärkung herangekommen war und dessen elf Panzer kampfunfähig geschossen wurden. Die amtliche amerikanische Kriegsgeschichte, mit einer in amtlichen Kriegsgeschichten seltenen Ehrlichkeit, hebt nicht nur den hartnäckigen Widerstand dieser britischen Einheit hervor, sondern bemerkt auch in bezug auf den leichten Durchbruch an anderen Stellen: »Der Feind war erstaunt über die Menge und die Qualität der amerikanischen Ausrüstung, die mehr oder weniger unversehrt erbeutet worden war.«

Nach der Einnahme des Passes schickte Rommel Aufklärungseinheiten auf die Straße nach Thala und ebenfalls auf die Straße nach Tebessa, um die Alliierten im unklaren zu lassen, wohin sie ihre Reserven werfen sollten, und auch um die Möglichkeit zu erkunden, doch noch seinen ursprünglichen Plan der Einnahme des großen amerikanischen Versorgungslagers bei Tebessa zu verfolgen.

Am nächsten Morgen, dem 21. Februar, blieb Rommel stehen in Erwartung eines alliierten Angriffs zur Wiedereinnahme des Kasserine-Passes. Diese Pause schien seinen Gegnern unverständlich, weil sie nicht wußten, wie gering seine Kräfte im Vergleich zu denen der Alliierten waren. Als Rommel feststellte, daß sich auch die Gegner nicht rührten, stieß er mit den ihm zur Verfügung stehenden Teilen der 10. Panzerdivision auf der Straße nach Thala weiter vor. Die ihm gegenüberstehende britische 26. Panzerbrigade zog sich langsam vor den Deutschen zurück und leistete nur an verschiedenen Bergketten Widerstand, bis sie von der Flanke umgangen wurde. Aber als ihre Panzer sich am Abend auf die bereits vorbereitete Stellung bei Thala zurückzogen, folgte ihnen eine Gruppe deutscher Panzer auf den Fersen — an ihrer Spitze schlauerweise ein erbeuteter »Valentine«, so daß man annahm, es seien versprengte britische Panzer. So drangen die Deutschen plötzlich in die Stellung ein, überrannten einen Teil der Infanterie, zerstörten viele Fahrzeuge und verbreiteten Verwirrung. Nach einem dreistündigen Durcheinander nahmen sie bei ihrem Rückzug 700 Gefangene mit. Bei allen diesen Gefechten auf der Straße zwischen Kasserine und Thala hatten sie ein Dutzend Panzer verloren, aber fast 40 feindliche außer Gefecht gesetzt.

Rommel erwartete jetzt einen größeren Gegenangriff und beschloß, ihn abzuwarten. Aber im Lauf des Vormittags zeigte die Luftaufklärung, daß große alliierte Verstärkungen eingetroffen waren und sich näherten. Somit wurde es klar, daß die Aussicht eines weiteren Vorstoßes über Thala hinaus entschwunden war, während die linke Flanke der Achse sich in zunehmender Gefahr befand: Am vorhergehenden Nachmittag war die Kampfgruppe des Afrika-Korps auf der Straße nach Tebessa vorgerückt, um die dortigen Pässe zu nehmen und dem Vorstoß nach Thala die Flanke zu sichern; aber sie war durch schweres Feuer amerikanischer Artillerie aus Stellungen in der Höhe zum Stehen gebracht worden. Eine Wiederaufnahme des Vorstoßes am Morgen des 22. brachte nur geringe Gewinne und schwerere Verluste, als sich die Angreifer leisten konnten; denn in diesem Abschnitt waren ihnen die Amerikaner — Robinetts Kampfgruppe B und Allens 1. Infanteriedivision — zahlenmäßig weit überlegen.

Am gleichen Nachmittag kamen Rommel und Kesselring, der nach Tunesien geflogen war, zu dem Schluß, es habe keinen Zweck mehr, den Angriff nach Westen weiterzuführen, und man solle ihn abbrechen, um die Kampftruppen zu einem Gegenstoß nach Osten gegen die britische 8. Armee einzusetzen. Infolgedessen erhielten noch am Abend die Truppen den Befehl, sich zunächst bis zum Kasserine-Paß zurückzuziehen.

Unterdessen hatte General Allen versucht, einen Gegenangriff gegen die Flanke der Achse zu führen; aber dieser wurde verzögert durch die Schwierigkeit, mit Robinett Verbindung herzustellen. Erst am späten Nachmittag kam er in Gang und beschleunigte den Rückzug des Afrika-Korps auf den Kasserine-Paß, wobei die italienischen Einheiten ungeordnet zurückwichen. Rommel war beeindruckt von der zunehmenden taktischen Geschicklichkeit der Amerikaner und der Genauigkeit ihres Artilleriefeuers, ebenso wie von ihrer überreichen Bewaffnung. Seine schwachen Verbände wären in ernste Gefahr geraten, wenn ein größerer und umfassender Gegenangriff geführt worden wäre.

Jedoch seine Schwäche und der Umschwung in der Situation wurden von dem alliierten Oberkommando nicht erkannt. Wie die amtliche amerikanische Kriegsgeschichte bemerkt, wurde General Fredendalls Leitung der Operationen gegen den zurückweichenden Feind »außerordentlich zögernd gerade zu dem Zeitpunkt, als der Feind am verwundbarsten war«. Auch Anderson war noch auf Defensive eingestellt. Die starken alliierten Einheiten bei Sbiba wurden in dieser Nacht sogar 15 Kilometer nach Norden zurückgezogen, aus Furcht, Rommel könnte bei Thala durchbrechen und sie im Rücken bedrohen; aus dem gleichen Grund wurde auch die Räumung Tebessas ins Auge gefaßt. Selbst als am Morgen des 23. der feindliche Rückzug aus Thala festgestellt wurde, geschah noch nichts, um den Feind zu bedrängen, und erst am späten Abend erging der Befehl zu einer allgemeinen Gegenoffensive am 25. Bis dahin aber hatte sich der Feind ungestört durch den Engpaß von Kasserine zurückgezogen, und der alliierte Versuch, den Feind zu »vernichten« und den Paß »wiederzuerobern«, war dann nur noch ein Spaziergang, gestört nur durch die Straßensprengungen und die Minen, die der entschwundene Feind zurückgelassen hatte.

Wenn man das Kräfteverhältnis und den sich verhärtenden feindlichen Widerstand in Rechnung stellt, kommt man zu dem Urteil, daß die Einstellung der Offensive der Achse sehr richtig war. Eine weitere Verfolgung wäre angesichts der jetzt auf alliierter Seite zusammengezogenen weit überlegenen Kräfte töricht gewesen. Nach dem materiellen Ergebnis waren die Vorteile der Offensive groß im Vergleich zu den Verlusten: Über 4000 Gefangene waren gemacht worden bei wenig mehr als 1000 Mann eigener Verlust, und etwa 200 Panzer waren zerstört oder kampfunfähig gemacht bei einem noch geringeren Verhältnis eigener Einbußen. Als ein Angriff mit begrenztem Ziel war es ein brillanter Erfolg. Aber er hatte das strategische Ziel, die Alliierten zum Rückzug aus Tunesien zu zwingen, nicht erreicht, wenn er auch ihm gefährlich nahe gekommen war. Das Ziel wäre wahrscheinlich erreicht worden, wenn die ganze 10. Panzerdivision für diesen Angriff bereitgestellt und Rommel von Anfang an mit der Leitung der Operationen beauftragt worden wäre — mit der Ermächtigung, den Stoß gegen Tebessa zu richten. Eine rasche Einnahme dieses großen amerikanischen Stützpunkts und Flugplatzes mit seinen gewaltigen Vorratslagern hätte es den Alliierten unmöglich gemacht, ihre Position in Tunesien zu halten.

Eine Ironie des Schicksals war das Eintreffen eines Befehls aus Rom am 23. Februar, der sämtliche Streitkräfte der Achse in Tunesien dem Kommando Rommels unterstellte. Diese Ernennung zum Befehlshaber der neugebildeten »Heeresgruppe Afrika« zeigte zwar, wie sehr der dramatische Erfolg dieses Gegenangriffes Rommels Prestige bei Mussolini und Hitler wieder gestärkt hatte; aber ihr Zeitpunkt hatte für ihn einen bitteren Beigeschmack, da die Ernennung am Vormittag nach Beginn des Rückzuges eintraf, viel zu spät, um die verpaßten Chancen noch einzuholen.

Der Befehl aus Rom kam auch zu spät, um Arnims geplanten Vorstoß im Norden zu stoppen, für den er Reserven zurückgehalten hatte, die viel besser für Rommels Angriff hätten eingesetzt werden können. Nach dem Plan sollte die Einnahme von Medjez el Bab das begrenzte Ziel sein, und der Angriff sollte am 26. beginnen. Doch am Morgen des 24. flog Arnim, nachdem er Rommel durch einen seiner Stabsoffiziere von diesem begrenzten Plan unterrichtet hatte, zu Kesselring nach Rom, und dort entstand aus dieser Unterredung ein viel weiter gesteckter Plan. An acht verschiedenen Stellen auf einem Frontabschnitt von 100 Kilometern zwischen der Nordküste und Pont-du-Fahs sollten Angriffe gegen das britische 5. Korps erfolgen; der Hauptangriff eines Panzerverbandes sollte gegen den Straßenkreuzungspunkt Beja, 90 Kilometer westlich Tunis, gerichtet und mit einer Panzerbewegung zur Einnahme von Medjez el Bab kombiniert werden. Obwohl alle verfügbaren Kräfte für den Angriff bestimmt wurden, waren sie doch in keiner Weise seiner großen Ausdehnung angemessen. Für den Vorstoß nach Deja wurde der Panzerverband auf 77 Panzer verstärkt, darunter 14 »Tiger«; aber auch dies wurde nur erreicht, indem man 15 Panzer »einkassierte«, die soeben in Tunis angekommen und für die 21. Panzerdivision bestimmt waren. Rommel war entsetzt, als er von dem neuen Plan erfuhr, und bezeichnete ihn als »völlig unrealistisch« — wenn er ihn auch irrtümlich dem italienischen Comando Supremo zuschrieb, das in Wirklichkeit genauso konsterniert darüber war wie er selbst.

Arnims Angriffsbefehl ging am 25. heraus, und die Offensive sollte am nächsten Tag beginnen, dem für den kleineren Plan vorgesehenen Datum. Das war zwar ein bemerkenswertes Zeichen für die Schnelligkeit und Elastizität der deutschen Planung, aber doch zu schnell für eine so umfangreiche Abänderung. Die beste Leistung bei dieser Offensive errang die Division General von Manteuffels am nördlichsten Abschnitt, die fast 1600 britische und französische Gefangene machte. Der Hauptangriff einer deutschen Panzergruppe überrannte zwar die vorgeschobene britische

Stellung bei Sidi Nsir, geriet aber dann in einen engen sumpfigen Engpaß 15 Kilometer vor Beja, wo britische Geschütze den Deutschen schwere Verluste zufügten: Alle deutschen Panzer bis auf sechs wurden kampfunfähig, und der Vorstoß erlahmte. Der Ablenkungsangriff auf Medjez el Bab scheiterte ebenfalls nach einigen Anfangserfolgen, und genauso erging es den anderen Angriffen weiter südlich. Insgesamt machten die Achsenstreitkräfte dabei 2500 Gefangene bei eigenen Verlusten von nur knapp über 1000 Mann; aber dies wurde dadurch ausgeglichen, daß 71 ihrer Panzer zerstört oder kampfunfähig wurden, während die Briten nur etwa zwei Dutzend verloren. Denn die Deutschen hatten einen Fehlbedarf an Panzern, und die ihrigen konnten nicht so leicht ersetzt werden.

Schlimmer war, daß diese verfehlte Offensive die Freigabe der Divisionen verzögerte, die für Rommels geplanten zweiten Angriff gegen Montgomerys Stellung bei Medenine gegenüber der Mareth-Linie benötigt wurden. Denn Kesselring hatte verlangt, die 10. und 21. Panzerdivision sollten lange genug in der Nähe der amerikanischen Flanke verbleiben, um die Amerikaner daran zu hindern, Reserven nach Norden zu schicken, während Arnims Truppen angriffen. Diese Verzögerung beeinträchtigte entscheidend die Erfolgsaussichten von Rommels östlichem Gegenschlag. Bis zum 26. Februar hatte Montgomery nur eine einzige Division bei Medenine; wie er später zugab, war er sehr beunruhigt, und sein Stab arbeitete fieberhaft, um das Kräfteverhältnis aufzubessern, bevor Rommel angreifen konnte. Bis zum 6. März aber, als der Angriff dann erfolgte, hatte Montgomery seine Kräfte vervierfacht, auf vier Divisionen mit fast 400 Panzern, 350 Geschützen und 470 Pak-Geschützen. So war in der Zwischenzeit Rommels Chance entschwunden, mit überlegenen Kräften anzugreifen. Seine drei Panzerdivisionen (die 10., 15. und 21.) hatten zusammen nur 160 Panzer — weniger als die Sollstärke einer einzigen Division — und wurden von nur 200 Geschützen und 10 000 Mann Infanterie unterstützt, abgesehen von den schwachen italienischen Verbänden in der Mareth-Linie. Außerdem hatte Montgomery jetzt drei Staffeln von Jägern, die von vorgeschobenen

Flugplätzen aus operierten, und besaß so die Luftüberlegenheit, wobei Rommels Chance, einen Überraschungserfolg zu erzielen, zunichte gemacht wurde, als zwei Tage vor Beginn des Angriffes das Herannahen seiner Panzerdivisionen entdeckt wurde.

In dieser Situation entfaltete Montgomery seine große Fähigkeit zum Aufbau einer koordinierten Verteidigung, und der Angriff wurde noch nachdrücklicher abgeschlagen als sechs Monate vorher bei Alam Halfa. Die vorrückenden Deutschen wurden bald durch konzentriertes britisches Feuer zum Stehen gebracht; die Nutzlosigkeit weiterer Angriffe erkennend, brach Rommel am Abend die Operation ab. Doch bis dahin hatte er mehr als 40 Panzer verloren, wenn auch nur 645 Mann; die Verluste der Verteidiger waren weit geringer.

Dieser Rückschlag machte jeder fundierten Hoffnung ein Ende, daß die an Truppen und an Waffen unterlegenen Streitkräfte der Achse noch imstande sein würden, eine der beiden alliierten Armeen zu schlagen, bevor sie sich vereinigten und gemeinsam angriffen. Schon eine Woche vorher hatte Rommel Kesselring eine nüchterne und pessimistische Lagebeurteilung geschickt, die auch die Ansicht seiner beiden Armeebefehlshaber Arnim und Messe zum Ausdruck brachte. Darin hatte er betont, daß die Truppen der Achse eine Front von 600 Kilometern gegen weit überlegene Kräfte — zweimal so stark an Zahl und sechsmal so stark an Panzern[1] — halten müßten und nur gefährlich dünne Linien aufbauen könnten. Er hatte vorgeschlagen, die Front auf einen Bogen von 150 Kilometern zu verkürzen, der Tunis und Bizerta einschloß; aber er hatte erklärt, auch dieser könne nur gehalten werden, wenn der Nachschub auf 140 000 t im Monat verstärkt würde. Zum Schluß hatte er nachdrücklich um Aufklärung über die langfristigen Pläne der Oberkommandos für den tunesischen Feldzug gebeten. Als Antwort erhielt er nach mehreren dringenden Mah-

1 Er schätzte die Stärke der Alliierten auf 210 000 Mann, 1600 Panzer, 850 Geschütze und 1100 Pak-Geschütze. Die wirkliche Stärke der Alliierten im März betrug aber über 500 000 Mann, davon freilich nur die Hälfte Kampftruppen, fast 1800 Panzer, 1200 Geschütze und über 1500 Pak-Geschütze.

nungen nur die Mitteilung, der Führer stimme mit seiner Lagebeurteilung nicht überein. Der Antwort lag eine Tabelle mit der Zahl der Verbände auf beiden Seiten bei, ohne Rücksicht auf ihre tatsächliche Stärke und Ausrüstung – die gleiche falsche Vergleichsbasis, die freilich auch die alliierten Befehlshaber, damals wie später, bei ihren Erfolgsberichten verwandten.

Nach dem Fehlschlag bei Medenine kam Rommel zu dem Schluß, es sei »reiner Selbstmord« für die deutschen und italienischen Truppen, in Afrika zu bleiben. Daher nahm er am 9. März seinen lange verschobenen Krankheitsurlaub, übergab das Kommando der Heeresgruppe an Arnim und flog nach Europa, um seinen Herren und Meistern die Situation zu erläutern.

Doch das Ergebnis war nur, daß er nichts mehr mit dem Feldzug in Afrika zu tun hatte. In Rom sprach er Mussolini, der »jedes Gefühl für die unangenehme Wirklichkeit verloren zu haben schien und die ganze Zeit nur nach Argumenten suchte, um seine Ansichten zu stützen«. Dann berichtete Rommel auch Hitler, der für seine Argumente völlig unzugänglich war und ihm zu verstehen gab, er sei seiner Ansicht nach ein »Pessimist« geworden. Hitler verbot Rommel, bald nach Afrika zurückzukehren, und sagte ihm, er solle erst wieder gesund werden, »um dann das Kommando über die Operationen gegen Casablanca zu übernehmen«. Da Casablanca unendlich weit entfernt an der Atlantikküste lag, ergibt sich daraus, daß sich Hitler immer noch einbildete, er könne die Alliierten vollständig aus Afrika hinauswerfen – ein Beweis für seine extreme Illusionsfähigkeit.

Unterdessen wurde eine kombinierte alliierte Offensive mit weit überlegenen Kräften vorbereitet, um das südliche Eingangstor nach Tunesien aufzusprengen, der 8. Armee die Vereinigung mit der 1. Armee zu ermöglichen und Messes »1. italienische Armee« – die frühere »Panzerarmee Afrika« Rommels – in die Zange zu nehmen. (General Bayerlein, obwohl dem Namen nach nur der Stabschef General Messes, hatte aber direkte Befehlsgewalt über alle deutschen Bestandteile dieser Armee.)

Nachdem er den deutschen Gegenangriff bei Medenine abgewiesen hatte, versuchte Montgomery nicht, diesen Abwehrerfolg und den schlechten Zustand der feindlichen Truppe durch einen sofortigen Vormarsch auszunutzen; sondern er ging methodisch vor und baute seine Kräfte und seine Nachschubverbindungen für einen wohlvorbereiteten Angriff auf die Mareth-Linie aus. Dieser Angriff sollte am 20. März erfolgen, zwei Wochen nach dem Kampf bei Medenine.

Zu seiner Unterstützung durch eine Bedrohung des feindlichen Rückens führte das amerikanische II. Korps im südlichen Tunesien am 17. März einen Angriff mit dreifachem Ziel: feindliche Reserven auf sich zu lenken, die dazu benutzt werden könnten, Montgomery zu blockieren; die Frontflugplätze bei Thelepte wieder zu erobern, um damit Montgomerys Vormarsch zu unterstützen; schließlich bei Gafsa ein Nachschubzentrum zur Versorgung Montgomerys bei seinem Vormarsch zu bilden. Die Angreifer sollten aber nicht den Rückzugsweg des Feindes durch einen Vorstoß bis zur Küste abschneiden. Diese Begrenzung der Ziele ging auf Zweifel an der Durchführbarkeit eines so tiefen Vorstoßes – 300 Kilometer bis zur Küste – und auf den Wunsch zurück, sich nicht wieder einem deutschen Gegenangriff auszusetzen wie im Februar. Aber sie erboste den aggressiven Kampfgeist General Pattons, der Fredendall als Korpskommandeur abgelöst hatte. Das 2. Korps umfaßte jetzt vier Divisionen mit 88 000 Mann – etwa viermal soviel wie die Streitkräfte der Achse, die ihnen gegenüberstanden.

Der amerikanische Angriff begann vielversprechend. Am 17. wurde Gafsa von Allens 1. Infanteriedivision kampflos besetzt, und die Italiener zogen sich 30 Kilometer zu einer Stellung in einem Engpaß östlich von El Guettar zurück. Am 20. gelangte Wards 1. Panzerdivision aus dem Raum Kasserine in die Flanke der Straße von Gafsa zur Küste, und am nächsten Morgen besetzte sie Station de Sened, bevor sie über Maknassy weiter östlich vorrückte.

Am gleichen Tag ließ Alexander Patton die Zügel locker, indem er ihm befahl, einen starken Panzervorstoß zur Abschneidung der Küstenstraße zu unternehmen, um Montgomerys soeben begonnene Offensive gegen die Mareth-Linie zu unterstützen. Doch dieser Angriff wurde vereitelt von der hartnäckigen Verteidigung des Passes und der umgebenden Höhen durch eine kleine deutsche Einheit unter Oberst Lang. Mehrere Angriffe am 23. zur Einnahme der beherrschenden Höhe 322 scheiterten, obwohl sie nur von etwa 80 Mann aus Rommels früherem Stabsbataillon verteidigt wurde. Ein neuer Angriff am nächsten Tag mit größerer Stärke wurde wieder abgeschlagen, weil auch die Verteidiger auf 350 Mann angewachsen waren. Am 25. wurde ein neuer Versuch gemacht unter der persönlichen Leitung von General Ward – aufgrund eines diktatorischen Telefonbefehls von Patton, der darauf bestand, der Angriff müsse endlich Erfolg haben. Aber er hatte keinen Erfolg und mußte angesichts feindlicher Verstärkungen aufgegeben werden; Ward wurde daraufhin des Kommandos enthoben. Aber Patton war so einseitig auf Angriff ausgerichtet, daß er die gegebenen taktischen Vorteile der Verteidigung auch gegen weit überlegene Kräfte nicht erkannte.

Diese Vorteile zeigten sich ebenfalls im Abschnitt El Guettar, auch bei Truppen, die zwar relativ kampfunerfahren, aber besonders gut ausgebildet waren wie die 1. US-Infanteriedivision. Hier hatten Allens Truppen die italienische Position durchbrochen und am nächsten Tag weitere Fortschritte gemacht; sie wurden aber am 23. durch einen deutschen Gegenangriff schwer getroffen, der von der dezimierten 10. Panzerdivision, der Hauptreserve der Heeresgruppe Afrika, ausgeführt wurde, die von der Küste heranbefohlen worden war. Der Gegenangriff überrannte die amerikanischen Spitzeneinheiten, lief sich aber dann in einem Minenfeld fest und wurde von Allens Artillerie und Panzerzerstörern schwer zusammengeschlagen; etwa 40 deutsche Panzer wurden im Laufe des Tages durch feindliches Feuer oder Minen kampfunfähig.

Indem er die wichtigste Panzerreserve des Feindes zu einem so verlustreichen Gegenschlag verlockte, hatte dieser begrenzte Vorstoß der Amerikaner den Fehlschlag von Maknassy wieder ausgeglichen. Er hatte nicht nur ein Gegengewicht gegen Montgomerys Kräfte auf sich gelenkt, sondern auch einen großen Teil der spärlichen Panzer des Feindes ausgeschaltet. Ihren schließlichen Sieg in Tunesien hatten die Alliierten mehr den drei erfolglosen Gegenangriffen des Feindes zu verdanken, die dem erfolgreichen Angriff bei Faid Mitte Februar folgten, als ihren eigenen Offensiven. Die klare Überlegenheit errangen die Alliierten erst, nachdem der Feind seine eigenen Kräfte überbeansprucht und erschöpft hatte. Wenn die Deutschen nicht ihre verbliebenen Kräfte in nutzlosen Gegenangriffen verbraucht hätten, hätten sie den Kampf wohl noch weiter in die Länge ziehen können.

In der Nacht zum 20. März begann Montgomerys Angriff auf die Mareth-Linie. Er hatte dazu das X. und das XXX. Korps mit zusammen etwa 160 000 Mann, 610 Panzern und 1410 Geschützen zusammengezogen. Die Armee General Messes umfaßte zwar auf dem Papier neun Divisionen im Gegensatz zu Montgomerys sechs, aber sie hatte weniger als 80 000 Mann mit 150 Panzern (einschließlich derer der 10. Panzerdivision bei Gafsa) und 680 Geschützen. So hatte der Angreifer eine Überlegenheit von über 2:1 an Mannschaften und Geschützen – ebenso an Flugzeugen – und von 4:1 an Panzern.

Die Mareth-Linie war 35 Kilometer lang, vom Meer bis zu den Matmata-Hügeln, und jenseits dieses Gebirgszuges hatte sie eine offene Flanke in der Wüste. Unter diesen Umständen wäre es klüger gewesen, die schwachen Kräfte der Achse hätten nur einen hinhaltenden Widerstand mit beweglichen Verbänden an der Mareth-Linie geleistet und ihre Abwehr dann an der Stellung von Wadi Akarit nördlich von Gabes aufgebaut – einer knapp 22 Kilometer breiten schmalen Landenge zwischen dem Meer und den Salzsümpfen, den sogenannten Schotts. Dies hatte Rommel schon seit dem Rückzug aus Alamein im November vorgeschlagen. Als er am 10. März mit Hitler sprach, war es ihm gelungen, ihn dazu zu bringen, Kesselring den Befehl zu erteilen, die nichtmotorisierten italienischen Divisionen in der Mareth-Linie sollten sich zum Wadi Akarit zurückziehen, um dort neue Stellungen aufzubauen. Aber die italienischen Oberbefehlshaber zogen es vor, an der Mareth-Linie festzuhalten, und Kesselring, der auch ihrer Ansicht war, bewog Hitler, den neuen Befehl rückgängig zu machen.

Nach Montgomerys ursprünglichem Plan sollte der Hauptschlag ein Frontalangriff der drei Infanteriedivisionen von General Leeses 30. Korps sein, das angewiesen wurde, die Abwehrstellungen am Meer zu durchbrechen und eine Lücke aufzureißen, durch welche die Panzerverbände von General Horrocks X. Korps nachstoßen könnten. Gleichzeitig machte das neuseeländische Korps unter General Freyberg einen weiten Umfassungsmarsch nach El Hamma, 40 Kilometer landeinwärts von Gabes, um dort den Feind im Rücken zu fassen.

Der Frontalangriff war ein Fehlschlag. Auf dem schmalen Abschnitt an der Küste gelang nur ein kleiner Einbruch in die feindliche Position, die durch das breite und tiefe Flußbett des Wadi Zigzaou und einen Panzergraben auf der anderen Seite geschützt wurde. Das weiche Flußbett und die dort gelegten Minen hinderten den Vormarsch der Panzer und der Geschütze, während die in die feindliche Stellung eingedrungene Infanterie einem konzentrierten Feuer ausgesetzt wurde. Eine Wiederholung des Angriffs in der folgenden Nacht erzielte eine gewisse Ausweitung des Brückenkopfes, und ein Teil der italienischen Truppen benutzte die Gelegenheit, um sich zu ergeben, als die Briten plötzlich in ihrer Mitte waren. Doch die Pak-Geschütze wurden immer noch durch das sumpfige Gelände aufgehalten, das sie durchqueren mußten, und am Nachmittag wurde die Infanterie wieder durch einen deutschen Gegenangriff mit 30 Panzern und zwei Infanteriebataillonen der 15. Panzerdivision überrannt; im Schutz der Dunkelheit zogen sich die Briten wieder über den Wadi zurück.

Das große Flankenmanöver hatte gut begonnen, war aber dann ins Stocken geraten. Nach einem langen Marsch vom rückwärtigen Gebiet der 8. Armee aus über schwieriges Wüstengelände hatte das neuseeländische Korps seine 27 000 Mann und 200 Panzer bis nahe an einen Paß 45 Kilometer westlich von Gabes und 25 Kilometer von El Hamma herangebracht, als in der Nacht zum 20. der Angriff an der Küste begann. Aber danach stießen die Neuseeländer in diesem Paß auf Widerstand, wo die Italiener von der 21. deutschen Panzerdivision aus der Reserve und dann auch von vier von der Mareth-Linie herangeführten Bataillonen des Afrika-Korps verstärkt wurden. Am Morgen des 13. März, als offenkundig keine Aussicht mehr auf Wiederaufnahme des Angriffs an der Küste bestand, beschloß Montgomery, seinen Plan zu revidieren und alle seine Kräfte auf der Flanke landeinwärts zu konzentrieren, da dort die Chancen besser waren, daß ein neuer Angriff mit größeren Kräften bis El Hamma durchbrechen könnte.

Die neue Planung war eine gute Konzeption und eine meisterhafte Abwandlung der früheren. Sie zeigte Montgomerys Fähigkeit, den Schwerpunkt seines Angriffs flexibel abzuändern und neue Hebel zu bilden, wenn der alte nicht funktionierte, fast noch besser als bei Alamein – wenn er auch nach seiner Gewohnheit später das ihm für seine Flexibilität, das eigentliche Kriterium militärischer Führung, gebührende Lob selbst entwertete, indem er so sprach, als sei von Anfang an alles genau nach Plan verlaufen. In vieler Hinsicht war dies seine beste militärische Leistung im Krieg, trotz der Schwierigkeiten, die aus seinem ursprünglichen Plan eines Durchbruchs an einem engen und sumpfigen Abschnitt in der Nähe der Küste entstanden, und trotz der Enthüllung der Möglichkeiten eines Umfassungsmanövers in der Wüste ohne ausreichende Kräfte, um dieses Manöver rasch durchzuführen.

Vorzeitige Enthüllung wurde auch das größte Handicap des neuen Angriffsplanes unter dem Namen »Supercharge II« – ein Name, der an den letzten erfolgreichen Plan von Alamein erinnerte. Denn alarmiert durch das Herannahen der Neuseeländer am 20., schloß das Oberkommando der Achse sogleich, daß die am 23. und 24. beobachteten weiteren Bewegungen in dieser Richtung einen Wandel in Montgomerys Plan und die Verlegung des Schwergewichts auf die Flanke in der Wüste bedeuteten. Dementsprechend wurde die 15. Panzerdivision in die Nähe von El Hamma befohlen, um dort die 21. Panzer- und 164. leichte Division zu unterstützen – zwei Tage bevor die britischen Verstärkungen in dem Raum eintrafen, und gerade rechtzeitig für den am 26. März festgesetzten Beginn des Angriffs.

Die Erfolgsaussichten von »Supercharge II« verminderten sich, als das Überraschungsmoment entfiel; aber dies wurde durch vier andere Faktoren ausgeglichen. Erstens hatte Arnim am 24. beschlossen, die Armee Messes auf die Stellung am Wadi Akarit zurückzunehmen, um nicht ihre Einschließung zu riskieren, und sich über Messes Wunsch hinweggesetzt, an der Mareth Linie zu bleiben — die Verteidiger sollten jetzt den Angriff nur noch lange genug aufhalten, bis die nichtmotorisierten Divisionen aus der Mareth-Linie herausgezogen waren. Zweitens wurde die Vormarschstraße von einem »Sperrfeuer« aus der Luft überzogen — durch mehrere Bomben- und Bordwaffenangriffe von 16 Jäger-Squadrons aus niedriger Höhe in Wellen von je zwei Squadrons in 15 Minuten Abstand; diese Nachahmung der deutschen Blitzkriegsmethoden wurde von Air Vice-Marshall Broadhurst, dem Befehlshaber der Desert Air Force, organisiert und funktionierte sehr gut — obwohl sie von seinen Vorgesetzten in der R.A.F. als nicht der offiziellen Doktrin entsprechend mißbilligt wurde. Der dritte Faktor war der kühne Entschluß, die Panzer auch während der Nacht vorstoßen zu lassen — was die Deutschen oft mit Erfolg praktiziert, die Briten aber bisher nur zögernd versucht hatten. Der vierte Faktor war reines Glück: Ein Sandsturm erhob sich, der die Zusammenziehung der britischen Panzer und den Beginn ihres Vormarsches durch einen mit feindlichen Pak-Geschützen dicht besetzten Paß verschleierte.

Der Angriff begann am 26. um 4 Uhr nachmittags, wobei die niedrige Sonne die Verteidiger blendete. Die 8. Panzerbrigade und die neuseeländische Infanterie kamen zuerst. Dann folgte die 1. Panzerdivision, drang unter dem Schutz von Staub und Abenddämmerung 8 Kilometer vor, verhielt bei Dunkelheit und fuhr »in einer festen Phalanx« nachts weiter, sobald der Mond aufgegangen war. Bei Tagesanbruch hatte sie den Engpaß passiert und war vor El Hamma angekommen. Hier wurden die Angreifer zwei Tage lang durch den deutschen Panzerabwehrschleier und einen Gegenangriff von etwa 30 Panzern aufgehalten — dies ermöglichte dem größten Teil der Truppen in der Mareth-Linie, sich zum Wadi Akarit zurückzuziehen, obwohl sie zu Fuß marschierten. Etwa 5000 Italiener waren gefangengenommen worden, hauptsächlich in der ersten Phase des Kampfes, und später etwa 1000 Deutsche im Kampf bei El Hamma; aber ihr Opfer ermöglichte dem Gros der Achsenstreitkräfte, sich heil und mit geringem Verlust an Ausrüstung zurückzuziehen. Mehr als eine Woche verging, ehe Montgomery bereit war, die neue Stellung des Feindes anzugreifen.

Unterdessen nahm Patton seinen Vorstoß zur Küste im Rücken des Feindes wieder auf, verstärkt durch die 9. und 34. US-Infanteriedivision. Der Hauptvorstoß sollte von El Guettar in Richtung Gabes erfolgen, wobei die Infanterie für die 1. Panzerdivision den Weg freikämpfen sollte; die 34. Division sollte 150 Kilometer aus der Reichweite des Feindes zurück, um sich neu zu ordnen – was die Deutschen zu der in einem Bericht niedergelegten Schlußfolgerung führte: »Die Amerikaner geben den Kampf auf, sobald sie angegriffen werden.« Der Hauptangriff erlitt ebenfalls am 28. nach geringem Geländegewinn einen Rückschlag. An diesem Tag war aber Montgomery schon bei El Hamma durchgebrochen und erreichte Gabes; daher wies Alexander Patton an, seine Panzer zur Küste vorstoßen zu lassen, ohne auf die Infanterie zu warten. Dieser Versuch wurde durch eine gut aufgebaute Kette feindlicher Pak-Geschütze vereitelt, und nach drei Tagen wurde die Infanterie wieder zu Hilfe gerufen. Obwohl Patton tobte, erzielte sie keine besseren Erfolge. Immerhin hatte die Gefahr eines Durchbruchs im eigenen Rücken dazu geführt, daß die deutsche 21. Panzerdivision an diesem Abschnitt zur Unterstützung der 10. abberufen worden war; diese Verminderung der ohnehin spärlichen feindlichen Panzerreserven war eine große Hilfe für Montgomerys bevorstehenden Frontalangriff auf die Wadi-Akarit-Stellung – einen Angriff, für den er 570 Panzer und 1470 Geschütze zusammengezogen hatte.

Die Wadi-Akarit-Stellung war von Natur aus stark, da das flache Gelände an der Küste nur knapp sechs Kilometer breit von der tiefen Schlucht des Wadi Akarit durchzogen wird, während weiter landeinwärts eine Kette steiler niedriger Hügel sich aus der Ebene erhebt und bis zum Beginn des Salzsumpfes reicht. Aber die Entscheidung der Achse, die Mareth-Linie aufzugeben, war so spät gefällt worden, daß wenig Zeit blieb, die neue Stellung zu befestigen und in die Tiefe zu staffeln. Obendrein waren die Verteidiger knapp an Munition, da sie den größten Teil ihrer begrenzten Reserve in ihren früheren Abwehrstellungen verbraucht hatten.

In der Abenddämmerung des 5. April begann die 4. indische Division ihren Vorstoß; lange vor Tagesanbruch des 6. war sie tief in die Hügel hinein durchgebrochen und hatte etwa 4000 Gefangene gemacht, meist Italiener. Um 4.30 Uhr morgens begannen die 50. und 51. Division ihren Angriff, unterstützt durch ein Geschützfeuer von fast 400 Geschützen. Die 50. Division wurde an einem Panzergraben aufgehalten; aber die 51. erzielte einen Einbruch in die Verteidigung des Feindes, wenn auch keinen so großen, wie ihn die 4. indische Division gemacht hatte. Der Einbruch an zwei Stellen bot die Gelegenheit zum schnellen Nachstoßen der Panzer des X. Korps unter General Horrocks, das zu diesem Zweck dicht hinter der Front aufgestellt worden war.

Kurz vor 9 Uhr morgens kam Horrocks zum Hauptquartier General Tukers, des Befehlshabers der indischen Division, und eine Tagebucheintragung berichtet: »Kommandeur 4. Division berichtete Kommandeur X. Korps, daß wir den Widerstand des Feindes gebrochen hatten, daß der Weg für das X. Korps zum Nachstoßen frei war, daß sofortige Offensive den ganzen Feldzug in Nordafrika beenden würde. Jetzt sei die Zeit, mit der Peitsche zu knallen und weder Menschen noch Maschinen zu schonen. Kommandeur X. Korps sprach telefonisch mit Armeebefehlshaber und erbat Genehmigung, das X. Korps einzusetzen, um den zügigen Angriff in Fluß zu halten.« Aber dabei gab es unglückliche Verzögerungen; und Alexanders Bericht stellt fest: »Um 12 Uhr setzte General Montgomery das X. Korps ein.« Doch zu der Zeit hatte die deutsche 90. leichte Division im Gegenangriff die britische 51. aus einem Teil des gewonnenen Geländes wieder vertrieben und den Einbruch teilweise abgeriegelt. Als dann am Nachmittag die Panzerspitzen des X. Korps verspätet ihren Vorstoß begannen, wurden sie von der 15. Panzerdivision, der einzigen verfügbaren Reserve des Feindes, zum Stehen gebracht.

Nichts wurde unterdessen an diesem Tage unternommen, um

mit dem Schwergewicht des X. Korps den Einbruch der indischen Division auszuweiten. Montgomery plante in seiner überlegten Art erst am folgenden Morgen den Durchbruch nach massiertem Luftangriff und Artilleriefeuer.

Doch als der Morgen kam, war der Feind verschwunden, und der geplante Knockout-Schlag war zu einer neuen Verfolgung einer dem Zugriff entgangenen Armee geworden.

Aber wenn auch Montgomery seine Chance eines entscheidenden Sieges verpaßt hatte, so hatten seine Gegner ihre Chance verpaßt, den Einbruch völlig zu reparieren und ihre Position an der Wadi-Akarit-Linie zu halten; denn zwei ihrer drei Panzerdivisionen, die 10. und die 21., waren wegbefohlen worden, um der amerikanischen Drohung in ihrem Rücken entgegenzutreten. Am Abend vorher hatte General Messe Arnim erklärt, es sei nicht möglich, noch einen Tag länger die Wadi-Akarit-Linie ohne entsprechende Verstärkungen zu halten, und er hatte Arnims Zustimmung zu einem Rückzug auf die Stellung bei Enfidaville erhalten, 240 Kilometer weiter nördlich – die nächste Linie, wo der ebene Küstenstreifen schmal und in der Flanke von einer Bergkette geschützt war.

Die Truppen der Achse begannen ihren Rückzug am Abend des 6. April und erreichten die Stellung bei Enfidaville ungehindert am 11., obwohl sie zum größten Teil zu Fuß marschieren mußten. Die Spitzenverbände der 8. Armee kamen erst zwei Tage später dort an, obwohl sie voll motorisiert und den schwachen deutschen Nachhuten, die gelegentlich den Feind aufhielten, weit überlegen waren.

Bei einem Versuch, diesen Rückzug des Feindes abzuschneiden, setzte Alexander das IX. Korps der 1. Armee unter General Crokker zu einem Versuch an, den Fonduk-Paß zu nehmen und dann östlich über Kairuan bis zur Küstenstadt Sousse, etwa 30 Kilometer von Enfidaville, vorzupreschen. Der eilig vorbereitete Angriff sollte in der Nacht vom 7. auf 8. April erfolgen. Doch die 34. Division brach fast drei Stunden zu spät auf, und nachdem sie den Schutz der Dunkelheit verloren hatte, wurde sie bald durch das feindliche Feuer aufgehalten – um so mehr geneigt, in

Deckung zu gehen, weil sie sich an die schlechten Erfahrungen mit ihrem vorherigen Angriff zehn Tage früher erinnerte. Dieser Mißerfolg gestattete es dem Feind, auch die eine Brigade der 46. Division unter Feuer zu nehmen, die bessere Fortschritte bei der Gewinnung der Höhenstellungen nördlich des Passes gemacht hatte. Daher beschloß Crocker, mit seinen Panzern sofort den Durchbruch zu erzwingen und nicht auf die Vorbereitung durch die Infanterie zu warten, da der ganze Angriff nur Sinn hatte, wenn es zu einem raschen Durchbruch bis zur Küste kam.

Dieser Panzerangriff erfolgte am nächsten Tag, dem 9. April, durch die 6. Panzerdivision unter Generalmajor Keightley; 34 Panzer gingen verloren, relativ wenig in Anbetracht der Schwierigkeiten der Durchfahrt durch Minenfelder und des Spießrutenlaufens durch 15 Pak-Geschütze, die auf die schmale Paßstraße gerichtet waren. Alle diese 15 Geschütze wurden zum Schweigen gebracht; aber erst am Nachmittag kamen die Panzer durch. Daher beschloß Crocker, seine Einheiten bis zum nächsten Morgen in einer Igelstellung am Ausgang des Passes verhalten zu lassen. Dies war ein Gegensatz zu der Kühnheit seines früheren Entschlusses; aber das Minenfeld mußte erst für die Durchfahrt der Transportfahrzeuge ausgeräumt werden, und es wurde gemeldet, daß sich vom Süden zurückziehende deutsche Panzer unter General Bayerlein bereits Kairuan näherten. Die 6. Panzerdivision nahm am frühen Morgen des 10. April ihren Vorstoß nach Osten wieder auf; aber als sie Kairuan erreichte, hatten die feindlichen Verbände auf ihrem Rückzug die Stadt schon ungehindert passiert. Auch die kleine deutsche Einheit, die den Fonduk-Paß verteidigte, war verschwunden, nachdem sie Bayerleins Auftrag erfüllt hatte, das IX. Korps bis zum Morgen des 10. April aufzuhalten, um den Rückzug von Messes Armee in dem Küstenstreifen zu decken. Ihre erfolgreiche Herauslösung aus einer so prekären Situation, von vorne und von hinten von weit überlegenen Kräften bedroht, war eine bemerkenswerte Leistung.

Die beiden Armeen der Achse hatten sich nun zur Verteidigung des 150 Kilometer langen Bogens von der Nordküste bis Enfidaville vereinigt. Dies hatte zwar zeitweilig ihre Situation verbessert; doch der Nutzen wurde vermindert durch die schweren Verluste, die sie erlitten hatten, vor allem an Ausrüstung. Daher war auch diese verkürzte Linie noch zu lang für ihre schrumpfenden Kräfte angesichts der wachsenden Überlegenheit der Alliierten an Zahlen und an Bewaffnung. Zudem war der durch Arnims Gegenangriff im Februar erzielte Geländegewinn jetzt größtenteils durch Angriffe des britischen V. Korps Ende März und Anfang April zunichte gemacht worden. Die Alliierten waren also jetzt in guter Position für neue Angriffe gegen Tunis und Bizerta.

Politische und psychologische Erwägungen beeinflußten die Wahl des Raumes, in dem die Alliierten den Feldzug durch einen Knockout-Schlag beenden wollten. In einem Brief an Alexander vom 23. März und ähnlichen späteren Briefen schlug Eisenhower vor, der Hauptangriff solle im Norden, im Abschnitt der 1. Armee erfolgen; Pattons Korps solle dorthin verlegt werden, um an dem Schlußkampf teilzunehmen und dadurch die Kampfstimmung der Amerikaner zu stärken. Alexander übernahm diesen Vorschlag bei seiner Planung und wies am 10. April Anderson an, den Hauptangriff etwa für den 22. vorzubereiten. Er beugte sich auch dem energischen Protest Pattons gegen eine erneute Unterstellung unter die 1. Armee und verfügte, das II. US-Korps Pattons solle weiterhin selbständig nur unter seiner eigenen Oberleitung operieren. Gleichzeitig lehnte er Montgomerys Bitte ab, die 6. Panzerdivision, die sich räumlich mit der 8. Armee vereinigt hatte, dieser zu unterstellen – er teilte Montgomery mit, die 8. Armee werde bei der Offensive nur eine zweitrangige Rolle spielen, und er müsse daher eine seiner zwei Panzerdivisionen (die 1.) zur Verstärkung der 1. Armee abgeben.

Diesmal fielen die politischen und die strategischen Erwägungen zusammen. Der Nordabschnitt bot bessere Möglichkeiten zur Entfaltung der überlegenen Kräfte der Alliierten, wegen seiner räumlichen Weite und seiner kürzeren Nachschublinien, während der südliche Abschnitt bei Enfidaville für die Entfaltung von Panzerverbänden und daher für eine wirksame Offensive weniger günstig war.

Nach dem »endgültigen Plan«, den Alexander am 16. April herausgab, sollte die Offensive aus vier konzentrischen Vorstößen bestehen. Die 8. Armee sollte in der Nacht zum 19. April mit Horrocks' X. Korps durch Enfidaville nördlich von Hammamet und Tunis vorstoßen, mit dem Ziel, den Zugang zur Halbinsel von Cap Bon zu blockieren und so den Rest der Achsentruppen daran zu hindern, sich dorthin zu einem längeren Widerstand festzusetzen. Dieser Auftrag verlangte einen Marsch von mindestens 80 Kilometern durch sehr schwieriges Gelände. Das französische XIX. Korps, das nächste in der Reihe, sollte alle Möglichkeiten ausnutzen, die sich aus dem Vormarsch seiner beiden Nachbarn ergeben würden. Das britische IX. Korps, mit einer Infanterie- und zwei Panzerdivisionen, sollte am frühen Morgen des 22. zwischen Pont-du-Fahs und Goubellat losschlagen und dort einem Panzerdurchbruch den Weg frei machen. Das britische V. Korps zu seiner Linken, mit drei Infanteriedivisionen und einer Panzerbrigade, sollte die Hauptarbeit leisten und am Abend des gleichen Tages bei Medjez el Bab den 25 Kilometer breiten Abschnitt angreifen, der von nur zwei Regimentern der deutschen 334. Division gehalten wurde. Im nördlichen Abschnitt sollte einen Tag später das II. US-Korps angreifen; dieser 60 Kilometer breite Abschnitt wurde von drei Regimentern der Division Manteuffel und einem der 334. gehalten – nicht einmal 8000 Mann gegen 95 000 Amerikaner.

Die Erfolgsaussichten einer solchen allgemeinen Offensive, die fast gleichzeitig an jedem Abschnitt begann, sahen ausgezeichnet aus.

Auf alliierter Seite standen jetzt 20 Divisionen mit einer Kampfstärke von über 300 000 Mann und 1400 Panzern. Die Gesamtstärke der neun deutschen Divisionen, die das Rückgrat der Verteidigung des großen Bogens bildeten, wurde vom alliierten Nachrichtendienst auf knapp 60 000 Mann geschätzt, und sie hatten zusammen nicht einmal 100 Panzer – ein deutscher Bericht gibt die Zahl der einsatzfähigen sogar nur mit 45 an.

Die große alliierte Offensive begann zwar genau nach Plan, aber sie verlief nicht planmäßig. In der Verteidigung erwiesen sich die Deutschen immer noch als sehr hartnäckig und sehr geschickt in der Ausnutzung schwierigen Geländes zur Abwehr eines überlegenen Feindes. Daher mußte Alexanders »endgültiger Plan« revidiert werden — es war nur der vorletzte.

Der Angriff der 8. Armee mit drei Infanteriedivisionen bei Enfidaville stieß in den Hügeln am Rande des Küstenstreifens auf zähen Widerstand und wurde unter Verlusten zum Stehen gebracht — was die optimistische Annahme von Montgomerys und Horrocks Lügen strafte, der Feind könne aus diesem Engpaß »herausgeboxt« werden. Die Italiener kämpften hier genauso tapfer wie die Deutschen. Weiter landeinwärts gelang es den massierten Panzern des britischen IX. Korps, die feindliche Front nordwestlich Pont-du-Fahs in einer Tiefe von 13 Kilometern zu durchstoßen; aber dann griff Arnims einzige nennenswerte bewegliche Reserve ein, die dezimierte 10. Panzerdivision, die jetzt weniger als ein Zehntel der etwa 360 Panzer des angreifenden Verbandes besaß, und brachte den Angriff zum Stehen. Im mittleren Abschnitt machte der Hauptangriff des britischen V. Korps angesichts des hartnäckigen Widerstandes von zwei deutschen Infanterieregimentern nur langsame Fortschritte und gelangte nach vier Tagen harter Kämpfe nur rund 10 Kilometer über Medjez el Bab hinaus. Dort wurde er endgültig aufgefangen, stellenweise sogar zurückgedrängt durch das Eingreifen einer improvisierten Panzerbrigade, die den größten Teil der übriggebliebenen Panzer der Heeresgruppe Afrika enthielt. An dem nördlichen Abschnitt machte das II. US-Korps in den ersten zwei Tagen der Offensive in sehr unwegsamem Gelände wenig Fortschritte und stellte dann am 25. April fest, daß der Feind heimlich auf eine neue Verteidigungsstellung einige Kilometer weiter zurückgegangen war. Insgesamt war die alliierte Offensive überall zum Stehen gebracht worden, ohne irgendwo einen entscheidenden Durchbruch zu erzielen.

Aber die Achse hatte dabei ihre Kräfte und ihre spärlichen Reserven bis zum äußersten beansprucht. Am 25. April hatten ihre beiden Armeen nur noch ein Viertel des Treibstoffes, der zum vollen Widerauftanken der Panzer nötig gewesen wäre —

d. h. nur genug für 25 Kilometer Fahrt. Die vorhandene Munition reichte kaum noch für drei Tage weiterer Kämpfe aus; auch die Lebensmittel wurden verzweifelt knapp. Es kam kaum noch neuer Nachschub an, um Munition, Treibstoff und Lebensmittel zu ergänzen. Arnim erklärte später: »Auch ohne die alliierte Offensive hätte ich spätestens am 1. Juni kapitulieren müssen, weil wir nichts mehr zu essen hatten.«

Ende Februar hatten Rommel und Arnim gemeldet, mindestens 140 000 t Nachschub im Monat seien erforderlich, um die Kampfkraft der Achsentruppen zu erhalten, falls das Comando Supremo Tunesien nicht aufgeben wolle. Die zuständigen Dienststellen in Rom, welche die Schwierigkeiten der Verschiffung kannten, reduzierten die Zahl auf 120 000 t und rechneten dabei, daß bis zu einem Drittel davon auf dem Weg versenkt werden würde. Aber schließlich erreichten im März nur 29 000 t Tunesien, davon ein Viertel auf dem Luftweg. Im Gegensatz dazu luden die Amerikaner allein in diesem Monat etwa 400 000 t Nachschub ungehindert in nordafrikanischen Häfen aus. Im April schrumpfte der Nachschub der Achse auf 23 000 t, und in der ersten Maiwoche auf ganze 2000 t. Dies war ein Beweis, wie sehr die alliierte (hauptsächlich britische) Luft- und Seemacht, unterstützt durch einen ausgezeichneten Nachrichtendienst über die feindlichen Schiffsbewegungen, die Seewege im Mittelmeer beherrschte. Diese Zahlen erklären voll und ganz den plötzlichen Zusammenbruch des deutsch-italienischen Widerstandes in Tunesien — weit besser als die Kriegsberichte der alliierten Befehlshaber.

Alexanders neuer »endgültiger Plan« entstand indirekt aus dem Mißerfolg im Engpaß bei Enfidaville. Als am 21. April der Fehlschlag des Angriffs klargeworden war, sah sich Montgomery bewogen, ihn wegen der steigenden Verluste aufzugeben — dies half Arnim, alle seine verbliebenen Panzer nach Norden zu dirigieren, um, wie berichtet, den britischen Hauptangriff bei Medjez el Bab zu stoppen. Montgomery plante, seinen Angriff am 29. wiederaufzunehmen und auf den schmalen Küstenstreifen zu konzentrieren, ohne sich der Höhen landeinwärts zu versichern. Dieser Plan wurde zwar von Horoocks akzeptiert, stieß aber auf starke Einwände der beiden wichtigsten Divisionskommandeure, Tucker und Freyberg. Ihre Warnungen wurden durch die ersten Mißerfolge nach Beginn des neuen Angriffs bestätigt. Am nächsten Tag, dem 30. April, erschien Alexander selbst, um die Lage mit Montgomery zu erörtern, und gab dann Befehl, zwei Divisionen der 8. Armee zu einem neuen zusammengefaßten Angriff im Abschnitt Medjez el Bab in den Raum der 1. Armee zu verlegen.

Diese Verlegung wurde rasch durchgeführt. Die 4. indische und die 7. Panzerdivision begannen noch am gleichen Tag vor Dunkelwerden ihren langen Marsch nach Nordwesten. Für die 7. Panzerdivision, die weiter hinten in Reserve lag, bedeutete dies einen Umweg von fast 450 Kilometern über schlechte Straßen, aber diese Bewegung wurde in wenigen Tagen durchgeführt — wobei die Panzer auf Spezialfahrzeuge verladen wurden. Die beiden Divisionen wurden dann dem IX. Korps unterstellt, das den entscheidenden Schlag ausführen sollte und sich selbst weiter nördlich hinter dem vom V. Korps gehaltenen Abschnitt konzentrierte. Horrocks selbst übernahm den Befehl über das IX. Korps, da Crocker gerade bei der Vorführung eines neuen Mörsers schwer verletzt worden war — ein persönliches Mißgeschick gerade in einem so entscheidenden Augenblick!

Unterdessen hatte Bradleys II. US-Korps in der Nacht zum 26. April seinen Angriff im nördlichen Abschnitt wiederaufgenommen. In vier Tagen harter Kämpfe stieß sein Vormarsch durch hügeliges Gelände auf hartnäckigen Widerstand. Aber die Reserven des Feindes wurden dabei so schwer beansprucht, und es trat vor allem ein so akuter Munitionsmangel ein, daß er sich auf eine leichter zu verteidigende Stellung östlich von Mateur zurückziehen mußte. Dieser Rückzug wurde in den beiden Nächten zum 1. und zum 2. Mai ungehindert und sehr geschickt durchgeführt.

Aber die neue Stellung war jetzt nur noch 25 Kilometer von dem Hafen Bizerta entfernt, so daß die Verteidigung jetzt keinerlei Tiefe mehr hatte, ebensowenig wie im Abschnitt Medjez al Bab vor Tunis.

Dieser Mangel an Tiefe trug entscheidend zum Erfolg der neuen Offensive bei, die von den Alliierten für den 6. Mai vorbereitet wurde. Sobald die Kruste einmal durchbrochen war, gab es jetzt keine Möglichkeit längeren Widerstandes durch elastische Verteidigung und Rückzugsmanöver mehr. Die Truppen der Achse hatten die bisherigen Angriffe vereiteln können, aber um den Preis fast totaler Erschöpfung ihres knappen Materials; jetzt hatten sie nur noch genug Munition für kurze Antworten auf das überwältigende Feuer der Angreifer und nur noch genug Treibstoff für ganz kurze Gegenangriffe. Außerdem hatten sie keine Luftunterstützung mehr, da die Flugplätze in Tunesien unhaltbar und fast alle restlichen Flugzeuge schon nach Sizilien zurückgezogen worden waren.

Der bevorstehende Schlag war für die Befehlshaber der Achse keine Überraschung, da sie alliierte Funksprüche aufgefangen hatten, aus denen die Verlagerung großer Kräfte von der 8. auf die 1. Armee hervorging. Aber die Kenntnis des bevorstehenden Schlages war für sie von geringem Nutzen, da keine Kräfte zur Abwehr mehr vorhanden waren.

Nach Alexanders neuem Plan unter dem Namen »Vulcan« sollte das IX. Korps mit einem großen Hammerschlag durchbrechen; es sollte durch das V. Korps hindurchfahren und an einer nur drei Kilometer breiten Front im Tal südlich des Medjerda-Flusses angreifen. Den Angriff sollten in massiver Phalanx die 4. britische und die 4. indische Division führen, dicht dahinter die 6. und die 7. Panzerdivision. Ingesamt waren über 470 Panzer dabei vereinigt. Nachdem die zwei Infanteriedivisionen die Verteidigung in einer Tiefe von etwa fünf Kilometern durchstoßen hätten, sollten die beiden Panzerdivisionen durchziehen und im ersten Anlauf den Raum von St. Cyprien erreichen, 20 Kilometer von der Ausgangsbasis und schon auf halbem Wege nach Tunis. Alexander betonte in seinen Anweisungen, das Ziel sei die Einnahme von Tunis, und es dürfe keine Pause zur Säuberung von Ortschaften geben, die der Feind weiterhin besetzt hält.

Zur Vorbereitung des Angriffs des IX. Korps wurde dem V.

Korps befohlen, am Abend des 5. Mai die flankierenden Höhen des Djebel Bou Aoukaz zu nehmen; dies gelang nach kurzem hartem Kampf. Danach sollte es die Hauptaufgabe des V. Korps sein, »den Schlauch offenzuhalten«, durch den das IX. Korps vorstieß. Dies erwies sich als kein Problem, da der Feind nicht mehr die Kräfte zu einem wirksamen Gegenangriff hatte. Das übliche vorbereitende Sperrfeuer wurde diesmal ersetzt durch mehrere zentral gesteuerte gezielte Feuerstöße auf alle bekannten Stützpunkte des Feindes, und dafür wurde die doppelte Menge Artilleriemunition zur Verfügung gestellt. Durch diese konzentrierten Feuerstöße fiel ein Geschoß auf je zwei Meter Front, so daß die Verteidiger mit einem fünfmal so dichten Feuerregen eingedeckt wurden wie bei Alamein im vergangenen Herbst. Die lähmende Wirkung dieser konzentrierten Feuerstöße durch 400 Geschütze wurde noch verstärkt durch einen gewaltigen Luftangriff mit über 200 Einsätzen, der beim Morgengrauen begann.

Bis 9.30 Uhr vormittags hatte die 4. indische Division einen tiefen Einbruch erzielt, bei nur geringen eigenen Verlusten; sie berichtete, es gebe kein Zeichen ernsthaften Widerstandes, und die Panzer könnten jetzt »so weit und so schnell durchfahren, wie sie wollen«. Gegen 10 Uhr begannen dann die Spitzen der 7. Panzerdivision durch die von der Infanterie erreichte Linie durchzustoßen. Auf dem rechten Flügel kam die 4. Division langsamer vorwärts; aber ihr half der Vorstoß ihres Nachbarn zur Linken, und sie erreichte ihr Ziel noch vor Mittag. Die Panzerdivisionen durften dann endlich weiter vorstoßen. Im Laufe des Nachmittags erhielten sie jedoch Befehl, bis zum nächsten Morgen bei Massicault stehenzubleiben – knapp zehn Kilometer hinter der Startlinie des Angriffs und fünf Kilometer hinter der von der Infanterie erreichten Linie, nur ein Viertel des Weges nach Tunis. Diese extreme Vorsicht wird in der Geschichte der 7. Division damit erklärt, der Kommandeur »hielt es für klüger, jede der beiden Brigaden in den festen Stellungen zu lassen, die sie genommen hatten, und ihnen nicht die Zügel freizugeben« – eine Erklärung, die allzu klar zeigt, daß man die elementaren Grundsätze der schnellen Ausnutzung eines Erfolges nicht begriffen hatte. Wie beim Wadi Akarit ergriffen auch diesmal Horrocks und die Kommandeure der Panzerdivisionen nur zögernd die große Gelegenheit, und sie operierten weiter in einem Tempo, das mehr einer Infanterieaktion als den Möglichkeiten motorisierter Kriegsführung entsprach.

Es bestand keine Notwendigkeit für eine solche Vorsicht. Der 13 Kilometer breite Abschnitt südlich des Medjerda-Flusses, wo der Angriff auf einer Front von drei Kilometern erfolgte, war nur von zwei schwachen Infanteriebataillonen und einem Panzerabwehr-Bataillon gehalten worden, unterstützt von hastig zusammengestellten höchstens 60 Panzern – fast allen Panzern, die der Achse in Tunesien verblieben waren. Dieser sehr dünne Schild war durch die gewaltige Konzentration von Geschützfeuer und Fliegerbomben zerrieben worden, die dem Angriff vorausging. Außerdem hatte Treibstoffknappheit Arnim daran gehindert, diejenigen Verbände der 10. und 21. Panzerdivision, die keine Panzer mehr hatten, nach Norden zu verlegen.

Die 6. und 7. Panzerdivision nahmen am frühen Morgen des 7. Mai ihren Vormarsch wieder auf, aber zeigten wiederum übermäßige Vorsicht und wurden bis zum Nachmittag mit einer Handvoll deutscher Truppen mit zehn Panzern und ein paar Geschützen bei St. Cyprien aufgehalten. Erst um 3.15 Uhr nachmittags erhielten sie den Befehl, bis nach Tunis vorzurücken. Eine halbe Stunde später rückten die Panzer der 11. Hussars in die Stadt ein und krönten damit die führende Rolle, die dieses Regiment seit Beginn des Nordafrika-Feldzuges vor fast drei Jahren gespielt hatte. Fast gleichzeitig kam das Panzerregiment der 6. Panzerdivision an. Ihnen folgten Panzer und motorisierte Infanterie, um die Besetzung der Stadt zu vervollständigen. Dabei war für die alliierten Truppen die hysterische Begeisterung der Bevölkerung, die sie mit Blumen und mit Küssen überschüttete, störender als der sporadische Widerstand kleiner Einheiten desorganisierter und verwirrter Deutscher. Eine große Zahl deutscher Soldaten wurde noch am Abend gefangengenommen, weit mehr am nächsten Vormittag, während mehr als die Hälfte nach Norden und nach Süden aus Tunis zu entfliehen suchte. Alles, was von den kämpfenden Verbänden der Achse in dieser Gegend verblieben war, zog sich in diese zwei verschiedenen Richtungen zurück, sobald sie durch den Vorstoß nach Tunis hinein auseinandergesprengt worden waren.

Unterdessen hatte das II. US-Korps seinen Angriff im Nordabschnitt wiederaufgenommen, der mit dem britischen Vorstoß koordiniert war. Am 6. Mai waren die Fortschritte noch gering, und der Widerstand schien noch zähe; aber am nächsten Nachmittag fanden Aufklärungstrupps der 9. Infanteriedivision die Straße frei. Kurz nach 4 Uhr nachmittags betraten sie Bizerta, nachdem der Feind die Stadt geräumt und sich nach Südosten zurückgezogen hatte. Der formelle Einzug in die Stadt wurde dem französischen »Corps Franc d'Afrique« vorbehalten, das am 8. eintraf. Die 1. Panzerdivision, die von Mateur aus vorrückte, war in den ersten zwei Tagen noch häufig aufgehalten worden, ebenso die 1. und 34. Infanteriedivision weiter südlich. Aber am 8. sah sie, daß die feindliche Abwehr zusammenbrach, da dem Feind Munition und Treibstoff ausgingen und da die britische 7. Panzerdivision von Tunis entlang der Küste nach Norden in seinen Rücken schwenkte.

Eingeschlossen zwischen den britischen und amerikanischen Panzerspitzen und ohne die Möglichkeit zu weiterem Widerstand oder zum Rückzug, begannen sich die Truppen der Achse in Massen zu ergeben. Die Spitzeneinheit der 11. Hussars hatte noch vor dem Abend rund 10 000 Gefangene in ihrer Hand. Am frühen Morgen des nächsten Tages, des 9., fuhr eine andere Einheit des Regimentes bis Porto Farina, 30 Kilometer östlich Bizerta, wo sie die Kapitulation von etwa 9000 am Ufer zusammengepferchten Soldaten entgegennahm, von denen einige noch in rührender Weise Flöße zu bauen suchten – der britische Verband war froh, diese Masse von Gefangenen den amerikanischen Panzereinheiten übergeben zu können, die bald darauf eintrafen. Um 9.30 Uhr vormittags meldete General von Vaerst, Kommandeur der 5. Panzerarmee, an Arnim: »Unsere Panzer und unsere Artillerie sind vernichtet, wir sind ohne Munition und Treibstoff. Wir werden bis zum Letzten kämpfen.«

Dieser letzte Satz war ein Stück absurdes Pathos, denn Soldaten können nicht ohne Munition kämpfen. Vaerst erfuhr bald, daß seine Soldaten erkannten, wie unsinnig solche heroischen Befehle waren, und sich in Massen ergaben. So stimmte er um Mittag der formellen Kapitulation seiner restlichen Truppen zu, was die Gesamtausbeute an Gefangenen in diesem Raum auf fast 40 000 erhöhte.

Ein noch größerer Teil der Achsentruppen befand sich, als ihr Gebiet in zwei Teile getrennt wurde, im Raum südlich Tunis'. Dieser Raum war von Natur aus leichter zu verteidigen, und die alliierten Befehlshaber erwarteten, der Feind würde hier längeren Widerstand leisten. Aber auch hier führte die Erschöpfung von Munition und Treibstoff zu einem baldigen Zusammenbruch. Er wurde beschleunigt durch ein allgemeines Gefühl der Hoffnungslosigkeit, da selbst dort, wo noch Vorräte vorhanden waren, die Truppen wußten, daß kein Nachschub aus dem gleichen Grund auch kein Entkommen mehr möglich war.

Alexanders Sorge war jetzt, die Armee General Messes, den südlichen Teil der Achsen-Truppen, daran zu hindern, sich in die große Halbinsel von Cap Bon zurückzuziehen und dort eine feste Stellung zu einem »Widerstand bis zum Letzten« aufzubauen. Daher erhielt sofort nach der Einnahme von Tunis die 6. Panzerdivision den Befehl, nach Südosten zu schwenken in die Richtung von Hamman Lif, dem nächstgelegenen Punkt auf der Grundlinie der Halbinsel, während die 1. Panzerdivision ebenfalls dorthin marschieren sollte. Bei Hamman Lif kommen die Hügel dem Meer so nahe, daß der flache Küstenstreifen nur 300 Meter breit ist. Diese enge Passage wurde von einer deutschen Einheit gehalten, die noch zwei Tage lang alle Versuche verhinderte, die Durchfahrt zu erzwingen. Das Hindernis wurde erst überwunden, als Infanterie die Hügel über der Stadt einnahm, Artillerie die Straßen methodisch Häuserblock für Häuserblock bestrich und eine Panzerkolonne direkt am Rande des Wassers vorstieß. Am Abend des 10. wurde der Vorstoß über die ganze Grundlinie der Halbinsel bis nach Hammamet ausgedenht und dadurch der Rest der feindlichen Kräfte abgeschnitten. Durch

Treibstoffmangel gelähmt, hatten sie sich nicht bis zur Halbinsel zurückziehen können. Am nächsten Tag gelangte die 6. Panzerdivision, nach Süden vorrückend, in den Rücken der Achsen-Truppen, welche bei Enfidaville die britische 8. Armee in Schach hielten; obwohl sie noch Munition besaßen, führte die klare Erkenntnis, daß sie hoffnungslos eingeschlossen waren, zu einer baldigen Kapitulation.

Bis zum 13. Mai hatten sich alle restlichen Kommandeure und Truppen der Achse ergeben. Nur ein paar hundert Mann waren auf dem See- oder Luftweg nach Sizilien entkommen, außer den 9000 Verwundeten und Kranken, die seit Anfang April evakuiert worden waren. Über die Höhe der Gefangenenzahlen besteht Unklarheit. Am 12. Mai meldete Alexanders Hauptquartier an Eisenhower, die Zahl der Gefangenen seit 5. Mai sei auf 100 000 gestiegen und werde wahrscheinlich 130 000 erreichen, wenn die Zählung abgeschlossen sei. Ein späterer Bericht gab die Gesamtzahl von rund 150 000 an. In seiner Schilderung nach dem Krieg aber erklärte Alexander, die Gesamtzahl habe »eine Viertel Million Mann« betragen; Churchill nennt in seinen Memoiren die gleiche runde Zahl, aber schränkt sie durch das Wort »nahezu« ein; Eisenhower schreibt von »240 000, davon etwa 125 000 Deutsche«. Doch die Heeresgruppe Afrika hatte am 2. Mai nach Rom gemeldet, daß ihre Verpflegungsstärke im Monat April zwischen 170 000 und 180 000 geschwankt habe – das war vor den schweren Kämpfen in der letzten Woche des Feldzuges. So ist es schwer zu sehen, wie die Zahl der Gefangenen diese Verpflegungsstärke um fast 50 Prozent überschritten haben könnte – Verwaltungsstäbe, die für die Verpflegung der Truppen verantwortlich sind, neigen nicht dazu, deren Zahl zu gering anzugeben. Es mag hier angemerkt werden, daß noch größere Unterschiede zwischen der letzten bekannten deutschen Verpflegungsstärke und den alliierten Angaben über die Zahl der Gefangenen in den letzten Stadien des Krieges sehr häufig waren.

Doch wie groß auch immer die genaue Zahl der Gefangenen in Tunesien gewesen sein mag, es war ein großer Fischzug. Die bedeutsamste Auswirkung aber war, daß die Achse das Gros ihrer kampferprobten Truppen im Mittelmeerraum verlor. Diese hätten die bevorstehende alliierte Invasion Siziliens — den ersten und entscheidenden Akt des alliierten Wiedereintritts nach Europa — vereiteln können.

KAPITEL 26

SIZILIEN – DAS EINGANGSTOR NACH EUROPA

Nachträglich sah die alliierte Eroberung Siziliens im Jahr 1943 wie eine ganz einfache Sache aus. Aber in Wirklichkeit war dieser erste Wiedereintritt nach Europa ein gefährlicher Sprung ins Ungewisse. Sein erfolgreicher Ausgang war zum großen Teil einer Reihe von Faktoren zu verdanken, die erst später bekannt wurden: dem blinden Stolz Hitlers und Mussolinis, die gemeinsam versuchten, in Afrika ihr Gesicht zu wahren; dem eifersüchtigen Mißtrauen Mussolinis gegen seinen deutschen Verbündeten und seinem Widerstreben, diesem eine führende Rolle bei der Verteidigung italienischen Territoriums einzuräumen; schließlich der Tatsache, daß Hitler im Gegensatz zu Mussolini glaubte, Sizilien sei nicht das eigentliche Ziel der Alliierten – ein Irrtum, der wiederum zum Teil auf eine geniale britische Kriegslist zurückging.

Am wichtigsten war der erste Faktor. Eine der größten Ironien der ganzen Geschichte dieses Krieges war, daß Hitler und der deutsche Generalstab – die stets Bedenken hatten, sich auf überseeische Expeditionen in Reichweite der britischen Seemacht einzulassen – Rommel nicht genügend frische Kräfte zukommen ließen, um seine Siege auszuweiten, aber dann in der letzten Phase so viele Truppen nach Afrika schickten, daß sie sich damit die Aussicht auf eine Verteidigung Europas verscherzten.

Es war eine weitere Ironie, daß sie zu dieser fatalen Torheit bewogen wurden durch ihren unerwarteten Erfolg bei der Vereitelung von Eisenhowers erstem Vorstoß auf Tunis, nachdem sie zuerst durch die alliierte Invasion Nordafrikas überrascht worden waren. Während die alliierten Panzer allzu vorsichtig von Algerien aus vorrückten, hatten die Deutschen schnell reagiert und Truppen über das Mittelmeer geflogen, in der Hoffnung, die Einnahme von Tunis und Bizerta durch die Alliierten zu verhindern. Es gelang ihnen auch, sich in dem bergigen Gelände zu

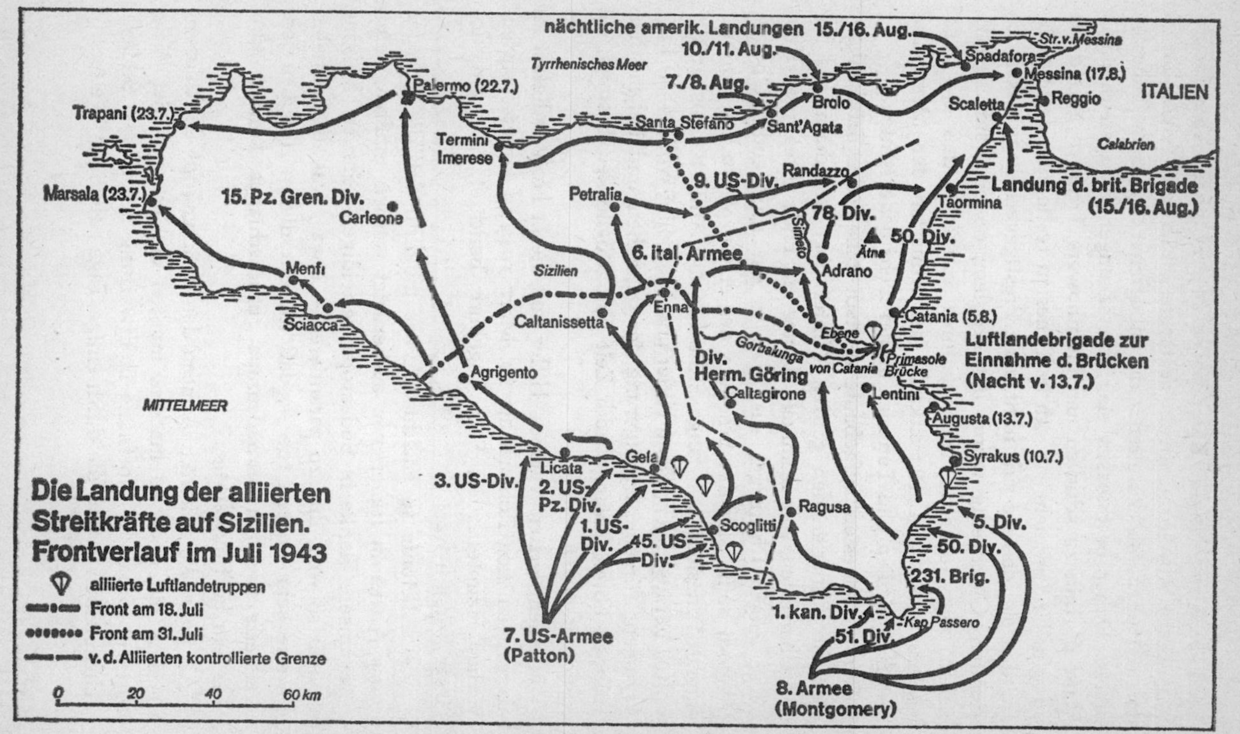

nächtliche amerik. Landungen 15./16. Aug.
10./11. Aug.
7./8. Aug.
Tyrrhenisches Meer
Str. v. Messina
Spadafora
Messina (17.8.)
Reggio
ITALIEN
Scaletta
Calabrien
Palermo (22.7.)
Trapani (23.7.)
Termini Imerese
Santa Stefano
Sant'Agata
Brolo
Randazzo
9. US-Div.
Petralia
Landung d. brit. Brigade (15./16. Aug.)
Taormina
Marsala (23.7.)
15. Pz. Gren. Div.
Carleone
78. Div.
Simeto
50. Div.
Ätna
6. ital. Armee
Adrano
Menfi
Sizilien
Enna
Sciacca
Caltanissetta
Catania (5.8.)
Ebene
Gornalunga
von Catania
Primasole Brücke
Luftlandebrigade zur Einnahme d. Brücken (Nacht v. 13.7.)
Div. Herm. Göring
Agrigento
Caltagirone
Lentini
MITTELMEER
Augusta (13.7.)
Syrakus (10.7.)
3. US-Div.
Licata
Gela
2. US-Pz. Div.
1. US-Div.
45. US Div.
Scoglitti
Ragusa
5. Div.
50. Div.
231. Brig.
1. kan. Div.
Kap Passero
51. Div.
7. US-Armee (Patton)
8. Armee (Montgomery)
Die Landung der alliierten Streitkräfte auf Sizilien. Frontverlauf im Juli 1943
alliierte Luftlandetruppen
Front am 18. Juli
Front am 31. Juli
v. d. Alliierten kontrollierte Grenze
0
20
40
60 km

halten und eine längere Kampfpause zu erzwingen. Aber der Erfolg dieses Abwehrmanövers bestärkte Hitler und Mussolini in dem Glauben, sie könnten sich unbegrenzt lange in Tunesien halten. Daher beschlossen sie, Verstärkungen in ausreichendem Maße dorthin zu schicken, um Eisenhowers Truppen gewachsen zu sein. Und je mehr sie sich in Tunesien festlegten, desto mehr meinten sie, daß sie sich nicht ohne Prestigeverlust zurückziehen könnten. Gleichzeitig wurde das Problem, ob man sich zurückziehen oder aushalten solle, dadurch verstärkt, daß die überlegenen See- und Luftstreitkräfte der Alliierten den Meeresarm zwischen Sizilien und Tunesien immer mehr beherrschten.

Der in Tunesien aufgebaute deutsch-italienische Brückenkopf hielt die Alliierten den ganzen Winter über in Schach und bot den Überresten von Rommels Armee am Ende ihres 3000 Kilometer langen Rückzuges aus Alamein ein schützendes Obdach. Dennoch sollte sich das Scheitern des ersten Versuches zur Einnahme Tunesiens auf lange Sicht für die Alliierten als großer Vorteil herausstellen. Denn Hitler und Mussolini wollten auf kein Argument für eine Evakuierung der deutschen und italienischen Truppen hören, solange noch Zeit und Möglichkeit bestand, sie zurückzunehmen.

Zu einem letzten Versuch, Hitler von dieser Notwendigkeit zu überzeugen, flog Rommel am 10. März 1943 in Hitlers ostpreußisches Hauptquartier. Sein Tagebuch berichtet, wie zwecklos dieser Versuch war:

»Ich betonte so entschieden wie möglich, daß die Truppen aus Afrika in Italien neu ausgerüstet werden müßten, damit sie unsere Flanke in Südeuropa verteidigen könnten. Ich ging sogar so weit, ihm zu garantieren – etwas, was ich normalerweise sehr ungern tue –, daß ich mit diesen Truppen jede alliierte Invasion in Südeuropa zurückschlagen könnte. Aber es war hoffnungslos.«

Als dann die alliierten Armeen den Brückenkopf einschlossen, um ihm ein Ende zu machen, mußten die Truppen der Achse dort mit sinkender Hoffnung in Erwartung des letzten Schlages stehenbleiben – und die durch einige Tage nebeligen Wetters im

April gebotene Chance einer ungehinderten Einschiffung und Rückfahrt vorübergehen lassen. Es gelang ihnen zwar noch, am 20. bis 22. April den ersten alliierten Versuch zu vereiteln, die Abwehr zu durchbrechen; aber ihre Front brach zusammen, als sie beim nächsten großen Angriff am 6. Mai durchbrochen wurde. Der völlige Zusammenbruch, der dann folgte, war auf die Schmalheit des Brückenkopfes und das akute Bewußtsein seiner Verteidiger zurückzuführen, daß sie mit dem Rücken gegen das feindliche Meer kämpften.

Die Gefangennahme von acht vollständigen Divisionen in Tunesien, darunter des größten Teils der kampferprobten Veteranen Rommels und der Elite der italienischen Armee, ließ Italien und die italienischen Inseln fast ohne jede Verteidigung zurück. Diese Streitkräfte hätten eine sehr starke Verteidigung des italienischen Eingangstors nach Europa bilden können, und die Chancen einer erfolgreichen alliierten Invasion wären dann mager gewesen.

Die Alliierten freilich waren nicht darauf vorbereitet, diese günstige Gelegenheit sofort auszunutzen – obwohl sie schon im Januar beschlossen hatten, eine Landung in Sizilien soll der nächste Schritt sein, und obwohl Tunis nur kurz nach dem erwarteten Zeitpunkt gefallen war. Zu ihrem Glück wurde aber die günstige Gelegenheit verlängert durch Uneinigkeit und Meinungsverschiedenheiten in den feindlichen Hauptquartieren.

Hier können wir wiederum direkte Beweise anführen, die in erster Linie General Westphal geliefert hat, damals der Stabschef Feldmarschall Kesselrings, des Oberbefehlshabers in Süditalien. Da Italien keine beweglichen motorisierten Streitkräfte mehr besaß, baten die führenden Militärs die Deutschen um Verstärkung durch Entsendung von Panzerdivisionen. Hitler war geneigt, dieser dringenden Bitte zu entsprechen, und schickte Mussolini eine persönliche Botschaft, in der er ihm fünf Divisionen anbot. Aber Mussolini, ohne Kesselring zu informieren, antwortete Hitler, er brauche nur drei – und das bedeutete nur eine neue Division außer den beiden neu ausgehobenen Divisionen, die sich auf dem Weg nach Afrika in Italien befanden. Mussolini sprach sogar den Wunsch aus, daß keine weiteren Truppen nach Italien kommandiert werden sollten.

Mussolinis Widerstreben, dieses Angebot vom Mai 1943 anzunehmen, entsprang einer Mischung von Stolz und Furcht. Er konnte es nicht ertragen, die Welt und auch sein eigenes Volk sehen zu lassen, wie abhängig er von deutscher Hilfe war. Wie Westphal bemerkte: »Er wollte, daß Italien von den Italienern verteidigt wird, und verschloß seine Augen vor der Tatsache, daß der erschreckende Zustand seiner Streitkräfte dies völlig unrealistisch machte.« Doch sein zweiter Grund war, daß er die Deutschen nicht eine beherrschende Position in Italien einnehmen lassen wollte. Sosehr er bemüht war, die Alliierten aus Italien herauszuhalten, so sehr war er fast ebenso bemüht, auch die Deutschen herauszuhalten.

Der neue Chef des Armeegeneralstabes, General Rotta (vorher Befehlshaber in Sizilien), überzeugte dann schließlich Mussolini, daß größere deutsche Verstärkungen notwendig seien, wenn man an eine erfolgreiche Verteidigung Italiens und seiner Inseln denke. So erklärte sich der Duce schließlich mit dem Kommen weiterer deutscher Divisionen einverstanden, unter der Bedingung, daß sie operativ italienischen Befehlshabern unterstellt werden müßten.

Die italienische Armee in Sizilien bestand aus nur vier frontfähigen Divisionen und sechs unbeweglichen Küstenverteidigungsdivisionen, deren Bewaffnung und Kampfgeist schlecht waren. Die neu ausgehobenen deutschen Soldaten, die auf dem Wege nach Afrika waren, als dort der Zusammenbruch erfolgte, wurden zu einer Division formiert, die den Namen 15. Panzergrenadierdivision erhielt; aber sie besaß nur eine kleine mit Panzern ausgerüstete Einheit. Ende Juni wurde die ähnlich zusammengestellte Panzerdivision Hermann Göring nach Sizilien verlegt. Aber Mussolini wollte nicht zugeben, daß diese beiden Divisionen zu einem Korps unter einem deutschen Kommandeur vereinigt wurden. Sie wurden unmittelbar dem italienischen Armeebefehlshaber General Guzzoni unterstellt und in fünf Gruppen als bewegliche Reserven eingeteilt. Der ranghöchste deutsche Verbindungsoffizier, Generalleutnant von Senger und Etterlin, erhielt einen kleinen Operationsstab und eine eigene Nachrichtenkompanie, um im Notfall Befehlsgewalt über die deutschen Truppen ausüben zu können.

Zu der Zeit, als Mussolini endlich bereit war, mehr deutsche Hilfe anzunehmen, bekam Hitler mehr Zweifel über die Zweckmäßigkeit, sie zu leisten, und er neigte auch zu einer anderen Ansicht über den eigentlichen Gefahrenpunkt. Einerseits argwöhnte er, daß die Italiener Mussolini stürzen und Frieden schließen würden – ein Verdacht, der bald durch die Ereignisse bestätigt wurde –, und zögerte daher, mehr deutsche Divisionen so weit nach Italien hineinzuschicken, aus Furcht, daß sie abgeschnitten werden könnten, wenn der italienische Verbündete zusammenbrach oder die Seite wechselte. Andererseits gelangte er zu der Annahme, Mussolini, das italienische Oberkommando und Kesselring irrten sich alle mit ihrer Ansicht, daß der nächste Schritt der Alliierten von Afrika aus ein Sprung nach Sizilien sein würde; hierin irrte Hitler.

Hittlers größter strategischer Nachteil bei der Abwehr des alliierten Wiedereintritts nach Europa war die ungeheure Ausdehnung seiner Eroberungen – von der Westküste Frankreichs am Atlantik bis zur Ostküste Griechenlands an der Ägäis. Es war sehr schwer für ihn abzuschätzen, wo die Alliierten zuschlagen würden; deren größter strategischer Vorteil war die weite Anzahl verschiedener Ziele und zudem ihre Kapazität zu Ablenkungsmanövern, die ihnen ihre Seemacht verschaffte.

Hitler mußte sich ständig gegen die Gefahr einer Invasion aus England über den Kanal hinweg wappnen; gleichzeitig mußte er aber befürchten, die alliierten Armeen in Nordafrika könnten an seiner großen Südfront irgendwo zwischen Spanien und Griechenland landen.

Er nahm an, die Alliierten würden eher in Sardinien als in Sizilien eine Landung versuchen. Sardinien würde ein bequemes Sprungbrett für eine Landung in Korsika sein und somit ein geeigneter Ausgangspunkt für Operationen sowohl gegen das französische wie gegen das italienische Festland. Gleichzeitig erwartete

Hitler auch eine alliierte Landung in Griechenland und wollte daher Reserven zurückhalten, die dorthin dirigiert werden könnten.

Diese Vermutungen wurden verstärkt, als das deutsche Oberkommando von Nazi-Agenten in Spanien Dokumente erhielt, die man bei einem »britischen Offizier« gefunden hatte, dessen Leiche an der spanischen Küste angeschwemmt worden war. Außer Ausweispapieren und persönlicher Korrespondenz gehörte dazu ein Privatbrief – dessen Überbringer der Tote sein sollte – von Generalleutnant Sir Archibald Nye, stellvertretendem Chef des Empire-Generalstabes, an General Alexander. Dieser Brief erwähnte amtliche Depeschen über bevorstehende Operationen und deutete an, daß die Alliierten in Sardinien und in Griechenland zu landen beabsichtigen, wobei sie durch ihren »Tarnplan« den Feind überzeugen wollten, Sizilien sei ihr Ziel.

Die Leiche und der Brief gehörten zu einem genialen Täuschungsmanöver des britischen Intelligence Service. Dieses war so gut ausgedacht, daß der deutsche Nachrichtendienst von der Echtheit überzeugt war. Obwohl es die Ansicht der führenden italienischen Militärs und Kesselrings nicht änderte, daß Sizilien das nächste Ziel der Alliierten sei, scheint es doch auf Hitler großen Eindruck gemacht zu haben.

Auf Befehl Hitlers wurde daher die 1. Panzerdivision von Frankreich nach Griechenland in Marsch gesetzt, um die dort stehenden drei deutschen Infanteriedivisionen und die italienische 11. Armee zu verstärken, während die neugebildete 90. Panzergrenadierdivision die vier italienischen Divisionen in Sardinien ergänzte. Weitere Verstärkungen für diese Insel wurden durch die Nachschubschwierigkeiten behindert, da in den wenigen Häfen die meisten Piers durch Bombenangriffe zerstört waren. Aber als zusätzliche Sicherheitsmaßnahme wurde General Students XI. Fliegerkorps (mit zwei Fallschirmjägerdivisionen) nach Südfrankreich verlegt; dort stand es bereit zu einem Gegenangriff aus der Luft gegen eine alliierte Landung in Sardinien.

Unterdessen ging die alliierte Planung im langsamen Gang weiter. Der Beschluß, in Sizilien zu landen, war aus einem Kompromiß entstanden und noch nicht durch eine klare Vorstellung der weiteren Ziele ergänzt worden. Als die amerikanischen und britischen Stabschefs im Januar 1943 auf der Casablanca-Konferenz zusammentrafen, stand zunächst ihre Meinungsverschiedenheit im Gegensatz zu dem Namen »Vereinigte Stabschefs«, den sie führten. Die Amerikaner (Admiral King, General Marshall und General Arnold) wollten nach der Säuberung Nordafrikas die Operation im Mittelmeer, die sie als eine Ablenkung ansahen, beenden und zu dem direkten Angriff auf Deutschland zurückkehren. Die Briten (General Brooke, Admiral Pound, Air Chief Marshal Portal) meinten, die Voraussetzungen für eine direkte Invasion in Nordfrankreich seien noch nicht gegeben, und ein solcher Versuch noch im Jahr 1943 werde mit einem Mißerfolg enden – eine Meinung, die rückschauend kaum angefochten werden kann. Aber alle waren der Meinung, daß irgendeine weitere Aktion unternommen werden müsse, um den Druck auf Deutschland aufrechtzuerhalten und deutsche Kräfte von der russischen Front abzuziehen. Der britische Gemeinsame Planungsstab befürwortete eine Landung in Sardinien; aber sowohl die britischen als auch die amerikanischen Stabschefs zogen Sizilien vor – dieser Ansicht war auch Churchill –, so daß eine Einigung in diesem Punkt schnell erreicht wurde. Das gewichtigste Argument dafür war, daß die Eroberung Siziliens den Schiffahrtsweg durch das Mittelmeer endgültig frei machen und dadurch eine Menge Schiffsraum einsparen würde – denn seit 1940 waren die meisten Geleitzüge mit Truppen und Nachschub nach Ägypten und Indien gezwungen gewesen, den weiten Umweg um Südafrika zu machen.

Als sie am 19. Januar diesen Beschluß faßten, Sizilien anzugreifen, erklärten die Vereinigten Stabschefs als Ziel: 1. den Verbindungsweg durch das Mittelmeer sicherer zu machen, 2. die russische Front von deutschem Druck zu entlasten, 3. den alliierten Druck auf Italien zu verstärken. Die Frage, was nach der Eroberung Siziliens geschehen solle, blieb offen. Jeder Versuch, das nächste Ziel zu bestimmen, hätte zu neuen Meinungsverschiedenheiten geführt – aber solche taktvollen Ausklammerungen haben sehr oft mangelnde strategische Vorbereitungen zur Folge.

Die Planung des Sizilien-Feldzuges wurde nicht als besonders dringlich empfunden. Obwohl man annahm, die Eroberung Tunesiens würde bis Ende April abgeschlossen sein, bestimmten die Vereinigten Stabschefs die Vollmondperiode im Juli als das erwünschte Datum für die Landung. Von britischer Seite wurde am 20. Januar eine Planskizze für diese »Operation Husky« vorgelegt: eine kombinierte Aktion von Streitkräften aus dem östlichen und aus dem westlichen Mittelmeer. Man kam überein, daß Eisenhower der Oberste Befehlshaber und Alexander sein Stellvertreter sein solle — das war eine Anerkennung der Rolle der USA als Senior-Partner in der Allianz; denn der britische Oberbefehlshaber war der ranghöhere und erfahrenere General, und bei diesem Feldzug würden die Briten den größeren Teil der Streitkräfte stellen. Anfang Februar wurde ein besonderer Planungsstab gebildet, mit dem Hauptquartier in Algier; seine Unterabteilungen waren freilich weit voneinander entfernt, und bei der Luftwaffe war dies nicht nur eine räumliche, sondern auch eine weite gedankliche Entfernung — mit dem Ergebnis, daß die Aktionen in der Luft während des Sizilien-Feldzuges nicht gut auf die Bedürfnisse der Land- und Seestreitkräfte abgestimmt waren. Viel Zeit verging mit dem Hin- und Herschicken des Planes. Eisenhower, Alexander und die beiden auserwählten Armeebefehlshaber Montgomery und Patton waren noch zu sehr mit der letzten Phase des Nordafrika-Feldzuges beschäftigt, um dem nächsten Schritt viel Aufmerksamkeit widmen zu können. Montgomery fand erst Ende April Zeit, die Planskizze zu studieren, und verlangte dann zahlreiche Abänderungen. Der Plan wurde dann am 3. Mai in neuer Fassung fertiggestellt und erhielt den Segen der Vereinigten Stabschefs am 13. Mai — eine Woche nach dem Zusammenbruch der Achsentruppen in Tunesien und am Tage, an dem die letzten Reste des Feindes sich dort ergaben.

Diese Verzögerung in der Planung war um so bedauerlicher, als nur eine der zehn Divisionen, die bei der Invasion Siziliens mitwirken sollen, am Endkampf in Nordafrika beteiligt war, und sieben davon erst ganz frisch auf dem Mittelmeer-Schauplatz angekommen waren. Eine Landung in Sizilien bald nach dem Zusammenbruch der Achse in Afrika hätte die Insel fast unverteidigt vorgefunden. Die lange Pause, die man dem Feind zur Verstärkung Siziliens ließ, wäre aber vielleicht noch länger gewesen, wenn nicht Churchill auf der Casablanca-Konferenz und später auf einer Landung im Juni bestanden hätte. Er gewann die Unterstützung der Vereinigten Stabschefs; aber die Befehlshaber im Mittelmeer selbst waren nicht darauf vorbereitet, die Invasion vor dem 10. Juli zu beginnen.

Die wichtigste Abänderung des Planes war, daß die Armee Pattons nicht am nordwestlichen Ende Siziliens in der Nähe Palermos landen sollte, sondern ebenfalls im Osten dicht bei Montgomerys Armee, deren Landeplätze dadurch dichter konzentriert wurden. Angesichts der Zeit, die der Feind für eine Verstärkung der Verteidigung gewonnen hatte, war diese dichtere Massierung der Invasionstruppen eine vernünftige Vorsichtsmaßnahme gegen die Gefahr eines schweren Gegenangriffs. Doch sie stellte sich dann als unnötig heraus, und man verscherzte sich dadurch die Chance, den Hafen von Palermo gleich zu Beginn zu erobern. Dies hätte noch ernstere Auswirkungen gehabt, wenn nicht die neuen amphibischen Fahrzeuge im Zusammenwirken mit den LST, den neuen Speziallandefahrzeugen für Panzer, das Problem der Versorgung mit Nachschub an der Küste selbst so gut gelöst hätten. Der revidierte Plan verzichtete auch weitgehend auf den Ablenkungseffekt, den der ursprüngliche Plan angestrebt hatte, und erleichterte es damit dem Gegner, nach der Landung seine verstreuten Reserven zu konzentrieren und den alliierten Vormarsch über das gebirgige Innere der Insel zu hindern. Wenn Patton an der Nordwestküste in der Nähe von Palermo gelandet wäre, dann hätte er schnell die Straße von Messina, die Nachschub- und Rückzugslinie des Feindes, erreicht, und alle feindlichen Streitkräfte in Sizilien wären in der Falle gewesen. So wie sich die Dinge entwickelten, hatte das Entweichen der deutschen Divisionen auf das Festland weitreichende Folgen für den späteren Verlauf des Feldzuges.

Ein Irrtum zugunsten größerer Sicherheit war freilich sehr naheliegend bei dem ersten Schritt zur Rückkehr der Alliierten nach Europa — und der ersten großen über das Meer hinweg durchgeführten Operation gegen eine feindliche Küste. Es verdient Erwähnung, daß diese Landung von acht Divisionen zu gleicher Zeit im Ausmaß größer war als selbst die in der Normandie elf Monate später. Etwa 150 000 Mann wurden an jedem der ersten drei Tage gelandet, und die schließliche Gesamtzahl betrug 478 000 — 250 000 Briten und 228 000 Amerikaner. Die britischen Landungen erfolgten auf einem 60 Kilometer langen Küstenstrich an der Südostküste der Insel und die amerikanischen auf einem ebenfalls 60 Kilometer langen Küstenstrich an der Südküste, wobei ein Zwischenraum von 30 Kilometern zwischen dem linken britischen und dem rechten amerikanischen Flügel bestand.

Der Anteil der Kriegsmarine an der Operation war von Admiral Sir Andrew Cunningham und seinem Stab geplant und geleitet worden. Er umfaßte einen Komplex von Operationen mit dem Höhepunkt der Landung bei Nacht, und er lief von Anfang bis Ende so wundervoll glatt ab, daß dies für die Planer wie für die Ausführenden ein großes Ruhmesblatt bedeutete. Als amphibische Operation funktionierte es weit besser als die »Operation Torch«, die Landung in Französisch-Nordafrika im vergangenen November, von der man viel gelernt hatte.

Der (britische) östliche Einsatzverband der Kriegsmarine unter Vizeadmiral Sir Bertram Ramsay bestand aus 795 Schiffen, und weitere 715 Landefahrzeuge wurden mitgeführt. Die 5. und 50. Division und die 231. Infanteriebrigade kamen auf Schiffen aus dem östlichen Ende des Mittelmeeres von Suez, Alexandria und Haifa; sie sollten am südlichen Teil der sizilianischen Ostküste zwischen Syrakus und Cap Passero landen. Die 51. Division kam in Landefahrzeugen aus Tunesien, und ein Teil von ihr machte Zwischenlandung in Malta; sie sollte an der südöstlichen Ecke Siziliens landen. Die 1. kanadische Division, die westlich davon an Land gehen sollte, kam aus Großbritannien in zwei Geleitzügen; der zweite und schnellere von diesen, der den größten

Teil der Truppen an Bord hatte, lief am Tag »X minus 12«, dem 28. Juni, von England aus. Er passierte den gegen Minen geschützten Schiffahrtsweg bei Bizerta unmittelbar vor den amerikanischen Konvois.

Der (amerikanische) westliche Marine-Einsatzverband unter Vizeadmiral Henry Kent Hewitt bestand aus 580 Schiffen, weitere 1124 Landefahrzeuge wurden mitgeführt. Die 45. Infanteriedivision wurde für die Landung bei Scoglitti am rechten Flügel in zwei Geleitzügen über den Ozean transportiert und nahm nach kurzem Zwischenaufenthalt in Oran ihre LST und kleineren Landefahrzeuge bei Bizerta an Bord. Die 1. Infanterie- und die 2. Panzerdivision, die bei Gela landen sollten, schifften sich in Algier und in Oran ein. Die 3. Infanteriedivision, die am linken Flügel bei Licata landete, schiffte sich in Bizerta ein und wurde vollständig auf Landeschiffen und Landefahrzeugen transportiert.

Die Fahrt und die Zusammenziehung der Geleitzüge dieser großen Armada erfolgten unter dem Schutz der Kriegsmarine und der Luftwaffe ohne ernste Störung; nur vier Schiffe eines Geleitzuges und zwei LST wurden durch U-Boote versenkt. Auch durch Luftangriffe entstand während der Fahrt kein nennenswerter Schaden; die feindliche Luftwaffe wurde so gut in Schach gehalten, daß die meisten Geleitzüge nicht einmal gesichert wurden. Die alliierte Luftüberlegenheit auf diesem Kriegsschauplatz war so groß – über 4000 einsatzfähige Flugzeuge gegenüber etwa 1500 deutschen und italienischen –, daß die feindlichen Bomber im Juni auf Stützpunkte im nördlichen und mittleren Italien zurückgezogen worden waren. Vom 2. Juli an wurden die Flugplätze in Sizilien so schwer und nachhaltig bombardiert, daß am Tage der Invasion nur einige wenige kleinere Landefelder benutzbar waren und die meisten der nichtbeschädigten Jäger sich auf das Festland oder nach Sardinien zurückzogen (die Gesamtzahl der im Laufe des Sizilien-Feldzuges vernichteten Flugzeuge betrug nicht mehr als 200, nicht 1100, wie die Alliierten damals meldeten). Am Nachmittag des 9. Juli begannen die Geleitzüge in ihren Versammlungsräumen östlich und westlich von Malta einzutreffen. Gleichzeitig erhob sich starker Wind, der die See so hoch aufwühlte, daß die kleineren Fahrzeuge gefährdet waren und der Landungsplan durcheinandergebracht zu werden drohte. Zum Glück legte sich der Sturm gegen Mitternacht; nur eine ärgerliche Dünung blieb, und nur ein kleiner Teil der Fahrzeuge erreichte dadurch die Küste zu spät.

Die schlimmste Wirkung aber hatte der Sturm auf die Luftlandung, die den Seelandungen vorausgehen sollte, von Teilen der 1. britischen und 82. amerikanischen Luftlandedivision ausgeführt. Da es die erste größere Operation dieser Art war, welche die Alliierten versuchten, wäre sie auf jeden Fall schwierig gewesen wegen der mangelnden Erfahrung der Mannschaften und der Notwendigkeit, bei Nacht zu landen. Der Sturm vermehrte die navigatorischen Schwierigkeiten für die Transport- und Schleppflugzeuge bei der Landung in ihren Zielräumen, und zusammen mit dem Flak-Feuer brachte er die Absprünge in große Unordnung. Die amerikanischen Fallschirmjäger wurden in kleinen Einheiten über einen Raum von mehreren Dutzend Quadratkilometern verstreut; die britischen Truppen, die Gleitflugzeugen befördert wurden, fanden sich ebenfalls in einem weiten Raum verstreut, und 47 der 134 Gleitflugzeuge fielen ins Wasser. Aber die unbeabsichtigte weite Streuung der Luftlandetruppen trug dazu bei, hinter der feindlichen Front weit und breit Alarm und Verwirrung zu stiften, und einige der abgesprungenen Einheiten konnten auch Brücken und Straßenkreuzungen besetzen.

In der Bilanz wurden die Schwierigkeiten, die der plötzliche Sturm den Angreifern bereitete, mehr als ausgeglichen dadurch, daß er auch die Verteidigung lähmte. Denn obwohl am Nachmittag fünf Geleitzüge auf der Fahrt von Malta nach Norden gesichtet wurden und zahlreiche Meldungen darüber noch vor dem Abend eintrafen, erreichten die Warnungen aus dem Oberkommando entweder die nachgeordneten Stäbe nicht, oder sie machten keinen Eindruck, Zwar wurden alle deutschen Truppen in Reservestellungen eine Stunde nach der ersten Meldung in Alarmzustand versetzt; aber die Italiener an der Küste nahmen an, der heulende Wind und die rauhe See garantierten ihnen endlich eine Nacht Ruhe. Admiral Cunnigham bemerkte treffend in seinem Bericht, das schlechte Wetter »hatte die Wirkung, daß die übermüdeten Italiener, die mehrere Nächte Alarm hinter sich hatten, dankbar ins Bett gingen und sagten ›heute können sie aber nicht kommen‹. Aber sie kamen doch.

Die Müdigkeit der Italiener war freilich nicht nur physisch bedingt. Die meisten von ihnen waren kriegsmüde, und nur wenige hatten Mussolinis Kriegsbegeisterung geteilt. Außerdem bestanden die Truppen an der Küste meist aus Sizilianern – dahinter stand die Annahme, sie würden eher bereit sein, sich als Kämpfer zu bewähren, wenn sie ihre eigene Heimat verteidigten. Aber diese Annahme berücksichtigte weder ihre offenkundige Abneigung gegen die Deutschen noch ihre nüchterne Erkenntnis, daß, je härter sie kämpften, desto weniger von ihren Häusern übrigbleiben würde.

Ihre Unlust zu kämpfen vertiefte sich, als am 10. Juli der Tag anbrach und man dieses gewaltige Aufgebot von Schiffen sehen konnte, die das Meer bis zum Horizont füllten, ebenso wie den ständigen Strom von Landefahrzeugen mit Verstärkungen für die ersten Angriffswellen, die im Morgengrauen an Land gekommen waren.

Die Verteidigung an der Küste wurde schnell überrannt, und die Ängste, die viele der Soldaten durch Seekrankheit ausgestanden hatten, wurden mehr als ausgeglichen, als sie bei der Ankunft an der Küste nur auf schwaches feindliches Feuer stießen und nur ganz geringe Verluste hatten. Die erste Phase der Invasion wurde von Alexander in zwei Sätzen zusammengefaßt: »Die italienischen Küstendivisionen, deren Kampfwert nie sehr hoch eingeschätzt worden war, lösten sich auf, fast ohne einen Schuß abzugeben; auch die Felddivisionen, auf die man stieß, wurden weggefegt wie Spreu vor dem Wind. Massenkapitulationen waren sehr häufig.« So fiel vom ersten Tag an fast die ganze Last der Verteidigung auf die Schultern der beiden eilig zusammengekratzten deutschen Divisionen, die später durch zwei weitere verstärkt wurden.

Es gab nur einen einzigen gefährlichen Gegenangriff in der kritischen Phase, bevor die Invasionstruppen sich fest an Land etabliert hatten. Er wurde ausgeführt von der Division Hermann Göring, die zusammen mit einer Abteilung mit den neuen 56-t-»Tiger«-Panzern bei Caltagirone eingesetzt war — 30 Kilometer von der Küste in der Bergkette, welche die Ebene von Gela überblickte, wo die 1. US-Infanteriedivision gelandet war. Zum Glück erfolgte dieser Angriff erst am zweiten Tag. Auch eine kleine Gruppe italienischer leichter Panzer veralteten Typs machte am ersten Vormittag einen tapferen Gegenangriff und drang wieder in die Stadt Gela ein, bis sie von dort vertrieben wurde; aber der deutsche Panzerverband wurde unterwegs aufgehalten und trat erst am nächsten Morgen in Erscheinung. Auch dann waren erst wenige amerikanische Panzer entladen worden — wegen der Landeschwierigkeiten in schwerer Brandung und der Überfüllung am Strand. Die deutschen Panzer kamen dann in kleinen Rudeln über die Ebene, überrannten die amerikanischen Vorposten und gelangten bis zu den Sanddünen am Rande der Küste. Es sah kurze Zeit so aus, als würden hier die Invasoren ins Meer zurückgeworfen werden; aber gut gezieltes Geschützfeuer der Kriegsschiffe zersprengte sehr schnell den Angriff. Auf die gleiche Weise wurde ein drohender Vorstoß einer anderen deutschen Einheit mit einigen »Tigern« an der linken Flanke der 45. Division von vornherein zum Stehen gebracht.

Am nächsten Tag gelangten zwei Kampfgruppen der 15. Panzergrenadierdivision nach einem Eilmarsch von West-Sizilien vor die amerikanische Front; aber da war die Division Hermann Göring bereits zum britischen Abschnitt umgelenkt worden, um dort die Erweiterung des Brückenkopfes zu verhindern. Der dortige Vorstoß sah am bedrohlichsten aus, da er sich bereits dem großen Hafen Catania näherte, während die drei amerikanischen Landeköpfe noch schmal und noch nicht miteinander verbunden waren.

Die britischen Landungen waren auf ebensowenig Widerstand gestoßen wie die amerikanischen, und der Vormarsch aus den Landeköpfen wurde durch das Ausbleiben sofortiger Gegenangriffe erleichtert. Es gab zwar auch hier Pannen und Verzögerungen bei der Ausschiffung, aber sie verlief im ganzen besser als bei den Landungen weiter westlich, die leichter angreifbar waren. Vom zweiten Tag an wurden die feindlichen Luftangriffe häufiger; aber auch die Abwehr durch alliierte Flugzeuge war stärker, so daß die Verluste an Schiffen fast ebenso gering waren wie an dem amerikanischen Sektor. Für alle, welche die ersten Jahre des Krieges im Mittelmeer erlebt hatten, schien es, wie Admiral Cunningham schrieb, »fast ein Wunder, daß große Flotten mit vielen Schiffen an einer feindlichen Küste vor Anker gehen können ... mit so geringen Verlusten durch Luftangriffe«. Diese Unverwundbarkeit gegen Luftangriffe war ein entscheidender Faktor beim Erfolg dieser amphibischen Invasion.

In der nächsten Phase jedoch wurde der Fortschritt durch eine andere Form des Luftkrieges aufgehalten. Die britischen Truppen hatten in den ersten drei Tagen den ganzen südöstlichen Teil der Insel vom Feind gesäubert. Dann entschloß sich Montgomery, »eine große Anstrengung zum Durchbruch aus dem Raum Lentini in die Ebene von Catania zu machen«, und befahl einen Großangriff für die Nacht zum 13. Juli. Das Hauptproblem dabei war die Einnahme der Brücke bei Primasole über den Simeto, wenige Kilometer südlich von Catania. Eine Fallschirmjägerbrigade wurde dafür eingesetzt; obwohl nur die Hälfte von ihr an der richtigen Stelle absprang, genügte dies, um die Brücke unversehrt zu nehmen. Die nächste Phase des Kampfes wird am besten geschildert in dem Bericht von General Student, dem Befehlshaber des deutschen XI. Fliegerkorps, zu dem die Luftlandetruppen gehörten. Seine zwei Divisionen waren von Hitler nach Südfrankreich kommandiert worden, bereit, nach Sardinien zu fliegen, wenn die Alliierten, wie Hitler annahm, dort landeten. Aber Luftlandetruppen sind eine höchst bewegliche strategische Reserve, die leicht für andere Situationen eingesetzt werden können, wie Students Bericht zeigt:

»Als die Alliierten am 10. Juni in Sizilien landeten, schlug ich einen sofortigen Luftlande-Gegenangriff mit meinen beiden Divisionen vor. Aber Hitler lehnte dies ab – insbesondere Jodl war dagegen. So wurde die 1. Fallschirmjägerdivision nur nach Italien – teils nach Rom und teils nach Neapel – geflogen, während die 2. Fallschirmjägerdivision mit mir in der Nähe von Nimes blieb. Die 1. Division wurde jedoch bald nach Sizilien befohlen, zwecks Einsatz als Bodentruppe zur Verstärkung der schwachen deutschen Kräfte, als die italienischen Truppen sich in Massen ergaben. Ein Teil der Division wurde in mehreren Etappen dorthin geflogen und im östlichen Sektor südlich von Catania hinter unserer Front abgesetzt – ich hätte lieber gesehen, wenn sie hinter der alliierten Front abgesetzt worden wären. Das erste Kontingent landete etwa drei Kilometer hinter unserer Front, durch einen seltsamen Zufall fast gleichzeitig mit den britischen Fallschirmjägern, die hinter unserer Front abgesetzt wurden, um die Brücke über den Simeto zu nehmen. Es überwältige die britischen Fallschirmjäger und nahm die Brücke wieder. Dies geschah am 14. Juni.«

Das Gros der britischen Truppen konnte dann nach drei Tagen harter Kämpfe die Brücke zurückerobern und den Weg in die Ebene von Catania wieder öffnen. Aber ihr Versuch, weiter nördlich vorzurücken, stieß auf zunehmenden Widerstand deutscher Reserven, die dort konzentriert waren, um die östliche Küstenstraße nach Messina, wo Sizilien dem italienischen Festland ganz nahe kommt, zu blockieren.

Dies vereitelte die Hoffnung auf eine schnelle Säuberung Siziliens. Montgomery war gezwungen, das Schwergewicht der 8. Armee nach Westen zu verlegen, zu einem größeren Umweg durch das bergige Landesinnere und um den Ätna herum; er arbeitete dabei mit der 7. Armee zusammen, die am 22. Juli die Nordküste erreichte und Palermo besetzte – freilich zu spät, um den Rückzug der beweglichen Truppen des Feindes abzufangen. Dieser neue Plan bedeutete für die Armee Pattons eine stark veränderte Aufgabe: Ihre Funktion als Schutzschild für die Flanke des schnellen Vorstoßes der 8. Armee auf Messina und als Ablenkung für die feindlichen Kräfte wandelte sich zu der einer offensiven Angriffsspitze.

Für diesen neuen Angriff, der am 1. August beginnen sollte, wurden zwei neue Infanteriedivisionen, die 9. amerikanische und 78. britische, aus Afrika herübergebracht; sie erhöhten die Gesamtzahl auf zwölf. Auch die Deutschen wurden durch die 29. Panzergrenadierdivision verstärkt, und General Hube mit dem Stab des XIV. Panzerkorps übernahm jetzt die Verteidigung Siziliens, sondern nur noch eine Verzögerungsaktion zur Deckung der Evakuierung der Achsentruppen – dieser Beschluß war unabhängig voneinander sowohl von Guzzoni wie von Kesselring bald nach Mussolinis Sturz am 25. Juli gefaßt worden, noch vor der neuen alliierten Offensive.

Einer solchen Verzögerungsaktion kam sowohl die geographische Gestalt als auch die geologische Formation Siziliens zugute, das ein gebirgiges Dreieck bildet. Während die Bodenbeschaffenheit den Verteidigern nützte und jeder Schritt zurück für sie eine Verkürzung der Front bedeutete, wurden die alliierten Armeen durch das Gelände immer mehr an der vollen Entfaltung ihrer überlegenen Kräfte gehindert. Patton machte dreimal den Versuch, den Vormarsch durch kleine amphibische Sprünge zu beschleunigen: eine Landung bei Sant Agata in der Nacht vom 7. auf 8. August, eine zweite bei Brolo am 10./11. und eine dritte bei Spadafora am 15./16.; aber sie kam jedesmal zu spät, um entscheidenden Erfolg zu haben. Auch Montgomery versuchte eine solche Operation am 15./16. August; aber da war die Nachhut des Feindes schon nach Norden entwichen, die meisten feindlichen Truppen hatten bereits die Meerenge überquert und befanden sich auf dem Festland.

Der Rückzug über die Straße von Messina war glänzend organisiert und wurde zum größten Teil in sechs Tagen und sieben Nächten durchgeführt, ohne ernsthafte Störung durch alliierte Luft- oder Seestreitkräfte. Fast 40 000 Deutsche und über 60 000 Italiener wurden ungehindert evakuiert. Wenn auch die Italiener bis auf etwa 200 alle ihre Fahrzeuge zurückließen, so brachten die Deutschen fast 10 000 Fahrzeuge ebenso wie 47 Panzer, 94 Geschütze und 17 000 t Ausrüstung und Nachschub auf das Festland. Am 17. August gegen 6.30 Uhr morgens rückte die erste amerikanische Patrouille in Messina ein, und kurz darauf kam die erste britische Einheit an – begrüßt mit fröhlichen Rufen »Wo kommt ihr Touristen denn her?«.

Der Erfolg dieses wohlorganisierten Absetzmanövers ließ Alexanders Meldung an den Premierminister über den Abschluß des Feldzuges recht hohl erscheinen: »Bis 10 Uhr vormittags am 17. August 1943 war der letzte deutsche Soldat aus Sizilien herausgeworfen ... Man kann annehmen, daß alle am 10. Juli auf der Insel befindlichen italienischen Streitkräfte vernichtet worden sind, wenn auch einige wenige angeschlagene Einheiten auf das Festland entkommen sein mögen.«

Soweit man aus den Berichten schließen kann, betrug die Zahl der deutschen Truppen in Sizilien wenig über 60 000, die der italienischen 195 000 (Alexanders damalige Schätzung lautete 90 000 Deutsche und 315 000 Italiener). Von den Deutschen wurden 5500 Mann gefangen, und 13 500 Verwundete wurden schon vor dem Rückzug auf das Festland evakuiert, so daß die Zahl der Toten kaum mehr als einige tausend betragen haben kann (die britische Schätzung lautete 24 000 Tote). Die britischen Verluste betrugen 2721 Tote, 2183 Vermißte und 7939 Verwundete – insgesamt 12 843. Die amerikanischen Verluste betrugen 2811 Tote, 686 Vermißte und 6471 Verwundete – insgesamt 9968. So betrugen die alliierten Verluste insgesamt etwa 22 800 Mann. Es waren keine schweren Verluste im Vergleich zu den großen politischen und strategischen Ergebnissen des Feldzuges – der Mussolinis Sturz und Italiens Kapitulation zur Folge hatte.

Doch die »Ausbeute« an feindlichen Gefangenen hätte größer und die nächste Phase des Feldzuges leichter sein können, wenn die Alliierten stärkeren Gebrauch von amphibischen Umfassungsmanövern gemacht hätten. Dies war jedenfalls Admiral Cunninghams Ansicht, und in seinem Bericht bemerkt er spitz:

> »Nach den ersten Tagen wurde seitens der 8. Armee von den amphibischen Möglichkeiten kein Gebrauch mehr gemacht. Die Landefahrzeuge lagen abrufbereit zu diesem Zweck zur Verfügung ... Sicher gab es militärische Gründe dafür, von diesem meiner Ansicht nach unschätzbar wertvollen Bestandteil der Seemacht und von den Möglichkeiten flexibler Bewegungen keinen Gebrauch zu machen; aber es ist zu erwägen, ob bei künftigen Gelegenheiten nicht viel Zeit und viel Kampf ge-

spart werden kann auch durch kleine amphibische Flankenmanöver, die den Feind in Verwirrung bringen.«

Zu Kesselrings großer Erleichterung hatte das alliierte Oberkommando keinen Versuch gemacht, in Kalabrien, der »Fußspitze« Italiens, hinter dem Rücken des Feindes zu landen, um seinen Rückzug über die Straße von Messina zu verhindern. Während des ganzen Sizilien-Feldzuges hatte er ängstlich eine solche Operation erwartet, und er hatte keine Kräfte zur Verfügung, um sie zu verhindern. Nach seiner Ansicht »hätte ein Ablenkungsangriff auf Kalabrien den Feldzug in Sizilien zu einem überwältigenden alliierten Sieg gemacht«. Und bis zum Abschluß des Sizilien-Feldzuges und dem erfolgreichen Entkommen der dort kämpfenden vier deutschen Divisionen hatte Kesselring nur zwei deutsche Divisionen zum Schutz ganz Süditaliens zur Verfügung.

KAPITEL 27

DIE INVASION ITALIENS KAPITULATION UND STILLSTAND

»Nichts ist so erfolgreich wie der Erfolg« heißt ein bekanntes Sprichwort. Aber in einem tieferen Sinn ist es oft so, daß »nichts so erfolgreich ist wie der Mißerfolg«. Religiöse und politische Bewegungen, die von den herrschenden Gewalten unterdrückt wurden, sind häufig zu neuem Leben erwacht und blieben auf lange Sicht siegreich, nachdem ihre Führer den Glorienschein des Märtyrertums errungen hatten. Der gekreuzigte Christus wurde mächtiger als der lebende. Siegreiche Generale wurden von den besiegten in den Schatten gestellt – wie der unsterbliche Nachruhm von Hannibal, Napoleon, Robert Lee und Rommel beweist.

Auch in der Geschichte der Nationen kann man das gleiche feststellen, wenn auch in etwas versteckterer Form. Jedermann kennt das Sprichwort: »In einem Krieg gewinnen die Engländer nur eine einzige Schlacht – die letzte.« Dies drückt ihre typische Neigung aus, mit Desastern anzufangen, aber mit einem Sieg zu enden. Diese Gewohnheit ist riskant und kostspielig. Aber paradoxerweise ist oft das Endergebnis darauf zurückzuführen, daß die anfänglichen Niederlagen der Briten und ihrer Verbündeten den Feind allzu zuversichtlich gemacht und zur Überspannung seiner Kräfte bewogen haben.

Oft genug hat, auch nachdem sich das Blatt gewendet hat, der Mißerfolg des ersten Anlaufs sich auf lange Sicht als vorteilhaft herausgestellt, indem gerade er zum vollen endgültigen Erfolg beitrug. Dies geschah ganz eindeutig zweimal im Verlauf der Operationen im Mittelmeer während des Zweiten Weltkrieges. Der Mißerfolg des ersten alliierten Vorstoßes von Algerien nach Tunis im November 1942 hatte, wie schon gesagt, Hitler und Mussolini ermutigt, einen breiten Strom von Verstärkungen über das Meer dorthin zu schicken, wo die Alliierten sechs Monate später den Feind in der Falle hatten und zwei Armeen der Achse zu Gefangenen machten – dadurch wurde das Haupthindernis ihres eigenen Sprunges von Afrika nach Südeuropa beseitigt.

Das nächste Beispiel eines Mißerfolgs, der sich dann als Vorteil herausstellte, war die Invasion Italiens selbst. Nach der schnellen Eroberung Siziliens und dem Sturz Mussolinis sah der zweite und so viel kürzere Sprung nach Italien wie ein Kinderspiel aus. Und die Erfolgsaussichten waren um so besser, als insgeheim ohne Wissen der Deutschen die Kapitulation Italiens vereinbart worden war; sie sollte gleichzeitig mit der alliierten Hauptlandung bekanntgegeben werden. Zu diesem Zeitpunkt standen nur sechs schwache deutsche Divisionen in Süditalien und zwei Divisionen in der Nähe von Rom, um den doppelten Auftrag zu erfüllen, die alliierte Invasion abzuwehren und gleichzeitig ihre italienischen Ex-Verbündeten niederzuwerfen.

Feldmarschall Kesselring brachte es jedoch fertig, die Invasoren in Schach zu halten, während er die Italiener entwaffnete, und es gelang ihm, die alliierten Armeen auf einer Linie rund 150 Kilometer südlich von Rom zum Stehen zu bringen. Acht Monate vergingen, bevor die Alliierten die italienische Hauptstadt erreichten, und dann wurden sie wiederum für acht Monate aufgehalten, ehe sie aus der schmalen und gebirgigen Halbinsel in die Ebenen Norditaliens durchbrechen konnten. Doch diese lange Verzögerung eines Abschlusses, der im September 1943 schon so nahe schien, brachte für die alliierte Kriegführung im allgemeinen wichtige Vorteile mit sich. Hitler hatte zuerst geplant, seine Truppen aus Süditalien herauszuziehen und eine Verteidigungsstellung in den Bergen weiter nördlich aufzubauen. Aber Kesselrings unerwartet erfolgreiche Verteidigung gegen diese doppelte Gefahr bewog ihn dann, entgegen Rommels Rat, Reserven nach Süditalien zu schikken, um einen so großen Teil Italiens so lange wie möglich zu halten. Diese Entscheidung ging auf Kosten der Reserven, die Hitler bald brauchte, um die weit größere Gefahr des deutschen Zweifrontenkrieges gegen die Russen im Osten und die westlichen Alliierten in Frankreich abzuwehren.

Im Verhältnis zu ihren eigenen dort eingesetzten Kräften absorbierten die Alliierten in Italien einen relativ höheren Teil des

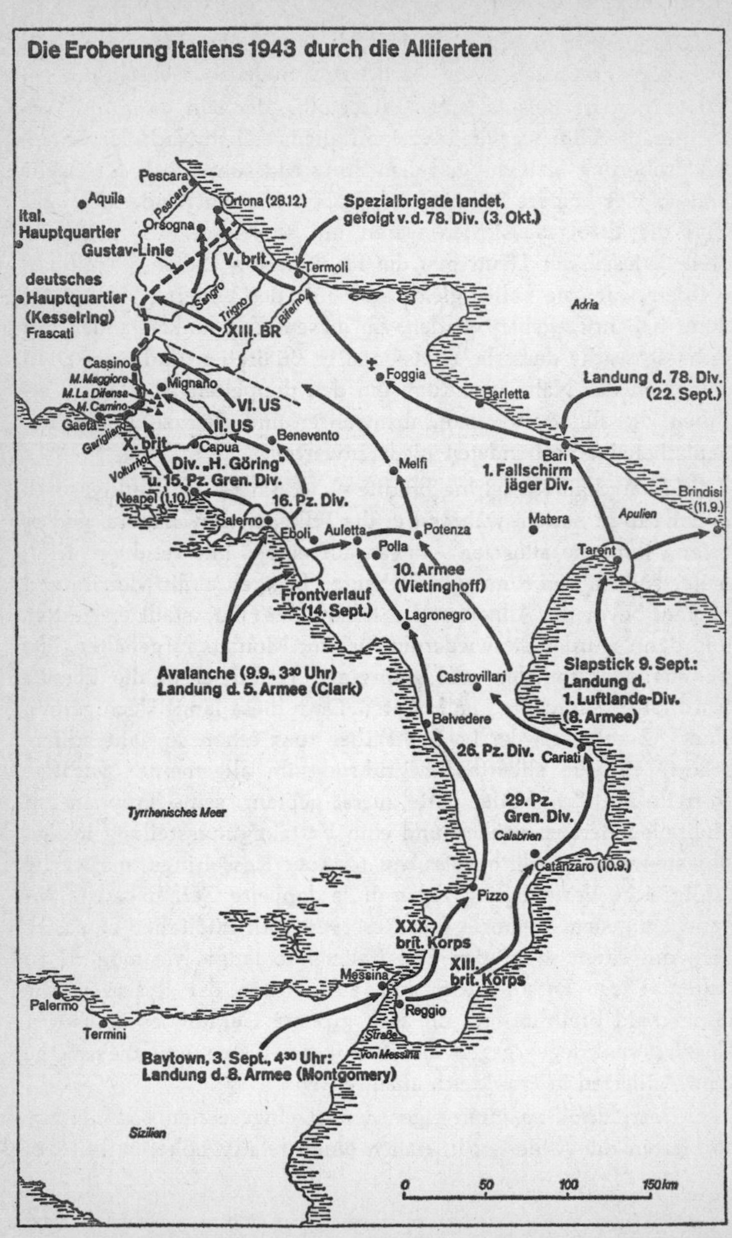
Die Eroberung Italiens 1943 durch die Alliierten
Pescara
Aquila
Ortona (28.12.)
Spezialbrigade landet, gefolgt v. d. 78. Div. (3. Okt.)
ital. Hauptquartier
Orsogna
Gustav-Linie
V. brit.
Termoli
deutsches Hauptquartier (Kesselring)
Frascati
Sangro
Trigno
Biferno
XIII. BR
Adria
Cassino
M. Maggiore
M. La Difensa
M. Camino
Mignano
VI. US
Foggia
Landung d. 78. Div. (22. Sept.)
Barletta
Gaeta
Garigliano
II. US
Benevento
X. brit.
Capua
Volturno
Div. „H. Göring" u. 15. Pz. Gren. Div.
Melfi
Bari
1. Fallschirm jäger Div.
Neapel (1.10.)
16. Pz. Div.
Brindisi (11.9.)
Apulien
Salerno
Eboli
Auletta
Potenza
Matera
Polla
Tarent
10. Armee (Vietinghoff)
Frontverlauf (14. Sept.)
Lagronegro
Avalanche (9.9., 3[30] Uhr) Landung d. 5. Armee (Clark)
Castrovillari
Slapstick 9. Sept.: Landung d. 1. Luftlande-Div. (8. Armee)
Belvedere
26. Pz. Div.
Cariati
Tyrrhenisches Meer
29. Pz. Gren. Div.
Calabrien
Catanzaro (10.9.)
Pizzo
XXX. brit. Korps
XIII. brit. Korps
Messina
Palermo
Reggio
Termini
Straße von Messina
Baytown, 3. Sept., 4[30] Uhr: Landung d. 8. Armee (Montgomery)
Sizilien
0
50
100
150 km

deutschen Potentials als an den anderen Fronten. Zudem war die italienische Front diejenige, wo die Deutschen mit dem geringsten Risiko Gelände hätten aufgeben können; aber je mehr sie ihre Kräfte anspannten, um überall eine ausgedehnte Front zu halten, desto größer wurde die Gefahr eines schließlichen Zusammenbruchs durch Überbeanspruchung der Kräfte.

Solche Überlegungen mochten die alliierten Armeen in Italien unter Alexander über die lange Enttäuschung ihrer Hoffnungen auf einen baldigen Sieg hinwegtrösten. Man sollte freilich bedenken, daß große Unternehmungen nicht in der Hoffnung begonnen werden, einen Mißerfolg zu erzielen, der sich später als Vorteil herausstellt. Denn es liegt nicht in der menschlichen Natur, einen Mißerfolg zu wünschen und zu suchen. Daher muß man nüchtern schildern, was wirklich geschah und warum.

Der erste entscheidende Faktor bei der Enttäuschung alliierter Hoffnungen war die Verzögerung bei der politischen Ausnutzung des Staatsstreiches in Italien, durch den Mussolini gestürzt wurde. Dieser erfolgte am 25. Juli; doch mehr als sechs Wochen vergingen, ehe die Alliierten das italienische Festland betraten. Für diese Verzögerung gab es militärische und politische Gründe. Auf der Konferenz der britischen und amerikanischen Stabschefs in Washington Ende Mai hatten die Amerikaner dem Plan widersprochen, von Sizilien nach Italien überzugehen, in der Besorgnis, dies könne ihre Pläne für eine Invasion in der Normandie und einen Feldzug gegen die Japaner im Pazifik stören. Erst am 20. Juli, als die italienischen Truppen in Sizilien eine so große Bereitschaft zur Kapitulation bewiesen hatten, stimmten die amerikanischen Stabschefs einer Fortsetzung des Feldzuges auf das Festland hinüber zu. Doch dann war es schon zu spät, um sich auf eine sofortige Fortsetzung vorzubereiten.

Ein weiteres Hindernis war die politische Forderung nach »bedingungsloser Kapitulation«, die Präsident Roosevelt und Premierminister Churchill auf der Konferenz von Casablanca im Januar formuliert hatten. Die neue italienische Regierung unter Marschall Badoglio war natürlich bemüht festzustellen, ob in Verhandlungen mit den alliierten Regierungen günstigere Bedingungen erzielt werden könnten; aber sie fand, daß es schwierig war, mit den Alliierten Kontakt aufzunehmen. Ein naheliegender Verbindungsweg schien der über den britischen und den amerikanischen Botschafter beim Vatikan zu sein; aber er erwies sich als nutzlos wegen einer wirklich außerordentlichen Kurzsichtigkeit von amtlicher Seite, wie Badoglios Bericht enthüllt: »Der britische Botschafter teilte uns mit, unglücklicherweise sei sein Geheimcode schon alt und fast mit Sicherheit den Deutschen bekannt; daher könne er uns nicht raten, ihn für vertrauliche Mitteilungen an seine Regierung zu benutzen. Und der amerikanische Geschäftsträger antwortete, er habe überhaupt keinen Geheimcode.« So mußten die Italiener warten, bis sie Mitte August einen glaubwürdigen Vorwand fanden, um einen Bevollmächtigten nach Portugal zu schicken, wo er mit britischen und amerikanischen Vertretern zusammentreffen konnte. Doch selbst dann ergaben sich auf diesem Umweg noch weitere Verzögerungen.

Im Gegensatz dazu ergriff Hitler ohne Zeitverlust Maßnahmen für die Eventualität, daß die neue italienische Regierung Frieden schließen und aus dem Bündnis mit Deutschland aussteigen wollte. Am Tage des Staatsstreichs in Rom, am 25. Juli, war Rommel in Griechenland eingetroffen, um dort den Oberbefehl zu übernehmen; aber kurz vor Mitternacht erhielt er einen Telefonanruf, der ihm mitteilte, Mussolini sei abgesetzt und er selber solle sofort zu Hitlers Hauptquartier in Ostpreußen zurückfliegen. Dort kam er am nächsten Mittag an und »erhielt den Befehl, in den Alpen Truppen zusammenzuziehen und einen möglichen Einmarsch nach Italien vorzubereiten«.

Dieser Einmarsch begann sogleich, wenn auch noch zum Teil verschleiert. Rommel befürchtete, die Italiener könnten mit Hilfe alliierter Fallschirmjäger plötzlich die Alpenpässe sperren, und gab am 30. Juli den nächstliegenden deutschen Verbänden den Befehl, die Grenze zu überschreiten und die Pässe zu besetzen. Dies geschah unter dem Vorwand, den Nachschubweg nach Italien gegen Sabotage oder Fallschirmjägerangriffe zu schützen. Die Italiener protestierten und drohten kurze Zeit, den Durchmarsch zu hindern; aber sie zögerten, das Feuer zu eröffnen und einen Konflikt mit ihren Verbündeten heraufzubeschwören. Die deutsche Infiltration wurde dann immer mehr ausgeweitet, unter dem Vorwand, die Italiener von der Verteidigung Norditaliens zu entlasten, damit sie ihre Kräfte im Süden verstärken könnten, wo die Alliierten offensichtlich jeden Augenblick landen konnten. Dieses Argument war strategisch so einleuchtend, daß die führenden italienischen Militärs es kaum ablehnen konnten, ohne ihre Absicht zu enthüllen, die Seite zu wechseln. So hatten sich bis Anfang September acht deutsche Divisionen unter Rommel südlich der italienischen Grenze eingenistet und bildeten eine potentielle Verstärkung für Kesselrings Truppen in Italien.

Außerdem wurde die 2. Fallschirmjägerdivision, die aus besonders zähen Kämpfern bestand, von Frankreich nach Ostia in die Nähe von Rom geflogen. Mit ihr kam General Student, der Oberbefehlshaber der deutschen Luftlandetruppen. Bei seiner Vernehmung nach dem Krieg sagte er aus:

»Das italienische Oberkommando erhielt vorher keine Kenntnis von unserem Eintreffen, und ihm wurde nachher gesagt, die Division sei zur Verstärkung für Sizilien oder Kalabrien bestimmt. Aber meine von Hitler erhaltenen Anweisungen lauteten, ich solle in der Nähe von Rom bleiben und auch den Oberbefehl über die 3. Panzergrenadierdivision übernehmen, die vom Norden dorthin gekommen war. Mit diesen zwei Divisionen sollte ich mich bereit halten, die italienischen Streitkräfte im Raum von Rom zu entwaffnen.«

Die Anwesenheit dieser deutschen Divisionen vereitelte den alliierten Plan, eine Luftlandedivision, und zwar die 82. amerikanische unter General Ridgway, in der Nähe von Rom abzusetzen, um die Italiener bei der Verteidigung ihrer Hauptstadt zu unterstützen. Wenn diese Luftlandung erfolgt wäre, dann wäre Kesselrings eigenes Hauptquartier, das sich in Frascati, 15 Kilometer südöstlich von Rom befand, gefährdet gewesen.

Dennoch sah die Student zugedachte Aufgabe zunächst sehr schwierig aus. Marschall Badoglio hatte fünf italienische Divisionen im Raum Rom konzentriert, trotz der deutschen Bemühungen, ihn zu überreden, einige davon zur Verteidigung der Küste im Süden abzuziehen. Wenn diese nicht entwaffnet werden könnten, würde Kesselring in der mißlichen Lage sein, gegen zwei alliierte Invasionsarmeen kämpfen zu müssen, während eine dritte feindliche Armee die Nachschub- und Rückzugslinie seiner sechs deutschen Divisionen in Süditalien abschnitt. Diese waren soeben zu einer 10. Armee unter dem Befehl General von Vietinghoffs zusammengefaßt worden; dazu gehörten die vier Divisionen, die aus Sizilien entkommen waren, freilich arg dezimiert durch die Verluste in dem dortigen Feldzug.

Am 3. September begann die Invasion des Festlands mit der Überquerung der schmalen Straße von Messina durch Montgomerys 8. Armee und ihre Landung an der Fußspitze Italiens. Am gleichen Tag unterzeichneten die italienischen Vertreter insgeheim den Waffenstillstand mit den Alliierten. Es wurde vereinbart, er solle geheimgehalten werden, bis die Alliierten ihre zweite und wichtigste Landung durchgeführt hätten, die am »Schienbein« Italiens in der Nähe von Salerno stattfinden sollte.

Um Mitternacht des 8. September begann die britisch-amerikanische 5. Armee unter General Mark Clark im Golf von Salerno zu landen — wenige Stunden nachdem der britische Rundfunk die amtliche Meldung von Italiens Kapitulation bekanntgegeben hatte. Die italienischen Führer hatten die Landung noch nicht so bald erwartet. Badoglio beklagte sich mit einem gewissen Recht, er sei noch nicht in der Lage, mit den Alliierten zusammenzuarbeiten, ehe seine Vorbereitungen abgeschlossen wären. Aber die mangelnde Vorbereitung und das Zögern der Italiener war dem General Maxwell Taylor, der von Eisenhower heimlich nach Rom entsandt worden war, schon so unangenehm klargeworden, daß Ridgways geplante Luftlandung im Raum von Rom abgeblasen wurde, nachdem Eisenhower am Vormittag eine Warnung von Taylor bekommen hatte, die Erfolgsaussichten seien gering. Dann aber war es zu spät, zu dem ursprünglichen Plan zurückzukommen, Ridgways Truppen zu beiden Seiten des Volturno nördlich von Neapel abzusetzen, um feindliche Verstärkungen zu hindern, nach Süden in den Raum Salerno zu gelangen.

Die Rundfunkmeldung von der italienischen Kapitulation überraschte auch die Deutschen; aber ihr Vorgehen bei Rom war prompt und energisch, trotz der durch die Landung bei Salerno verursachten doppelten Notlage.

Das Ergebnis hätte vielleicht anders ausgesehen, wenn die Italiener ebenso entschlossen gehandelt hätten, wie sie geschickt geschauspielert hatten – wodurch sie in den voraufgegangenen Tagen weitgehend ihre Absichten zu verschleiern und Kesselrings Argwohn zu beschwichtigen vermocht hatten. Eine pikante Schilderung gibt Kesselrings Stabschef, General Westphal:

> »Am 7. September suchte der italienische Marineminister Admiral Graf Courten Feldmarschall Kesselring auf und informierte ihn, die italienische Flotte werde am 8. oder 9. aus Spezia auslaufen, um den Kampf mit der britischen Mittelmeerflotte zu suchen. Die italienische Flotte werde siegen oder untergehen, sagte er mit Tränen in den Augen. Dann beschrieb er im einzelnen den Schlachtplan.«

Diese pathetischen Versicherungen machten einen überzeugenden Eindruck. Am nächsten Nachmittag fuhren Westphal und ein anderer deutscher General, Toussaint, zum Hauptquartier der italienischen Armee nach Monterotondo, 25 Kilometer nordöstlich von Rom:

> »Unser Empfang durch General Roatta war sehr herzlich. Er erörterte mit mir im einzelnen die künftige gemeinsame Führung der Operationen der 7. italienischen und der 10. deutschen Armee in Süditalien. Während wir sprachen, kam ein Telefonanruf von Oberst von Waldenburg mit der Nachricht von der Rundfunkmeldung über die italienische Kapitulation ... General Roatta versicherte uns, dies sei nur ein übles Propagandamanöver. Der gemeinsame Kampf, sagte er, werde weitergehen, so wie es zwischen uns vereinbart worden sei.«

Westphal war jedoch von diesen Zusicherungen nicht völlig überzeugt, und als er am späten Abend in das deutsche Hauptquartier nach Frascati zurückkehrte, stellte er fest, daß Kesselring bereits an alle nachgeordneten Stäbe das Schlüsselwort »Achse«

ausgegeben hatte — das vereinbarte Signal, das bedeutete, daß Italien die Achse verlassen hatte und geeignete Maßnahmen zur Entwaffnung der Italiener sofort ergriffen werden müßten.

Die deutschen Kommandos wandten dabei eine Mischung von Überredung und Gewalt an, je nach der Situation und ihrem eigenen Ermessen. Im Raum Rom, wo die Chancen für ihn nicht gut standen, wandte Student eine Schocktaktik an:

»Ich versuchte, das italienische Hauptquartier durch eine Landung aus der Luft auszuheben. Es war aber nur ein Teilerfolg: Während 30 Generale und 150 andere Offiziere in einem Teil des Gebäudekomplexes gefangengenommen wurden, leisteten andere erfolgreich Widerstand. Der Generalstabschef war schon in der vergangenen Nacht zugleich mit dem König und Badoglio entkommen.«

Statt zu versuchen, Students wenige Divisionen zu überwältigen, beeilten sich die italienischen Kommandeure, aus der Reichweite der Deutschen zu gelangen, und zogen sich mit ihren Truppen östlich nach Tivoli zurück, die Hauptstadt den Deutschen überlassend. Dies bahnte den Weg für Verhandlungen, bei denen Kesselring eine mildere Form der Überredung anwandte und vorschlug, wenn die italienischen Truppen ihre Waffen niederlegten, dürften sie sofort nach Hause gehen. Dieses Angebot widersprach dem Befehl Hitlers, daß alle italienischen Soldaten gefangengenommen werden sollten; aber es erwies sich als viel erfolgreicher bei geringerem Verlust von Menschenleben und von Zeit. Das Ergebnis mag mit den Worten Westphals geschildert werden:

»Die Lage im Raum von Rom beruhigte sich vollständig, nachdem der italienische Befehlshaber die deutschen Kapitulationsvorschläge in ihrer Gesamtheit angenommen hatte. Dies beseitigte die Gefahr für den Nachschub der 10. Armee ...

Es war eine weitere Erleichterung für uns, daß Rom nicht zum Schlachtfeld zu werden brauchte. In der Kapitulationsabmachung verpflichtete sich Kesselring, Rom als offene Stadt zu behandeln. Er verpflichtete sich, sie solle nur von zwei Polizeikompanien zur Bewachung der Fernsprechleitungen und ähnlichem besetzt werden. Diese Verpflichtung wurde bis zum Ende der deutschen Besatzung stets eingehalten. Dank der Kapitulation war es jetzt wieder möglich, den Funkverkehr mit dem OKW wiederaufzunehmen, der seit dem 8. abgebrochen worden war. Eine weitere Folge der unblutigen Ausschaltung der italienischen Streitkräfte war die Möglichkeit, jetzt sofort Verstärkungen auf dem Landweg vom Raum Rom zur 10. Armee im Süden zu schicken ... So hatte sich die Situation im Raum von Rom, die uns anfangs so viel Sorgen machte, in einer Weise geklärt, die kaum hätte besser sein können.«

Bis dahin hatten Hitler und seine militärischen Berater im OKW die Armee Kesselrings mehr oder weniger als verloren betrachtet. Westphal ist auch dafür ein interessanter Zeuge:

»Nachschub und Ersatz von Personal, Waffen und Ausrüstung für uns waren seit August völlig abgeschnitten. Alle Anforderungen wurden vom OKW mit der Bemerkung abgetan: ›Wir werden sehen.‹ Diese ungewohnt pessimistische Haltung spielt wohl auch eine Rolle beim Einsatz von Rommels Heeresgruppe B in Oberitalien. Sie hatte den Auftrag, diejenigen Teile unserer Truppen, die dem gemeinsamen Angriff der Alliierten und der Italiener entkommen wären, in eine neue Stellung in den Appeninen aufzunehmen.

Auch Feldmarschall Kesselring sah die Lage als ernst an. Aber seiner Ansicht nach war es noch möglich, sie unter gewissen Umständen zu meistern – je weiter südlich die erwartete große Landung stattfinden würde, desto besser würden die Chancen sein. Aber wenn der Feind auf dem See- und Luftweg im Raum Rom landen würde, dann könne man kaum mehr damit rechnen, die 10. Armee vor der Abschneidung zu bewahren. Die zwei Divisionen, die wir in der Nähe von Rom hatten, seien keineswegs ausreichend für die doppelte Aufgabe, die starken italienischen Streitkräfte auszuschalten und die alliierte Landung zurückzuschlagen – und außerdem die rückwärtigen Verbindungen der 10. Armee offenzuhalten. Am Morgen des 9. September wurde es zu unserem Leidwesen offenkundig, daß die italienischen Truppen die Straße nach Neapel und damit den Nachschub der 10. Armee blockierten. Diese Armee hätte das nicht lange ausgehalten. So stieß unser Oberbefehlshaber einen Seufzer der Erleichterung aus, als am 9. und 10. keine Luftlandungen auf den Flugplätzen in der Nähe von Rom erfolgten. An diesen beiden Tagen erwarteten wir stündlich eine solche Landung im Zusammenwirken mit den italienischen Truppen. Eine solche Luftlandung hätte ohne Zweifel den italienischen Truppen und der italienischen Bevölkerung, die uns nicht wohl gesonnen war, großen Auftrieb gegeben.«

Kesselring selbst formulierte das Problem in einem Satz:

»Eine Luftlandung in der Nähe von Rom und eine Seelandung in diesem Raum statt bei Salerno hätte uns automatisch gezwungen, ganz Süditalien zu räumen.«

Auch so waren die Tage nach der alliierten Landung in Salerno eine Zeit intensivster Anspannung für die Deutschen, die um so mehr Nerven kostete, als Informationen über das, was bei Salerno vor sich ging, weitgehend fehlten. Niemals war der »Nebel« so dicht – angesichts der Tatsache, daß die Deutschen im Lande eines Verbündeten kämpften, der ihnen plötzlich in den Rücken gefallen war. Wieder kann man am besten die Schilderung Westphals zitieren:

»Der Oberbefehlshaber erfuhr zuerst sehr wenig über die Lage bei Salerno. Die Telefonverbindung brach ab, da sie über das italienische Postnetz lief. Es war nicht leicht, sie wiederherzustellen, da man uns nicht erlaubt hatte, die italienische Fernsprechtechnik zu studieren. Funkverbindung konnte zuerst nicht hergestellt werden, da die Funker der neugebildeten 10. Armee mit den besonderen atmosphärischen Bedingungen im Süden nicht vertraut waren.«

Es war ein Glück für die Deutschen, daß die alliierte Hauptlandung gerade in dem Raum erfolgte, wo sie sie erwartet hatten und wo Kesselring am besten seine spärlichen Kräfte konzentrieren konnte. Auch der Vormarsch der britischen 8. Armee die Stiefelspitze Italiens herauf verlief planmäßig; aber sie war noch zu weit entfernt, um eine unmittelbare Gefahr für die deutschen Truppen zu bedeuten. Kesselring profitierte sehr von der Abneigung der alliierten Befehlshaber, Operationen außerhalb des Bereichs alliierter Luftunterstützung zu riskieren — und bei seinen Berechnungen konnte er darauf zählen, daß sie konsequent diese althergebrachten Beschränkungen beobachten würden. Infolgedessen erlitten die alliierten Landungen bei Salerno — optimistisch »Operation Avalanche« (Erdrutsch) genannt — einen verlustreichen Rückschlag. Mark Clark selbst spricht sogar von einer »Beinahe-Katastrophe«. Nur ganz knapp gelang es den Landetruppen, den deutschen Gegenangriff abzuwehren und nicht wieder ins Meer zurückgeworfen zu werden.

In der ursprünglichen Planung hatte Mark Clark eine Landung im Golf von Gaeta nördlich von Neapel vorgeschlagen, wo das Gelände freier ist und nicht so gebirgig wie bei Salerno, was den Vormarsch von der Küste ins Landesinnere behindern würde. Aber als Tedder, der alliierte Luftwaffen-Oberbefehlshaber, ihm sagte, die Luftunterstützung könne dort im Raum Gaeta nicht so gut sein, gab Clark nach und erklärte sich mit Salerno einverstanden.

Auf alliierter Seite hatten manche die Ansicht geäußert, die wirksamste Art, die Deutschen zu überraschen oder zu überrumpeln, sei eine Landung jenseits dieser Grenze; es wurde vorgeschlagen, eine Landung an der Ferse Italiens, im Raum Tarent-Brindisi, würde am wenigsten erwartet werden und dabei wenig Risiko bedeuten, wohl aber den baldigen Besitz zweier guter Häfen versprechen. Eine solche Landung wurde dann im letzten Moment zusätzlich als Nebenlandung dem Plan hinzugefügt. Doch die in Taranto gelandeten Truppen bestanden nur aus der britischen 1. Luftlandedivision, die eilig von ihren Ruhestellungen in Tunesien zusammengezogen und in den Schiffen, die man kurzfristig zur Verfügung stellen konnte, übers Meer transportiert wurde. Sie stieß auf keinerlei Widerstand; aber sie war völlig ohne Panzer und mit sehr wenig Artillerie und motorisierten Fahrzeugen angekommen — es fehlten ihr gerade die Dinge, die nötig gewesen wären, um die gute Gelegenheit voll auszunutzen.

Nach diesem allgemeinen Überblick über den Verlauf der alliierten Invasion kommen wir zu einer genaueren Schilderung des

Verlaufs der Operationen, die mit der Überquerung der Straße von Messina durch Montgomerys 8. Armee am 3. September begannen.

Die Befehle für die Landung in Kalabrien, die »Operation Baytown«, wurden erst am 16. August ausgegeben, als die letzten deutschen Nachhuten dabei waren, Sizilien zu verlassen. Auch dann wurde in den Befehlen kein eigentliches »Ziel« genannt, wie Montgomery in einem Bericht an Alexander am 19. sarkastisch monierte. Als Antwort wurde das Ziel verspätet definiert, und ihm wurde befohlen:

> »Ihre Aufgabe ist es, einen Brückenkopf an der Fußspitze Italiens zu bilden, um unseren Seestreitkräften zu ermöglichen, die Straße von Messina zu durchfahren. Falls sich der Feind zurückzieht, werden Sie ihm mit allen verfügbaren Kräften folgen; Sie müssen dabei bedenken, daß, je größere feindliche Kräfte Sie an der südlichsten Spitze Italiens binden, desto mehr Hilfe Sie der Operation Avalanche leisten werden.«

Dies war ein bescheidenes Ziel, und ein ziemlich unbestimmtes dazu, für die Veteranen der 8. Armee. Montgomery bemerkt in seinen Erinnerungen: »Es wurde kein Versuch gemacht, meine Operationen mit denen der bei Salerno landenden 5. Armee zu koordinieren.« Für die zweite Aufgabe, dieser Armee Hilfe zu leisten, erfolgte die Landung der 8. Armee an einem denkbar ungeeigneten Ort, der mehr als 450 Kilometer über einen sehr engen und gebirgigen Weg von Salerno und für eine feindliche Abwehr geradezu ideal geeignet war. Es gab nur zwei gute Straßen, von denen eine sich an der Westküste, die andere an der Ostküste entlangschlängelte, so daß nur zwei Divisionen eingesetzt werden konnten, mit je einer Brigade, die an ihrer Spitze fuhr; oft war es schwierig, mehr als je ein Bataillon bei dem Vormarsch voll zu entfalten. Für den Feind bestand daher keine Notwendigkeit, starke Kräfte in diesem Raum zu belassen, und um so weniger Anlaß hierzu, als er sicher sein konnte, daß der größere Teil der alliierten Streitkräfte anderswo landen würde. Sobald die 8. Armee sich für die Halbinsel Kalabrien entschieden hatte, wurden auch die Möglichkeiten der 5. Armee vermindert, den Feind zu überraschen, da die Zahl der alternativen Möglichkeiten, mit der er rechnen mußte, dadurch verringert wurde. Die Stiefelspitze war der ungeeignetste Ort zum Aufbau einer wirksamen Ablenkung des Feindes. Die Deutschen konnten ihre Streitkräfte ungehindert von dort zurückziehen und die Invasion ihren eigenen operativen Schwierigkeiten überlassen.

Trotz der Unwahrscheinlichkeit starken feindlichen Widerstandes wurde Montgomerys Landeunternehmen mit seiner üblichen Sorgfalt und Gründlichkeit vorbereitet. Fast 600 Geschütze wurden unter dem Kommando des 30. Korps zusammengezogen und schossen ein gewaltiges Sperrfeuer von der sizilianischen Küste aus, um die Überquerung der Meerenge und die Landenge an der Küste bei Reggio abzudecken, die von General Dempseys 13. Korps durchgeführt wurde. Die Zusammenziehung einer solchen Masse von Artillerie hatte den Angriff einige Tage über das geplante Datum hinaus verzögert. Die Beschießung wurde außerdem verstärkt durch das Feuer von 120 Schiffsgeschützen.

In den Tagen vorher hatten Berichte des britischen Nachrichtendienstes ergeben, daß die Deutschen nicht mehr als zwei Infanteriebataillone an der Fußspitze stehen hatten, und auch diese waren über 15 Kilometer von der Küste entfernt aufgestellt, um die beiden Straßen nach Norden zu blockieren. Diese Kenntnis vom Rückzug des Feindes veranlaßte kritische Beobachter zu der Bemerkung, das vorbereitende Sperrfeuer sei ein Beispiel gewesen, wie man »mit einem Schmiedehammer eine Nuß knackt«. Der Kommentar war treffend, aber nicht ganz richtig – es gab nicht einmal mehr eine Nuß zu knacken. Das ganze war einfach eine gewaltige Verschwendung von Munition.

Am Nachmittag des 3. September landeten die 5. britische und die 1. kanadische Division an leeren Küsten, an denen es nicht einmal Minen und Stacheldraht gab. Ein Kanadier berichtete scherzhaft: »Der heftigste Widerstand an diesem Tage kam von einem Puma, der aus dem Zoologischen Garten von Reggio entflohen war und es offenbar auf den Brigadekommandeur abgesehen hatte.« Die landende Infanterie hatte keinerlei Verluste, und bis zum Abend war die Stiefelspitze bis zu einer Tiefe von fast zehn Kilometern ohne Widerstand besetzt. 3000 Italiener und drei versprengte deutsche Soldaten wurden gefangengenommen; die Italiener halfen dann bereitwillig bei der Ausladung der britischen Landefahrzeuge. Auch in den nächsten Tagen gab es keinen ernsthaften Widerstand, als die Invasoren weiter nördlich vorrückten, und nur kurze Feuergefechte mit feindlichen Nachhuten. Aber zahlreiche Straßensprengungen, von den Deutschen beim Rückzug geschickt durchgeführt, hemmten den Vormarsch der 8. Armee: Bis zum 6. September, dem vierten Tag, war sie nur 45 Kilometer über den Landeplatz hinaus vorgerückt, und erst am 10. erreichte sie die schmalste Stelle Kalabriens, noch nicht einmal ein Drittel der Entfernung bis Salerno.

Dennoch war, nach Montgomerys Schilderung, Alexander »höchst optimistisch«, als er am 5. September die 8. Armee besuchte und die Nachricht brachte, daß die Italiener zwei Tage vorher heimlich einen Waffenstillstand unterzeichnet hatten. Montgomery bemerkt dazu, Alexander sei »offenbar bereit, seine Pläne auf der Annahme aufzubauen, daß die Italiener alles tun, was sie versprechen«. Dieser Optimismus wurde von Montgomery angezweifelt: »Ich sagte ihm meine Meinung, die Deutschen würden, wenn sie herausfinden, was vor sich geht, den Italienern eins überziehen.«

Die Ereignisse bestätigten diese in Montgomerys Tagebuch verzeichnete Bemerkung.

Alexanders Zuversicht in bezug auf die »Operation Avalanche« ist um so überraschender, als zwei Wochen vorher ein deutscher militärischer Kommentator unter dem Decknamen »Sertorius« im Rundfunk vorausgesagt hatte, die alliierte Hauptlandung werde im Raum Neapel–Salerno erfolgen, mit einer Nebenlandung auf der Halbinsel Kalabrien.

Bereits am 18. August hatte Hitler seine Befehle für diesen Fall ausgegeben, und diese lauteten:

»1. Früher oder später ist mit der Kapitulation Italiens angesichts des feindlichen Druckes zu rechnen.

2. Zur Vorbereitung darauf muß die Rückzugslinie der 10. Ar-

mee offengehalten werden. Mittelitalien, insbesondere der Raum Rom, muß bis dahin vom Oberbefehlshaber Süd gehalten werden.

3. In dem am meisten bedrohten Küstenstreifen zwischen Neapel und Salerno muß eine starke Gruppe von mindestens drei motorisierten Einheiten der 10. Armee zusammengezogen werden. Alle nicht mehr motorisierten Einheiten der Armee müssen ebenfalls in diesen Raum verlegt werden. Zuerst können die motorisierten Einheiten zwischen Catanzaro und Castrovillari bleiben, um von dort in die Kämpfe einzugreifen. Teile der 1. Fallschirmjägerdivision können zum Schutz des Flugplatzes Foggia eingesetzt werden. Im Fall einer feindlichen Landung muß der Raum Neapel–Salerno gehalten werden. Südlich des Engpasses von Castrovillari sollen dann nur hinhaltende Aktionen erfolgen . . .«

Kesselring verlegte sechs seiner acht Divisionen nach Süden, wo sie zu General von Vietinghoffs neugebildeter 10. Armee stießen, die ihr Hauptquartier in Polla südöstlich von Salerno hatte. Hitler hatte am 22. August Vietinghoff persönlich befohlen, Salerno als »das Zentrum des Schwergewichts« zu betrachten. Kesselrings zwei andere Divisionen wurden in der Nähe von Rom in Reserve gehalten, bereit, »für den Fall eines italienischen Verrats« die Hauptstadt in Besitz zu nehmen und die Rückzugslinie der 10. Armee offenzuhalten. Zu den sechs Divisionen im Süden gehörten zwei, die neu in Italien angekommen waren, die 16. und 26. Panzerdivision, und die vier, die aus Sizilien entkommen waren. Von diesen wurden die zwei am meisten dezimierten, die Division Hermann Göring und die 15. Panzergrenadiere, zur Wiederauffüllung in den Raum Neapel gebracht; die 1. Fallschirmjägerdivision ging nach Apulien und die 29. Panzergrenadierdivision blieb in Kalabrien, Montgomery gegenüber. Um ihr dabei zu helfen, wurde vorübergehend auch die 26. Panzerdivision nach Kalabrien geschickt. Die 16. Panzerdivision, die am besten bewaffnete von allen, wurde zum Schutz des Golfs von Salerno abgestellt, des wahrscheinlichsten Platzes einer großen Landung, und konnte dort von den anderen Divisionen schnell verstärkt werden. Immerhin besaß auch sie nur ein Panzerbataillon[1] und nur vier Infanteriebataillone, wenn auch ziemlich viel Artillerie.

Dies war eine bescheidene Streitmacht im Vergleich zu der großen Armada, die zum Golf von Salerno fuhr – mit etwa 700 Schiffen und Landefahrzeugen, mit 55 000 Mann für die erste Landung und weiteren 115 000 für die zweite Phase.

Die Landung wurde von der 36. US-Infanteriedivision am rechten, der britischen 6. und 56. Division am linken Flügel durchgeführt, während ein Teil der 45. US-Infanteriedivision in Reserve blieb. Diese Divisionen unterstanden dem 6. US-Korps unter General Dawley und dem britischen 10. Korps unter General McCreery. Das letztere sollte an einem elf Kilometer langen Küstenstreifen südlich von Salerno landen, in der Nähe der Hauptstraße nach Neapel, welche die gebirgige Halbinsel von Sorrent überquert und durch die Enge von Cava führt, einen niedrigen, aber schwierigen Paß. Auf seinen schnellen Erfolg kam es somit entscheidend an, sowohl für die Öffnung des Weges nach Norden, nach Neapel, wie für die Blockierung etwaiger deutscher Verstärkungen aus dem Norden. Um seine Aufgabe zu erleichtern, wurden zwei britische Kommandotrupps und drei Bataillone amerikanischer Elitetruppen für die schnelle Einnahme dieses Passes und des Chiunzi-Passes auf der Nachbarstraße abgestellt.

Der britische Hauptgeleitzug lief am 6. September von Tripolis aus, der größte amerikanische schon am Abend vorher von Oran. Andere Geleitzüge kamen aus Algier, Bizerta und den nordsizilianischen Häfen Palermo und Termini. Obwohl ihr Bestimmungsort ein streng bewachtes Geheimnis war, war er nicht schwer zu raten angesichts der bekannten Grenzen der Luftunterstützung und der Notwendigkeit, bald einen großen Hafen einzunehmen – zwei Bedingungen, die hier so gut zusammenfielen, daß sie einen sehr

1 Dieses Bataillon hatte etwa 80 Panzer vom Typ Mark IV. Das früher dazu gehörende Bataillon mit »Panthern« war durch ein Bataillon mit 40 Sturmgeschützen ersetzt worden – die auf weite Entfernung für Panzer gehalten werden konnten. Dennoch ist es schwer verständlich, wie General Mark Clark in seinen Erinnerungen zu der Schätzung kommen konnte, die Deutschen hätten Anfangs vermutlich etwa 600 Panzer bei Salerno gehabt – dies war fast das Achtfache der wirklichen Zahl!

naheliegenden Hinweis boten. Erleichtert wurde das Raten auch durch die unglückliche Wahl der Namen »Force N« und »Force S« für den nördlichen und den südlichen Angriffsverband. Aber es handelte sich nicht nur um ein geschicktes Raten; denn ein Stabsbefehl mit weiter Verbreitung erwähnte ausdrücklich eine Anzahl von Orten in der Nähe von Salerno.

Da nun das Ziel so klar auf der Hand lag, war es ein um so größeres Handicap, daß der Armeebefehlshaber Mark Clark darauf bestand, den Überraschungseffekt so weit wie möglich zu erhalten, und jede vorherige Beschießung der Küste von See aus verbot, trotz entschiedener Befürwortung des Marinebefehlshabers Vizeadmiral Hewitt – der klar sah, es sei »phantastisch anzunehmen, wir könnten einen taktischen Überraschungserfolg erzielen«[1]. Andererseits kann man vielleicht annehmen, daß der Vorteil einer Aufweichung der Küstenverteidigung durch starke Beschießung ausgeglichen worden wäre durch eine schnellere Konzentration der feindlichen Reserven, wenn der geplante Landeplatz dadurch noch klarer gemacht worden wäre.

Die Annäherung der Geleitzüge an der West- und Nordküste Siziliens vorbei wurde am frühen Nachmittag des 8. September vom Feind gesichtet und dem deutschen Hauptquartier gemeldet; um 3.30 Uhr wurden die deutschen Truppen in Erwartung der Landung in Alarmzustand versetzt. Um 6.30 Uhr nachmittags gab Eisenhower über Radio Algier den Waffenstillstand mit Italien bekannt, und um 7.20 Uhr wurde die Meldung im Nachrichtendienst der BBC wiederholt. Diese Rundfunknachrichten wurden von den alliierten Truppen an Bord der Geleitzüge mitgehört; trotz der Warnungen mancher Offiziere, man würde nach wie vor mit den Deutschen zu tun haben, machten sie bei vielen den Eindruck, die Landung werde jetzt ein ruhiger Spaziergang sein. Diese Illusionen wurden bald zerstreut – ebenso wie die der alliierten Planer, die optimistisch die Einnahme Neapels schon am dritten Tag vorausgesagt hatten. In Wirklichkeit wurde dieses Ziel erst nach drei Wochen harter Kämpfe, knapp an der Katastrophe vorbei, endlich erreicht.

1 S. E. Morison: History of U.S. Naval Operations in World War II, Band IX, S.249

Im Lauf des Nachmittags des 8. September und dann wieder nach Dunkelwerden wurden die Geleitzüge einige Male aus der Luft angegriffen, als deutsche Bomber sie überflogen und Leuchtschirme abwarfen; aber die Armada erlitt zum Glück nur geringen Schaden. Bald nach Mitternacht kamen die ersten Transportschiffe an den Landestellen 10–15 Kilometer von der Küste entfernt an und begannen, ihre Landefahrzeuge zu Wasser zu lassen. Diese erreichten die Küste ziemlich planmäßig um 3.30 Uhr nachts. Zwei Stunden vorher hatte eine von den Deutschen übernommene Küstenbatterie das Feuer auf die Landefahrzeuge an der nördlichen Flanke eröffnet, aber war von den begleitenden Zerstörern zum Schweigen gebracht worden. Das letzte Stadium der Landung war unterstützt worden durch eine kurze, aber intensive Beschießung der Küstenbatterie durch Schiffsgeschütze und Raketenbomben – eine neue Waffe, die hier erstmalig eingesetzt wurde. Am südlichen Abschnitt jedoch gab es kein solches unterstützendes Feuer, da der amerikanische Divisionskommandeur sich an den »kein Feuer«-Befehl seines Armeebefehlshabers hielt, in der Hoffnung, er könne durch eine Stille den Feind hier überraschen. Der Erfolg war aber, daß bei der letzten Anfahrt an die Küste die Landefahrzeuge plötzlich von einem Geschoßhagel überschüttet wurden und die Truppen zahlreiche Verluste erlitten.

Da die Aussicht auf einen raschen Vormarsch nach Neapel davon abhing, daß die Straße von Salerno nach Norden durch die Berge bald besetzt wurde, ist es angebracht, die Landungen im einzelnen von links nach rechts zu schildern, angefangen bei der nördlichen Flanke. Hier landeten die amerikanischen Rangers ohne Widerstand an einem schmalen Küstenstreifen bei Maiori und besetzten innerhalb von drei Stunden den Chiunzi-Paß, während sie sich gleichzeitig auf den Höhen festsetzten, welche die Hauptstraße Salerno-Neapel überblickten. Die britischen Kommandos hatten ebenfalls eine leichte Landung bei Vietri, wo die Straße die Küste verläßt und anfängt aufzusteigen. Doch der Feind reagierte schnell und verzögerte die Säuberung der Stadt; die Kommandos wurden dann nördlich der Stadt in dem niedrigen Paß von La Molina zu Beginn der Cava-Schlucht aufgehalten.

Die britische Hauptlandung an Küstenstreifen wenige Kilometer südlich von Salerno stieß von Anfang an auf harten Widerstand; ihr Fortschritt wurde auch dadurch beeinträchtigt, daß ein Teil der 46. Division versehentlich am Landeplatz ihres rechten Nachbarn, der 56. Division, abgesetzt wurde, was Verwirrung und Gedränge am Strand verursachte. Obwohl ein Teil der Landetruppen drei Kilometer landeinwärts vorstieß, erlitten sie schwere Verluste und erreichten die wichtigen Ziele des ersten Tages nicht: den Hafen von Salerno, den Flugplatz Montecorvino und die Straßenkreuzungen bei Battipaglia und Eboli. Am Ende des Tages gab es immer noch eine elf Kilometer breite Lücke zwischen der britischen rechten Flanke nördlich des Sele und der amerikanischen linken Flanke südlich dieses Flusses.

Die amerikanischen Landungen erfolgten an vier Küstenstrichen in der Nähe der berühmten griechischen Tempel bei Paestum. Der Annäherung an die Küste unter schwerem Feuer, ohne Unterstützung ihrer eigenen Schiffe, folgten weitere Feuerschläge nach der Landung ebenso wie mehrere deutsche Luftangriffe auf die Küste. Es war eine harte Probe für die Truppen der 36. Division, die noch keinerlei Kampferfahrung hatte. Zum Glück erhielten sie jetzt gute Unterstützung durch Geschützfeuer von Zerstörern, die kühn durch Minenfelder hindurch heranfuhren, um ihnen zu helfen; dies erwies sich sehr nützlich, sowohl hier als auch an dem britischen Abschnitt, bei der Abwehr von Gegenstößen kleiner Gruppen deutscher Panzer, die jetzt für die Gelandeten die Hauptgefahr waren. Bis zum Dunkelwerden war der amerikanische linke Flügel etwa acht Kilometer landeinwärts bis zur Stadt Capaccio auf den Hügeln vorgedrungen, aber der rechte Flügel war immer noch an der Küste ziemlich festgenagelt.

Der zweite Tag, der 10. September, war an der amerikanischen Front ruhig, da die 16. Panzerdivision den größten Teil ihrer spärlichen Kräfte nach Norden zur britischen Front abgezogen hatte, die strategisch die größere Gefahr für die deutschen Stellungen bei Salerno bedeutete. Die Amerikaner benutzten dies, um ihren Landekopf auszuweiten und das Gros der 15. Division, ihre schwimmende Reserve, an Land zu setzen. Unterdessen hatte die britische 56. Division am frühen Morgen den Flugplatz Montecorvino und Battipaglia besetzt, wurde aber später durch einen kräftigen Gegenangriff zweier deutscher motorisierter Infanteriebataillone mit einigen Panzern wieder daraus vertrieben – dies führte zu einer teilweisen Panik, selbst bei der Gardebrigade, ehe neue Panzerverstärkungen ihr zu Hilfe kamen.

In dieser Nacht begann die 56. Division mit drei Brigaden einen Angriff zur Einnahme der beherrschenden Höhen des Monte Evoli; doch sie machte nur geringe Fortschritte, zu denen die Wiederbesetzung Battipaglias gehörte. Die 46. Division besetzte die Stadt Salerno und kam den Kommandos zu Hilfe, gelangte aber nicht weiter nach Norden. Am amerikanischen Abschnitt rückte die neu eingetroffene 45. Division etwa 15 Kilometer landeinwärts am Ostufer des Sele über Persano vor und gelangte fast bis zur Straßenkreuzung von Ponte Sele. Dann wurde sie durch einen Gegenangriff eines motorisierten Infanteriebataillons mit acht Panzern zurückgeworfen, das schnell vom britischen Abschnitt über den Fluß herübergekommen war.

So waren am Ende des dritten Tages die vier gelandeten alliierten Divisionen – mit zusätzlichen Einheiten, die zusammen einer fünften gleichkamen – immer noch auf zwei schmale voneinander getrennte Landeköpfe beschränkt, während die Deutschen die umgebenden Höhen und die Straßen zu diesen flachen Küstenstreifen besetzt hielten. Der 16. Panzerdivision, die an kampffähigen Einheiten knapp halb so stark war wie eine alliierte Division, war es gelungen, die Invasion aufzuhalten und Zeit für die Ankunft deutscher Verstärkungen zu gewinnen.

Die ersten Verstärkungen, die ankamen, waren die 29. Panzergrenadierdivision auf ihrem Rückweg von Kalabrien und ein Verband von zwei Infanteriebataillonen und etwa 20 Panzern, welche die wiederausgerüstete Division Hermann Göring aufstellen konnte. Dieser Verband, der aus dem Raum Neapel kam, durchbrach in einem Gegenangriff die britischen Linien oberhalb des La-Molina-Passes und gelangte bis kurz vor Vietri, ehe er am 13. durch die britischen Kommandotrupps zum Stehen gebracht werden konnte. Immerhin war dieser Paß jetzt für die Invasoren gesperrt; es wurde nur allzu deutlich, daß das britische 10. Korps auf dem sehr schmalen Küstenstreifen bei Salerno festgenagelt war, während die Deutschen die Höhen ringsherum beherrschten.

Unterdessen war Mark Clarks anfänglicher Optimismus durch die Ereignisse im südlichen Abschnitt noch stärker erschüttert worden. Denn die 29. Panzergrenadierdivision warf sich zusammen mit einem Teil der 16. Panzerdivision in die Lücke zwischen den Briten und den Amerikanern. Am Abend des 12. September wurde der britische rechte Flügel wiederum aus Battipaglia vertrieben und erlitt schwere Verluste, insbesondere viele Gefangene, welche die Deutschen machten. Am 13. nutzten die Deutschen die erweiterte Lücke zwischen den beiden alliierten Korps zu einem Angriff gegen den amerikanischen linken Flügel aus, vertrieben ihn aus Persano und verursachten einen allgemeinen Rückzug. In der daraus entstehenden Verwirrung durchstießen die Deutschen die feindlichen Linien an mehreren Stellen und gelangten an einer Stelle bis fast einen Kilometer an die Küste heran.

An diesem Abend sah die Lage so bedrohlich aus, daß die Ausladung der Frachtschiffe am südlichen Abschnitt eingestellt wurde. Mark Clark sandte sogar Admiral Hewitt eine dringende Bitte, sich auf die Wiedereinschiffung des Hauptquartiers der 5. Armee vorzubereiten und alle verfügbaren Fahrzeuge für die Evakuierung des VI. Korps von diesem Landekopf und seine erneute Landung im britischen Abschnitt bereitzustellen – oder aber das X. Korps nach Süden zu verlegen[1]. Eine solche große improvisierte Verlegung war praktisch kaum durchführbar, und der Vorschlag löste einen entsetzten Protest General McCreerys und seines Marinekollegen Commodore Oliver aus, während er Bestürzung weiter oben verursachte, als Eisenhower und Alexander davon erfuhren. Aber er trug dazu bei, eine beschleunigte Verstärkung der Truppen an der Küste zu veranlassen; zusätzliche Landefahrzeuge wurden durch Umleitung von 18 LST, die schon auf dem Weg nach Indien waren, zur Verfügung gestellt. Auch die 82. Luft-

1 Cunningham: A Sailor's Odyssey, S. 569. Nur die letzte dieser vorgeschlagenen Notmaßnahmen wird in S. E. Morisons »History of U.S. Naval Operations«, Band IX, erwähnt.

landedivision sollte jetzt Mark Clark unterstützen, und in schneller Reaktion auf seinen Notruf setzte am Nachmittag General Ridgway die erste Rate dieser Division am südlichen Landekopf ab. Auch die britische 7. Panzerdivision begann am 15. am nördlichen Brückenkopf zu landen.

Doch dann war die Krise schon überwunden, vor allem dank der schnellen Hilfe der alliierten See- und Luftstreitkräfte. Am 14. waren alle verfügbaren Flugzeuge sowohl der strategischen als auch der praktischen Luftwaffe im Mittelmeer zu einer Bombardierung der deutschen Truppen und ihrer Verbindungswege eingesetzt worden. Sie flogen an jenem Tag mehr als 1900 Einsätze. Noch wirkungsvoller bei der Abwehr des deutschen Vorstoßes auf die Küsten war das unentwegte Feuer der alliierten Kriegsschiffe. Vietinghoff berichtet rückschauend:

> »Der Angriff stieß an diesem Morgen auf härteren Widerstand; doch vor allem mußten die vorrückenden Truppen das schwerste Geschützfeuer über sich ergehen lassen, das sie je erlebt hatten – ein Geschützfeuer von mindestens 16–18 Schlachtschiffen, Kreuzern und großen Zerstörern. Mit erstaunlicher Präzision und Manövrierfreiheit schossen diese Schiffe mit überwältigender Wirkung auf jedes erkannte Ziel.«

Mit so gewaltiger Unterstützung gelang es den Amerikanern, die rückwärtige Verteidigungslinie zu behaupten, auf die sie sich in der Nacht vorher zurückgezogen hatten.

Am 15. gab es eine Kampfpause, während der die Deutschen mit Hilfe einiger Verstärkungen ihre durch die Geschütze und Bomben mitgenommenen Einheiten wieder auffrischten. Die 26. Panzerdivision, immer noch ohne Panzer, war jetzt aus Kalabrien angekommen, nachdem sie sich von Montgomerys Front abgesetzt hatte, wie es Vietinghoff am Tage der Landung bei Salerno befahl. Teile der 3. und 15. Panzergrenadierdivision waren ebenfalls aus Rom bzw. Gaeta eingetroffen. Doch selbst mit diesen neuen Kräften hatten die Deutschen nur das Äquivalent von etwa vier Divisionen mit wenig mehr als 100 Panzern, während die 5. Armee bis zum 16. etwa sieben größere Divisionen mit rund 200 Panzern an der Küste stehen hatte. So hatte das alliierte Oberkommando keinen Grund zur Besorgnis, es sei denn wegen der Möglichkeit eines Nachlassens des Kampfgeistes der Truppen, ehe sich ihre Überlegenheit in vielfacher Hinsicht auswirkte. Außerdem war die 8. Armee jetzt schon ziemlich nahe herangerückt; sie konnte diese Überlegenheit noch verstärken und die Flanke des Feindes bedrohen.

An diesem Vormittag kam Alexander, der von Bizerta in einem Zerstörer herübergefahren war, zu Besuch in das Hauptquartier Clarks und besichtigte dann die einzelnen Landeköpfe. In seiner üblichen taktvollen Art wies er jeden Gedanken auf eine Räumung eines von ihnen ab. Neue Verstärkung bot das Eintreffen der britischen Schlachtschiffe »Warspite« und »Valiant«, die zusammen mit sechs Zerstörern am Nachmittag vorher von Malta ausgelaufen waren. Sie traten wegen Verständigungsschwierigkeiten mit den vorgeschobenen Beobachtern erst sieben Stunden später in Aktion; aber dann beschossen sie Ziele bis 20 Kilometer landeinwärts, und die schweren Geschosse ihrer 38-cm-Geschütze hatten sowohl physisch wie moralisch einen durchschlagenden Erfolg.

Ebenso kam an diesem Vormittag eine Gruppe von Kriegsberichterstattern der 8. Armee an. Sie glaubten, der Vormarsch dieser Armee zur Unterstützung der 5. sei zu langsam und übertrieben vorsichtig; daher waren sie auf eigene Faust in mehreren Jeeps vorausgefahren, benutzten Nebenstraßen und Feldwege, um die gesprengten Brücken der Hauptstraße zu vermeiden, und kamen heil durch die 80 Kilometer »feindlichen Landes«, ohne irgendwelchen Deutschen zu begegnen. Erst 27 Stunden später kam der erste Aufklärungs-Vortrupp der 8. Armee an und stellte den Kontakt mit der 5. Armee her.

Am Vormittag des 16. begannen die Deutschen wiederum anzugreifen, zunächst an dem britischen Sektor, mit je einem Vorstoß aus nördlicher Richtung auf Salerno und Battipaglia. Diese Vorstöße wurden im Zusammenwirken von Artillerie, Schiffsgeschützen und Panzern zum Stehen gebracht. Dies und das Herannahen der britischen 8. Armee führte Kesselring zu der Schlußfolgerung, die Möglichkeit, die Invasoren wieder ins Meer zu werfen, sei jetzt vorbei. Daher genehmigte er noch am gleichen Abend ein Absetzmanöver an der Küstenfront und einen allmählichen Rückzug nach Norden. Die erste Phase sollte ein Rückzug auf den Volturno 30 Kilometer nördlich von Neapel sein — diese Linie, bestimmte er, solle bis Mitte Oktober gehalten werden.

Angesichts der großen Hilfe, die das Feuer der Schiffsgeschütze bei der Zerschlagung des deutschen Gegenangriffes geleistet hatte — zum großen Teil noch, bevor die großen Schiffe in Aktion traten —, war es für die Deutschen eine Genugtuung, daß die »Warspite« am gleichen Nachmittag durch einen Treffer ihrer neuen »FX 1400« funkgesteuerten Gleitbomben außer Gefecht gesetzt wurde. Mit derselben neuen Waffe hatten sie auch der Flotte ihres ehemaligen italienischen Verbündeten einen Abschiedsfußtritt gegeben, als diese am 9. September von Spezia auslief, um sich mit den Alliierten zu vereinigen — durch eine dieser gesteuerten Bomben wurde ihr Flaggschiff, die »Roma«, versenkt.

Sobald die deutschen Bemühungen gescheitert waren, die Invasoren ins Meer zurückzuwerfen, wurde ein deutscher Rückzug aus dem Raum Salerno unvermeidlich. Denn wenn auch Kesselring sich nach Kräften bemüht hatte, die Möglichkeiten auszunutzen, die ihm (nach seinen eigenen Worten) »Montgomerys sehr vorsichtiger Vormarsch« bot, so war es doch klar, daß er nicht länger diesen Küstenstreifen halten konnte, sobald die 8. Armee aus Kalabrien herangekommen war und seine Position vom Landesinnern aus an der Flanke umgehen konnte. Er hatte viel zuwenig Truppen, um eine so sehr verbreiterte Front zu halten. Doch die neue Bedrohung durch die 8. Armee kam nicht schnell genug, um den deutschen Rückzug zu gefährden oder auch nur zu beschleunigen. Erst am Nachmittag des 20. September rückte eine kanadische Panzerspitze der 8. Armee in Potenza ein, einem der wichtigsten Straßenkreuzungspunkte Süditaliens, 80 Kilometer landeinwärts von Salerno. 100 deutsche Fallschirmjäger, die am Tag vorher nach Potenza geworfen worden waren, hatten einen Tag Verzögerung und die Vorbereitung eines Angriffs in Brigadestärke, etwa das 30fache ihrer eigenen Zahl, nötig gemacht — ein typisches Beispiel dafür, wie eine geschickte Verteidigung in einer unklaren Situation den Feind aufhalten kann. Bei dem Angriff, der dann den Rückzug dieser kleinen Einheit erzwang, wurden nur 16 Deutsche gefangengenommen; aber fast 2000 italienische Einwohner der Stadt waren bei dem vorbereitenden Luftangriff getötet worden! Kanadische Vorposten fuhren in der nächsten Woche vorsichtig bis nach Melfi, 60 Kilometer nördlich, und hatten nur flüchtige Berührung mit feindlichen Nachhuten. Unterdessen hatte aber das Gros der 8. Armee angehalten, da ihr Nachschub knapp wurde, obwohl sie ihre Nachschublinie nach Tarent und Brindisi an der Südostecke Italiens verlegt hatten.

Die Landungen in diesem Raum waren nämlich inzwischen ohne jeden Widerstand erfolgt. Tarent war eines der möglichen Ziele gewesen, die in Betracht gezogen wurden, nachdem im Juni die Vereinigten Stabschefs Eisenhower angewiesen hatten, Pläne für den nächsten Akt nach der Eroberung Siziliens auszuarbeiten. Man hatte diese Stadt jedoch abgelehnt, weil sie nicht dem Grundprinzip entsprach, das sein Stab eisern festgelegt hatte, nämlich daß keine Landung an feindlicher Küste außerhalb der Reichweite alliierten Jägerschutzes diskutabel sei. Tarent war ebenso wie Neapel gerade eben außerhalb der etwa 280 Kilometer Reichweite von »Spitfires«, die von Flugplätzen in Nordost-Sizilien aus operierten, während Salerno gerade noch innerhalb dieser Zone lag. Der Tarent-Plan wurde erst wieder zum Leben erweckt, als am 3. September der Waffenstillstand mit Italien unterzeichnet worden war. Er wurde dann als improvisierte Operation zweiten Ranges dem Invasionsplan hinzugefügt – nachdem man erfahren hatte, daß dort in der »Ferse« Italiens nur eine Handvoll deutsche Truppen standen, und man verspätet erkannte, daß der Hafen von Neapel selbst nach seiner Einnahme und Wiederinstandsetzung nicht ausreichen würde, um einen Vormarsch auf beiden Seiten der Apenninen mit dem erforderlichen Nachschub zu versorgen.

Admiral Cunningham, auf dessen Initiative dieser Plan zurückging, erklärte Eisenhower, wenn die Truppen für diesen Zweck zur Verfügung gestellt werden würden, dann würde er die Schiffe beisteuern, um sie zu transportieren. Zu diesem Zeitpunkt stand die britische 1. Luftlandedivision noch in Tunesien, da nicht genügend Transportflugzeuge verfügbar waren, um sie für eine Luftlandung einzusetzen. Daher wurde sie in Bizerta eilig auf fünf Kreuzern und einem Minenleger eingeschifft, die am Abend des 8. September nach Tarent ausliefen. Am nächsten Nachmittag begegnete der Konvoi auf seiner Fahrt dem in Tarent stationierten italienischen Geschwader, das ausgelaufen war, um sich in Malta den Alliierten zu ergeben. Am Abend lief der Konvoi in den Hafen ein und fand ihn zum größten Teil intakt vor. Zwei Tage später ging man zur Besetzung von Brindisi (wohin König Victor Emmanuel und Marschall Badoglio geflogen waren) und von Bari über, knapp 100 Kilometer weiter nördlich an der Küste. So waren in diesem Raum drei große Häfen besetzt worden, von denen aus man einen Vormarsch an der Ostküste hätte machen können, lange bevor ein vergleichbarer Hafen an der Westküste genommen worden war – dabei war es jetzt nur allzu klar, daß die lange Verzögerung des Eintreffens in Neapel von Salerno aus den Deutschen Zeit lassen würde, den Hafen vorher zu zerstören.

Doch die sich an der Ostküste bietende wundervolle Gelegenheit wurde nicht ausgenutzt, wegen Mangel an Voraussicht und ungenügenden Anstrengungen zur vollen Auswertung des Erfoldes. Da die Operation nur als ein Handstreich zur Einnahme der Häfen gedacht war, wurde die 1. Luftlandedivision ohne Transportfahrzeuge auf den Weg geschickt, abgesehen von einem halben Dutzend Jeeps, und blieb bis zum 14. in diesem erbärmlichen Zustand. In diesen fünf Tagen waren einige Vorposten in Jeeps und requirierten Kraftwagen bis Bari gefahren, ohne in diesem breiten Küstenstreifen irgendwelche feindliche Truppen zu sehen. Denn die dezimierte deutsche 1. Fallschirmjägerdivision war die einzige in diesem Raum gewesen, und ein Teil von ihr war bereits an die Front nach Salerno abgezogen worden, während der Rest nach Foggia, 190 Kilometer nördlich Tarent, zurückgezogen worden war, um Kesselrings östliche Flanke zu decken. Aber selbst nachdem Fahrzeuge eintrafen, um die britischen Truppen wieder beweglich zu machen, wurden sie immer noch am kurzen Zügel gehalten, während die Planung und Vorbereitung eines großen

Vormarsches an der Ostküste methodisch vor sich ging. Das Festhalten an diesen vorsichtigen Gewohnheiten war zu einem Zeitpunkt so großer Möglichkeiten um so unverständlicher, als die 1. Fallschirmjägerdivision nur noch 1300 Mann stark war, während die britische Division von Anfang an viermal so stark war und noch mehr Truppen auf dem Weg waren, um einen großen Vorstoß durchzuführen. Aber die Gewohnheit war stärker.

Die Leitung der Operationen in diesem Raum war dem Befehlshaber des V. Korps, General Allfrey, übertragen worden, der auch den allzu vorsichtigen und daher erfolglosen Vorstoß auf Tunis im Dezember 1942 geleitet hatte. Seine Aufgabe war von Alexander so definiert worden: »in der Ferse Italiens einen Stützpunkt aufzubauen, der die Häfen Tarent und Brindisi und, wenn möglich, auch Bari umfaßt, im Hinblick auf einen späteren Vormarsch«. Jede Wahrscheinlichkeit eines baldigen Vorstoßes über diese Grenzen hinaus verschwand, als am 13. September Allfreys Korps der 8. Armee unterstellt wurde; denn man konnte immer damit rechnen, daß Montgomery vor einer Offensive zunächst große Truppenmengen zusammenziehen und sich ausreichender Reserven versichern würde.

Am 22. September begann die 78. Division in Bari zu landen, kurz darauf die 8. indische Division in Brindisi, während Dempseys XIII. Korps von der Ostküste hierher befohlen wurde. Aber erst am 27. September wurde eine kleine motorisierte Abteilung von Bari nach Norden vorgeschickt, um die Feindlage zu erkunden; sie besetzte Foggia, das die Deutschen beim Herannahen der Briten sofort räumten, so daß die vielbegehrten Flugplätze kampflos genommen wurden. Doch auch dann hielt Montgomery an seinem früheren Befehl fest, daß vor dem 1. Oktober keine größeren Verbände marschieren sollten; als der Vormarsch dann begann, wurden nur die zwei Divisionen des XIII. Korps dabei eingesetzt und die drei Divisionen des V. Korps zurückgehalten, um den »festen Stützpunkt« zu sichern und die Flanke zu decken.

Die deutsche 1. Fallschirmjägerdivision hielt jetzt eine Linie am Biferno, der vor dem kleinen Hafen Termoli ins Meer mündet – eine sehr breite Front für ihre geringe Stärke. Montgomerys Angriff auf diese Linie war so geplant, daß er sie durch eine amphibische Operation im Rücken umging. Am frühen Morgen des 3. Oktober landete eine Spezialbrigade hinter Termoli, nahm, unterstützt von dem nächtlichen Überraschungseffekt, schnell den Hafen und die Stadt ein und vereinigte sich dann mit einem Brückenkopf am Nordufer des Flusses, der durch direkten Angriff gewonnen worden war. In den nächsten zwei Tagen wurden zwei weitere Infanteriebrigaden der 78. Division von Barletta nach Termoli verschifft, um den Brückenkopf zu verstärken und den Vormarsch wiederaufzunehmen.

Doch der deutsche Armeebefehlshaber von Vietinghoff hatte inzwischen die britische Langsamkeit ausgenutzt und am 2. Oktober die 16. Panzerdivision von der Volturno-Linie an die Westküste befohlen, um den dortigen dünnen Schleier von Fallschirmjägern zu verstärken. In schnellem Marsch über den Gebirgsrükken gelangten sie am Morgen des 5. in die Nähe von Termoli und führten prompt einen Gegenangriff, der die Briten bis zum Rand der Stadt zurückdrängte und beinahe ihre rückwärtige Verbindung abgeschnitten hätte. Jedoch wurden die Deutschen wieder zurückgedrängt, als die 78. Division neue Verstärkungen auf dem Seeweg heranführte und auch von neuen britischen und kanadischen Panzern unterstützt wurde. Die Deutschen setzten sich ab und zogen sich auf Stellungen am nächsten Fluß, dem Trigno, 20 Kilometer weiter nördlich, zurück. Ihr kühner Gegenangriff hatte aber auf Montgomery so starken Eindruck gemacht, daß er wieder zwei Wochen auf einen weiteren Ausbau seiner Kräfte verwandte, ehe er die Trigno-Linie angriff.

Unterdessen war Mark Clarks 5. Armee von Salerno aus langsam die Westküste entlang vorgerückt und hatte versucht, den Rückzug der deutschen 10. Armee zu beschleunigen. Die erste Phase war die langsamste, da der deutsche rechte Flügel hartnäkkig an der Hügelkette nördlich von Salerno festhielt, um die Herauslösung des linken Flügels zu decken, während sich dieser von dem südlichen Küstenstreifen bei Battipaglia und Paestum absetzte. Fast eine Woche verging nach dem Beginn dieses Rückzuges, bis das britische X. Korps am 23. September eine Offensive begann, um den Durchbruch von Salerno nach Neapel zu erzwingen. Bei dieser Offensive setzte das Korps die 46. und 56. Division, die 7. Panzerdivision und noch eine Panzerbrigade gegen die drei oder vier deutschen Bataillone ein, welche die Pässe besetzt hielten. Wenig Fortschritte waren bis zum 26. September gemacht worden, als man feststellte, daß die Deutschen in der Nacht vorher verschwunden waren – nachdem sie ihre Mission erfüllt hatten, für das Absetzmanöver ihrer Kameraden im Süden Zeit zu gewinnen. Danach waren nur noch zerstörte Brücken ein ernstes Hindernis für den alliierten Vormarsch. Am 28. betrat das Korps bei Nocera die freie Ebene, aber erst am 1. Oktober rückten seine Spitzen in Neapel ein.

Inzwischen war das amerikanische VI. Korps nach einem langsamen Marsch von durchschnittlich nur 5 Kilometern am Tag auf den durch Sprengungen blockierten Straßen im Landesinneren auf gleiche Höhe wie das X. Korps gekommen; am 2. Oktober rückte es in Benevent ein. Das Korps hatte jetzt einen neuen Kommandeur, Generalmajor John P. Lucas, der Dawley abgelöst hatte.

Die 5. Armee hatte seit der Landung drei Wochen bis Neapel gebraucht, ihrem eigentlichen Ziel, und sie hatte dabei fast 12 000 Mann verloren – fast 7000 Briten und 5000 Amerikaner. Dies war die Strafe für die Wahl eines allzu nahe liegenden Landeplatzes auf Kosten des Überraschungseffekts – nur aus dem Grunde, weil der Raum Salerno noch innerhalb der Grenze des Jägerschutzes lag.

Eine weitere Woche verstrich, bis die 5. Armee auf die Linie des Volturno-Flusses aufgeschlossen hatte, auf die sich die Deutschen zurückgezogen hatten. Schlammige Straßen und durchweichter Grund hinderten den Vormarsch, da schwere Regenfälle in der ersten Oktoberwoche eingesetzt hatten, einen Monat früher als erwartet. In der Nacht zum 12. Oktober begann dann der Angriff der 5. Armee gegen die von drei deutschen Divisionen gehaltene Volturno-Linie. Das 6. US-Korps gewann einen Brückenkopf am nördlichen Ufer oberhalb von Capua; aber dessen Ausweitung wurde verhindert durch den Rückschlag, den der rechte Flügel des britischen X. Korps bei dem Versuch einer Überquerung bei Capua an der Hauptstraße Neapel–Rom erlitten hatte. Auch die zwei kleinen Brückenköpfe, welche die beiden anderen britischen Divisionen in der Nähe der Küste gewonnen hatten, gingen durch rasche Gegenangriffe wieder verloren. So kamen die deutschen Truppen dem Befehl Kesselrings nach, diese Linie bis zum 16. Oktober zu halten, ehe sie sich auf die nächste Verteidigungslinie 24 Kilometer weiter nördlich zurückziehen konnten – eine eilig improvisierte Stellung, die von der Mündung des Garigliano-Flusses über die unwegsamen Hügel entlang der Nationalstraße Nr. 6 und über die Enge von Mignano bis zum Oberlauf des Garigliano und bis zu dessen Nebenflüssen, dem Rapido und dem Liri, reichte. Kesselring hoffte, diese vorgeschobene Linie zu halten, während er für eine längere Verteidigung eine sorgfältig ausgebaute Stellung vorbereitete, die sich am Garigliano und am Rapido entlangzog und auf die Enge von Cassino gestützt war. Diese etwas mehr rückwärtige Stellung wurde die Gustav- oder Winter-Linie genannt.

Schlechtes Wetter und Straßensprengungen verzögerten den Angriff der 5. Armee auf die erste dieser beiden Linien noch weitere drei Wochen bis zum 5. November, und dann war der deutsche Widerstand so hartnäckig, daß nach zehntägigen Kämpfen und geringen Fortschritten – außer am Küstenabschnitt – Mark Clark genötigt war, seine übermüdeten Truppen wieder zurückzuziehen und zu einer neuen verstärkten Anstrengung wieder aufzufrischen. Diese war dann erst in der ersten Dezemberwoche möglich. Die Verluste der 5. Armee hatten sich bis Mitte November auf 22 000 Mann erhöht, davon fast 12 000 Amerikaner.

Während dieser langen Pausen änderte Hitler seine Ansicht in einer sehr folgenschweren Weise. Ermutigt durch die Langsamkeit des alliierten Vormarsches von Salerno und von Bari aus, war er zu der Auffassung gelangt, es wäre vielleicht gar nicht nötig, sich nach Norditalien zurückzuziehen. Am 4. Oktober gab er die Anweisung aus: »Die Linie Gaeta–Ortona wird gehalten werden« – und er versprach Kesselring, drei Divisionen von Rommels Heeresgruppe B in Norditalien würden ihm zugeführt werden, um ihm zu helfen, sich südlich von Rom so lange wie möglich zu halten. Hitler neigte mehr und mehr zu Kesselrings Standpunkt, der einen längeren Widerstand im Süden befürwortete; freilich legte er sich erst am 21. November endgültig darauf fest, als er sämtliche deutschen Truppen in Italien dem Oberbefehl Kesselrings unterstellte. Rommels Heeresgruppe wurde aufgelöst, und ihre restlichen Truppen standen nun Kesselring zur Verfügung. Immerhin mußte dieser nach wie vor einen Teil im Norden belassen, um dieses große Gebiet zu besetzen und zu kontrollieren, während vier der besten Divisionen, davon drei Panzerdivisionen, nach Rußland verlegt und durch drei dezimierte und erholungsbedürftige ersetzt wurden.

Eine kleinere, aber dennoch wertvolle Verstärkung erhielt Kesselring auch durch die 90. Panzergrenadierdivision. Diese hatte zur Zeit des italienischen Waffenstillstandes in Sardinien gestanden, war aber dann über die schmale Straße von Bonifacio nach Korsika evakuiert und später, in kleinen Gruppen über zwei Wochen verteilt, auf dem See- und Luftweg nach Livorno auf das italienische Festland überführt worden; es gelang ihr dabei, den alliierten See- und Luftstreitkräften zu entgehen, die nur bescheidene Versuche machten, die Verlegung zu stören. Als die Division jetzt sechs Wochen später Kesselring unterstellt wurde, konnte er sie rechtzeitig nach Süden verlegen, um die verzögerte Offensive der 8. Armee an der Ostküste Italiens aufzuhalten.

Hitlers Entscheidung, alle deutschen Streitkräfte in Italien Kesselring und seiner neuen »Heeresgruppe C« zu unterstellen, war nämlich getroffen worden am Tag nachdem Montgomery einen ersten Angriff gegen die deutsche Stellung am Sangro begonnen hatte — eine Stellung, die Ortona mit einschloß und das adriatische Ende der Gustav-Linie bildete.

Nach dem zähen Widerstand, den er bei der Überschreitung des Biferno in der ersten Oktoberwoche vorgefunden hatte, hatte Montgomery das V. Korps herangeführt, um den Küstenabschnitt zu übernehmen, und das XIII. Korps in den hügeligen Abschnitt im Landesinnern verlegt, wo deutsche Nachhuten den Vormarsch der Kanadier immer wieder behinderten. Nach dieser Umgruppierung rückte das V. Korps auf den Trigno, 18 Kilometer nördlich des Biferno, vor und errichtete dort in der Nacht zum 22. Oktober einen kleinen Brückenkopf, den es am 27. durch einen größeren Nachtangriff erweiterte. Dann wurde es durch Schlamm und feindliches Feuer gleichzeitig aufgehalten, so daß es erst in der Nacht vom 3. November in die Hauptstellung des Feindes einbrechen konnte. Daraufhin zogen sich die Deutschen auf den 27 Kilometer weiter nördlich gelegenen Sangro zurück.

Wieder folgte eine lange Pause, während Montgomery seinen neuen Angriff vorbereitete und die neu eingetroffene 2. neuseeländische Division an die Front brachte; seine Angriffsstärke für die Sangro-Offensive wurde dadurch auf fünf Divisionen und zwei Panzerbrigaden erhöht. Auch das sogenannte LXXVI. Panzerkorps der Deutschen, das der 8. Armee gegenüberlag, war inzwischen durch die 65. Infanteriedivision verstärkt worden; diese übernahm den Küstenabschnitt von der 16. Panzerdivision, die nach Rußland verlegt wurde. Darüber hinaus verfügte das Panzerkorps aber nur über die Reste der 1. Fallschirmjägerdivision und eine Kampfgruppe der 26. Panzerdivision, die jetzt tropfenweise an die Adria zurückkehrte, nachdem der Druck der 5. Armee im Westen geringer geworden war.

Montgomery wollte durch die Sangro-Offensive die deutsche Winter-Linie durchbrechen, dann 30 Kilometer weiter bis Pescara vorstoßen, die große Hauptstraße von dort nach Rom abschneiden und die deutschen Truppen im Rücken bedrohen, die immer noch die 5. Armee im Schach hielten. Denn Alexander hielt sich nach wie vor optimistisch an seine Direktive vom 21. September, die für die alliierte Offensive vier aufeinanderfolgende Ziele festgesetzt hatte: 1. die »Konsolidierung« der Linie Salerno–Bari, 2. die Einnahme des Hafens von Neapel und der Flugplätze von Foggia, 3. die Einnahme von Rom, seiner Flugplätze und des wichtigen Knotenpunktes Terni, 4. die Einnahme des Hafens Livorno und der Städte Florenz und Arezzo, 250 Kilometer nördlich von Rom. Die rasche Einnahme Roms war wieder als entscheidender Punkt in einer neuen Direktive genannt worden, die Alexander am 8. November ausgab, nachdem er eine entsprechende Anweisung Eisenhowers erhalten hatte.

Montgomerys Offensive sollte am 20. November beginnen; aber wegen des schlechten Wetters und des angeschwollenen Flusses führte er zunächst nur einen begrenzten Angriff, durch den nach mehreren Tagen harter Kämpfe ein Brückenkopf von zehn Kilometer Breite und zwei Kilometer Tiefe gebildet wurde. Dieser wurde unter großen Anstrengungen gehalten, bis in der Nacht zum 28. der große Angriff begann. Montgomery legte völlige Zuversicht über den Ausgang an den Tag, und er erklärte in einem Tagesbefehl an seine Truppen vom 25. November: »Die Zeit ist gekommen, die Deutschen bis nördlich von Rom zu jagen ... Die Deutschen sind jetzt gerade in der Verfassung, wie wir sie uns wünschen. Wir werden sie jetzt gewaltig aufs Haupt schlagen.« Aber es war vielleicht ein schlechtes Vorzeichen, daß er diesen Tagesbefehl in strömendem Regen unter einem riesigen Regenschirm verlas, nachdem er aus seinem Wagen gestiegen war.

Die Offensive begann gut unter dem Schutz gewaltiger Luftangriffe und Artilleriebeschießungen, und sie stützte sich auf eine zahlenmäßige Überlegenheit von 5:1. Die deutsche 65. Division, eine unerprobte und schlecht ausgerüstete Division mit Angehörigen verschiedener Nationalitäten, begann zu weichen, und die Hügelkette jenseits des Sangro wurde bis zum 30. genommen. Doch die Deutschen fingen sich wieder beim Rückzug auf ihre Hauptlinie weiter hinten, und ihnen kam zugute, daß die Verfolger sich an Montgomerys oft wiederholte Mahnung hielten, erst eine »feste Basis« zu schaffen. Eine besonders gute Gelegenheit zur Ausweitung des Erfolges wurde dadurch bei Orsogna an der Flanke im Landesinnern versäumt. So gewannen die Deutschen Zeit für das Eintreffen der restlichen 26. Panzerdivision und der 90. Panzergrenadierdivision, die Kesselring vom Norden herunterschickte. Dadurch wurde der Vormarsch jetzt immer zähflüssiger. Es gab immer wieder einen neuen Fluß zu überqueren. Erst am 10. Dezember wurde der Moro, 13 Kilometer nördlich des Sangro, überschritten, und erst am 28. wurde Ortona erreicht, das nur drei Kilometer jenseits des Moro liegt. Dann kam der Vormarsch bei

Riccio zum Stehen, erst auf halbem Wege bis Pescara und die Hauptstraße Pescara—Rom. Dies war die Situation am Ende des Jahres, als Montgomery den Oberbefehl über die 8. Armee an General Oliver Leese abgab und nach England zurückkehrte, um zur Vorbereitung der Invasion in der Normandie das Kommando über die 21. Heeresgruppe zu übernehmen.

Unterdessen hatte am 2. Dezember eine neue Offensive Mark Clarks westlich der Apenninen begonnen. Seine 5. Armee war inzwischen auf zehn Divisionen angewachsen; aber zwei davon, die britische 7. Panzerdivision und die 82. US-Luftlandedivision, sollten jetzt für die bevorstehende Invasion nach England zurückgezogen werden. Auch Kesselrings Kräfte waren verstärkt worden, und vier Divisionen hielten jetzt die deutsche Front westlich der Apenninen, wobei eine in Reserve blieb. Das erste Ziel der neuen Offensive war die Bergkette westlich der Nationalstraße Nr. 6 und der Enge von Mignano. Das britische X. Korps und das neu eingetroffene amerikanische II. Korps unter Generalmajor Geoffrey Keyes wurden dabei eingesetzt, unterstützt von über 900 Geschützen, die in den ersten zwei Tagen über 4000 t Munition auf die deutschen Stellungen abschossen. Die Briten kamen am 3. Dezember fast bis zum Gipfel des 1000 Meter hohen Monte Camino, wurden von dort wieder vertrieben und gewannen am 6. endgültig diese Höhe; dies brachte sie bis zur Garigliano-Linie. Gleichzeitig nahmen die Amerikaner zu ihrer Rechten den Monte La Difensa und den Monte Maggiore, die niedriger waren, aber der Hauptstraße näher lagen. In der zweiten Phase, die am 7. Dezember begann, stießen das II. und VI. US-Korps auf breiter Front bis zum Rapido vor, in der Hoffnung, die Deutschen jetzt aus der gesamten Bergstellung östlich der Straße Nr. 6 zu vertreiben. Aber sie stießen auf wachsenden Widerstand und machten in den nächsten Wochen nur wenige Kilometer langsame Fortschritte. In der zweiten Januarwoche erlahmte die Offensive, ehe sie den Rapido und die Gustav-Linie erreicht hatte. Die Verluste der 5. Armee im Kampf waren auf fast 40 000 gestiegen, weit mehr, als der Feind verloren hatte. Außerdem hatten allein die Amerikaner in den ersten zwei Monaten dieses bitteren Winterkrieges in den Bergen Ausfälle durch Krankheiten in Höhe von rund 50 000 Mann.

Diese Fortsetzung der Invasion Italiens war in jeder Hinsicht sehr enttäuschend. In vier Monaten waren die Alliierten nur ganze 110 Kilometer über Salerno hinaus vorgerückt – das meiste davon in den ersten Wochen – und waren noch 130 Kilometer von Rom entfernt. Alexander selbst bezeichnete den Verlauf als ein »langsames Vorwärtsprügeln«. Eine treffendere Bezeichnung, die jetzt aufkam, war »Zentimeterarbeit«. Angesichts der geographischen Ähnlichkeit Italiens mit einem Bein wäre der Ausdruck »Annagen« noch passender gewesen.

Selbst wenn man die Schwierigkeiten des Geländes und das schlechte Wetter in Rechnung stellt, sieht man bei einer genauen Analyse des Feldzuges, daß günstige Gelegenheiten schnellerer Fortschritte wiederholt verpaßt wurden, weil die alliierten Befehlshaber zu großes Gewicht auf die »Konsolidierung« jedes Fortschrittes und auf die Schaffung einer »festen Basis« vor jedem weiteren Vorrücken legten. Dazu kam ihr Bestreben, sich vor jeder Offensive erst ausreichender Kräfte und Materialien zu versichern. Immer wieder kamen die alliierten Befehlshaber »zu spät«, in der Besorgnis, »zu wenig« Kräfte zu haben. In seinem Kommentar zu dem Feldzug bemerkte Kesselring treffend:

> »Die alliierten Pläne zeigten durchweg, daß der beherrschende Gedanke des alliierten Oberkommandos der war, des Erfolges unbedingt sicher zu sein, und dieser Gedanke führte sie dazu, sich orthodoxer Methoden und Waffen zu bedienen. Daher war es mir trotz unzureichender Möglichkeiten der Aufklärung und dürftigem Nachrichtendienst fast immer möglich, den nächsten strategischen oder taktischen Schritt meines Gegners vorauszusehen – und so die geeigneten Gegenmaßnahmen zu ergreifen, soweit es meine Kräfte erlaubten.«

Doch die primäre Quelle aller Schwierigkeiten, unter denen die Alliierten litten, war die Wahl Salernos und der italienischen Stiefelspitze zu Landeplätzen – eine Wahl, die allzusehr den Erwartungen der Gegner entsprach, nach deren Erfahrungen mit den vorsichtigen Gewohnheiten der Alliierten. Kesselring und sein Stabschef General Westphal, die Nutznießer dieser allzu naheliegenden Entscheidung, waren der Ansicht, daß die Alliierten schwere strategische Strafe für ihren Wunsch gezahlt haben, sich taktische Sicherheit gegen Luftangriffe zu verschaffen – und daß es sich hier angesichts der geringen Stärke der deutschen Luftwaffe in Süditalien um eine Überversicherung handelte. Sie waren der Meinung, daß der Grundsatz des alliierten Oberkommandos, die Reichweite seiner Offensiven den Grenzen der Luftunterstützung anzupassen, die Rettung der Verteidiger war, weil dadurch das Problem der Verteidigung vereinfacht wurde.

Zu der Frage, was die Alliierten hätten besser machen sollen, äußerte sich Westphal wie folgt:

»Wenn die bei der Landung in Salerno eingesetzten Kräfte statt dessen bei Civitavecchia nördlich von Rom gelandet wären, dann wären die Ergebnisse viel besser gewesen. Es standen nur zwei deutsche Divisionen im Raum von Rom und ... es konnten keine anderen schnell genug herangeführt werden. In Verbindung mit den fünf italienischen Divisionen, die bei Rom standen, hätte eine kombinierte See- und Luftlandung die italienische Hauptstadt innerhalb von 72 Stunden genommen. Abgesehen von den politischen Auswirkungen eines solchen Sieges hätte dies dazu geführt, mit einem Schlag den ganzen Nachschub der fünf deutschen Divisionen in Kalabrien abzuschneiden ... Dadurch wäre ganz Italien südlich der Linie Rom–Pescara in alliierte Hand gefallen.«

Westphal hielt es auch für einen Fehler, daß Montgomerys 8. Armee an der Fußspitze Italiens landete, von wo sie sich die ganze Länge des Fußes hinausarbeiten mußte, während die viel besseren Möglichkeiten der Ferse Italiens und der adriatischen Küste vernachlässigt wurden:

»Die Landung der britischen 8. Armee hätte mit voller Stärke im Raum Tarent erfolgen sollen, wo nur eine einzige Fallschirmjägerdivision (mit nur drei Batterien Artillerie) stand. Ja, es wäre sogar besser gewesen, im Raum Pescara–Ancona zu landen ... Gegen eine solche Landung hätte keine Gegenwehr aus dem Raum Rom herangezogen werden können, da wir zu wenig verfügbare Kräfte hatten. Ebensowenig hätten nennenswerte Kräfte schnell aus der Po-Ebene herangeführt werden können.«

Es wäre auch unmöglich gewesen, Kesselrings Truppen schnell genug von der Westküste zur Südostküste zu verlegen, wenn die alliierte 5. Armee die Hauptlandung bei Tarent und nicht bei Salerno gemacht hätte.

Alles in allem: Die Alliierten nützten weder anfangs noch später ihren größten Vorteil aus, ihre Kapazität zu amphibischen Unternehmungen. Dieses Versäumnis wurde ihr schwerstes Handicap. Das Zeugnis Kesselrings und Westphals stützt das bissige Urteil, das Churchill in einem Telegramm aus Carthago in Tunesien an die britischen Stabschefs vom 19. Dezember so formulierte:

»Die Stagnation des ganzen Italien-Feldzuges wird zu einem Skandal ... Das große Versäumnis, amphibische Aktionen an der adriatischen Küste und ähnliche Angriffe an der Westküste zu unternehmen, hat zu einem Desaster geführt.

Drei Monate lang ist kein einziges Landefahrzeug im Mittelmeer für irgendeinen Angriffszweck verwendet worden ... Es gibt wenig Beispiele selbst in diesem Krieg dafür, daß so wertvolle Kräfte so vollständig unbenutzt blieben.«

Churchill sah aber nicht, daß die ganze militärische Doktrin der Alliierten falsch war – weil sie sich zu sehr an den Grundsatz vorsichtiger Bankiers hielt » kein Wagnis ohne Sicherheit«.

KAPITEL 28

DEUTSCHE RÜCKSCHLÄGE IN RUSSLAND

Anfang 1943 sah es so aus, als würden die deutschen Armeen im Kaukasus das gleiche Schicksal erleiden wie die Armeen in Stalingrad. Sie steckten sogar noch tiefer in der Falle als die letzteren. Sie waren schon über einen Monat seit der Einschließung Stalingrads dort festgehalten, während der Winter immer strenger und die Gefahr immer größer wurde. Es waren düstere Aussichten für die 1. Panzerarmee und die 17. Armee, die zusammen die Heeresgruppe A bildeten, in deren Oberbefehl Generaloberst Kleist Feldmarschall List abgelöst hatte.

In der ersten Januarwoche wurde die prekäre Situation der Heeresgruppe noch verschärft durch verschiedene Umfassungsmanöver. Das direkteste erfolgte dort, wo die Heeresgruppe mit ihrer Spitze in den Bergen des Kaukasus steckte. Die Russen schlugen zuerst auf ihre linke Flanke bei Mozdok, dann auf ihre rechte Flanke bei Naltschik und eroberten beide Orte zurück. Noch gefährlicher war ein gleichzeitiger russischer Vorstoß durch die Kalmückensteppe, 300–400 Kilometer hinter ihrer linken Flanke an der Nahtstelle zwischen Heeresgruppe A und Heeresgruppe Don. Nach der Einnahme von Elista rückten die Russen am Manych-See vorbei bis Armavir vor, die Stadt, durch die Kleists rückwärtige Verbindung mit Rostow lief. Am gefährlichsten aber war ein plötzlicher Vorstoß entlang dem Don aus Richtung Stalingrad nach Rostow selbst. Eine russische Vorausabteilung näherte sich diesem Flaschenhals bis auf 80 km.

Diese alarmierende Nachricht erreichte Kleist am gleichen Tage, als er einen nachdrücklichen Befehl Hitlers erhielt, unter keinen Umständen seine Front zurückzuziehen. Zu diesem Zeitpunkt stand seine 1. Panzerarmee noch gut 600 km südöstlich von Rostow. Am nächsten Tag erhielt er einen neuen Befehl: sich aus dem Kaukasus zurückzuziehen und sein ganzes Material mitzunehmen. Diese Forderung vergrößerte die Schwierigkeit der großen Entfernung bei einem Wettlauf mit der Zeit.

Um die Straße nach Rostow für die 1. Panzerarmee frei zu machen, wurde der 17. Armee befohlen, sicht westlich entlang des Kuban-Flusses zur Halbinsel Taman zusammenzuziehen, von wo sie notfalls über die Straße von Kertsch auf die Krim evakuiert werden könnte. Dieser Rückzug dauerte nicht lange, und die russischen Streitkräfte, die noch bis vor kurzem in dem Küstenstreifen bei Tuapse belagert wurden, waren nicht stark genug, auf die abrückende 17. Armee einen ernsthaften Druck auszuüben.

Im Gegensatz dazu war der Rückzug der 1. Panzerarmee eine Operation mit vielen direkten und indirekten Gefahren. Die gefährlichste Phase war die vom 15. Januar bis zum 1. Februar, als das Gros der Armee Rostow erreicht hatte. Aber auch nachher war die Verlängerung der Rückzugslinie, wenn diese auch nicht so schmal war, durch eine Reihe von russischen Angriffen bedroht, die sich auf eine Front von weiteren 300 km erstreckten.

Am 10. Januar hatte General Rokossowskij einen konzentrierten Angriff auf die eingeschlossenen deutschen Truppen in Stalingrad begonnen, nachdem ein russisches Ultimatum zur Übergabe abgelehnt worden war. Generaloberst Paulus' Truppen waren durch Hunger, Krankheiten, seelische Depressionen und Munitionsmangel zu geschwächt, als daß sie zu längerem starken Widerstand in der Lage waren. Erst recht waren sie nicht in der Lage, aus der Umklammerung auszubrechen. So konnten die Russen einen Teil der einschließenden Truppen abzweigen, um die Operation nach Süden zum Abschneiden der deutschen Kräfte im Kaukasus zu verstärken, und noch mehr wurden dafür freigestellt, als sich der Ring geschlossen hatte.

Als dieser Schlußakt von Stalingrad begann, standen Kleists Truppen nach ihrem Rückzug aus der Spitze des Kaukasus-Bogens am Fluß Kuma zwischen Pjatigorsk und Budenowsk. Zehn Tage später erreichte der russische Vorstoß von Elista südwärts einen Punkt über 150 km im Rücken der Kuma-Linie; doch Kleists Truppen näherten sich auf ihrem Rückzug schon Armavir und umgingen so den akuten Gefahrenpunkt.

Der Krieg in Rußland. Frontverlauf v. Dez. 42 bis Dez. 43

Freilich entstand weiter hinten eine akute Gefahr aus dem kraftvollen russischen Vorstoß nach Rostow auf beiden Seiten des Don. An der Ostseite waren die Russen schon nahe am Manych und am Eisenbahnknotenpunkt Salsk. Am Westufer hatten sie den Donez erreicht, nicht weit von dem Punkt, wo er in den unteren Don einmündete. Kleists Nachhut hatte bis Rostow immer noch dreimal so weit als die Russen. Außerdem waren Mansteins erschöpfte Truppen, welche die Flanke von Kleists Rückzug zu decken suchten, jetzt selber so schwer bedrängt, daß sie dem Zusammenbruch nahe waren.

Die sich zurückziehenden Streitkräfte gewannen jedoch das Rennen und entkamen aus der Falle. Zehn Tage später waren Kleists Nachhuten schon nahe an Rostow, und die Truppen, die sie abschneiden wollten, hatten das Nachsehen. Zum Glück für die Deutschen hatte das trostlose schneebedeckte Land sogar die Russen bei ihrem Versuch behindert, über ihre entfernten Eisenbahnstützpunkte hinaus schnell und kräftig genug vorzustoßen, um die Falle zu schließen. Aber die Zange war nur gerade eben noch offengehalten worden. Mansteins Streitkräfte hatten so lange an exponierten Stellungen festgehalten, daß ihre Rückzugschancen gefährdet waren, und einige der Divisionen Kleists mußten wieder umkehren, um sie herauszuhauen und zu verstärken.

Die deutschen Truppen aus dem Kaukasus überschritten ungehindert den Don bei Rostow, gerade als die Stalingrad-Armee zusammenbrach. Paulus selbst und ein großer Teil der Armee kapitulierte am 31. Januar; die letzten Reste folgten am 2. Februar. Insgesamt waren seit Beginn des Angriffs drei Wochen vorher 92 000 Mann gefangengenommen worden, während die tatsächlichen Verluste fast dreimal so hoch waren. Unter den Gefangenen befanden sich 24 Generale. Obwohl die deutschen Generale an der Ostfront kleine Giftkapseln erhalten hatten für den Fall, daß sie in russische Hand fielen, scheinen doch nur wenige diese benutzt zu haben – bis zum Scheitern der Offiziersverschwörung gegen Hitler am 20. Juli 1944, als manche lieber Gift nahmen als in die Hände der Gestapo zu fallen. Aber »Stalingrad« wirkte seitdem wie ein schleichendes Gift in den Köpfen der deutschen

Kommandeure an allen Fronten, das ihr Vertrauen in die Strategie untergrub, die sie praktisch ausführen mußten. Moralisch noch mehr als materiell hatte die Katastrophe dieser Armee bei Stalingrad Auswirkungen, von denen sich das deutsche Heer nicht mehr erholte.

Dennoch war Hitlers beruhigende Erklärung nicht ungerechtfertigt, daß die Opferung der Armee bei Stalingrad dem Oberkommando Zeit und Möglichkeit zu Gegenmaßnahmen gegeben habe, von denen das Schicksal der ganzen Ostfront abhänge. Wenn die Armee von Stalingrad irgendwann in den ersten sieben Wochen nach ihrer Einschließung kapituliert hätte, dann hätte eine viel größere Katastrophe über die anderen deutschen Armeen kommen können. Denn Mansteins schwache Truppen hätten vermutlich nicht der russischen Flut standhalten können, die sich entlang des Don nach Rostow gewälzt hätte, und die Truppen im Kaukasus wären abgeschnitten worden. Ihr Schicksal wäre auch besiegelt gewesen, wenn es der Stalingrad-Armee gelungen wäre, aus der Falle auszubrechen und sich nach Westen zurückzuziehen. Und wenn auch ihr Widerstand in der zweiten Januarhälfte nicht stark genug war, die Russen an einem machtvollen Vorstoß nach Rostow zu hindern, so hatte sie dennoch noch genügend Kraft, um die Chancen der Kaukasus-Streitkräfte, Rostow rechtzeitig zu erreichen und durch den Flaschenhals zu entkommen, entscheidend zu verbessern.

Doch selbst mit dieser Hilfe glückte der Rückzug aus dem Kaukasus nur gerade eben. In Ansehung von Zeit, Raum, Truppenstärke und Wetterbedingungen war es eine erstaunliche Leistung – für die Kleist zum Feldmarschall befördert wurde. Aber wenn auch Geschick und Zähigkeit der Durchführung volle Anerkennung verdienen, liegt die größte Bedeutung dieses Rückzuges doch in dem Beweis der außerordentlichen Widerstandskraft einer modernen Verteidigung, solange die Kommandeure und die Truppen ihren kühlen Kopf und ihren Mut bewahren.

Weitere Beweise dafür wurden in den folgenden Wochen geliefert. Denn auch nachdem die sich zurückziehenden Armeen sicher durch den Flaschenhals von Rostow gekommen waren, standen sie vor Gefahren, die sich weit hinter ihrer Rückzugslinie entwickelt hatten. Mitte Januar hatte General Watutins linker Flügel den Vorstoß vom mittleren Don zum Donez hinter Rostow wiederaufgenommen. Millerowo fiel, und schon vorher wurde unter Umgehung dieses zähen Hindernisses der Donez selbst an zwei Stellen bei und östlich von Kamensk überschritten.

In der gleichen Woche begannen zwei neue russische Offensiven. Die eine war weit weg: im Sektor von Leningrad. Sie durchbrach die 17monatige Umklammerung dieser großen Stadt und erleichterte den Druck der Belagerung. Wenn sie auch nicht weit genug kam, um den deutschen Bogen zu durchbrechen, der sich im Rücken der Stadt bis zum Ladoga-See hinzog, so brach sie doch ein Loch am Ufer des Sees bis nach Schlüsselburg, und diese strategische Kehlkopfoperation schuf einen Luftkanal, durch den die Garnison und die Bevölkerung freier atmen konnten.

Die zweite neue Offensive bedrohte den Lebensraum der Deutschen im Süden. Sie begann am 12. Januar, als General Golikows Armeen aus dem westlichen Teil des Don unterhalb vor Woronesch vorstießen und die Front der 2. Armee und der ungarischen 2. Armee durchbrachen. In einer Woche hatte die Offensive gut 150 km zurückgelegt, die halbe Strecke vom Don bis Charkow. General Watutins rechter Flügel half mit einer Zangenbewegung nach Osten im Korridor zwischen Don und Donez.

In der letzten Januarwoche wurde die Offensive noch einmal ausgeweitet. Während der Schwerpunkt auf dem südwestlichen Vorstoß nach Charkow lag, stießen die Russen von Woronesch nach Westen auf breiter Front vor, brachten dort den örtlichen Rückzug der Deutschen durcheinander und verwandelten ihn in ein Zurückfluten auf breiter Front. In knapp drei Tagen hatten die Russen fast die Hälfte der Strecke nach Kursk, dem Sprungbrett, von dem aus der Feind seine Sommeroffensive begonnen hatte, zurückgelegt.

In der ersten Februarwoche stießen sie auf ihrer rechten Flanke vor und schlugen einen tiefen Keil über die Bahnlinie und die Straße Kursk–Orel hinweg. Dann durchstießen sie die Linie Kursk–Belgorod. Nachdem sie so Kursk von beiden Seiten umfaßt hatten, nahmen sie die Stadt am 7. Februar in einem überraschenden Vorstoß. Ebenso wurde ihr zweiter Keil als Basis für die Einnahme von Belgorod zwei Tage später verwandt. Dies wiederum bedrohte die Nordflanke von Charkow.

Unterdessen hatte sich der scheinbar direkte Vormarsch auf Charkow in einer mehr südwestlichen Richtung entwickelt — in der Richtung auf das Asowsche Meer und die deutsche Rückzugslinie von Rostow westwärts. Am 5. Februar nahmen Watutins Truppen Izyum ein — von wo die Deutschen im Frühjahr ihre entscheidende Flankenbewegung begonnen hatten, und sie benutzten die Überquerung des Donez, um eine Zange in der anderen Richtung zu bilden. Nachdem sie südlich des Donez die Eisenbahnlinie durchstoßen hatten, schwärmten sie nach Westen aus und nahmen am 11. den wichtigen Eisenbahnknotenpunkt Losowaja.

Diese neuen Geländegewinne unterhöhlten die deutsche Position in Charkow selbst, das am 16. in Golikows Hand fiel. Dies war ein Triumph; die unmittelbarste Gefahr für die deutsche Situation insgesamt entstand aber aus dem fortgesetzten südlichen Vorstoß der Russen vom Donez zum Asowschen Meer. Vier Tage vorher hatte eine schnelle Vorausabteilung schon Krasnoarmeisk an der Hauptstraße von Rostow nach Dnjepropetrowsk erreicht. Dies drohte die Rückzugslinie der Armeen abzuschneiden, die gerade eben der Kaukasusfalle entkommen waren.

Der wechselnde Rhythmus der russischen Offensive war jetzt noch deutlicher geworden als im Anfangsstadium. Man kann sich leicht vorstellen, welche Belastung dies für die deutsche Widerstandskraft und für ihr bereits überbeanspruchtes Potential bedeutete — wenn man an die Ausdehnung der Front denkt, die sie mit schrumpfenden Reserven halten mußte. Die abwechslungsreiche Art, wie die Russen diese Schwäche des Gegners ausnutzten, war eine aufschlußreiche Demonstration ihrer verbesserten Taktik und ihrer besseren Fähigkeit, diese Überlegenheit auszunutzen. Wenn man die Methode studiert, mit der sie eine solche Reihe von Schlüsselpositionen eingenommen hatten, dann sieht man, daß in jedem Fall die Einnahme — selbst wenn ihr ein Vorstoß in unmittelbarer Nähe voranging — das Ergebnis eines indirekten Vorstoßes war, der den betreffenden Ort praktisch unhaltbar gemacht oder ihn wenigstens seines strategischen Wertes beraubt hatte. Die Erfolge dieser Reihe indirekter Hebelbewegungen lassen sich an Hand der Operationen klar nachzeichnen. Das Oberkommando der Roten Armee glich einem Pianisten, der mit seinen Händen auf der Tastatur auf und ab lief.

Wenn dieser wechselnde Rhythmus der russischen Offensive der Taktik Marschall Fochs im Jahr 1918 glich, so war es doch eine subtilere und schnellere Anwendung dieser strategischen Methode. Von Mal zu Mal blieb das eigentliche Ziel mehr im unklaren, und die Operationen wurden durch immer kürzere Pausen gekennzeichnet. Während der einleitende Vorstoß niemals direkt auf den Ort zielte, den die Operation bedrohen sollte, waren die ergänzenden Bewegungen oft direkt im geographischen Sinne — und daher doch indirekt im psychologischen Sinne, da sie aus der am wenigsten erwarteten Richtung kamen.

Jedoch in der zweiten Februarhälfte erfolgte ein dramatischer Szenenwechsel. Die Russen büßten ihre Vorteile ein, als sie über den Donez zum Asowschen Meer und zum Dnjepr-Knie vorstießen, um die deutschen Armeen im Süden abzuschneiden. Das Ziel der Russen war hier offenkundig, und es brachte sie in denselben Raum, in den die Deutschen sich zurückzogen. Es kam so zu einem Wettlauf, dessen Ausgang davon abhing, ob es den Russen gelang, sich quer vor den deutschen Rückzugskorridor zu legen, bevor die Deutschen ankamen und sich wieder sammeln konnten, um den Vorstoß abzufangen.

Zum Unglück für die Russen wurden sie zu diesem Zeitpunkt durch ein sehr frühes Tauwetter behindert, das die aus dem langanhaltenden Vormarsch ergebenden Schwierigkeiten vergrößerte. Als sie ihre Winteroffensive planten, hatten sie festgestellt, daß die logistische Seite ihres Plans nicht mit der strategischen Seite übereinstimmte, da sie nicht genug Fahrzeuge hatten, um auch nur die Hälfte des für so ausgedehnte Vorstöße erforderlichen Mindestbedarfs an Benzin, Munition und Verpflegung zu transportieren. Mit charakteristischer Kühnheit beschlossen sie, nicht den

Plan zu ändern, sondern darauf zu spekulieren, daß sie den größeren Teil ihres Bedarfs dem Feind wegnehmen würden! Dies glückte, da bei jedem Durchbruch eine große Zahl von Nachschublagern und Depots in ihre Hand fiel. Aber als der feindliche Widerstand sich versteifte und solche Glücksfälle seltener wurden, begannen die Russen mehr unter dem Mangel an Fahrzeugen zu leiden, je weiter sie sich von ihren Eisenbahnstützpunkten entfernten. So machte sich das Gesetz der überdehnten Front wieder geltend, diesmal zum Nachteil der Russen. Im Don-Donez-Gebiet gab es wenige Bahnlinien, und diese verliefen rechtwinkelig zu ihrem südwestlichen Vormarsch. Im Gegensatz dazu half der westöstliche Verlauf der relativ zahlreichen Bahnlinien südlich des Donez den Deutschen, sich schnell an jedem Gefahrenpunkt zu sammeln. Auch begannen die Deutschen jetzt von der Verkürzung ihrer Front zu profitieren – sie war jetzt rund 1000 Kilometer kürzer als im Herbst.

Von dieser Kombination von Hindernissen zum Stehen gebracht, waren die Russen in einer recht mißlichen Lage. Sie hatten über den Donez hinweg einen breiten Keil 130 Kilometer in der Richtung zum Dnjepr vorgetrieben, der aber 50 Kilometer vor dem Fluß, bei Pawlograd, zum Stehen kam; sie hatten einen schmalen Keil 110 Kilometer über den Donez hinweg bis Krasnoarmeisk vorgetrieben, quer durch den Korridor zwischen Donez und Asowschem Meer. Die Deutschen rafften alle verfügbaren Streitkräfte zusammen und führten jetzt unter dem Befehl Mansteins einen Gegenschlag mit drei Schwerpunkten; er sollte den unregelmäßigen Frontverlauf des russischen Bogens mit seinen zwei vorgetriebenen Spitzen ausnutzen. Links wurde vom Dnjepr aus ein Vorstoß gegen die südwestliche Spitze gemacht; rechts erfolgte ein Vorstoß gegen die südöstliche Spitze; in der Mitte wurde der Angriff gegen die weichende Front dazwischen in Richtung auf Losowaja geführt. Beide Spitzen wurden abgebrochen, und die deutschen Panzer stießen tief in den Bogen hinein. Diese Gegenstöße entwickelten sich in der letzten Februarwoche zu einer großen Gegenoffensive, als durch den deutschen Rückzug aus dem Raum Rostow mehr Verstärkungen verfügbar wurden. In der ersten Märzwoche hatte der deutsche Vorstoß wieder den Donez auf einem großen Abschnitt rechts und links von Izyum erreicht, der russische Bogen war fast ganz verschwunden, und ein großer Teil der russischen Truppen war südlich von Charkow eingeschlossen.

Wenn es den Deutschen gelungen wäre, den Donez schnell zu überschreiten und damit die Rückzugslinien der russischen Armeen abzuschneiden, dann hätte dies zu einer Katastrophe für die Russen geführt, die der deutschen von Stalingrad vergleichbar gewesen wäre. Aber sie wurden bei diesem Versuch zum Stehen gebracht, da sie nicht genügend Kräfte hatten, um irgendein stark verteidigtes Hindernis im Sturm zu nehmen. Nach diesem Stillstand verschob sich der Schwerpunkt nach Nordwesten, wo der Druck des deutschen Umgehungsmanövers die Russen am 15. März wieder aus Charkow verdrängte. Vier Tage später erreichte ein schneller deutscher Vorstoß nördlich von Charkow Belgorod. Aber dies war das Ende der deutschen Erfolge. Ihre Gegenoffensive erlahmte in der nächsten Woche im Schlamm des Frühjahrstauwetters.

Während die Deutschen im Süden ihre Gegenoffensive führten, mußten sie im Norden zurückgehen. Es war ihr erster größerer Rückzug in diesem Raum seit über einem Jahr. Nach dem Winterfeldzug von 1941/42 hatte die deutsche Front vor Moskau die Form einer geballten Faust, die von den Russen umgeben war – im Mittelpunkt der Faust lag Smolensk. Im August 1941 hatten die Russen den linken Knöchel der Faust, die befestigten Stellungen von Rschew, hart angegriffen in dem Bemühen, Stalingrad durch ein Ablenkungsmanöver zu Hilfe zu kommen und die Mittelfront des Gegners zu durchbrechen. Ihre Offensive war dank des hartnäckigen Widerstandes bei Rschew nicht zum Ziel gekommen, wenn sie auch die Flanken der deutschen Stellung aufgerissen hatte. Ein zweiter Versuch im November hatte die deutsche Faust noch exponierter gemacht, so daß sie jetzt wie eine Halbinsel mit einer schmalen Landzunge aussah. Ende des Jahres griffen die Russen von der Spitze ihres eigenen großen Bogens im Norden die Deutschen an und nahmen den Knotenpunkt

Welikije Luki, 240 Kilometer westlich von Rschew auf der Linie Moskau–Riga. Die Gefahr nicht nur für Rschew, sondern für die ganze deutsche Faust wurde noch deutlicher.

Einen Monat später wurde die Gefahr indirekt noch vergrößert durch die Kapitulation von Stalingrad, während der darauffolgende Zusammenbruch im Süden den Nachteil des Festhaltens an zu ausgedehnten Fronten zeigte. General Zeitzler hatte nun ein einziges Mal bei Hitler Erfolg: Sosehr der Führer jeden Rückzug haßte, ganz besonders einen Rückzug aus der Richtung Moskau, so wurde er doch zu der Überzeugung gebracht, daß die Front in diesem Sektor begradigt werden müsse, um einen Zusammenbruch zu verhindern und Reserven freizusetzen. Rschew wurde Anfang März geräumt, gerade als ein neuer russischer Angriff begann, und bis zum 12. wurde die ganze Faust aufgegeben, einschließlich des wichtigen Knotenpunkts Wjasma. Die Deutschen zogen sich auf eine kürzere Linie zurück, die östlich von Smolensk verlief. Auch der kleinere befestigte Vorsprung bei Demjansk zwischen Welikije Luki und dem Ilmensee wurde Anfang März geräumt. (Die Bedeutung dieses Rückzuges wurde im Westen nicht klar, weil die Zeichnungen in britischen und amerikanischen Zeitungen seit über einem Jahr dort eine gerade Linie gezeigt hatten, wobei Demjansk hinter der russischen Front lag.)

Was aber die deutschen Armeen durch diese Frontverkürzung im Norden gewannen, wurde mehr als ausgeglichen durch die erneute Ausdehnung ihrer Front und die neuen Versuchungen, die der Erfolg ihrer Gegenoffensive im Süden geschaffen hatte. Er vereitelte die Hoffnungen der Generale, daß Hitler dazu gebracht werden könnte, einen langfristigen Rückzug auf eine Linie zu billigen, hinter der sich die Deutschen weit entfernt vom russischen Vormarsch konsolidieren und reorganisieren würden. Der Erfolg im Süden schuf eine alte und neue Reihe von offensiven Ausgangspositionen, die allzu verlockend aussahen für einen Mann, dessen Instinkt nur auf die Offensive gerichtet war und der seinem innersten Wesen nach nur sehr widerwillig den Gedanken aufgab, daß eine neue Offensive die ganze Lage wieder zu seinen Gunsten verändern könnte.

Der Erfolg der Gegenoffensive hatte die Notwendigkeit beseitigt, das Donez-Becken zu räumen. Da er wieder auf der alten Linie südlich des Donez bei Taganrog stand, konnte Hitler dieses Industriegebiet behalten — und gleichzeitig die Hoffnung auf einen neuen Vormarsch in den Kaukasus. Dank der Rückkehr zum Ufer des Donez weiter westlich, zwischen Charkow und Izyum, konnte das Oberkommando eine neue Flankenbewegung dort ins Auge fassen. Durch die Wiedereinnahme von Belgorod und Behauptung von Orel hatten die Deutschen ausgezeichnete Flankenpositionen für eine Zangenbewegung gegen die von den Russen kürzlich gewonnenen Stellungen bei Kursk. Wenn sie diesen großen Balkon abkneifen konnten, dann würden sie eine klaffende Lücke in die russische Front reißen, und sobald ihre Panzerdivisionen dort durchgestoßen wären, würde alles möglich werden. Die Russen waren zwar stärker, als Hitler früher gedacht hatte, aber ihre Verluste waren sehr schwer gewesen. Nur die »alten Generale« hielten die russischen Reserven für unerschöpflich. Wenn er diesen Gedankengang weiter verfolgte, der seiner natürlichen Neigung entsprach, dann schien es Hitler immer klarer, daß ein Durchbruch bei Kursk das Geschick wieder zu seinen Gunsten wenden und alle seine Probleme lösen könnte. Es fiel ihm nicht schwer, sich selbst davon zu überzeugen, daß alle seine Schwierigkeiten nur auf den russischen Winter zurückgingen und daß er im Sommer wieder obenauf sein würde. Dieser Gedanke wurde sein Sommernachtstraum.

Wenn die Hauptoffensive im Raum Kursk erfolgen sollte, so gehörte zu Hitlers Sommerprogramm auch der Angriff auf Leningrad, der zweimal verschoben worden war — es ist seltsam, wie genau sein Plan das Schema von 1942 wiederholte. Ein Fallschirmjägerkorps aus zwei Divisionen war aufgestellt worden und sollte eine Überraschungsaktion gegen Leningrad unternehmen, um für den Landangriff den Weg frei zu machen. Je mehr ihn das Glück verließ, desto risikofreudiger wurde Hitler; noch ein Jahr vorher hatte er gezögert, General Students Vorschlag eines Luftlandeangriffs auf Stalingrad anzunehmen. Jedoch wurde dieses Korps nach dem Zusammenbruch in Tunesien nach Südfrankreich verlegt und stand dort bereit für einen Luftlande-Gegenschlag gegen die erwartete alliierte Landung in Sardinien. Und schließlich führte dann das Scheitern der Kursk-Offensive zur endgültigen Aufgabe des Leningrader Angriffsplans.

Bei den Generalen waren die Ansichten über den Kursker Offensivplan geteilt. Eine zunehmende Zahl von ihnen begann zu zweifeln, ob ein Sieg im Osten noch möglich sei, und zu den Zweiflern gehörte jetzt auch ein so Hitler-gläubiger Mann wie Kleist. Freilich hatte er diesmal direkt mit der Offensive nichts zu tun. Bei der Umgruppierung während des Winterfeldzuges erhielt Manstein den Oberbefehl über den größten Teil der Südfront. Die 1. Panzerarmee war Anfang des Jahres seiner Heeresgruppe zugeteilt worden, während Kleist nur den Oberbefehl über die Krim und den Brückenkopf von Kuban behielt. Die Offensive gegen den Kursker Bogen sollte an der Südseite von Mansteins linkem Flügel und an der Nordseite von Kluges Heeresgruppe Mitte durchgeführt werden.

Beide Oberbefehlshaber äußerten sich vorher, als ob sie an die Erfolgsaussichten glaubten. Doch die Hoffnung wird oft durch professionelle Erwägungen gefördert: Pflichttreue Soldaten neigen von Natur aus zum Glauben an den Erfolg einer Operation, mit der sie beauftragt sind, und sie sind von Natur aus wenig bereit, Zweifel zu äußern, die das Vertrauen eines Vorgesetzten in ihre Fähigkeiten schwächen könnten. Die ganze Richtung ihrer militärischen Ausbildung trug auch dazu bei, Zweifel zu ersticken. Wenn viele Generale jetzt einen langfristigen Rückzug zur Abschüttelung der Russen lieber gesehen hätten, wie Rundstedt schon ein Jahr vorher empfohlen hatte, so hatte der Führer jede derartige Maßnahme verboten. Da die Frontlinie der deutschen Armeen am Ende des Winters für die Verteidigung nicht besonders günstig war, neigten die Generale um so mehr zu dem Grundsatz, den man sie gelehrt hatte: Angriff ist die beste Verteidigung. Durch einen Angriff, meinten sie, könne man die Nachteile der Lage beseitigen und die Offensivpläne des Gegners stören. So richteten sich alle Bemühungen auf einen Erfolg des Angriffs, ohne Rücksicht auf die Folgen eines Scheiterns und auf die Gefahr, daß eine Verausgabung der jüngst aufgefrischten deutschen Reserven später jede Verteidigung unmöglich machen würde.

Die Verschlechterung der deutschen Lage wurde verschleiert durch eine Politik äußerster Geheimhaltung im internen Bereich, zusammen mit einer zunehmenden Verdünnung der Einheiten und Formationen. Die Zahl der deutschen Divisionen wurde annähernd auf dem alten Stand belassen, so daß es nicht mehr klar war, wie irreführend ihre Zahl als Index der wirklichen Stärke geworden war. Im Frühjahr 1943 hatte eine deutsche Division im Durchschnitt wenig mehr als die Hälfte ihrer früheren Mannschaftsstärke und Bewaffnung; viele Divisionen blieben noch weit darunter, während manche fast wieder ihre frühere Stärke erreichten. Die Befehlshaber wurden auf Grund der Geheimhaltung so sehr voneinander abgeschlossen, daß wenige von ihnen ein klares Bild der allgemeinen Lage hatten – und sie hatten gelernt, daß es klüger war, nicht zuviel zu fragen.

Die Politik der Verdünnung wurde aber auch aus anderen Gründen als denen der Tarnung durchgeführt. Hitler war fasziniert und berauscht von Zahlen. Für seinen demagogischen Sinn bedeuteten Zahlen Macht. Da die Division die militärische Standardeinheit war, war er besessen von dem Gedanken, die größtmögliche Zahl von Divisionen zu haben – obwohl seine Siege im Jahr 1940 im wesentlichen durch die qualitative Überlegenheit seiner Panzertruppen errungen worden waren. Vor dem Einmarsch in Rußland hatte er auf der Verdünnung bestanden, um eine größtmögliche Zahl von Divisionen aufzustellen. Und im weiteren Verlauf hatte er die Verdünnung noch fortgesetzt, um einen Rückgang der irreführenden Gesamtzahl zu vermeiden. Die Folge dieser Verdünnung war eine gefährliche Inflation auf dem Gebiet der militärischen Ökonomie.

Im Jahr 1943 trug diese Inflation viel dazu bei, die Vorteile auszugleichen, welche die qualitative Verbesserung der deutschen Ausrüstung bot, insbesondere durch die Produktion der neuen »Tiger« und »Panther« (Panzer). Immer, wenn Divisionen schwere Verluste erleiden, werden ihre Eliteeinheiten überproportional geschwächt im Vergleich zu den Stabsabteilungen, da die Verluste hauptsächlich die kämpfende Truppe treffen. Bei einer Panzerdivision entfällt in der Regel die höchste Verlustquote auf Panzer und Panzerbesatzungen, eine geringere auf die infanteristischen Einheiten, die geringste auf die Verwaltungs- und Versorgungseinheiten. Es ist daher eine Verschwendung von Kampfkraft, Divisionen, insbesondere Panzerdivisionen auf einem Stand unterhalb ihrer Sollstärke bestehen zu lassen. Wenn nicht die Verluste schnellstens wieder aufgefüllt werden, bleibt der gesamte Körper der Division unökonomisch groß im Vergleich zu seiner Schlagkraft.

Diese Handicaps des deutschen Heeres traten noch schärfer hervor, weil das russische Heer jetzt qualitativ weit besser und gleichzeitig zahlenmäßig stärker war als 1942. Seine Kampfkraft profitierte von dem ständigen Strom militärischer Ausrüstung aus den neuen oder weiter ausgebauten Fabriken im Ural-Gebiet und aus westalliierten Quellen. Seine Panzer waren mindestens ebensogut wie jedes anderen Heeres – die meisten deutschen Offiziere hielten sie sogar für besser. Wenn sie auch an Zusatzgeräten, beispielsweise an Funkausrüstungen, noch Mangel hatten, so erreichten sie doch ein hohes Maß von Leistung, Haltbarkeit und Bewaffnung. Die russische Artillerie war technisch ausgezeichnet, und die Raketenartillerie war im großen Stil zu wirklich beachtlicher Leistungsfähigkeit ausgebaut worden. Das russische Infanteriegewehr war moderner als das deutsche und hatte größere Feuerkraft, während die meisten schwereren Infanteriewaffen ebensogut waren.

Der Hauptmangel lag auf dem Gebiet der Kraftfahrzeuge; aber dieser entscheidende Bedarf wurde jetzt durch ständig zunehmende Lieferungen amerikanischer Lastwagen gedeckt. Kaum weniger wichtig für die Beweglichkeit der Truppen waren die großen Mengen amerikanischer Lebensmittelkonserven, die geliefert wurden; sie trugen dazu bei, das Nachschubproblem zu lösen, das wegen der riesigen Zahl der russischen Truppen und den schlechten Verkehrsverbindungen das größte Handicap für die volle Ausnutzung der russischen Stärke war. Das Nachschubproblem wäre noch weit schwieriger gewesen, wenn die russischen Soldaten nicht daran gewöhnt gewesen wären, auf einem weit niedrigeren Versorgungsniveau zu leben und zu kämpfen als die Soldaten irgendeines westlichen Landes. Wenn auch die Rote Armee niemals die gleiche Beweglichkeit erreichte wie westliche Armeen, so war sie doch im Verhältnis zu ihrer technischen Ausrüstung beweglicher, weil sie mit einem viel niedrigeren Stand der Ausrüstung auskam. Die Primitivität war ebenso ein Vorzug wie ein Mangel: Russische Soldaten konnten überleben, wenn andere verhungert wären. So konnten die Elitetruppen der Roten Armee jetzt tiefere Einbrüche erzielen, weil sie mehr und besseres Material hatten, während die große Masse der Truppe nachfolgen konnte, weil sie so wenig Bedarf an Fahrzeugen und Verpflegung hatte.

Die Rote Armee hatte auch erheblich an taktischer Wendigkeit gewonnen. Während in diesem Punkt im Jahr 1942 eine Verschlechterung eingetreten war, infolge des Verlustes eines großen Teils der am besten geschulten Truppen zu Beginn des Krieges, war dies durch größere Kriegserfahrungen im Jahr 1943 größtenteils ausgeglichen worden, und die neugebildeten Einheiten hatten eine bessere Ausbildung erhalten als die alten vor dem Kriege. Die Verbesserung begann an der Spitze. Die drastische Beseitigung vieler der alten Kommandeure hatte die Bahn frei gemacht für den schnellen Aufstieg einer Generation dynamischer junger Generale, meist noch unter 40, die beruflich besser geschult und politisch weniger abgestempelt waren als ihre Vorgänger. Das Durchschnittsalter der höheren russischen Kommandeure lag jetzt fast 20 Jahre unter dem der deutschen, und diese Verjüngung führte zu einer Erhöhung der Leistung und Aktivität. Die kombinierte Auswirkung dynamischerer Führung und reiferer Kampferfahrung war sowohl in der Generalstabsarbeit als auch in der taktischen Beweglichkeit der Truppen ersichtlich.

Diese Verbesserungen hätten sich noch mehr ausgewirkt, wenn nicht die Generale, aus Angst oder aus Gier nach Lob von oben, die Neigung gehabt hätten, Angriffe in unökonomischer Weise fortzusetzen, auch wenn sie auf starken Widerstand stießen. Um nicht einen Mißerfolg zuzugeben, warfen sie oft ihre Truppen unablässig gegen unbezwingbare Hindernisse, unter steigenden Verlusten. Solche nutzlosen Angriffe sind ein Erzübel aller Armeen wegen der Kombination der hierarchischen Rangordnung mit der militärischen Disziplin; aber es war natürlich noch schlimmer in der Roten Armee wegen der speziellen Verhältnisse im Sowjetsystem, der alten russischen Traditionen und der riesigen russischen Menschenreserven. Unter diesen Umständen konnten nur Kommandeure mit ganz starker Stellung es wagen, ein Gefühl für die Grenzen des Möglichen zu entwickeln, während das überreiche »Menschenmaterial« eine großzügige Verausgabung nahelegte. Es war leichter, rücksichtslos Menschen zu opfern, als den Zorn des Mannes an der Spitze zu riskieren.

Im großen und ganzen aber wurde diese Rammbock-Tendenz weitgehend durch die Tiefe des Raumes ausgeglichen. Es gab fast immer genug Raum zum Manövrieren, und das russische Oberkommando entwickelte ein besonderes Geschick darin, weiche Stellen in der riesigen Front des Feindes zu entdecken. Da die Rote Armee jetzt die allgemeine zahlenmäßige Überlegenheit besaß, konnte ihr Oberkommando ein Zahlenverhältnis von mindestens vier zu eins auf jedem Sektor aufbauen, den es für einen Angriff ausgewählt hatte, und wenn erst der Durchbruch geglückt war, wurde der Raum zum Manövrieren noch größer. Vergebliche Frontalangriffe und verlustreiche Wiederholung solcher Angriffe waren häufiger an der Nordfront, wo die deutsche Verteidigung stärker und fester war. Im Süden aber hatten die Russen ihre besten Kommandeure und ihre besten Truppen, zugleich mit genügend Raum, um deren Tüchtigkeit auszunutzen.

Dennoch war das Ausmaß, in dem die Deutschen sich gegen so große Nachteile behaupteten, ein Beweis dafür, daß die russischen Streitkräfte noch weit davon entfernt waren, die Deutschen an technischer Effizienz zu überholen – daß der Krieg noch zwei Jahre dauerte, bestätigte dies. Die Kenntnis dieses deutschen Vorteils färbte auf die Haltung beider Seiten im Frühjahr 1943 ab. Sie bestärkte Hitler und auch seine militärischen Berater in der Hoffnung, das Geschick könne sich noch zu Deutschlands Gunsten wenden lassen, wenn man die Fehler der Vergangenheit vermeide. Sie bestärkte die russischen Führer in ihren inneren Zweifeln trotz aller Zuversicht, die sie nach ihren Erfolgen im Winter errungen hatten; denn sie konnten nicht vergessen, daß sie von ihren Erfolgen im vorhergehenden Winter erweckten Hoffnungen in dem darauffolgenden Sommer zunichte gemacht worden waren. Wenn jetzt ein neuer Sommer bevorstand, konnten sie nicht sicher sein, ob das Rennen wirklich gelaufen war.

Diese tiefsitzende Unsicherheit war wohl der Grund für ein interessantes diplomatisches Zwischenspiel vor dem Wiederbeginn der großen Kämpfe. Im Juni 1943 trafen sich Molotow und Ribbentrop in Kirowograd, das noch von den Deutschen besetzt war, zu einem Gespräch über die Möglichkeit einer Beendigung des Krieges. Nach Mitteilung deutscher Offiziere, die als technische Berater dabei waren, schlug Ribbentrop als Friedensbedingung vor, Rußlands künftige Grenze solle am Dnjepr verlaufen, während für Molotow nur die volle Wiederherstellung der früheren russischen Westgrenze diskutabel war. Das Gespräch stieß sich an der Schwierigkeit, eine so große Differenz zu überbrücken, und wurde abgebrochen, nachdem eine Meldung darüber zu den Westmächten durchgesickert war. Die Entscheidung lag jetzt wieder auf dem Schlachtfeld.

Der Sommerfeldzug begann später als in jedem der vorhergehenden Jahre; nach dem Ende des Winterfeldzuges gab es eine Pause von über drei Monaten. Diese Verzögerung war wenigstens teilweise auf die zunehmenden Schwierigkeiten auf deutscher Seite zurückzuführen, ihre Streitkräfte wieder aufzufüllen und die für eine neue Offensive notwendigen Reserven aufzubauen. Auf deutscher Seite bestand aber auch zunehmend der Wunsch, die Russen möchten die Initiative ergreifen und sich dabei festrennen, so daß die deutsche Offensive die Wirkung eines Gegenschlages haben könnte. Dieser Wunsch ging nicht in Erfüllung – nicht sosehr wegen Hitlers Ungeduld als wegen der russischen Entscheidung, diesmal eine ähnliche Umgehungsstraße anzuwenden.

Rückschauend glauben die deutschen militärischen Führer heute, daß ihre Offensive einen großen Erfolg gehabt hätte, wenn ihre

Kampftruppen so rechtzeitig bereitgestanden hätten, daß sie schon sechs Wochen früher hätten angreifen können. Als ihre Zangenbewegung sich in einer Reihe tiefer Minenfelder festlief und sie feststellten, daß die Russen ihre Hauptstreitmacht schon zurückgezogen hatten, schrieben sie diesen Mißerfolg der Vermutung zu, daß die Russen während der Kampfpause von den deutschen Vorbereitungen Wind bekommen hätten und dadurch in die Lage gesetzt worden wären, sich entsprechend vorzubereiten. Diese Ansicht übersah, daß der Kursker Bogen als Angriffsziel sehr nahe lag. Er bedeutete eine ebenso klare Verlockung für eine deutsche Zangenbewegung wie der angrenzende Bogen bei Orel eine Verlockung für eine russische Zangenbewegung. So war auf beiden Seiten wenig Zweifel über den Raum des nächsten Angriffes möglich, und die Hauptfrage war, wer zuerst losschlagen würde.

Dies war auch auf russischer Seite diskutiert worden. Die Argumente für ein Losschlagen vor den Deutschen waren die, daß die russische Verteidigung zwei Sommer hintereinander von dem deutschen Angriff über den Haufen geworfen worden war; die durch die vielen offensiven Erfolge seit Stalingrad erzeugte Zuversicht machte die russischen Führer geneigt, in diesem Sommer die Initiative zu ergreifen. Andererseits wurde darauf hingewiesen, daß im Jahr 1942 Timoschenko mit seiner Charkow-Offensive im Mai den Anfang gemacht hatte, auf die der russische Zusammenbruch zwischen Charkow und Kursk im Juni in katastrophaler Weise gefolgt war.

Bei seiner ersten Besprechung mit dem russischen Generalstab Ende Mai gewann der neue Chef der britischen Militärmission, Generalleutnant G. Le Q. Martel, den Eindruck, die Entscheidung sei für eine Offensive gefallen. Er sagte offen, nach seiner Meinung würden die Russen in Schwierigkeiten geraten, wenn sie eine Offensive starteten, solange die aufgefrischten deutschen Panzerformationen noch nicht abgenutzt seien, und daß sie »schwer auf den Kopf geschlagen würden«, wenn sie etwas Derartiges versuchten.

Kurz darauf wurde er über die britische Taktik in Nordafrika befragt, und er »erklärte ihnen, daß unser Erfolg in Alamein weitgehend darauf zurückzuführen war, daß wir die deutschen Panzerverbände sich an unserer Verteidigung die Köpfe blutig rennen ließen. Als die deutschen Panzer mitten im Kampf und schwer angeschlagen waren, war für uns die Zeit gekommen, selbst anzugreifen«. Bei der nächsten Besprechung hatte er den Eindruck, daß der russische Generalstab dieser Taktik zuneigte. Er benutzte die Gelegenheit, die Russen mit einer anderen britischen Erfahrung bekannt zu machen: der Wichtigkeit, bei einem feindlichen Panzerdurchbruch auf beiden Seiten die Flanken zu halten und mit allen verfügbaren Reserven zu verstärken, als eine Art indirekten Widerstandes, der besser ist, als sich der Sturzflut frontal entgegenzustellen.

Wenn man die Ursprünge eines Planes zurückverfolgt, ist es meist schwierig, die entscheidenden Erwägungen zu bewerten, selbst nachdem alle Akten offenliegen; denn Dokumente enthalten selten die wirklichen Beweggründe. Sie zeigen nicht, wie Gedanken ausgesät werden und in den Köpfen der Planer heranreifen. Während manche, die neue Gedanken aussäen, gern die Wirkung dieser Aussaat überschätzen, sind diejenigen, in deren Köpfen die Gedanken reifen, umgekehrt noch mehr geneigt, die erste Anregung zu unterschätzen, so folgenreich sie auch gewesen sein mag. Dies gilt ganz besonders für amtliche Dienststellen, vor allem dann, wenn der Nationalstolz dabei im Spiel ist. Unter Verbündeten ist es normal, daß jeder die empfangene Hilfe bagatellisiert und die geleistete Hilfe aufbauscht, sei es materielle oder gedankliche. Es ist daher unwahrscheinlich, daß die Geschichte mehr Licht auf die Entstehung des russischen Feldzugsplans von 1943 werfen wird, wenn es auch offenkundig ist, daß die strategischen Planer auf reichhaltige Erfahrungen aus ihren eigenen Feldzügen zurückgreifen und daraus die notwendigen Schlußfolgerungen ziehen konnten. Wichtiger als solche Überlegungen ist der dramatische Erfolg der angewandten Defensiv-Offensivtaktik.

Der deutsche Angriff begann im Morgengrauen des 5. Juli gegen beide Flanken des Kursker Bogens. Die westliche Front dieses Bogens war fast 160 Kilometer lang; die südliche Flanke war ungefähr 80 Kilometer und die nördliche Flanke über 240 Kilometer tief, da diese mit der Flanke des deutschen Bogens bei Orel zusammenfiel, der in der umgekehrten Richtung verlief. Das Hauptgebiet des Bogens wurde von Rokossowskijs Truppen gehalten, während Watutins rechter Flügel an der Südflanke stand.

Mansteins südliche und Kluges nördliche Zange waren etwa gleich stark, doch hatte Manstein einen größeren Anteil von Panzertruppen. Insgesamt wurden 18 Panzer- und Panzergrenadierdivisionen für diese Offensive eingesetzt. Dies war fast die Hälfte der deutschen Gesamtstärke an der Ostfront und der größte Teil der deutschen Panzer, die im Osten verfügbar waren – Hitler setzte viel auf eine Karte.

Die südliche Zange drang in den ersten Tagen an einigen Stellen etwa 30 Kilometer vor – das war kein schneller Durchbruch. Die Deutschen wurden durch tiefe Minenfelder aufgehalten und stellten fest, daß die Masse der Verteidiger sich nach hinten zurückgezogen hatte, so daß der Ertrag an Gefangenen enttäuschend gering war. Zudem wurden die Keile, die sie in die russische Front hineintrieben, durch die hartnäckige Verteidigung an den Flanken daran gehindert, sich zu verbreitern. Kluges Zange im Norden kam noch weniger vorwärts und schaffte keinen Durchbruch durch die russische Hauptverteidigung. Nach einer Woche der Kämpfe waren die deutschen Panzerdivisionen schon stark geschwächt. Kluge, beunruhigt durch Zeichen einer bevorstehenden Bedrohung seiner eigenen Flanke, begann seine Panzer zurückzuziehen.

Da begannen am 12. Juli die Russen ihre Offensive gegen die nördliche Flanke und die Nase des Bogens von Orel. Der Angriff im Norden drang in drei Tagen fast 50 Kilometer vor, bis in den Rücken von Orel, während der andere Angriff, der nicht so weit vorzudringen brauchte, sich der Stadt bis auf 24 Kilometer näherte. Aber vier der Panzerdivisionen, die Kluge aus der Kursker Front herausgelöst hatte, kamen gerade rechtzeitig, um den Nordflügel der Russen an einer Durchstoßung der Bahnlinie von Orel rückwärts nach Brjansk zu hindern. Danach wurde die russische

Offensive eine harte Kraftanstrengung, und mit überlegenem Gewicht wurden die Deutschen zurückgedrängt. Es war eine verlustreiche Anstrengung, die aber schließlich unterstützt wurde, als Rokossowskijs Truppen aus dem Kursker Bogen heraus zum Angriff auf der Südflanke übergingen. Am 5. August wurden die Deutschen aus Orel herausgedrängt. Orel war nicht nur einer der stärksten Pfeiler der deutschen Front seit 1941, sondern, solange es in deutscher Hand war, war ein Wiederaufleben des Vormarsches nach Moskau immer möglich. Seine strategische Bedeutung hatte es zu einem militärischen Symbol gemacht, und seine Räumung war daher ebenso niederdrückend für die Deutschen wie aufmunternd für die Russen.

Unterdessen waren Watutins Truppen den sich auf der Südseite des Kursker Bogens auf die ursprünglichen Linien zurückziehenden deutschen Truppen gefolgt. Am 4. August begann Watutin einen Angriff auf diese geschwächte Frontlinie, am nächsten Tag nahm er Belgorod ein. Die Erschöpfung des Gegners ausnutzend, stieß er in der nächsten Woche 130 Kilometer weit vor und gelangte in den Rücken von Charkow bis zur Linie Charkow–Kiew. Diese Sichelbewegung eröffnete die Aussicht, die ganze deutsche Südfront zum Einsturz zu bringen. Zehn Tage später überschritten die Truppen Marschall Konjews an Watutins linker Seite den Donez südöstlich von Charkow und drohten die Einschließung der Stadt zu vollenden. Konjew hatte dies möglich gemacht, indem er mutig die Ljubotin-Sümpfe als passende Stelle für die Überquerung des Flusses aussuchte.

Wenn einer von beiden Vorstößen den Knotenpunkt Poltawa erreicht hätte, dann wäre nicht nur die Garnison von Charkow eingeschlossen, sondern auch die ganze deutsche Position an ihrem ausgestreckten rechten Arm entlang des Donez gefährdet worden. Zu diesem Zeitpunkt war das III. Panzerkorps fast die einzige noch verfügbare Reserve. Mit ihren drei SS-Panzerdivisionen war es gerade in Marsch gesetzt worden, um eine Bedrohung der »Finger« am Mjus-Fluß bei Taganrog abzuwehren. Es wurde jetzt schnell zurückgeholt und kam gerade rechtzeitig, um die Gefahr bei Poltawa abzuwenden. Dies machte es möglich, das Gros der

Truppen bei Charkow zurückzuziehen, bevor die Stadt am 23. August wieder in russische Hand fiel. Auch an anderen Punkten zeigten die dezimierten Panzerdivisionen, daß sie zwar wenig Schlagkraft mehr hatten, aber immer noch den Vormarsch der russischen Truppenmassen hindern konnten. Die Krise wurde gemeistert und die Situation stabilisiert, wenn auch nicht für länger. Die Russen rückten weiter vor, doch in langsamerem Tempo. In den sechs Wochen seit Beginn ihrer Offensive hatten sie 25 000 Gefangene gemacht; dies war eine kleine Zahl für eine so große Schlacht auf vielen Abschnitten und ein Zeichen dafür, daß die deutsche Verteidigung nur an einzelnen begrenzten Punkten zusammengebrochen war.

In der zweiten Augusthälfte dehnte sich die russische Offensive weiter aus. Während Popows Truppen langsam von Orel nach Brjansk vorrückten, begannen Jeremenkos Truppen an ihrer rechten Flanke einen Vorstoß nach Smolensk. Auf ihrer linken Flanke gelang Rokossowskij ein tieferer Vorstoß zum Dnjepr bis in die Nähe von Kiew, während Watutin von Süden auch dorthin vorstieß. Noch weiter südlich überquerte Tolbuchin den Mjus und erzwang die Aufgabe von Taganrog. Dann rückte Anfang September Malinowskij über den Donez auf Stalino vor, und diese Flankenbewegung führte zu einem hastigen Rückzug der Deutschen aus dem »Arm« südlich des Donez. Bezeichnenderweise gelang es ihnen aber, die Punkte zu halten, welche die Flanke ihres größeren Rückzugs deckten, und ebenso die Bahnlinien, bis das Gros ihrer Truppen der Umklammerung entgangen war. Der Knotenpunkt Losowaja wurde erst Mitte September aufgegeben.

Dieses Schema der russischen Operationen ähnelte jetzt noch mehr der Offensive Fochs von 1918 – mit ihren sich abwechselnden Vorstößen zu verschiedenen Punkten, wobei jeder Vorstoß zeitweilig eingestellt wurde, wenn sein Schwung angesichts harten Widerstands erlahmte, jeder Vorstoß den Weg für den nächsten bahnte und alle aufeinander abgestimmt waren. Im Jahr 1918 hatte dies dazu geführt, daß die Deutschen ihre Reserven zu den angegriffenen Punkten schickten und deswegen nicht mehr genügend Kraft behielten, um auch die nächsten Angriffe durch Reserven abzudecken. Diese Taktik lähmte ihre Bewegungsfreiheit und erschöpfte mehr und mehr ihre Reserven. Die Russen wiederholten die Taktik ein Vierteljahrhundert später in verbesserter Form und unter günstigeren Bedingungen.

Es ist die natürliche Taktik einer Armee, die in ihrer Beweglichkeit begrenzt, aber an Kraft überlegen ist. Sie ist um so mehr angebracht, wenn die Verbindungswege zu schlecht sind, um eine schnelle Verschiebung von Reserven von einem zum anderen Abschnitt zur Ausbeutung eines besonderen Erfolges zu ermöglichen. Da diese Taktik aber jedesmal einen neuen Fronteinbruch bedeutet, sind die Verluste bei dieser »breit« angelegten Operation höher als bei einer »tief« angelegten. Diese Taktik wird kaum zu einem schnellen Erfolg führen; aber sie ist auf lange Sicht sicherer, vorausgesetzt, daß die betreffende Armee genug materielle Überlegenheit besitzt, um den Prozeß immer weiter fortzuführen. Bei diesem offensiven Vorgehen waren die russischen Verluste natürlich höher als die deutschen; aber die Deutschen verloren mehr, als sie sich nach dem kostspieligen Scheitern ihrer eigenen Offensive leisten konnten. Für sie bedeutete der Kräfteverschleiß den Ruin. Hitlers Abneigung gegen jeden langfristigen Rückzug verlangsamte das Zurückweichen, aber beschleunigte die Erschöpfung ihrer Kräfte.

Im September führte die Ausdünnung der deutschen Front und die Erschöpfung ihrer Reserven zu einer Beschleunigung des russischen Vormarsches. Fähige Befehlshaber wie Watutin, Konjew und Rokossowskij nutzten sehr schnell jede weiche Stelle der breiten Front aus. Ihr Vormarschtempo wurde beschleunigt auch durch den ständig zunehmenden Strom amerikanischer Lastwagen. Bis Ende des Monats hatten die Russen den Dnjepr nicht nur an seinem großen östlichen Knie bei Dnjepropetrowsk überschritten, sondern auf dem größten Teil seines Laufes stromaufwärts über Kiew hinaus bis zur Einmündung des Pripjet. Die Überquerungen erfolgten schnell an einer großen Zahl von Punkten, und Brückenköpfe wurden gebildet. Dies war ein schlechtes Vorzeichen für die Aussichten der Deutschen, sich hinter dem Schutz dieses breiten Stromes, den deutsche Militärsprecher unvorsichtigerweise als ihre »Winterlinie« bezeichnet hatten, zu erholen und zu reorganisieren. Die Leichtigkeit, mit der die Russen den Fluß überquerten, war ein Zeichen für die Geschicklichkeit ihrer Kommandeure und ihre Kühnheit bei der Ausnutzung der Möglichkeiten des Raumes. Die Schaffung des wichtigen Brückenkopfes bei Krementschug südwestlich Poltawa ging auf Konjews Entscheidung zurück, seine Kräfte nicht auf eine Linie zu konzentrieren, sondern an zahlreichen Punkten über den Strom zu setzen – insgesamt 18 auf einer Strecke von 95 Kilometern. Das Überraschungsmoment bei dieser kalkulierten Kräfteverzettelung wurde dadurch erhöht, daß die Überquerungen unter dem Schutz des Nebels erfolgten. Eine ähnliche Taktik gestattete Watutin, nördlich von Kiew eine Reihe von Brückenköpfen zu bilden, die in kurzer Zeit mit den anderen verbunden wurden.

Der grundlegende Faktor der ganzen Lage war jedoch, daß die Deutschen nicht mehr genügend Truppen hatten, um ihre ganze Front abzudecken, selbst wenn sie nur in dünnen Linien aufmarschierten und daher Gegenangriffe führen mußten, um die Ausweitung der feindlichen Brückenköpfe zu verhindern. Dies war natürlich eine gefährliche Taktik, wenn ihre eigenen Reserven so gering und die der Angreifer so groß waren.

480 Kilometer nördlich von Kiew gaben die Deutschen am 25. September Smolensk auf, eine Woche vorher waren sie aus Brjansk herausgedrängt worden. Langsam, aber sicher gingen sie auf die Kette städtischer Stützpunkte zurück, die sich am oberen Dnjepr entlangzog – von Schlobin über Rogaschew, Mogilew und Orscha bis Witebsk an der Düna.

Im äußersten Süden räumten sie ihren Brückenkopf auf der Kuban-Halbinsel und zogen sich über die Straße von Kertsch auf die Krim zurück, die aber ihrerseits jetzt in Gefahr war, von der russischen Flut auf dem Festland isoliert zu werden. Kleist hatte den Befehl erhalten, seine Truppen von der Kuban-Halbinsel zurückzuziehen und den Abschnitt zwischen dem Asowschen Meer und dem Dnjepr-Knie bei Saporosche zu übernehmen. Dieser Beschluß wurde zwei Wochen zu spät gefaßt: Als seine Truppen Mitte Oktober in ihren neuen Stellungen ankamen, waren die

Russen schon bei Melitopol durchgebrochen, und der ganze Abschnitt geriet in Bewegung.

Nach den ersten Überquerungen des Dnjepr war dieser Abschnitt in der ersten Hälfte Oktober relativ ruhig gewesen, während die Russen Verstärkungen heranführten, Nachschub bereitstellten und die Brücken bauten, auf denen sie vorrücken wollten. Meistens waren es Pfahl- und Balkenbrücken, und sie wurden schnell gebaut mit Hilfe von Bäumen, die in der Nähe der Überquerung gefällt worden waren. Die Russen waren Meister in dieser Kunst des improvisierten Brückenbaus — wie im amerikanischen Bürgerkrieg die Truppen General Shermans bei ihrem Marsch durch Georgia und Carolina. Vier Tage war die durchschnittliche Zeit für den Bau einer Brücke über diesen breiten Strom, welche die schwersten Fahrzeuge aushielt.

Während die Aufmerksamkeit sich auf den Raum Kiew richtete, wo man den nächsten Sturm erwartete, wurde die nächste Phase eröffnet mit einem Angriff etwa auf halbem Weg in dem langen Abschnitt zwischen dem Dnjepr-Knie und Kiew. Konjew brach plötzlich aus dem Brückenkopf von Krementschug aus und trieb einen mächtigen Keil nach Süden quer durch die Grundlinie des großen Bogens. Zunächst standen dort wenige deutsche Truppen, um ihn abzuwehren; aber Manstein schickte schnell Reserven dorthin und verlangsamte seinen Vormarsch; er gewann damit Zeit, die gefährdeten deutschen Truppen im Bogen zurückzuziehen. Diese Truppen halfen, die Russen vor Kriwoj Rog zum Stehen zu bringen, 110 Kilometer südlich ihrer Ausgangslinie und etwa in der Mitte des früheren Bogens.

Doch der dafür gezahlte Preis war der Zusammenbruch der Stellungen südlich des Dnjepr-Knies, da Manstein gezwungen war, von diesem Abschnitt Truppen abzuziehen, ehe Kleists Truppen kamen, um diese zu ersetzen. Die Russen weiteten den Durchbruch bei Melotopol aus, stießen in der ersten Novemberwoche durch die Steppe von Nogaisk bis zum Unterlauf des Dnjepr vor, schnitten so den Zugang zur Krim ab und isolierten die dort verbliebenen feindlichen Truppen.

Das Endergebnis erfüllte jedoch nicht die optimistische Annahme, daß eine Million Mann östlich des Dnjepr abgeschnitten worden seien. Auch in den zwei Tagen des schnellsten Vormarsches wurden nur 6000 Gefangene gemacht, und das Gros der deutschen Streitkräfte – die weit geringer waren als angenommen – hatte Zeit, sich über den Dnjepr zurückzuziehen. Insgesamt meldeten die Russen nur 98 000 Gefangene in den ersten vier Monaten des Feldzuges, und über die Hälfte davon waren Verwundete. Ein bemerkenswerter Widerspruch, der freilich von wenigen alliierten Kommentatoren festgestellt wurde, bestand zwischen dieser Meldung und der russischen Behauptung, 900 000 Deutsche seien getötet und 1 700 000 gleichzeitig verwundet worden. Denn bei jedem Durchbruch fällt ein großer Teil der Verwundeten meist in die Hände des Angreifers, und je schwerer die Niederlage ist, desto kleiner ist der Prozentsatz derer, die noch mit zurückgenommen werden können. Noch erstaunlicher war Stalins Behauptung vom 6. November, die Deutschen hätten im Lauf des Jahres vier Millionen Mann verloren. Wäre das auch nur zur Hälfte wahr gewesen, dann wäre der Krieg vorbei gewesen. Der Krieg sollte aber noch lange Zeit dauern, wenn er auch seinen Höhepunkt überschritten hatte.

In der zweiten Hälfte Oktober kamen wenig Nachrichten aus dem Raum Kiew; aber die Russen weiteten ihren Brückenkopf nördlich der Stadt aus, bis er ein breites Sprungbrett bildete, breit genug für eine mächtige Umfassungsbewegung. Diese wurde von Watutin in der ersten Novemberwoche begonnen. Er fand weiche Stellen in der jetzt stark überdehnten Front, drang durch diese nach Westen vor, drehte dann nach innen ab, um die Rückzugsstraßen von Kiew abzuschneiden, und nahm die Stadt von hinten. Doch gelang es den Deutschen wieder, der Falle zu entkommen: Sie ließen nur 6000 Gefangene zurück; aber sie waren nicht mehr imstande, den Ansturm der Russen aufzuhalten, da die meisten ihrer Panzerdivisionen durch Konjews Vorstoß im Dnjepr-Knie nach Süden abgelenkt worden waren.

Am Tag nach der Einnahme von Kiew erreichten die russischen Panzer Fastow, 65 Kilometer weiter südwestlich. Dies war das Tempo einer Verfolgungsschlacht. Nachdem sie dort den Widerstand gebrochen hatten, kamen sie in den nächsten fünf Tagen 100 Kilometer weiter und nahmen den Knotenpunkt Schitomir an der einzigen übriggebliebenen nordsüdlichen Bahnlinie östlich der Pripjet-Sümpfe. Dann drehten sie nach Norden und nahmen am 16. November Korosten. Zu diesem Zeitpunkt war der deutsche Widerstand nahe am Zusammenbruch, und Stalins Behauptung vom 6. November, »der Sieg ist nahe«, wäre beinahe schnell in Erfüllung gegangen. Denn Manstein hatte keine Reserven zur Hand.

In dieser Notlage befahl er Manteuffel, dem dynamischen Befehlshaber der 7. Panzerdivision, alle Einheiten zusammenzufassen und seinem Befehl zu unterstellen, deren er habhaft werden konnte, und mit dieser zusammengekratzten Streitmacht einen Gegenschlag aus der Richtung Berditschew zu führen. Durch einen kühnen Zick-Zack-Vormarsch gelang Manteuffels blitzartiger Vorstoß in brillanter Weise; er durchstieß die russische Flanke und eroberte am 19. in einem Nachtangriff Schitomir zurück, wonach er weiter nach Korosten vorstieß. Die Verteilung seiner Kräfte auf eine große Zahl kleiner Panzerverbände, die weit ausschwärmten, trug dazu bei, ein übertriebenes Bild seiner Stärke zu vermitteln. Sie schossen zwischen den russischen Heersäulen hindurch, faßten sie im Rücken, griffen Hauptquartiere und Nachrichtenzentren an und hinterließen so auf ihrem Weg eine lähmende Verwirrung beim Gegner.

In dem Bemühen, den dadurch geschaffenen Vorteil auszunutzen, begann Manstein nun eine klare Gegenoffensive gegen den immer noch sehr einladenden großen russischen Bogen westlich von Kiew. Er war gestärkt worden durch die Ankunft mehrerer frischer Panzerdivisionen aus dem Westen. Sein Plan war eine Zangenbewegung – ein Panzervorstoß aus Richtung Nordwest nach Fastow und ein gleichzeitiger Vorstoß aus Richtung Süden. Der erste Vorstoß wurde vom Panzerkorps General Balcks geführt, zu dessen drei Divisionen auch die Manteuffels gehörte. Aber Watutins vorgeschobene Truppen waren jetzt durch Artillerie und Flakgeschütze verstärkt worden, die über die Dnjepr-Brücken gekommen waren, ebenso wie durch Reserve-Infanteriedivisionen. Die deutsche Gegenoffensive errang daher keine so durchschlagenden Erfolge wie ihr Eröffnungszug. Auf der Landkarte sah sie gefährlicher aus als in Wirklichkeit; denn sie hatte nicht mehr den Vorteil der Überraschung zur Kompensation ihrer begrenzten Stärke und wurde außerdem durch schlechtes Wetter behindert. Anfang Dezember blieb sie im Schlamm stecken. Während der darauffolgenden Kampfpause verstärkte Watutin seine Armeen für einen neuen Vorstoß mit vergrößerter Kraft.

Den besten Kommentar zur Lage gab, sicher unbewußt, Hitler, als er Manteuffel zur Belohnung für seinen rettenden Vorstoß zu Weihnachten in sein Hauptquartier bei Angerburg einlud und sagte: »Als Weihnachtsgeschenk gebe ich Ihnen 50 Panzer.« Dies war die beste Belohnung, die sich Hitler vorstellen konnte, und eine recht große im Verhältnis zu seinen Mitteln; denn die stärksten Panzerdivisionen hatten damals nur 180 Panzer, und wenige hatten mehr als die Hälfte davon.

Der nördliche Abschnitt der deutschen Front war ebenfalls im Herbst schweren und langwierigen Belastungen ausgesetzt. Doch hier war es trotz wiederholter Offensiven den Russen nicht gelungen, die Front am Oberlauf des Dnjepr zu durchbrechen, auf den sich die Deutschen nach der Räumung von Smolensk zurückgezogen hatten. Der russische Mißerfolg lag hier an der natürlichen Stärke moderner Verteidigungsanlagen sowie an der Tatsache, daß sie weniger Manövrierraum zur Verfügung hatten als im Süden, schließlich auch daran, daß ihr Ziel zu offenkundig war.

Bei diesen Kämpfen spielten beide Luftwaffen nur eine unbedeutende Rolle, da sie durch Schnee und Eis behindert waren. Dies ersparte der Verteidigung zusätzlichen Druck von oben, der die gewaltige Unterlegenheit am Boden noch verstärkt hätte. Freilich behinderte dies auch die Luftaufklärung der Verteidiger; aber sie konnten die wahrscheinliche Richtung des russischen Hauptangriffs raten und ihre Vermutungen durch ausgiebigen Einsatz von aufklärenden Patrouillen bestätigen.

Die Hauptlast des Angriffs hatte Heinricis 4. Armee zu tragen, die mit zehn dezimierten Divisionen die 160 Kilometer Frontlinie zwischen Orsch und Rogatschew hielt. Die Russen führten gegen sie vom Oktober bis Dezember fünf Offensiven von fünf bis sechs Tagen, wobei jeden Tag mehrere neue Angriffe vorgetrieben wurden. Bei der ersten Offensive setzte sie etwa 20 Divisionen ein, als die Deutschen gerade eine eilig ausgebaute Stellung von einer einzigen Schützengrabenlinie besetzt hatten. Bei der nächsten Offensive hatten sie 30 Divisionen eingesetzt, doch da hatten die Deutschen ihre Verteidigung schon ausgebaut. Die folgenden Offensiven wurden mit 36 Divisionen unternommen.

Das Hauptgewicht des russischen Angriffs richtete sich gegen Orscha, auf einem Abschnitt von etwa 20 Kilometern rechts und links der Rollbahn von Moskau nach Minsk. Als Angriffsziel hatte Orscha offenkundige Vorzüge wegen seiner Bedeutung als Nachschubzentrum; aber gerade dies veranlaßte die Deutschen, sich auf diesen Raum zu konzentrieren. Ihre Verteidigungsmethoden an dieser Stelle sind es wert, studiert zu werden. Heinrici setzte dreieinhalb Divisionen auf diesem sehr schmalen Abschnitt ein und überließ es den anderen sechseinhalb, den Rest der ausgedehnten Front abzudecken. Er hatte so an der entscheidenden Stelle ein günstiges Verhältnis von Stärke zu Raum. Seine Artillerie war noch fast intakt, und er konnte 380 Geschütze zusammenziehen, um den entscheidenden Abschnitt zu halten. Da sie direkt dem Hauptquartier unterstand, konnte die Artillerie ihr Feuer auf jeden bedrohten Punkt des Abschnitts konzentrieren. Gleichzeitig pflegte der Armee-Oberbefehlshaber die Divisionen an den ruhigen Teilen seiner Front zu »melken« und während der Kämpfe täglich den stark beanspruchten Divisionen ein frisches Bataillon zuzuführen. Dies glich meistens die Verluste des Vortages aus und verschaffte der betreffenden Division eine intaktere Reserve, die sie zu Gegenangriffen verwenden konnte. Die Nachteile einer Vermischung der Formationen wurden vermindert durch ein System der Rotation innerhalb der Divisionen — die jetzt aus drei Regimentern zu je zwei Bataillonen bestanden. Am zweiten Kampftag war das verstärkende Bataillon die »Schwester« des Bataillons, das am Tag zuvor dazugekommen war, und wurde vom Regimentsstab begleitet; nach zwei weiteren Tagen war so ein zweites völlig neues Regiment in der Kampflinie, und bis zum sechsten Tag war dann die ursprüngliche Division ganz abgelöst und zu dem ruhigen Frontabschnitt abgestellt, aus dem die Ablösung Einheit für Einheit herausgezogen worden war.

Diese wiederholten Erfolge der Verteidigung gegen eine zahlenmäßige Überlegenheit von 6:1 waren eine bemerkenswerte Leistung. Sie zeigten, wie man den Krieg hätte in die Länge ziehen und die russische Kraft hätte erschöpfen können, wenn die defensive Strategie ebensogut gewesen wäre wie die Taktik. Doch diese Chance wurde verspielt dadurch, daß Hitler darauf bestand, kein Rückzug dürfe ohne seine Einwilligung erfolgen, und daß er nur widerwillig diese Einwilligung gab. Armee-Oberbefehlshabern, die nach eigenem Gutdünken entschieden, drohte das Kriegsgericht, selbst in Fällen, wo es sich darum handelte, eine kleine Einheit aus einer gefährlichen isolierten Position zurückzuziehen. Hitlers Veto wurde so oft praktiziert, daß untere Befehlshaber in ihrer Entscheidung gelähmt wurden, und es kam soweit, daß man sagte, ein Bataillonskommandeur wage nicht, »einen Posten vom Fenster zur Türe zurückzuziehen«. Papageiengleich wiederholte das Oberkommando immer, daß »jeder Mann kämpfen muß, wo er steht«.

Dieser starre Grundsatz hatte den deutschen Armeen geholfen, die Nervenkrise des ersten russischen Winters zu überstehen. Aber auf lange Sicht wirkte er verhängnisvoll — als die deutschen Truppen ihre Angst vor dem russischen Winter überwunden hatten, aber immer weniger über ausreichende Kräfte verfügten, um den riesigen russischen Raum zu füllen. Dieser Grundsatz lähmte bewegliche Kommandeure bei dem Bestreben, sich Angriffen zu entziehen, ihre Kräfte neu aufzubauen und nach dem Motto zu handeln »reculer pour mieux sauter«.

Im Jahr 1943 zeigten sich die verhängnisvollen Folgen dieser Starrheit an der Südfront. Im Jahr 1944 sollte sich dies im Norden wiederholen, in dem Abschnitt, wo die deutsche Verteidigung sich vorher so schwer überwindlich gezeigt hatte.

KAPITEL 29

JAPANISCHE RÜCKSCHLÄGE IM PAZIFIK

Die erste Phase des Krieges im Pazifik hatte die japanische Eroberung des ganzen westlichen und südwestlichen Teils dieses Raumes mit allen Inseln sowie der angrenzenden Länder Südostasiens erlebt. Die zweite Phase war gekennzeichnet durch Japans Versuch, seine Herrschaft auf die amerikanischen und britischen Stützpunkte auf den Hawaii-Inseln und in Australien auszudehnen, und durch seine entscheidende Niederlage in den kombinierten Luft- und Seeschlachten bei Midway und bei Guadalcanal auf den Salomon-Inseln, vor der Türe Australiens.

In der dritten Phase waren die Japaner in der Defensive – dies wurde deutlich durch den Befehl an die Kommandeure im Süd-west-Pazifik, »alle Stellungen auf den Salomon-Inseln und auf Neuguinea zu halten«. Nur in Burma führten sie noch offensive Operationen gegen die Alliierten, und auch diese waren im Kern eigentlich defensiv, nämlich mit dem Zweck, eine britische Gegenoffensive von Indien aus zu verhindern. Die Möglichkeit wirksamer Aktionen der Japaner war zerstört worden durch den Verlust von vier Flugzeugträgern bei Midway, von zwei Schlachtschiffen und vielen kleineren Einheiten bei Guadalcanal sowie den Verlust von Hunderten von Flugzeugen in beiden entscheidenden Operationen. Die Alliierten hatten wieder die Vorhand; die Frage war jetzt, ob und wie sie diese nutzen könnten.

Der japanische Offensivplan und die Offensive selbst hatten den strategischen Vorteil von Japans geographischer Lage gut ausgenutzt, sowohl offensiv wie defensiv. Denn dank seiner schnellen Eroberungen war Japan jetzt mit konzentrischen Verteidigungsringen umgeben, die für jeden alliierten Gegenschlag gegen Japan gewaltige Hindernisse bildeten.

Nach der Karte schien es zahlreiche Alternativen zu geben, doch bei näherem Zusehen blieben nur wenige übrig. Von Norden angefangen: Die nördliche Pazifik-Route schied aus wegen des Fehlens geeigneter Stützpunkte ebenso wie wegen der häufigen Stürme und Nebel. Eine Gegenoffensive aus den russischen Stellungen in Fernost schied aus wegen Stalins Weigerung, dabei mitzuwirken und in den Kampf gegen Japan einzutreten, solange Rußland im Westen durch den deutschen Angriff so hart bedrängt war. Eine alliierte Offensive durch China hindurch war unmöglich wegen der Nachschubschwierigkeiten angesichts der bestehenden Verhältnisse ebenso wie wegen der Unzuverlässigkeit der Chinesen. Der noch weiter entfernte Weg über Burma schied aus wegen des Ausmaßes des britischen Rückzuges — bis über die indische Grenze — und des offenkundigen Fehlens ausreichender Kräfte für ein baldiges Comeback.

So wurde es bald klar, daß eine wirksame Gegenoffensive nur von den Amerikanern kommen könnte, und auf einem Weg, der ihnen paßte. Es gab hier vor allem zwei Alternativen: über den Südwest-Pazifik von Neuguinea zu den Philippinen oder durch den mittleren Pazifik. General Douglas MacArthur als Oberbefehlshaber im Südwest-Pazifik befürwortete natürlich den ersteren Weg. Er meinte, dies wäre der schnellste Weg, um Japan seine neugewonnenen südlichen Besitzungen wegzunehmen, auf deren Rohstofflieferungen seine Kriegsführung angewiesen war. Nach seiner Ansicht war der Weg durch den mittleren Pazifik gefährdet durch Angriffe von den Inselgruppen aus, die Japan erobert und auf denen es schnell Luftwaffen- und Flottenstützpunkte aufgebaut hatte; außerdem würden Australiens Sorgen nicht behoben werden durch eine so weit entfernte Gegenoffensive.

Die amerikanischen Flottenbefehlshaber befürworteten jedoch den Weg durch den mittleren Pazifik. Sie meinten, dieser würde ihnen gestatten, ihre ständig wachsende Zahl schneller Flugzeugträger wirksamer einzusetzen als in den überfüllten Gewässern um Neuguinea — und er würde besser passen zu ihrer neuen Konzeption des Einsatzes von Kommandotruppen unter Deckung von Flugzeugträgern zur Isolierung und Eroberung von Inseln. Dieser Weg würde auch zu ihrem neuen Plan eines Nachschubsystems über Flottenstützpunkte passen, das besser sei, als in

Kampfpausen die Flugzeugträger wieder in ihren Hafen zurückzuholen. Sie meinten ferner, so würde das Risiko vermieden, das darin lag, daß der südliche Weg Flankenangriffen durch die japanischen Streitkräfte auf den Mandatsinseln ausgesetzt war, während der Vorstoß auf der südlichen Route, weil er naheliegend war und erwartet wurde, an sich schon auf hartnäckigeren Widerstand stoßen würde. Ein gewichtigerer, wenn auch mehr persönlicher Grund war, daß die Admirale das Gros ihrer Flugzeugträger der Verfügungsgewalt MacArthurs und seinen »einnehmenden« Neigungen entziehen wollten.

Schließlich wurde auf der »Dreizack-Konferenz« in Washington im Mai 1943 beschlossen, einen doppelarmigen Vorstoß durchzuführen und auf beiden Routen vorzugehen; dies würde die Japaner im ungewissen lassen und sie dazu bringen, ihre Streitkräfte zu verzetteln und nicht zu konzentrieren, ferner sie daran hindern, ihre Reserven von einem Schauplatz zum anderen zu verlegen. Beide Routen sollten am Ende auf der Höhe der Philippinen zusammentreffen. Diese Entscheidung erfüllte den Zweck, zwei alternative Ziele anzugreifen — ein entscheidender Vorteil bei der strategischen Konzeption des indirekten Vorgehens. Dieser Kompromißbeschluß berücksichtigte nicht ausreichend die Tatsache und die Lehre der Geschichte, daß eine solche beim Gegner ein Dilemma hervorrufende Zweigleisigkeit unter geringeren Kosten erzielt werden kann, wenn man eine einzige Vormarschroute wählt, die zwei alternative Ziele bedroht, die der Gegner beide verteidigen will — während man selbst auf einer einzigen Route operiert.

Der doppelarmige Vorstoß erforderte zwangsläufig eine viel größere und somit langwierigere Vorbereitung — in bezug auf Truppenstärke, Schiffe, Landefahrzeuge, Flottenstützpunkte und Flugplätze. Diese lange Vorbereitung gab den Japanern mehr Zeit, ihre eigenen defensiven Vorbereitungen zu treffen und so die amerikanische Aufgabe zu erschweren, insbesondere bei der Durchführung von Land- und Landeoperation.

Während dieser längeren Kampfpause war die einzige Operation von einiger Bedeutung die amerikanische Expedition zur Wiedereroberung der Aleuten im nördlichen Pazifik. Doch strategisch war diese Operation so entlegen, daß sie keine Auswirkung auf den Kriegsverlauf haben konnte. Sie war von sekundärer Bedeutung, ohne eine Ergänzung zu oder eine Ablenkung von einer größeren Operation zu bilden. Ihr einziger Wert lag im Psychologischen, nämlich in der Beruhigung der amerikanischen Öffentlichkeit, die besorgt war über die Bedrohung der Sicherheit Alaskas durch die Einnahme der Inseln Kiska und Attu durch eine kleine japanische Landetruppe im Juni 1942. Doch diese Herzstärkung wurde erkauft durch eine sehr große und unwirtschaftliche Verausgabung der immer noch beschränkten amerikanischen Kräftereserven.

Eine erste Reaktion auf die Einnahme der beiden Inseln war ein Flottenbombardement von Kiska Anfang August; dann waren Ende des Monats US-Truppen auf der Insel Adak, gut 300 Kilometer östlich von Kiska, gelandet und hatten dort einen Flugplatz gebaut, um einen Angriff auf die andere Insel vorzubereiten. Im Januar 1943 hatten die Amerikaner die Insel Amtschitka, 150 Kilometer östlich Kiska, in der gleichen Absicht wiederbesetzt. Doch dann entschieden sich die östlichen Befehlshaber für einen Angriff auf Attu, die westlichste der Aleuten-Inseln, da sie festgestellt hatten, daß diese schwächer verteidigt war als Kiska. Ende März gab es ein Zwischenspiel, als der blockierende Flottenverband auf einen etwas stärkeren japanischen Verband stieß, der drei Truppentransporter dorthin eskortierte. Nach einem dreistündigen Gefecht auf weite Entfernung zogen sich die Japaner zurück. Auf beiden Seiten wurden keine Schiffe versenkt, aber die Truppentransporter mußten umkehren.

Am 11. Mai landeten dann die Amerikaner eine Division in Attu unter dem Schutz des Nebels und eines Bombardements von drei Schlachtschiffen. Mit einer Überlegenheit von 4:1 drängte die Division die japanische Besatzung von etwa 2500 Mann in 14 Tagen harter Kämpfe in die Berge zurück; dann lösten die Japaner selbst das Problem durch einen selbstmörderischen Angriff, in dem sie ausgelöscht wurden — nur 26 Gefangene wurden gemacht. Die Amerikaner konzentrierten sich daraufhin auf Kiska. Ständiger Druck aus der Luft und von See her auf diese jetzt isolierte Insel veranlaßte die Japaner, in der Nacht zum 15. Juli unter dem Schutz des so häufigen Nebels ihre Garnison (etwa 5000 Mann) zu evakuieren. Die Amerikaner bombardierten die Insel noch zweieinhalb Wochen lang und landeten dann eine große Streitmacht von etwa 34 000 Mann – die fünf Tage die Insel durchkämmten, bis sie sich überzeugt hatten, daß sie wirklich feindfrei war.

So wurden die Aleuten vom Feind befreit; aber die Amerikaner hatten insgesamt 100 000 Mann, unterstützt von großen Marine- und Luftstreitkräften, für diese nebensächliche Aufgabe aufgewandt – ein krasses Beispiel schlechter Ökonomie der Kräfte und ein gutes Beispiel für die Kräfteverzettelung, die ein Gegner mit geringem Einsatz durch Ablenkungsmanöver verursachen kann.

Der scheinbare Stillstand im Südwest-Pazifik dauerte bis zum Sommer 1943.

Zum Glück für die Amerikaner und ihre Verbündeten wurden die Abwehrmaßnahmen des Feindes behindert durch die akuten Meinungsverschiedenheiten zwischen den japanischen Armee- und Marinebefehlshabern. Wenn auch beide gewillt waren, alle japanischen Eroberungen zu behaupten, so waren sie doch über die beste Methode durchaus uneinig. Die Armeebefehlshaber befürworteten Landoperationen in Neuguinea, einer vorgeschobenen Stellung, die sie für die Sicherung ihrer Eroberungen in Niederländisch-Indien und in den Philippinen für notwendig hielten. Die Marinebefehlshaber verlangten Vorrang für die Salomon- und die Bismarck-Inseln als strategischem Schutz für die große Flottenbasis von Truk in den Karolinen, 1600 Kilometer weiter nördlich. Bei den strategischen Entscheidungen gewann, wie üblich, die Armee die Oberhand.

Die Verteidigungslinie, auf die man sich schließlich einigte, verlief von Santa Isabel und New Georgia in den Salomon-Inseln, westlich von Guadalcanal, bis Lae in Neuguinea – das heißt, sie umfaßte den ganzen Raum westlich der Papua-Halbinsel. Die Marine sollte den Salomonen-Abschnitt übernehmen, die Armee den Neuguinea-Abschnitt.

Das Armeekommando in Rabaul, dem Hauptquartier des ganzen Gebiets, leitete die Operationen der 17. Armee auf den Salomonen und der 18. Armee in Neuguinea; die 7. Luftwaffendivision war der ersteren, die 8. der letzteren zugeteilt. Die Marinestreitkräfte umfaßten die 8. Flotte und die 11. Luftflotte, die beide vom Marinehauptquartier in Rabaul gelenkt wurden. Die Marinestreitkräfte waren schwach und bestanden nur aus Kreuzern und Zerstörern, konnten aber durch schwerere Schiffe aus Truk verstärkt werden.

Die Armeestreitkräfte in diesem Raum waren umfangreich: drei Divisionen der 18. Armee in Neuguinea mit insgesamt 55 000 Mann, zwei Divisionen und eine Brigade neben kleineren Einheiten der 17. Armee auf den Salomon- und Bismarck-Inseln. Wenn auch die japanische Luftwaffe beim Kampf um Guadalcanal schwere Verluste erlitten hatte, so hatte die Armee doch noch 170 und die Marine 240 Flugzeuge zur Verfügung. Innerhalb von sechs Monaten, so rechnete man, würden die Japaner in dem Raum durch 10–15 Divisionen und bis zu 850 Flugzeugen verstärkt werden. So bestand Grund zur der Annahme, daß eine abwehrende und das Gewonnene behauptende Strategie durchaus möglich sei.

Die amerikanische Planung wurde kompliziert durch die frühere Entscheidung, den ganzen Kriegsschauplatz zwischen einem Pazifik- und einem Südwest-Pazifik-Raum aufzuteilen, mit den Salomon-Inseln als Grenzlinie. Bei dem Bemühen, diese Einteilung leichter durchführbar zu machen, beschlossen die Vereinigten Stabschefs, MacArthur solle den strategischen Oberbefehl über den ganzen Raum Neuguinea–Salomonen haben, Admiral Halsey, der Oberbefehlshaber im Südpazifik, aber den taktischen Oberbefehl, während die Flottenstreitkräfte aus Pearl Harbor, die in diesem Raum tätig waren, weiter dem Pazifik-Kommando des Admirals Nimitz unterstehen sollten.

Das strategische Ziel der Amerikaner war die Durchbrechung der Barriere, die durch den Bismarck-Archipel gebildet wurde, und die Einnahme des wichtigsten japanischen Stützpunkts Rabaul. Dies sollte durch abwechselnde Schläge auf beiden Zufahrtswegen ereicht werden – um die Japaner »auf Trab« zu halten. Zuerst sollten Halseys Streitkräfte die Russell-Inseln westlich von Guadalcanal besetzen und dort einen Marine- und Luftwaffenstützpunkt aufbauen. Dann sollten zwei Inseln der Trobriand-Gruppe östlich von Neuguinea genommen werden, um Luftwaffenstützpunkte für den Angriff auf Rabaul und Zwischenstationen für eine Verlegung von Flugzeugen von einer Route zur anderen zu gewinnen. In der zweiten Phase sollte Halsey nach New Georgia (in den Salomonen westlich Guadalcanal) vorrücken und den wichtigen Flugplatz Munda einnehmen, während MacArthur die japanischen Stützpunkte um Lae an der Nordküste Neuguineas erobern sollte. Bis dahin, hoffte man, würde Halsey die Insel Bougainville am westlichen Ende der Salomonen in der Hand haben. In der dritten Phase sollten MacArthurs Truppen nach Norden abdrehen und den Meeresarm nach New Britain am Nordende des Bismarck-Archipels überqueren – der großen Insel, auf der Rabaul lag. In der vierten Phase sollte dann der alliierte Angriff auf Rabaul selbst stattfinden. Es war ein sehr langsames Vorgehen, selbst nach der Planung: man kalkulierte, daß der Angriff auf Rabaul erst acht Monate nach Eröffnung des Feldzuges beginnen könnte.

MacArthur hatte sieben Divisionen (davon drei australische) in seinem südwestpazifischen Raum sowie etwa 1000 Flugzeuge (davon ein Viertel australische); zwei weitere amerikanische Divisionen und acht australische Divisionen, die noch in der Ausbildung waren, sollten noch dazukommen. Halsey hatte sieben Divisionen (davon zwei der Marineinfanterie und eine neuseeländische) und 1800 Flugzeuge (davon 700 der US-Armee) zur Verfügung. Die Flottenstärke variierte; denn während eine amphibische Streitmacht für jeden der beiden Zweige des Angriffs aufgebaut wurde, waren viele der Kriegsschiffe nur kurzfristig von Admiral Nimitz' großer Streitmacht bei Pearl Harbor entliehen; anfangs hatte Halsey sechs Schlachtschiffe, zwei Flugzeugträger und zahlreiche kleinere Schiffe. Insgesamt war jetzt eine genügend große Streitmacht versammelt, um einen Erfolg in Aussicht zu stellen, wenn auch nicht so viel, wie MacArthur gewünscht hatte: Er hatte etwa 22 Divisionen und 45 Luftlandegruppen verlangt.

Während der Zeit der Vorbereitung landete Halsey am 21. Februar einen Truppenverband auf den Russell-Inseln, fand aber keine Spur der japanischen Besatzung, die man dort vermutete. Außerdem machte sein Flottenverband der japanischen Praxis von Blitzangriffen entlang des schmalen Schlauches zwischen Neuguinea und den Inseln ein Ende. In Neuguinea wurde ein japanischer Versuch, den Flugplatz von Wau in der Nähe des Huon-Golfes zu nehmen, von den Australiern vereitelt, die eine Brigade dort aus der Luft absetzten; als die Japaner das Gros einer Division als Verstärkung dorthin entsandten, wurde der Geleitzug von acht Truppentransportern und acht Zerstörern sogleich entdeckt und von der alliierten Luftwaffe angegriffen; er verlor alle Transporter mit über 3600 Mann (die Hälfte der Gesamtzahl) und die Hälfte der Zerstörer. Nach dieser unheilvollen »Schlacht vom Bismarck-Archipel« wagten die Japaner nur noch, mit U-Booten oder auf Segelschiffen Nachschub zu ihren Truppen in Neuguinea zu entsenden.

Admiral Yamamoto suchte dann die mißliche Lage der Japaner im Luftkampf zu beheben, indem er die Flugzeugträger der 3. Flotte von Truk nach Rabaul entsandte, in der Hoffnung, die alliierte Luftwaffe durch ständige Angriffe auf ihre Stützpunkte zu verschleißen. Doch diese Operation (die am ominösen Datum des 1. April begann) kostete die Japaner in zwei Wochen doppelt soviel Flugzeuge als die Verteidiger. Dann geriet Yamamoto selbst bei einem Flug nach Bougainville – von dem der US-Nachrichtendienst vorher erfahren hatte – in eine Falle und wurde abgeschossen. Sein Nachfolger als Oberbefehlshaber der vereinigten japanischen Flotte war Admiral Koga, aber er war kein so furchteinflößender Kommandeur wie Yamamoto.

Die lang geplante amerikanische Offensive sollte am 30. Juni mit einem dreifachen Angriff beginnen: General Kruegers Armee-Einheit sollte auf den Inseln Kiriwina und Woodlark (oder Murua) der Trobriand-Gruppe landen, die (größtenteils australische) Neuguinea-Armee unter General Herring sollte bei Salamaua im Huon-Golf und die Admiral Halsey unterstehenden Truppen sollten in New Georgia landen.

Die Landung auf den Trobriand-Inseln erwies sich als einfach, da man keinen Widerstand antraf, und der Bau von Flugplätzen begann sofort. Die neue Operation auf Neuguinea ließ sich gut an, und die amerikanische Landung zur Unterstützung der Amerikaner stieß auf keinen ernsthaften Widerstand. Doch die japanischen Truppen in diesem Abschnitt (etwa 6000) wurden erst Mitte August in die Umgebung von Salamaua zurückgedrängt — und die amerikanische Vorhut dort erhielt den Befehl, auf die erwarteten Landungen auf der Halbinsel Huon zu warten, ehe sie das Hauptziel Lae angriff. Die dritte Angriffsoperation, die von Halseys Truppen gegen New Georgia, erwies sich als noch schwieriger.

Die große Insel New Georgia hatte eine japanische Besatzung von etwa 10 000 Mann, deren Abwehrkraft durch die dschungelbewachsenen Berge und das feuchte Klima noch vergrößert wurde. Das Hindernis wurde noch schwieriger durch den Befehl des japanischen Kaiserlichen Hauptquartiers, daß es so lange wie möglich gehalten werden müsse. Zudem wurden die Schwierigkeiten der Invasion noch erhöht durch die Riffe an der Nordostküste und den umgebenden Gürtel von Inselchen im Süden und Westen.

Der amerikanische Plan war der einer Landung in drei Teilen. Die Hauptlandung in Divisionsstärke sollte bei der Insel Rendova an der Westküste erfolgen, von der aus man den 8 Kilometer breiten Meeresarm und das Gelände bis zum wichtigen Flugplatz Munda Point überqueren wollte. Sobald dies erreicht war, sollte eine kleinere Streitmacht an der Nordküste von New Georgia landen, 16 Kilometer von Munda entfernt, und so die Japaner von Verstärkungen auf dem Seeweg abschneiden. Ferner sollten im Süden drei ergänzende Landungen erfolgen. Ein Flottenverband von fünf Flugzeugträgern, neun Kreuzern und 29 Zerstörern sowie eine Luftflotte von etwa 530 Flugzeugen sollten die Landung abdecken.

Der Bericht eines Beobachters nahe der Küste, die Japaner zögen sich in den südlichen Teil von New Georgia zurück, veranlaßte Halsey, die erste Landung dort am 21. Juni vorzunehmen, statt bis zum 30. zu warten. Doch man stieß auf keinen Widerstand, und die weiteren Landungen in diesem Abschnitt gingen am 30. glatt vonstatten.

Bei der Hauptlandung auf der Insel Rendova überwältigten die 6000 Amerikaner schnell die Besatzung von nur 200 Japanern, und die darauffolgenden Landungen geschahen in der ersten Juli-Woche. In dieser und der nächsten Woche machten die schwachen japanischen Flotteneinheiten mehrere Gegenstöße, wie im Guadalcanal-Feldzug; es gelang ihnen, die Kreuzer erheblich zu beschädigen und insgesamt etwa 3000 Mann an der Küste abzusetzen.

An der Küste machte die eingesetzte unerfahrene US-Division nach der Überquerung des Meeresarmes von Rendova aus bei ihrem Vormarsch durch den Dschungel auf Munda nur langsame Fortschritte — trotz gewaltiger Unterstützung durch Luftwaffe, Artillerie und Schiffsgeschütze. Die Meldungen über ihren schlechten Kampfgeist führten dazu, daß weitere eineinhalb Divisionen nach New Georgia entsandt wurden. Am 5. August jedoch wurden Munda und das angrenzende Gebiet endlich eingenommen; freilich konnte sich der größte Teil der japanischen Truppen auf die benachbarte Insel Kolombangara im Norden zurückziehen. Bei den weiteren Flottenoperationen fügten die Amerikaner dank ihrer Beherrschung des Luftraums der japanischen Flotte empfindliche Verluste zu.

Die bei weitem wichtigste Folge der langsamen amerikanischen Fortschritte auf New Georgia war, daß sie Halsey und andere US-Kommandeure dazu brachten, die Nachteile eines solchen schrittweisen Vorgehens zu erkennen, vor allem, weil er dem Feind Zeit genug gab, jetzt seine nächste Verteidigungslinie zu verstärken.

Durch dieses Vorgehen verscherzte man sich die großen Vorteile der Überlegenheit zur See und in der Luft. So beschloß man jetzt, Kolombangara mit seiner Besatzung von 10 000 Japanern abzuriegeln und »im eigenen Saft schmoren zu lassen«, während die Amerikaner zu der großen, aber schwach verteidigten Insel Vella Lavella übergingen, wo die Japaner nur eine Truppe von 250 Mann hatten (dies war ein geplantes Umgehungsmanöver und ein Fortschritt gegenüber dem Vorgehen auf den Aleuten). Der Aufbau eines Flugplatzes auf Vella Lavella würde die Amerikaner ferner bis auf 150 Kilometer an Bougainville heranbringen, die westlichste der Salomonen.

Die Landung auf Vella Lavella erfolgte am 15. August, noch ehe die Eroberung von New Georgia beendet war. Die Hoffnungen General Sasakis, des örtlichen japanischen Befehlshabers, auf Kolombangara längeren Widerstand zu leisten, wurden vereitelt durch einen Befehl seines Oberkommandos, die mittleren Salomonen aufzugeben und sich auf Bougainville zurückzuziehen. Ende September und Anfang Oktober wurden die große Besatzung von Kolombangara und die kleine von Vella Lavella in mehreren Nächten evakuiert.

Insgesamt verloren die Japaner im Feldzug von New Georgia etwa 2500 Tote und 17 Kriegsschiffe, während die Alliierten etwa 1000 Tote (freilich wesentlich mehr durch Krankheiten) und sechs Kriegsschiffe verloren. In der Luft waren jedoch die japanischen Verluste viel höher.

Der Vormarsch der Alliierten auf Salamaua im August war hauptsächlich erfolgt, um die Vorbereitungen für den Angriff auf Lae und die Halbinsel Huon zu verschleiern; die Häfen und Flugplätze der Halbinsel wurden benötigt zur Flankendeckung für den bevorstehenden nördlichen Vorstoß zu der Insel New Britain.

Bei dem Angriff auf Huon war es MacArthurs Plan, einen amphibischen, einen Luftlande- und einen Landangriff zu kombinieren.

Diese dreifache Operation war natürlich sehr kompliziert, und MacArthur hätte genügend Kräfte gehabt, um sich auf eine der drei Teiloperationen zu konzentrieren, wenn dies gewünscht worden wäre. Am 5. September landete in der amphibischen Operation das Gros der 9. australischen Division östlich von Lae. Am nächsten Tag wurde das 503. US-Fallschirmjägerregiment auf dem nicht mehr benutzten Flugplatz von Nadzab, nordwestlich von Lae, abgesetzt – die erste Luftlandeoperation der Alliierten im Pazifik überhaupt. Sobald dieser Flugplatz benutzbar gemacht worden war, wurde die 7. australische Division in Transportflugzeugen eingeflogen. Gleichzeitig wurde auch der australisch-amerikanische Vormarsch auf Salamaua zu Lande wiederaufgenommen.

Die kombinierten Angriffe stießen auf wenig Widerstand. Denn das japanische Kaiserliche Hauptquartier hatte erkannt, daß seine einzige Division in diesem Raum abgeschnitten zu werden drohte, und genehmigte daher den Rückzug der Division über die bergige Halbinsel hinweg nach Kiari, etwa 80 Kilometer jenseits von Lae. So wurde Salamaua am 11. September und Lae am 15. geräumt. Doch die japanischen Hoffnungen, den Hafen von Finschhafen an der Spitze der Halbinsel zu behaupten, wurden vereitelt, als dort am 22. eine australische Brigade der amphibischen Streitmacht landete. Obwohl die Japaner als Verstärkung eine weitere Division heranführten, wurden sie allmählich entlang der Küste zurückgedrängt. Gleichzeitig rückte die 7. australische Division in schnellerem Tempo entlang des Markham-Tales von Lae aus weiter vor und erreichte Anfang Oktober Dumpu, knapp 80 Kilometer von dem nächsten bedeutenden Ort und Hafen Madang, 260 Kilometer nordwestlich Lae. Ende 1943 waren die alliierten Streitkräfte in der Lage, einen Vorstoß mit zwei Teilen, entlang der Küste und durch das Landesinnere, auf Madang zu beginnen; freilich kamen sie langsamer vorwärts als geplant.

Im September 1943 war es dem Kaiserlichen Hauptquartier endlich klargeworden, daß seine früheren optimistischen Lagebeurteilungen revidiert werden müßten. Japans Streitkräfte waren zu dünn über einen zu großen Raum verteilt, und die Amerikaner hatten sich in unerwartet kurzer Zeit von ihren anfänglichen Niederlagen erholt. Sowohl in der Luft als auch zu Wasser hatten sie jetzt die Oberhand. Den Japanern wurde es klar, daß sie die Hörner einziehen und ihren Verteidigungsbogen verkürzen müßten. Denn abgesehen von dem Druck auf ihren Flanken bestand stets die potentielle Gefahr im Zentrum, aus Pearl Harbor, wo Admiral Nimitz jetzt die größte Zahl von Schiffen versammelt hatte, die jemals seit Admiral Jellicoes »Grand Fleet« im Ersten Weltkrieg beisammen war.

Japans prekäre militärische Situation wurde noch verschärft durch eine schwache ökonomische Basis. Die japanische Flugzeugproduktion reichte nicht aus, mit Amerika Schritt zu halten, und war nicht mehr in der Lage, Japans Handelsflotte zu schützen.

Der neue Operationsplan, den das Kaiserliche Hauptquartier Mitte September festlegte, beruhte auf einer Schätzung des räumlichen Minimums, das für die Sicherung der japanischen Kriegsziele unerläßlich war. Dieses Minimum, genannt der »absolute nationale Verteidigungsraum«, erstreckte sich von Burma über Malaya bis zum westlichen Neuguinea, und von da bis zu den Karolinen, den Marianen und nördlich zu den Kurilen. Diese Verkürzung des Verteidigungsbogens bedeutete, daß der größte Teil von Neuguinea, der ganze Bismarck-Archipel einschließlich Rabaul, die Salomon-Inseln, die Gilbert-Inseln und die Marshall-Inseln jetzt als nicht mehr wesentlich betrachtet wurden – wenn sie auch noch sechs Monate länger gehalten werden sollten. Bis dahin, so hoffte man, hätte sich dieser Minimum- oder »absolute« Raum in eine unverletzliche Barriere verwandelt, Japans Flugzeugproduktion sich verdoppelt, und eine Flotte wäre aufgebaut worden, groß genug, der amerikanischen Pazifik-Flotte wieder in offenem Kampf gegenüberzutreten.

Inzwischen aber mußten die japanischen Truppen im Südwest-Pazifik eine alliierte Streitmacht von jetzt etwa 20 Divisionen, unterstützt von fast 3000 Flugzeugen, in Schach halten. Die Japaner hatten nur drei Divisionen im östlichen Neuguinea, eine vierte in New Britain, eine fünfte in Bougainville, und eine sechste war noch auf dem Weg. Andererseits standen noch 26 Divisionen in China und 15 in der Mandschurei angesichts der Gefahr einer russischen Invasion. In bezug auf Landtruppen war Japans Schwäche also nicht die Zahl, sondern die falsche Verteilung.

Auf alliierter Seite machte der langsame Fortschritt MacArthur nur zu einem immer eifrigeren Befürworter der Weiterführung der Operation, zumal seit er wußte, daß die Vereinigten Stabschefs jetzt dazu neigten, dem Vorstoß im mittleren Pazifik Vorrang einzuräumen, da er kürzere Entfernungen vor sich hatte und daher wohl mit kürzeren Zeiträumen rechnen konnte.

Sein Eindruck für die Dringlichkeit der Operation wurde verstärkt durch die offen ausgesprochene Ansicht der Stabschefs, daß die Eroberung von Rabaul nicht notwendig war und daß dieser stark verteidigte Platz ebensogut hätte umgangen und abgeschnitten werden können. Auch Admiral Halsey neigte von Natur aus zum Vormarsch, und der Eifer, mit dem er den Vormarsch durch die Salomonen betrieb, wurde um so größer, als viele seiner Schiffe ebenso wie die 2. Marineinfanteriedivision ihm weggenommen wurden, um den Vorstoß durch den mittleren Pazifik zu unterstützen.

Der Feldzug von Bougainville

Diese große Insel, die westlichste der Salomonen, hatte eine japanische Besatzung von 40 000 Soldaten und 20 000 Matrosen, größtenteils im Süden der Insel. Halsey hatte jetzt nur noch so wenig Schiffe und Landungsfahrzeuge, daß er anfangs nur eine verstärkte Division landen konnte. Ihr klug gewählter Landeplatz war die Kaiserin-Augusta-Bucht an der am schwächsten verteidigten Westküste – mit gutem Terrain für den Bau von Flugplätzen.

Nach schweren Luftangriffen auf die japanischen Flugplätze und nach Besetzung der kleinen Inseln am Zugang zu Bougainville erfolgte die Landung am 1. November – zur Überraschung der Japaner, die sicher waren, der Angriff würde im Süden kommen, wo die Brandung geringer war. Japanische Gegenangriffe zur Luft und zu Wasser wurden abgewiesen, und ihre Verluste waren weit höher als der angerichtete Schaden. Luftangriffe auf Rabaul von den US-Flugzeugträgern aus und durch die alliierte Luftwaffe in Neuguinea trugen ebenfalls dazu bei, die Intervention der jüngst verstärkten japanischen Luftwaffe in Rabaul unwirksam zu machen. Eine wichtige Lehre für die Zukunft war, daß schnelle Flugzeuge von Trägern aus auch in Räumen operieren konnten, die scheinbar durch feindliche Flugzeuge auf Landbasis gut abgedeckt waren.

Zu Lande weiteten die US-Truppen, verstärkt durch eine weitere Division, ihre Landeplätze allmählich zu einem über 16 Kilometer breiten Brückenkopf aus, und bis Mitte Dezember hatten sie 44 000 Mann an Land, um ihn zu halten. Die Japaner reagierten nur langsam, weil sie immer noch glaubten, die amerikanische Hauptlandung werde anderswo erfolgen. Selbst als sie erkannten, daß die Kaiserin-Augusta-Bucht die Hauptgefahr war, wurden ihre Gegenbewegungen noch dadurch behindert, daß sie ihre Truppen von ihren Stellungen im Süden über 80 Kilometer Urwald wieder zurückführen mußten. Daher unternahmen sie wenig bis Ende Februar, und es gab eine längere Kampfpause.

Einnahme der Bismarck- und Admiralitätsinseln

Unterdessen ging der alliierte Vormarsch in Neuguinea weiter. Am 2. Januar 1944 landete MacArthur fast 7000 Mann in Saidor, halbwegs zwischen der Halbinsel Huon und Madang, und diese Zahl wurde bald verdoppelt. So wurde den schwachen und abgekämpften Resten der ähnlich großen japanischen Truppe, die bei Sio im Westen der Halbinsel auszuhalten suchte, der Rückweg abgeschnitten. Es gelang ihr nur durch einen langen Marsch mit vielen Umwegen durch den bergigen Urwald, der Falle zu entkommen; bei diesem Rückzug verlor sie wieder mehrere tausend Mann. Gleichzeitig stieß die australische Zange von Dunpu aus im Markham-Tal weiter zur Küste vor, die am 13. April erreicht wurde. Am 24. nahmen MacArthurs Truppen Madang ohne ernsthaften Widerstand; denn das Kaiserliche Hauptquartier sah sich veranlaßt, den Rückzug zu beschleunigen und seine Truppen in Neuguinea auf Wewak, gut 300 Kilometer weiter westlich, zurückzunehmen.

MacArthur führte seinen nächsten Streich noch vor der Säuberung der Huon-Halbinsel. Am 15. Dezember hatte General Kruegers »Alamo«-Truppe eine Landung an der Südwestküste von New Britain bei Arawe begonnen; kurz nach Weihnachten landete das Gros seiner zwei Divisionen an der Westspitze bei

Cap Gloucester, um den dortigen Flugplatz zu nehmen. Denn obwohl der Plan des Angriffs auf Rabaul aufgegeben war, wollte MacArthur beide Seiten der Meerenge in der Hand haben, zur Sicherung der Flanke seines fortgesetzten westlichen Vorstoßes in Neuguinea. Die Westspitze von New Britain, wo die Amerikaner landeten, wurde von etwa 8000 Mann erst kürzlich aus China eingetroffener Truppen verteidigt; aber sie waren durch eine breite Straße wilden Geländes von Rabaul entfernt, das 480 Kilometer weit weg am anderen Ende der großen sichelförmigen Insel lag; sie konnten auch nur wenig Luftunterstützung erhalten, da die 7. Luftwaffendivision soeben in den Raum Celebes, 3000 Kilometer weiter westlich, verlegt worden war. So leistete die japanische Truppe bei Cap Gloucester wenig Widerstand und begann bald einen langen Rückzug auf Rabaul.

Eine Aufklärungseinheit der (ihrer Pferde beraubten) 1. Kavalleriedivision landete dann Ende Februar auf den Admiralitäts-Inseln, knapp 400 Kilometer nördlich von Cap Gloucester; dort gab es verschiedene Flugplätze, Platz für noch weitere, die man anlegen konnte, und außerdem einen sehr großen geschützten Ankerplatz. Die japanische Besatzung von etwa 4000 Mann leistete härteren Widerstand als erwartet, aber sie wurde überwunden, nachdem das Gros der amerikanischen Streitmacht am 9. März gelandet war und die Japaner im Rücken gefaßt hatte. Bis Mitte März hatten die Amerikaner ihre wichtigsten Ziele erreicht und konnten die Arbeit beginnen, die Admiralitäts-Inseln in einen großen Stützpunkt zu verwandeln – obwohl die Reste der japanischen Truppe noch bis Mai weiterkämpften, als sie dann völlig aufgerieben wurden.

So war Rabaul mit seiner Garnison von über 100 000 Japanern jetzt abgeschnitten – und konnte »im eigenen Saft schmoren«. Die Barriere der Bismarck-Insel war erfolgreich durchstoßen worden, und zwar mit weit weniger Verlusten, als ein direkter Angriff sie gefordert hätte.

Auf der Insel Bougainville vergingen noch vier Monate nach der Landung, ehe der japanische Befehlshaber zu spät erkannte, daß die amerikanische Landung an der Westküste die eigentliche

Landung war. Im März 1944 brachte er eine Truppe von etwa 15 000 Mann durch den Urwald dorthin und griff den amerikanischen Brückenkopf an, der jetzt von über 60 000 Mann gehalten wurde. Der japanische Kommandeur hatte die amerikanische Stärke auf etwa 20 000 Mann des Heeres und 10 000 Mann Luftwaffen-Bodenpersonal geschätzt — auch diese Schätzung hätte ihn eigentlich erkennen lassen müssen, daß sein verspäteter Gegenangriff kaum Chancen hatte. Bei diesem vergeblichen Angriff gegen eine Überlegenheit von 1:4, der am 8. März begann und zwei Wochen dauerte, verlor er über 8000 Mann, mehr als die Hälfte seiner Truppe, während die amerikanischen Verluste unter 300 Mann blieben. Nach dieser vernichtenden Niederlage wurden die Reste der japanischen Besatzung auf der Insel, die jetzt hoffnungslos abgeschnitten waren, ihrem Schicksal überlassen.

Der Vormarsch im mittleren Pazifik

Der Vorstoß im mittleren Pazifik richtete sich — ebenso wie der durch den Südwestpazifik gegen die Philippinen, mit dem Ziel, dort die amerikanische Position wiederherzustellen — nicht direkt gegen Japan. In diesem Stadium des Krieges war der Grundgedanke der Vereinigten Stabschefs in Washington der, daß nach der Wiedereroberung der Philippinen die amerikanischen Streitkräfte nach China übersetzen und dort große Luftwaffenstützpunkte aufbauen sollten; von diesen Stützpunkten aus, glaubte man, könnte die amerikanische Luftwaffe den Luftraum über Japan beherrschen und Japans Widerstandskraft zerbrechen, ganz abgesehen von der Abschneidung seiner Zufuhren.

Dieser strategische Plan war der Grundgedanke bei den amerikanischen Bemühungen, die chinesischen Nationalisten unter Tschiang Kai-schek zu unterstützen und ihren Widerstand gegen die Japaner zu stärken. Ebenso erklärte dies, daß die Amerikaner darauf drängten, die Briten möchten ihren Vormarsch in Burma aufnehmen und die Burma-Straße nach Südchina wieder freikämpfen, um Tschiang Kai-schek Kriegsmaterial liefern zu können.

In der Praxis aber kam der Vorstoß im mittleren Pazifik so schnell voran, daß die Streitkräfte von Admiral Nimitz ihrer Operation eine Wendung nach Norden gaben und die Marianen-Inselgruppe eroberten; die Entwicklung der neuen »B 29«-Superfortress machte es möglich, von dort direkt Japan anzugreifen, da die Marianen nur knapp 2000 Kilometer vom japanischen Festland entfernt waren. Außerdem war es im Oktober 1944, als die Marianen erobert wurden, den amerikanischen Stabschefs klargeworden, daß wenig Aussichten auf direkte Hilfe der chinesischen Nationalisten und wenig Aussichten auf einen britischen Verbindungsweg nach China für die nächste Zukunft bestanden.

Die Einnahme der Gilbert-Inseln

Bei der Ausarbeitung des Planes für einen Vorstoß im mittleren Pazifik hatte Admiral King ursprünglich mit einem Vorstoß zu den Marshall-Inseln beginnen wollen; aber dieser Gedanke wurde wegen Mangel an Schiffsraum und an ausgebildeten Truppen fallengelassen. Statt dessen beschloß man, mit einem Angriff auf die Gilbert-Inseln zu beginnen, obwohl diese etwas weiter von dem amerikanischen Stützpunkt in Pearl Harbor auf Hawaii entfernt waren. Aber ihre Einnahme schien weniger schwierig zu sein, und gleichzeitig, hoffte man, würde sie den US-Truppen Praxis für amphibische Operationen und Bomberstützpunkte für einen darauffolgenden Angriff auf die Marshall-Inseln schaffen. Bei den Gilbert-Inseln sollten die zwei westlichsten, Makin und Tarawa, die Hauptangriffsziele sein.

Nimitz als Oberster Befehlshaber bestimmte Vizeadmiral Reymond Spruance zum Befehlshaber der Angriffsoperation. Die Bodentruppen, das sogenannte 5. amphibische Korps, unterstanden Generalmajor Holland Smith von der Marineinfanterie, während für die Transportschiffe Konteradmiral Richard Turner verantwortlich war, der schon in den Salomonen Erfahrungen mit solchen Operationen gesammelt hatte. Das ganze Unternehmen wurde auf zwei Angriffsstreitkräfte aufgeteilt: eine nördliche, die mit sechs Transportschiffen und 7000 Mann der 27. Division Makin nehmen sollte, und eine südliche, die mit 16 Transportschiffen und 18 000 Mann der 2. Marineinfanteriedivision Tarawa zu nehmen hatte. Außer den Begleitschiffen für die Transporter wurde die Invasion durch den schnellen Kreuzerverband Konteradmiral Charles Pownalls abgedeckt, der aus sechs Flugzeugträgern, fünf kleineren Trägern und sechs neuen Schlachtschiffen sowie zahlreichen kleineren Einheiten bestand. Zu den 850 Flugzeugen auf den Flugzeugträgern kamen noch 150 Bomber der Armee, die von Landstützpunkten aus operierten.

Die wichtigste Neuerung bei dieser Aktion war ein beweglicher Service-Verband, welcher der Flotte bei ihrer Operation zur Verfügung stand und alle ihre Bedürfnisse abdeckte, außer größeren Reparaturen bei den großen Kriegsschiffen. Er bestand aus Tankern, Tendern, Schleppfahrzeugen, Minensuchern, Frachtschiffen und Munitionsschiffen. Später kamen noch Hospitalschiffe, Barackenschiffe, ein schwimmendes Trockendock, schwimmende Kräne, Überwachungsschiffe, Schiffe zum schnellen Aufbau von Landebrücken und andere dazu. Dieser schwimmende »Train« erhöhte wesentlich die Reichweite und die Schlagkraft der Flotte bei amphibischen Operationen.

Nach vorbereitender Bombardierung begann der Angriff auf die Gilbert-Inseln, genannt »Operation Galvanic«, am 20. November 1943 – dem Jahrestag der epochemachenden Offensive mit massiertem Panzereinsatz in Cambrai 1917. Die Gilbert-Inseln waren sehr schwach verteidigt, da die auf Grund des neuen japanischen Operationsplanes vom September zugesagten Verstärkungen noch nicht eingetroffen waren. Auf Makin stand nur eine Besatzung von 8000 Mann, und auf der Koralleninsel Apamama, einem Nebenziel, nur 25 Mann. Aber Tarawa hatte eine Garnison von über 3000 Mann und war stark befestigt.

Die kleine Garnison von Makin hielt sich vier Tage gegen eine US-Heeresdivision, die in dieser Art von Kriegführung unerfahren war. Weit wirkungsvoller war der Einsatz einiger weniger »Amphtracks« (amphibische Raupenfahrzeuge, die über

Korallenriffe fahren können), aber die Landetruppe verfügte nur über wenige dieser neuen Fahrzeuge.

Tarawa, weit stärker befestigt und verteidigt, erhielt schweren Geschützhagel von See her (3000 Tonnen in zweieinhalb Stunden) ebenso wie massive Bombenangriffe aus der Luft, bevor es von der 2. Marineinfanteriedivision, die sich bei Guadalcanal ausgezeichnet hatte, angegriffen wurde. Dennoch wurde ein Drittel der 5000 Gelandeten am ersten Tag außer Gefecht gesetzt, als sie den 600 Meter breiten Streifen zwischen dem Korallenriff und dem Ufer überquerten. Aber die Überlebenden waren unerschrokken und zwangen die Japaner, sich auf zwei Stützpunkte im Innern zurückzuziehen; dieser Rückzug gestattete es den Marinesoldaten, über die ganze Insel auszuschwärmen und die sich verteidigenden Stützpunkte einzuschließen. Dann aber lösten die Japaner in der Nacht zum 22. das immer noch schwierige Problem der Marineinfanterie, indem sie zu wiederholten Gegenangriffen übergingen, bei denen sie ausgelöscht wurden. Danach wurden auch die restlichen Inseln schnell vom Feind gesäubert.

Die Marine verlor dabei einen der begleitenden Flugzeugträger; doch im großen und ganzen bewiesen die Flugzeugträger, daß sie japanische Luftangriffe bei Tag wie bei Nacht abwehren konnten, während die japanischen Überwasser-Kriegsschiffe die große Flotte Admiral Spruances nicht zum Kampf herausforderten.

Die amerikanische Öffentlichkeit war schockiert durch die hohen Verluste, und der Angriff auf die Gilbert-Inseln wurde ein Thema heftiger Kontroversen. Doch die gewonnenen Erfahrungen erwiesen sich in vieler Hinsicht als wertvoll und führten zu wesentlichen Verbesserungen in der Technik amphibischer Operationen. Konteradmiral S. E. Morison, der offizielle Geschichtsschreiber der Kriegsmarine, nannte die Operation gegen die Gilbert-Inseln »die Aussaat des Sieges von 1945«.

Nimitz und sein Stab waren schon dabei, den nächsten Sprung zu planen, den zu den Marshall-Inseln; doch erst nach dem Angriff auf die Gilbert-Inseln wurde auf Drängen von Nimitz eine grundlegende Änderung des Planes vorgenommen. Statt eines direkten Angriffes auf die nächsten, die östlichsten Inseln der

Gruppe, sollten diese umgangen werden, und der nächste Sprung sollte auf die Koralleninsel Kwajalein erfolgen, 600 Kilometer weiter. Danach, wenn alles gutging, sollten Spruances Reserven Eniwetok am äußersten Ende dieser 1000 Kilometer langen Inselkette nehmen. Die Kommandoorganisation war ähnlich wie die bei dem Angriff auf die Gilbert-Inseln; doch wurden zwei neue Divisionen für den Angriff eingesetzt, mit insgesamt 54 000 Mann Angriffstruppen und 31 000 Mann Garnisonstruppen, um das eroberte Gebiet zu besetzen. Von der Kriegsmarine sollten vier Gruppen von Flugzeugträgern dabeisein, mit insgesamt zwölf Flugzeugträgern und acht Schlachtschiffen. Noch weit mehr »Amphtracks« wurden eingesetzt, und diese waren jetzt bewaffnet und gepanzert, während die Jagdbomber und die Kanonenboote mit Raketen ausgerüstet wurden. Die einleitende Beschießung sollte viermal so groß sein wie bei dem Angriff auf die Gilbert-Inseln.

Der Erfolg des Plans beruhte auch darauf, daß die Japaner alle verfügbaren Verstärkungen zu den östlichen Inseln der Gruppe entsandt hatten, da ihnen die neuartige amerikanische Strategie des indirekten Angriffs und der Umgehungsmanöver noch unbekannt war.

Nach kurzer Überholung und Ruhestellung in Pearl Harbor kehrte der Verband schneller Flugzeugträger Ende Januar 1944 zurück, und durch ständige Einsätze (insgesamt über 6000) lähmte er die Bewegungen der Japaner zur See und zur Luft während der ganzen Dauer des Angriffs auf die Marshall-Inseln – dabei wurden etwa 150 japanische Flugzeuge abgeschossen.

Der Auftakt zu der Operation war am 31. Januar die Besetzung der nicht verteidigten Insel Majuro in der östlichen Inselkette, die einen guten Ankerplatz für den amerikanischen Service-Flottenverband bot. Dann wurden die kleinen Inselchen in der Nähe von Kwajalein besetzt, und der Hauptangriff erfolgte plangemäß am 1. Februar. Die Garnison der Insel half den Amerikanern durch wiederholte selbstmörderische Gegenangriffe, bei denen sie nach der wilden, aufopferungsvollen »Banzai«-Manier vorprechte. Obwohl die japanische Besatzung über 8000 Mann zählte, davon 5000 Mann Kampftruppen, kostete die Amerikaner dieser Sieg nur 370 Tote.

Da die Reserve des Korps (etwa 10 000 Mann) bei dem Angriff nicht eingesetzt worden war, wurde sie vorausgeschickt, um Eniwetok zu nehmen. Dort wären die Amerikaner zwar immer noch 1600 Kilometer von den Marianen entfernt gewesen, aber nur noch 1000 Kilometer von Truk, dem großen japanischen Stützpunkt der Karolinen. Daher wurde als Flankensicherung des Angriffs gegen Eniwetok am gleichen Tag von neun amerikanischen Flugzeugträgern ein schwerer Angriff auf Truk geführt. Ein zweiter Angriff erfolgte in der darauffolgenden Nacht, wobei mit Hilfe von Radar die Angriffsziele ausgemacht wurden, und ein dritter folgte am nächsten Morgen. Obwohl Admiral Koga vorsichtigerweise den größten Teil seiner Flotte zurückgezogen hatte, wurden zwei Kreuzer und vier Zerstörer versenkt, daneben 26 Tanker und Frachtschiffe. In der Luft litten die Japaner noch mehr: sie verloren über 250 Flugzeuge gegenüber nur 25 der Amerikaner. Die strategische Wirkung der Operation war noch durchschlagender, da dieser dreifache Angriff die Japaner jetzt veranlaßte, alle ihre Flugzeuge von den Bismarck-Inseln zurückzuziehen und Rabaul ungeschützt zurückzulassen. Damit wurde bewiesen, daß der Vorstoß im mittleren Pazifik MacArthurs Vormarsch im Südwestpazifik unterstützte und nicht verlangsamte. Vor allem aber bewies die Operation, daß Flugzeugträger einen großen feindlichen Stützpunkt lahmlegen konnten, ohne ihn zu besetzen und ohne Hilfe von Flugzeugen auf Landbasis.

Unter diesen Umständen erwies sich die Einnahme von Eniwetok als einfach. Die umgebenden Inseln wurden schnell genommen, und selbst die Besatzung der Hauptinsel wurde in drei Tagen von einer Landetruppe überwältigt, die knapp eine halbe Division stark war. Der Bau neuer Flugplätze auf den Marshall-Inseln zur Benutzung für die Amerikaner kam anschließend schnell voran. Die Gilbert- und die Marshall-Inseln waren in wenig mehr als zwei Monaten erobert worden, während die Japaner gehofft hatten, dieser Sperrgürtel könne sechs Monate lang gehalten werden. Auch die Schlüsselposition Truk innerhalb des »absoluten« japanischen Verteidigungsringes war schwer angeschlagen worden.

Burma 1943 bis 1944

Der Feldzug in Burma verlief in dieser Jahreszeit sehr viel anders als erwartet und bildete einen deprimierenden Gegensatz zu dem jetzt so schnellen alliierten Vormarsch im Pazifik, insbesondere im mittleren Pazifik. Denn das Hauptkennzeichen dieses Kriegsschauplatzes war eine neue japanische Offensive – die einzige in dem ganzen Krieg, bei der die Japaner die indische Grenze überschritten und in das südliche Assam einbrachen –, während die Briten ihrerseits eine Offensive geplant hatten, welche die Invasoren aus Nordburma vertreiben und die Straße nach China freikämpfen sollte. Die großen Verbesserungen der Verkehrsverbindungen von Indien nach Burma und die wachsende britische Truppenstärke hatten dafür scheinbar gute Aussichten geboten.

Der japanische Angriff hatte zum Ziel, der britischen Offensive zuvorzukommen, und trotz der zahlenmäßigen Unterlegenheit der Japaner errang er beinahe einen taktischen Erfolg – und selbst der schließliche Mißerfolg hatte die strategische Wirkung, den britischen Vormarsch bis ins Jahr 1945 hinein zu verzögern. Sobald aber im Frühjahr 1944 die Offensive an der hartnäckigen Verteidigung von Imphal und Kohima – beide Orte etwa 50 Kilometer westlich der Grenze Assam–Burma – gescheitert war, erwies sich bald, daß die Japaner bei dieser letzten offensiven Anstrengung ihre schwachen Kräfte so verausgabt hatten, daß sie der unmittelbar folgenden britischen Gegenoffensive keinen harten Widerstand mehr entgegensetzen konnten, erst recht nicht der großen britischen Offensive, die dann im Jahr 1945 folgte.

In Vorbereitung dieses Feldzugs waren die Alliierten übereingekommen, daß die Wiedereroberung Nordburmas das Hauptziel sein solle – als der kürzeste Weg, um die direkte Verbindung mit

China wiederherzustellen und die Materiallieferungen an China auf der Burma-Straße über die Berge hinweg wiederaufzunehmen. Nach langen Erörterungen wurden andere Pläne abgelehnt, wie etwa amphibische Operationen gegen Akyab, Rangun oder Sumatra. Der britischen Offensive in Nordburma sollten ein neuer Angriff in Arakan und ein Ablenkungsmanöver der Chindits im Norden vorangehen.

Ende August 1943 wurde ein neues gemeinsames Oberkommando Südostasien unter Admiral Lord Louis Mountbatten gebildet, der vorher der kombinierten Operationen (mehrerer Wehrmachtsteile) gewesen war. Ihm unterstanden die Befehlshaber der drei Wehrmachtsteile, Admiral Somerville, General Giffard und Luftmarschall Peirse, während der amerikanische General Stilwell Mountbattens Stellvertreter als Oberster Befehlshaber sein sollte. Das Oberkommando Indien wurde von dem Oberkommando Südostasien getrennt und war für die Ausbildung der Truppen, aber nicht für die Operationen zuständig; Wavell »fiel die Treppe aufwärts« und wurde Vizekönig von Indien, sein Nachfolger als Oberbefehlshaber Indien wurde Auchinleck.

Der wichtigste Teil der in Burma stehenden 11. Heeresgruppe unter General Giffard war die neugebildete 14. Armee, deren Kommando General Slim erhielt. Sie umfaßte Christisons XV. Korps in Arakan und Scoones' IV. Korps an der mittleren Front in Nordburma; operativ unterstanden ihr auch die chinesischen Divisionen auf diesem Kriegsschauplatz. Die an dieser Front eingesetzten Marineverbände waren nur schwach; aber die Luftwaffe in diesem Raum wurde auf 67 Squadrons, davon 19 amerikanische – eine Gesamtzahl von etwa 850 Flugzeugen – verstärkt.

Gerade diese große Verstärkung der alliierten Kräfte und die dadurch angezeigte bevorstehende Offensive spornte die Japaner zu einer neuen präventiven Offensive nach Assam an, während sie andernfalls sich darauf beschränkt hätten, den Anfang 1942 eroberten Raum in Burma zu verteidigen und zu konsolidieren. Wingates erster Erkundungsvorstoß mit den Chindits hatte sie gelehrt, daß der Chindwin-Fluß keine sichere Verteidigungslinie war. Ziel der japanischen Offensive war, eine alliierte

Offensive in der trockenen Jahreszeit von 1944 zu verhindern, indem sie die Imphal-Ebene besetzten und die Bergpässe zwischen Assam und Burma in ihre Hand brachten; sie planten keine weitergehende Invasion nach Indien und keinen »Marsch auf Delhi«.

Auch das japanische Oberkommando wurde in der Zeit der Vorbereitung neu geordnet. General Kawabe, dem Oberbefehlshaber auf dem burmesischen Kriegsschauplatz, unterstanden drei sogenannte Armeen (sie entsprachen aber kaum einem britischen Armeekorps), die 33. mit zwei Divisionen unter General Honda im Nordosten, die 28. mit drei Divisionen unter General Sakurai in Arakan und die 15. unter General Mutaguchi an der mittleren Front; sie bestand aus drei Divisionen und einer »indischen Nationaldivision« von nur 9000 Mann, wenig mehr als die Hälfte einer normalen japanischen Division. Mutaguchis »Armee« sollte die Offensive gegen Imphal durchführen, nach vorbereitenden Angriffen der anderen Armeen in Arakan und Yunnan.

Jede Seite plante also eine begrenzte Offensive in Arakan vor einem größeren Vorstoß an der mittleren Front. Auf britischer Seite bot dies General Slim die Gelegenheit, eine neue Dschungeltaktik zu erproben, die auf dem Gedanken beruhte, vorgeschobene Stützpunkte zu bilden, zu denen sich die Truppen zurückziehen und in denen sie auf dem Luftweg versorgt werden könnten, während Reserven herangeführt wurden, um die zwischen ihnen und diesen Stützpunkten liegenden Japaner zu vernichten. Diese Technik widersprach der früheren Praxis, sich zurückzuziehen, wenn man an der Flanke umgangen worden war.

Anfang 1944 rückte Christisons XV. Korps langsam in drei Säulen nach Süden in Richtung Akyab vor. Anfang Februar aber wurde sein Vormarsch unterbrochen, als die Japaner ihren geplanten Angriff begannen, freilich nur mit einer ihrer drei Divisionen in Arakan. Unterstützt durch mangelnde britische Wachsamkeit, gelang es ihnen, Taung Bazar zu nehmen und dann nach einer südlichen Schwenkung die vorrückenden britischen Kolonnen in eine gefährliche Lage zu bringen – aus der sie nur durch eingeflogene Verstärkungen befreit werden konnten. Doch trotz örtlicher Fehler bewährte sich die neue britische Taktik, und die

Japaner, denen Lebensmittel und Munition ausgingen, mußten ihre Gegenoffensive einstellen, noch bevor der Monsun im Juni begann und den Operationen ein Ende machte.

Wingates Truppen hatten in Ruhestellung gelegen, seit die erste Chindit-Operation im Mai 1943 mit einem Rückzug geendet hatte. Aber während der Kampfpause waren sie von zwei Brigaden auf sechs verstärkt worden – in der Hauptsache dank der eindringlichen Art, wie Wingates Argumente Churchills Phantasie beflügelten und selbst die anfangs skeptischen Stabschefs umstimmten, als er im August 1943 zur »Quadrant«-Konferenz in Quebec hinzugezogen worden war. Wingate selbst wurde zum Generalmajor befördert und erhielt eine eigene Luftwaffeneinheit zugeteilt, das Luftwaffenkommando Nr. 1 – das weit größer war, als der Name vermuten ließ, und elf Squadrons umfaßte. Es wurde nach seinem jungen amerikanischen Kommandeur Philip Cochran meist »Cochrans Zirkus« genannt.

Die letzten Monate 1943 und die ersten Monate 1944 vergingen mit der spezialisierten Ausbildung der neu hinzugekommenen Brigaden. Obwohl sie zur Tarnung immer noch 3. indische Division hieß, umfaßte diese Streitmacht keine indischen Truppen mehr und entsprach jetzt etwa zwei Divisionen; das wichtigste neue Element war die britische 70. Division.

Auch Wingates Vorstellungen hatten sich gewandelt und weiter entwickelt – von einer Guerilla-Taktik nach dem Grundsatz »hit-and-run« zu einem massiveren und dauerhafteren Eindringen in feindliches Territorium. Seine L.R.P.-Verbände sollten Indaw und das umgebende Gelände am Irrawaddy etwa 250 km nördlich von Mandalay nehmen – den Raum zwischen dem britischen IV. Korps und Stilwells zwei chinesischen Divisionen – und die japanischen Verbindungswege durch eine Kette von aus der Luft zu versorgenden Stützpunkte abschneiden. Sie sollten den Kampf mit dem Feind ausfechten und ihn nicht nur belästigen. Praktisch hieß dies, daß die Chindits die Vorhut und das IV. Korps das Gros bilden sollten, das die Operationen unterstützte und abrundete. Wingates Idee war, daß mehrere L.R.P.-Divisionen schließlich der Hauptarmee weit voraus operieren sollten.

Die Operation begann am Abend des 5. März und hatte einen denkbar schlechten Start, als viele der 62 Lastensegler, die zu der ersten Welle gehörten, bei der Landung in »Broadway«, einem Punkt 80 Kilometer nordöstlich Indaw, verunglückten, während ein anderer ausgesuchter Landeplatz durch gefällte Baumstämme blockiert war und ein dritter aus verschiedenen anderen Gründen bald ausfiel. Immerhin machte die Anlage eines Landestreifens in »Broadway« schnelle Fortschritte, und das Gros von Mike Calverts 77. (L.R.P.-)Brigade wurde in den nächsten Nächten planmäßig gelandet; ihr folgte Lentaignes 111. (L.R.P.-)Brigade. Bis zum 13. März waren etwa 9000 Mann tief im Rücken des Feindes abgesetzt worden. Außerdem hatte Bernard Fergussons 16. (L.R.P.-)Brigade Anfang Februar einen langen Überlandmarsch von Asam aus angetreten, und trotz der erschreckenden Geländeschwierigkeiten näherte sie sich Mitte März Indaw.

Obwohl die Japaner überrascht worden waren, gelang es ihnen bald, eine improvisierte Truppe unter General Hayaschi in Stärke von etwa einer Division dieser Invasion aus der Luft entgegenzustellen. Ein Teil kam schon bis zum 18. März in Indaw an, das Gros bis Ende März. Außerdem zerstörte die japanische Luftwaffe in einem Gegenschlag am 17. die meisten der wenigen »Spitfires«, die jetzt von »Broadway« aus operierten; danach war die britische Luftunterstützung auf den Einsatz von Jägern von den weit entfernten Flugplätzen bei Imphal aus angewiesen. Dann wurde am 24. März Wingate selbst getötet, als sein Flugzeug im Dschungel abstürzte. Doch schon vor diesem tragischen Unglücksfall war sein allzu ausgeklügelter, aber nicht gut durchdachter Plan durcheinandergeraten. Am 26. wurde ein noch von Wingate angeordneter direkter Angriff auf Indaw durch die über Land marschierende 16. Brigade von den Japanern in ihrer vorher bezogenen Position abgewehrt, und die Japaner konnten auch der Drohung der anderen L.R.P.-Brigaden wirksam begegnen. Wingates Konzeption des Übergangs von der Guerilla-Aktion zur massiveren Durchdringung auf größere Entfernungen war kein Erfolgsrezept geworden; freilich war es so, daß er nicht die gewünschte Unterstützung durch das Gros der britischen Truppen erhielt.

Nach Wingates Tod wurde Lentaigne zu seinem Nachfolger als Befehlshaber der Spezialtruppen ernannt, und Anfang April kam er mit Slim und Mountbatten überein, daß die Chindits nach Norden verlegt werden sollten, um zusammen mit den Chinesen den Vormarsch Stilwells zu unterstützen, da sie den japanischen Vorstoß auf Imphal nicht hindern konnten. Obwohl Stilwell diese Verlegung nicht gern sah, da er glaubte, dies würde auch japanische Truppen auf seinen Frontabschnitt lenken, förderten sie seinen Vormarsch bis zu einem gewissen Grade durch die Einnahme von Mogaung, obwohl selbst dann Stilwells chinesische Truppen nicht imstande waren, die feindliche Schlüsselposition bei Myitkyina zu erreichen. Die Verlegung der Chindits nach Norden erfolgte unmittelbar bevor eine neue japanische Division auf dem Schauplatz eintraf.

Die »präventive« japanische Offensive nach Assam, mit dem Ziel der Einnahme von Imphal und Kohima, begann mit drei Divisionen Mitte März. Entgegen allen Erwartungen wurde ihr Vormarsch nicht berührt durch die Verlegung der Chindits in das Irrawaddy-Tal in ihrer östlichen Flanke und in ihrem Rücken – die Gefahr für die Japaner war zu weit entfernt, um ihre nördliche Vormarschlinie und ihre Verbindungswege zu bedrohen.

Ende Januar hatte Scoones den langsamen südlichen Vormarsch seines eigenen IV. Korps aus der Richtung Imphal abgebrochen und Verteidigungsstellungen bezogen, angesichts von Berichten, daß die Japaner ihre Kräfte umgruppierten und sich auf den Oberlauf des Chindwin zur Vorbereitung einer eigenen Offensive nach Imphal konzentrierten. Scoones' drei Divisionen waren noch ziemlich zerstreut, während die südlichste (die 17.) bei Tiddim umgangen und von ihrer Rückzugsstraße nach Imphal abgeschnitten wurde. Die Situation sah so gefährlich aus, daß eine soeben aus Arakan eingetroffene vierte britische Division schnell auf dem Luftweg nach Imphal transportiert wurde, zusammen mit anderen Verstärkungen. Auch der japanische Flankenvorstoß vom Chindwin aus machte Fortschritte und machte einen Rückzug der 20. Division nötig. Dann wurde am 19. März die britische Position bei Ukhrul, etwa 45 Kilometer nordöstlich (und hinter) Imphal, angegriffen; es stellte sich heraus, daß dieser tiefe japanische Flankenstoß auf Kohima zielte, 95 Kilometer nördlich Imphal auf der Straße, die über die Berge nach Indien zurückführte. Die Straße Imphal–Kohima wurde tatsächlich am 29. März zeitweilig abgeschnitten. Zwei weitere neue Divisionen wurden dann eingesetzt, um die Lücke zu schließen. Alles in allem hatte der japanische Offensivgeist wieder einmal zahlenmäßig überlegene Gegner aus dem Gleichgewicht gebracht und in eine prekäre Lage versetzt.

Während die Briten sich auf die Ebene von Imphal zurückziehen konnten und dort über vier Divisionen zur Verteidigung bereitstanden, wurde Kohima nur von 1500 Mann unter Oberst Hugh Richards verteidigt. Glücklicherweise lehnte der japanische Oberbefehlshaber, General Kawabe, das Ersuchen des örtlichen Armeebefehlshabers General Mutaguchi ab, durch einen überraschenden Vorstoß Dimapur, 45 Kilometer jenseits Kohima am Ausgang der Berge, zu nehmen. Ein solcher Vorstoß hätte jede britische Gegenoffensive zum Entsatz von Imphal vereitelt.

In der dadurch gewährten Atempause wurde Generalleutnant Montagu Stopford und der größere Teil seines XXXIII. Korps aus Indien nach Burma verlegt, und am 2. April erhielt er den Oberbefehl im Raum Dimapur–Kohima.

Der japanische Angriff auf Kohima mit der 31. Division begann in der Nacht zum 4. April. Die beherrschenden Höhen wurden schnell genommen, so daß am 6. die kleine Garnison der Stadt von der Brigade abgeschnitten war, die sie verstärken sollte, während diese Brigade ihrerseits von Dimapur durch eine Straßensperre bei Zubza abgeschnitten wurde, welche die Japaner in ihrem Rücken aufgebaut hatten.

General Slim befahl jedoch eine allgemeine Gegenoffensive für den 10. April. Bis zum 14. hatte eine von Stopford entsandte neue Brigade die Straßensperre bei Zubza genommen, und am 18. brachen die beiden Brigaden bis Kohima durch, wo die kleine und erschöpfte britische Truppe am Ende ihrer Kraft war. In der nächsten Phase wurden dann die Japaner aus den die Stadt umgebenden Höhen vertrieben.

Auch bei Imphal gab es schwere Kämpfe, als dort zwei britische Divisionen einen Gegenangriff führten – nach Norden, um die Straße nach Kohima freizukämpfen, und nach Nordosten, um Ukhrul wieder zu nehmen und die Kohima angreifende japanische Division im Rücken zu fassen. Die beiden anderen britischen Divisionen bei Imphal stießen nach Süden vor.

Zu ihrem Glück beherrschten die Briten jetzt fast völlig den Luftraum – die Japaner hatten in ganz Burma nicht einmal 200 Flugzeuge – und konnten so ihre große Truppe bei Imphal in den kritischen Wochen durch die Luft versorgen. (Sie hatten etwa 120 000 Mann bei Imphal, selbst nachdem 35 000 Verwundete, Kranke und Nichtkombattanten ausgeflogen worden waren.)

Im Mai kämpften Stopfords jetzt noch verstärkte Truppen die Straße nach Imphal frei, nachdem sie die Japaner aus ihren zäh verteidigten Stellungen bei Kohima vertrieben hatten, und südlich von Imphal konnten Scoones' Truppen die Japaner beinahe einschließen. Freilich hätten sich die Japaner ohne Schwierigkeiten und weitere Verluste zurückziehen können, wenn Mutaguchi nicht seine Angriffe hartnäckig fortgesetzt hätte, lange nachdem jede Aussicht auf Erfolg entschwunden war, trotz der Proteste seiner unmittelbar Untergebenen. In seiner Raserei setzte er alle drei seiner Divisionskommandeure ab – und wurde darauf selbst des Kommandos enthoben.

Im Laufe des Juli setzte die britische 14. Armee unter Slim ihre Gegenoffensive fort und erreichte schließlich den Chindwin. Ihr Vormarsch wurde mehr durch den Beginn des Monsuns verzögert als durch den Widerstand der Japaner, die jetzt nur noch einen erschöpften und hungrigen Rest ihrer einstigen Truppenstärke darstellten.

Die Verluste der Japaner im Verlaufe dieser über Gebühr lange fortgesetzten Offensive betrugen über 50 000 Mann – von den 84 000 Mann, die sie in den Kampf geworfen hatten. Die Briten, die mit ihren Menschen vorsichtiger umgingen, verloren knapp 17 000 Mann – von einer anfangs etwas, am Ende weit größeren Truppenzahl als die Japaner hatten. Insgesamt hatten sie sechs

Divisionen und eine Anzahl kleinerer Verbände dabei eingesetzt und konnten aus ihrer Luftüberlegenheit großen Nutzen ziehen, während die Japaner nur drei Divisionen eingesetzt hatten, dazu eine sogenannte indische Nationaldivision mit geringer Stärke und fragwürdiger Kampfkraft. Andererseits hatten sich die Japaner den Vorteil ihrer taktischen Wendigkeit verscherzt durch blindes Befolgen einer unrealistischen militärischen Tradition – und für diese Torheit sollten sie in der nächsten Phase des Krieges noch teuer bezahlen.

TEIL VII

DIE EBBE

KAPITEL 30

DER ALLIIERTE VORMARSCH IN ITALIEN

Die Situation der Alliierten in Italien Anfang 1944 war enttäuschend, verglichen mit den großen Hoffnungen, welche die Landungen im September 1943 begleitet hatten. Beide Invasionsarmeen, die 5. amerikanische und die 8. britische, hatten schwere Verluste erlitten und waren spürbar erschöpft durch die Aufeinanderfolge ihrer Frontalangriffe den italienischen Stiefel aufwärts, zur Linken und zur Rechten von dessen dünnem Rückgrat, dem Gebirgszug der Apenninen. Ihr langsamer, fast kriechender Vormarsch auf der Halbinsel glich sehr dem Rammstoß-Vormarsch der alliierten Armeen an der Westfront im Ersten Weltkrieg. Die großen Schwierigkeiten, in welche die Deutschen durch die Kapitulation und den Frontwechsel ihres italienischen Verbündeten im September 1943 geraten waren – zugleich auch durch die dreifache britisch-amerikanische Landung bei Reggio, Tarent und Salerno –, waren durch ihre schnelle Reaktion behoben worden. Kesselrings zeitweise desorganisierte Streitkräfte waren mit der vielfältigen Notlage so gut fertig geworden, daß Hitler bald den ursprünglichen Plan der Aufgabe der italienischen Halbinsel und des Rückzuges nach Oberitalien fallenlassen und sich für eine weitere Verteidigung der Halbinsel entscheiden konnte.

Seit dem Spätherbst 1943 konnten die Alliierten nur noch hoffen, ein negatives Ziel zu erreichen – nämlich so viele deutsche Divisionen wie möglich in Italien zu binden und ihrer Streitmacht zu entziehen, die gegen die bevorstehende britisch-amerikanische Invasion Frankreichs im Sommer 1944 aufgebaut war.

Die Teheraner Konferenz der drei großen Alliierten im November 1943 und die unmittelbar vorhergehende britisch-amerikanische Konferenz von Kairo bestätigten dies durch die Entscheidung, daß »Operation Overlord«, der Angriff über den Kanal auf die Normandie, zusammen mit »Anvil«, der ergänzenden Landung in Südfrankreich, den Vorrang haben sollte, während die

Ziele in Italien auf die Einnahme von Rom und den anschließenden Vormarsch im Stiefel bis zur Linie Pisa—Rimini beschränkt wurden. Eine Anschlußoperation nach Nordosten zum Balkan sollte nicht unternommen werden.

Trotz dieser grundsätzlichen Einigung auf den Vorrang von »Overlord« und »Anvil« bestand immer noch viel Uneinigkeit zwischen den amerikanischen und britischen Führern über die Bedeutung des Feldzuges in Italien. Die britische Ansicht, vertreten von Churchill und Sir Alan Brooke, war: Je mehr Kräfte die Alliierten nach Italien abzweigten, desto mehr deutsche Truppen konnten sie von der Normandie dorthin abziehen. Diese Ansicht erwies sich als falsch, aber sie ging zurück auf Churchills Hoffnungen auf einen großen und in erster Linie britischen Erfolg auf diesem Kriegsschauplatz. Für die amerikanische Ansicht, soweit sie davon abwich, war die Besorgnis maßgebend, daß eine Verstärkung der alliierten Truppen in Italien die Alliierten in Frankreich schwächen könnte, das sie mit Recht für den entscheidenden Kriegsschauplatz ansahen. Die Amerikaner erkannten besser als Churchill und die britischen militärischen Führer die Geländeschwierigkeiten, die jedem schnellen Erfolg in Italien und seiner Ausnutzung im Wege standen. Sie hatten außerdem ein tiefes Mißtrauen gegen eine britische Neigung, sich auf Italien zu konzentrieren, um die härtere Aufgabe der Invasion Frankreichs zu umgehen.

Kesselring hatte jetzt 15 Divisionen der 10. Armee (abgesehen von weiteren acht der 14. Armee im Norden) zur Verfügung, um seine Front, die sogenannte Gustav-Linie, gegen eine neue alliierte Offensive zu halten. Obwohl die meisten deutschen Divisionen geschwächt[1] und einige sehr dezimiert waren, schienen sie doch imstande zu sein, sich gegen jeden direkten Frontalangriff der 18 alliierten Divisionen zu behaupten, die bis Ende 1943 in Italien gelandet worden waren.

1 Die Stärke der deutschen Divisionen war sehr verschieden, und einige, die schwere Kämpfe hinter sich hatten, waren stark zusammengeschmolzen; doch auch bei voller Sollstärke waren sie im Durchschnitt nur etwa zwei Drittel so groß wie alliierte Divisionen.

So war der naturgegebene Ausweg eine amphibische Landung hinter der Gustav-Linie, und diese schien um so leichter, als die Alliierten sowohl in der Luft als auch zur See überlegen waren. Wenn eine solche Landung mit einem neuen Angriff auf die Gustav-Linie verbunden wurde, sollte sie imstande sein, die Deutschen aus dieser Linie herauszumanövrieren und ihre Stellung südlich von Rom zu brechen. Ein solcher Plan, unter dem Namen »Operation Shingle«, war bereits in Vorbereitung, und Churchill, ungeduldig über den langsamen Fortschritt in Italien, gab ihm neuen Auftrieb. Auf den Konferenzen von Kairo und Teheran erhielt er den notwendigen Schiffsraum, indem er dem amerikanischen Wunsch nach einer südfranzösischen Landung im Sommer 1944 stattgab und dann verlangte, die Landefahrzeuge sollten bis dahin im Mittelmeer bleiben – so daß sie für eine amphibische Landung in Anzio, südlich von Rom, die für Januar ins Auge gefaßt wurde, zur Verfügung standen.

Dieser von Alexander und seinem Stab aufgestellte Plan war in seinen Grundzügen gut ausgedacht. Die Offensive auf der Festlandsfront gegen die Gustav-Linie sollte von Mark Clarks 5. Armee etwa am 20. Januar begonnen werden. Das II. US-Korps sollte über den Rapido-Fluß und dann das Liri-Tal aufwärts vorrücken, sobald das französische Korps zu seiner Rechten und das britische X. Korps zu seiner Linken das Gros von General Sengers XIV. Panzerkorps durch vorbereitende Angriffe auf sich gelenkt hatten. Sobald der Vormarsch im Gang war, sollte das über das Meer transportierte VI. amerikanische Korps in Anzio landen. Man hoffte und erwartete, daß die deutschen Reservedivisionen zu dem Zeitpunkt nach Süden eilen und dann umkehren würden, um sich den Alliierten in Anzio entgegenzuwerfen – und in dieser Verwirrung würde die 5. Armee die Gustav-Linie durchbrechen und sich mit dem VI. Korps bei Anzio vereinigen. Selbst wenn die deutsche 10. Armee nicht zwischen den beiden Kräften zerdrückt würde, hoffte das alliierte Oberkommando, daß sie sich bis zum Raum Rom zurückziehen müßte, um sich neu zu ordnen.

Doch der Plan funktionierte nicht. Die deutschen Truppen wa-

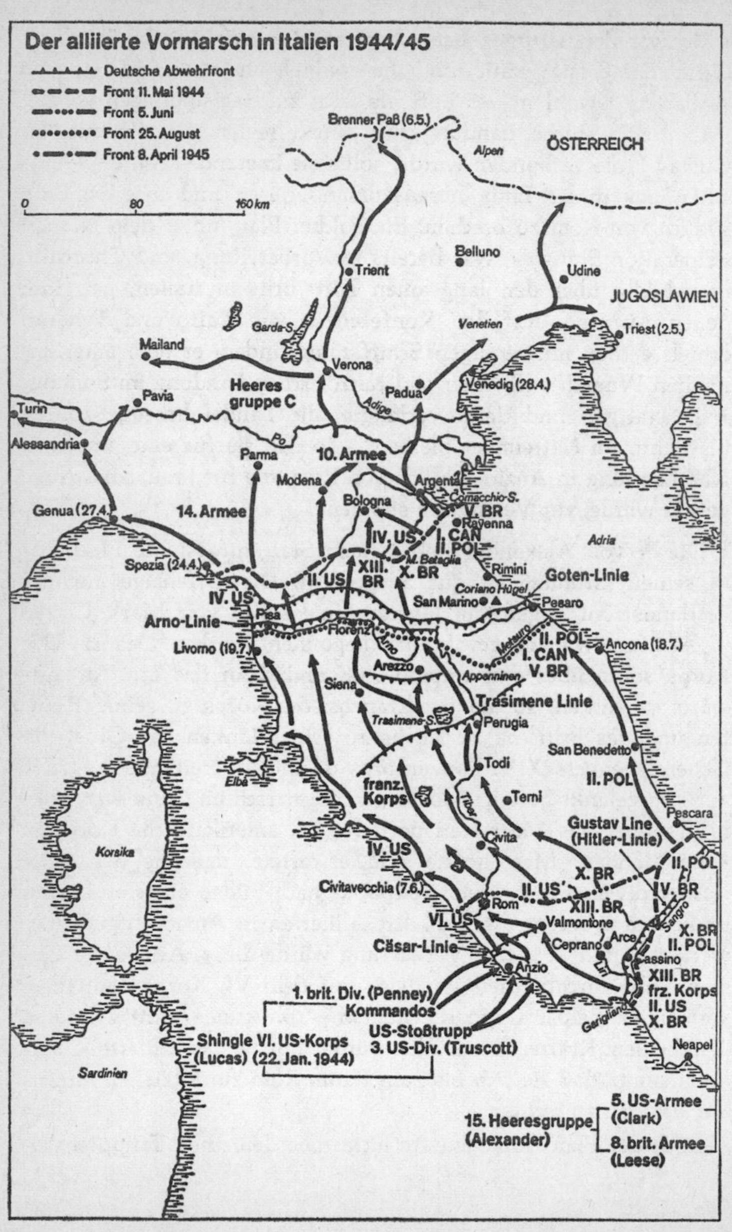

Der alliierte Vormarsch in Italien 1944/45
Deutsche Abwehrfront
Front 11. Mai 1944
Front 5. Juni
Front 25. August
Front 8. April 1945
0
80
160 km
Brenner Paß (6.5.)
Alpen
ÖSTERREICH
Trient
Belluno
Udine
JUGOSLAWIEN
Garda-S.
Venetien
Triest (2.5.)
Mailand
Verona
Heeres gruppe C
Padua
Venedig (28.4.)
Pavia
Turin
Adige
Po
Alessandria
Parma
10. Armee
Modena
Argenta
Comacchio-S.
Bologna
Genua (27.4.)
14. Armee
V. BR
Ravenna
IV. US
I. CAN
II. POL
Adria
M. Bataglia
Spezia (24.4.)
XIII. BR
X. BR
Rimini
II. US
Goten-Linie
Coriano Hügel
IV. US
San Marino
Pesaro
Arno-Linie
Pisa
Florenz
Metauro
Arno
II. POL
Livorno (19.7.)
Ancona (18.7.)
I. CAN
V. BR
Arezzo
Appenninen
Siena
Trasimene Linie
Trasimene-S.
Perugia
Elba
San Benedetto
Todi
II. POL
franz. Korps
Terni
Tiber
Pescara
Korsika
Gustav Line (Hitler-Linie)
Civita
IV. US
II. POL
X. BR
Civitavecchia (7.6.)
II. US
IV. BR
XIII. BR
Rom
VI. US
Valmontone
Sangro
X. BR
Arce
Cäsar-Linie
Ceprano
II. POL
Cassino
Anzio
XIII. BR
frz. Korps
1. brit. Div. (Penney)
Kommandos
II. US
X. BR
Garigliano
US-Stoßtrupp
Shingle VI. US-Korps (Lucas) (22. Jan. 1944)
3. US-Div. (Truscott)
Neapel
Sardinien
15. Heeresgruppe (Alexander)
5. US-Armee (Clark)
8. brit. Armee (Leese)

ren nicht so verwirrt oder erschöpft, wie das alliierte Kommando hoffte, und sie kämpften mit ihrer üblichen Zähigkeit. Andererseits waren die alliierten Vorbereitungen überstürzt worden, und die Offensive der 5. Armee war in ihren Teilen schlecht aufeinander abgestimmt.

Es fing gut an mit einem erfolgreichen Angriff über den Garigliano hinweg in der Nacht vom 17. auf den 18. Januar, den McCreerys 10. Korps auf dem Westabschnitt durchführte. Dies veranlaßte Kesselring, einen großen Teil seiner Rechten (die 29. und die 90. Panzergrenadierdivision und Teile der Division Hermann Göring) auf diesen Frontabschnitt zu werfen. Aber der Angriff des II. US-Korps im linken Zentrum über den Rapido hinweg am 20. scheiterte unter großen Verlusten — die beiden wichtigsten Regimenter wurden dabei großenteils vernichtet. Das Liri-Tal wurde hartnäckig gehalten, und jeder Angriff in diesem Tal mußte in voller Sicht von Monte Cassino erfolgen, einer unerhört starken Stellung, die man unterschätzt hatte. Der Rapido selbst hatte eine sehr starke Strömung, und selbst eine Überquerung ohne Widerstand wäre schwierig gewesen; die 36. US-Division aber wurde dazu abgestellt nach nur fünf Tagen Vorbereitung und Ruhe, seit sie den herausragenden Monte Trocchio genommen hatte, der den Zugang zum Rapido versperrte. Der Angriff der britischen 46. Division auf der linken Flanke der Amerikaner war ebenfalls ein Mißerfolg. Die Offensive der 5. Armee kam zwar voran, aber sah nicht sehr vielversprechend aus, als am 22. Januar die Landung in Anzio erfolgte.

Der Raum Anzio bot den einzigen geeigneten Strand für eine Landung hinter den deutschen Linien, es sei denn, die alliierten Planer riskierten eine Stelle nördlich von Rom — und das wäre noch erheblich weiter von der Hauptfront entfernt gewesen. Immerhin wurde Kesselring davon überrascht, und da er eine Landung nördlich von Rom für viel gefährlicher hielt, hatte er im Raum Anzio nur eine einzige Einheit, ein Bataillon der 29. Panzergrenadierdivision, das dort in Ruhestellung lag. Zu seinem Glück war der Befehlshaber der Landetruppen, Generalmajor John P. Lucas, der gegen Ende der Schlacht von Salerno das Kommando des VI. Korps übernommen hatte, mehr als vorsichtig und dabei weitgehend pessimistisch; er hatte noch vor Beginn der Operation seine pessimistischen Ansichten nicht nur seinem Tagebuch anvertraut, sondern auch seinen Untergebenen und seinen Alliierten, darunter auch Alexander selbst.

Sein 6. Korps hatte beim Beginn der Landung zwei Infanteriedivisionen, die 1. britische und 3. amerikanische, daneben Kommando- und Stoßtruppeinheiten, ein Fallschirmjägerregiment und zwei Panzerbataillone; ihnen sollten die amerikanische 1. Panzerdivision und 45. Infanteriedivision folgen. Eine solche Stärke sicherte nicht nur eine überwältigende Überlegenheit an den Landeplätzen, sondern bot auch die Aussicht auf kraftvolle Ausnutzung der ersten Erfolge — und Churchill hoffte, man würde bald die Albaner Berge südlich von Rom erreichen, die strategisch wichtigen Nationalstraßen Nr. 6 und Nr. 7 besetzen und so die deutsche 10. Armee in der Gustav-Linie abschneiden.

Die Landungen — der Briten am Nordrand und der Amerikaner am Südrand von Anzio — erfolgten ohne Schwierigkeiten und fast ohne Widerstand. Aber die Reaktion der Deutschen war schnell und entschlossen. Ihre Truppen in der Gustav-Linie erhielten den Befehl, sich in der Defensive zu behaupten, während die Division Hermann Göring nach Norden abgezogen und andere verfügbare Einheiten aus dem Raum Rom nach Süden entsandt wurden. Das OKW teilte Kesselring mit, er könne über sämtliche Divisionen in Norditalien verfügen, und außerdem solle er zwei Divisionen, drei alleinstehende Regimenter und zwei schwere Panzerbataillone erhalten. Denn Hitler war bemüht, dieser Landeoperation der Alliierten einen so harten Schlag aufs Haupt zu geben, daß die Alliierten von weiteren Landungen in Italien und von ihren geplanten Landungen an der französischen Küste abgeschreckt würden.

Kesselrings Umgruppierung der Streitkräfte war eine beachtliche Leistung. Teile von acht deutschen Divisionen wurden in den ersten acht Tagen in den Raum Anzio entsandt. Gleichzeitig wurde auch das Kommando neu geregelt: Mackensens 14. Armee übernahm den Abschnitt Anzio und umfaßte auch das 1. Fallschirmjägerkorps und das 76. Panzerkorps, die jetzt die Abschnitte nördlich bzw. südlich des alliierten Brückenkopfes hielten. Vietinghoffs 10. Armee sollte zusammen mit dem XIV. Panzerkorps und dem LI. Gebirgsjägerkorps die Gustav-Linie halten. Insgesamt wurden acht deutsche Divisionen um den Brückenkopf von Anzio herum zusammengezogen; sieben standen im Rahmen von Sengers XIV. Panzerkorps der 5. Armee Mark Clarks gegenüber, und nur drei des LI. Gebirgsjägerkorps hielten die britische 8. Armee an der adriatischen Front in Schach, während sechs Divisionen in Norditalien unter General von Zangen verblieben. (Die britische 8. Armee wurde jetzt von Sir Oliver Leese befehligt, nachdem Montgomery nach England zurückberufen worden war, um sich der Pläne und Vorbereitungen für die kommende Invasion in der Normandie anzunehmen.)

Churchills Hoffnung auf einen schnellen Vorstoß von Anzio zu den Albaner Bergen wurde durchkreuzt durch die von Mark Clark unterstützte hartnäckige Entschlossenheit von General Lucas, erst den Brückenkopf zu sichern, bevor man landeinwärts vorstieß. Doch angesichts der schnellen Reaktion und der überlegenen Taktik der Deutschen, verglichen mit der Schwerfälligkeit der meisten alliierten Kommandeure und Truppen, war Lucas' übertriebene Vorsicht vielleicht am Ende ein Segen: Ein Vorstoß landeinwärts hätte unter diesen Umständen ein leichtes Ziel für Flankenangriffe abgegeben und zu einer Katastrophe geführt.

Während der in Aussicht genommene Brückenkopf schon am zweiten Tag gesichert und das Nachschubproblem dadurch erleichtert war, begann der erste wirkliche Versuch eines Vorstoßes landeinwärts erst am 30. Januar, über eine Woche nach der Landung. Er wurde durch die deutschen Truppen in dem Abschnitt bald zum Stehen gebracht. Außerdem konnte jetzt der ganze Brückenkopf von deutscher Artillerie beschossen werden, und die aus dem Raum Neapel operierenden alliierten Flugzeuge konnten Luftwaffenangriffe auf die dichtgedrängten Schiffe bei Anzio nicht verhindern. Daher begannen Mark Clarks Truppen an der Gustav-Linie, statt durch die Zange von Anzio entlastet zu werden, einen neuen direkten Angriff, um den in Anzio eingeschlossenen Truppen zu helfen.

Diesmal suchte das amerikanische II. Korps die Gustav-Linie durch einen nördlichen Angriff auf Cassino zu durchbrechen. Am 24. Januar führte die amerikanische 34. Division den Angriff, mit Hilfe der Franzosen an ihrer Flanke. Doch erst nach einer Woche schwerer Kämpfe gelang es ihr, einen festen Brückenkopf zu bilden, und bis dahin hatte Senger mehr Reserven in den Abschnitt werfen und so seine starke Verteidigungsstellung stärker machen können denn je.

Am 11. Februar zogen sich die Amerikaner wieder zurück, schwer erschöpft und stark dezimiert.

Nach diesem vergeblichen Versuch wurde das neu aufgestellte neuseeländische Korps (Generalleutnant Bernard Freyberg) herangeführt. Es bestand aus der 2. neuseeländischen und 4. indischen Division, beides altgediente Divisionen, die sich im Nordafrika-Feldzug sehr ausgezeichnet hatten — die 4. indische, die aus britischen und indischen Einheiten bestand, war von den Deutschen als die beste Division dieses Kriegsschauplatzes angesehen worden. Freybergs Plan eines Angriffs auf Cassino von zwei Seiten bedeutete kein wirkliches Abgehen von der bisherigen Praxis verlustreicher Frontalangriffe auf günstig gelegene und hartnäckig verteidigte deutsche Positionen. Francis Tuker, der Kommandeur der indischen Division, empfahl ein indirektes Vorgehen und eine weitere Umfassungsbewegung durch die Berge; die Franzosen waren auch dafür; aber Tukers Einfluß wurde ausgeschaltet, weil er krank wurde. Seine Division erhielt den Auftrag, Monte Cassino selbst anzugreifen, und nach der Ablehnung seines Vorschlages einer Umfassung forderte er, daß das historische Kloster, das die Höhe des Berges zierte, durch einen konzentrierten Bombenangriff aus der Luft ausgeschaltet werden sollte. Obwohl es keinen Beweis gab, daß deutsche Truppen das Kloster militärisch benutzten — und später bewiesen wurde, daß sie es nicht einmal betreten hatten —, beherrschte das große Gebäude so sehr die ganze Landschaft, daß es auf die Truppen, welche die Höhe angreifen mußten, beängstigend wirkte. Tukers Vorschlag wurde von Freyberg und von Alexander gebilligt, und am 15. Februar zerstörte ein gewaltiger Bombenangriff die Baulichkeiten dieses berühmten Klosters. Die Deutschen fühlten sich daraufhin berechtigt, die Ruinen zu besetzen, und dies half ihnen, eine noch wesentlich hartnäckigere Verteidigung zu führen.

In dieser Nacht und in der folgenden machten wiederholte Angriffe der 4. indischen Division keine nennenswerten Fortschritte. So griff in der nächsten Nacht, vom 17. zum 18. Februar, das neuseeländische Korps auf den ursprünglichen Plan zurück. Die 4. indische Division konnte die vielumkämpfte Höhe 593 nehmen, aber wurde durch Gegenangriffe deutscher Fallschirmjäger wieder vertrieben, und die 2. neuseeländische Division wurde am nächsten Tag durch einen Gegenangriff deutscher Panzer von ihrem Brükkenkopf auf der anderen Seite des Rapido verdrängt.

In Erwartung der großen Verstärkungen, die das OKW versprochen hatte, um ihm bei der Beseitigung des alliierten Brückenkopfes zu helfen, führte Mackensen Gegenangriffe, um die Alliierten an der Ausweitung des Brückenkopfes zu hindern. Der erste, in der Nacht zum 3. Februar, richtete sich gegen den Bogen, den die britische 1. Division bei ihrem gescheiterten Vorstoß nach Campoleone am 30. Januar geschaffen hatte. Zum Glück war gerade die erste Brigade der britischen 56. Division gelandet, und der Angriff wurde daher abgeschlagen. Ein neuer schwerer Gegenangriff erfolgte am 7. Februar; obwohl er im wesentlichen abgewehrt wurde, waren die britischen Verluste jedoch so schwer, daß die 1. Division nun durch die soeben eingetroffene 45. US-Division ersetzt werden mußte.

Mitte Februar hatte Mackensen zehn Divisionen gegen die fünf alliierten Divisionen im Brückenkopf zur Hand, und zur Unterstützung eine wesentlich verstärkte Luftwaffe. Er war jetzt zum Gegenschlag bereit. Die »Goliaths«, die neuen ferngelenkten, mit Sprengstoff gefüllten Miniaturpanzer, sollten eingesetzt werden, um Verwirrung bei den Verteidigern zu schaffen. Der deutsche Aufmarsch war von den alliierten Angriffen bei Cassino nicht berührt und auch durch die alliierte Luftwaffe nicht ernsthaft gehindert worden.

Der deutsche Angriff auf den Brückenkopf begann am 16. Februar mit Erkundungsvorstößen an allen Teilen des Halbkreises und ständigen Angriffen der Luftwaffe. Bis zum Abend hatte sich in dem von der 45. US-Division gehaltenen Abschnitt eine Lücke gebildet. Dies war die Gelegenheit, auf welche die Deutschen gewartet hatten: 14 Bataillone, angeführt von Hitlers Liebling, dem Infanterie-Lehrregiment, und unterstützt von Panzern, stießen am 17. vor, um die Lücke zu erweitern und auf der Straße Albano—Anzio vorzurücken. Der Sieg war in Sicht.

Aber die große Menge verschiedenartiger Verbände, die auf dieser einen Straße zusammengedrängt waren, störte sich gegenseitig und bot gleichzeitig ein gutes Angriffsziel für die alliierte Artillerie und Luftwaffe und die Geschwader der Marineluftwaffe. Dazu waren die »Goliath«-Panzer ein Mißerfolg. Dennoch, trotz der schweren Verluste, drängte das Schwergewicht des Angriffes die alliierten Truppen zurück, und am 18. machte ein neuer Angriff, verstärkt durch die 26. Panzerdivision, weitere Geländegewinne in Richtung auf die Küste. Doch die 1. und die 56. britische sowie die 45. amerikanische Division kämpften verbissen und erfolgreich, um die letzte Verteidigungslinie des Brückenkopfes zu halten. Der deutsche Vorstoß wurde am Caroceto-Sumpf zum Stehen gebracht, und die angreifenden Truppen litten unter den ständigen Anstrengungen. Am 20. machten die Panzergrenadierdivisionen einen letzten Versuch, aber auch dieser wurde bald zum Stehen gebracht. Die erfolgreiche Verteidigung war mit zurückzuführen auf die Ankunft von General Lucian K. Truscott, der erst Stellvertreter und dann Nachfolger von Lucas wurde. Auf dem britischen Abschnitt war Generalmajor W. R. C. Penney, Kommandeur der 1. Division, verwundet und von Generalmajor Gerald Templer abgelöst worden, der die Verteidigung sowohl seiner 1. als auch der 56. Division geschickt koordinierte.

Erbittert über den Rückschlag, befahl Hitler eine neue Offensive; sie begann am 28. Februar mit Ablenkungsangriffen und einem Hauptvorstoß von vier Divisionen entlang der Straße von Cisterna. Doch dieser Vorstoß wurde unschwer von der 3. US-Division zum Stehen gebracht, und als nach den ersten drei Tagen die niedrige Wolkendecke verschwand, zersprengte die alliierte Luftwaffe die Angreifer. Am 4. März wurde Mackensen durch seine schweren Verluste gezwungen, die Offensive einzustellen. Fünf deutsche Divisionen blieben zurück, um den Ring zu halten, die anderen wurden in Ruhestellung zurückgezogen.

Die Alliierten begannen jetzt einen neuen Angriff auf Cassino, um für ihre Frühjahrsoffensive den Weg freizukämpfen. Diesmal war es ein noch direkterer Frontalangriff: Die neuseeländische Division sollte durch die Stadt vorstoßen und die 4. indische Division dann den Angriff auf den Klosterhügel übernehmen. Ein schwerer Geschütz- und Bombenhagel — 190 000 Geschosse und 1000 Tonnen Bomben aus der Luft — sollte die deutschen Truppen in der Stadt lähmen.

Das Bombardement erfolgte am 15. März, als das Wetter klar genug war. Doch die Verteidiger dieses Abschnittes, ein Regiment (drei Bataillone) der 1. Fallschirmjägerdivision, einer Elitetruppe, ertrugen nicht nur das doppelte Bombardement, sondern hielten es auch gut genug aus, um die danach angreifende Infanterie zum Stehen zu bringen. Ihnen kamen die Trümmermassen zugute, die durch das Bombardement entstanden waren und jetzt den Weg der alliierten Panzer blockierten. Wenn auch der Klosterhügel genommen wurde, so wurde der weitere Vormarsch der indischen Division hügelaufwärts behindert durch wolkenbruchartigen Regen, der den Verteidigern zu Hilfe kam. Eine Kompanie Gurkhas kam bis zum Henkershügel unterhalb des Klosters, wurde aber dort abgeschnitten. Unterdessen gingen die harten Kämpfe in der Stadt weiter. Am 19. scheiterten neue Vorstöße von beiden Seiten, und am Tag darauf entschied Alexander, wenn sie nicht innerhalb 36 Stunden zum Erfolg geführt habe, solle die Operation aufgegeben werden; denn die Verluste wurden zu hoch. Am 23. wurde dann die Offensive endgültig mit Zustimmung General Freybergs abgebrochen.

So endete die dritte Schlacht von Cassino enttäuschend. Danach wurde das neuseeländische Korps aufgelöst; seine Einheiten gingen in Ruhestellung und wurden von der britischen 78. Division und der I. Gardebrigade der 6. Panzerdivision übernommen.

Alexander hatte am 22. Februar vorgeschlagen, die »Operation Diadem« solle in einem Vorstoß das Liri-Tal aufwärts in Verbindung mit einem Ausbruch aus dem Brückenkopf Anzio bestehen. Das Schema wäre ziemlich ähnlich dem der Januar-Offensive gewesen, nur besser geplant und koordiniert; die Operation sollte etwa drei Wochen vor »Overlord« beginnen, der Invasion in die Normandie über den Kanal hinweg, damit sie deutsche Divisionen aus Frankreich nach Italien abziehen könnte.

Der von Alexanders Stabschef John Harding ausgearbeitete Plan legte das Schwergewicht auf den Angriff, indem er nur ein einziges Korps auf der adriatischen Seite Italiens ließ und den Rest der 8. Armee nach Westen verlegte, wo er den Abschnitt Cassino—Liri-Tal übernehmen sollte. Die 5. Armee, einschließlich der Franzosen, sollte nicht nur den Abschnitt Garigliano an der linken Flanke, sondern auch den Brückenkopf Anzio übernehmen. Damit verbunden war der Vorschlag, »Operation Anvil«, die Landung in Südfrankreich, aufzugeben.

Während die britischen Militärs dem Plan zustimmten, waren naturgemäß die amerikanischen Stabschefs dagegen, da sie glaubten, eine Landung in Südfrankreich wäre eine bessere Ablenkung zur Unterstützung der Normandie-Invasion. Eisenhower schlug dann einen Kompromiß vor: Die italienische Offensive solle Vorrang erhalten, aber die Planung für »Anvil« fortgesetzt werden. Wenn es sich bis 20. März herausgestellt habe, daß eine größere amphibische Operation nicht durchgeführt werden könne, sollte der größte Teil der Schiffe aus den italienischen Gewässern zurückgezogen werden, um für »Overlord« bereitzustehen. Der Kompromiß wurde von den Vereinigten Stabschefs am 25. Februar angenommen.

Als der Tag der Entscheidung sich näherte, hörte General Maidland Wilson, der den neuen Posten des Obersten Befehlshabers im Mittelmeer erhalten hatte, von Alexander, daß die Frühjahrsoffensive in Italien nicht vor Mai beginnen könne; es wurde dabei gesagt, es sollten keine Truppen für die Operation »Anvil« abgezogen werden, ehe die Streitkräfte an der Gustav-Linie durchgebrochen wären und sich mit den Truppen bei Anzio vereinigt hätten.

Wenn man zehn Wochen für die Umgruppierung und Vorbereitung ansetzte, bedeutete dies, daß »Anvil« nicht vor Ende Juli stattfinden könnte – fast zwei Monate nach der Landung in der Normandie und nicht als ein dieser vorausgehendes Ablenkungsmanöver. So waren Wilson und Alexander der Meinung, angesichts dieser Umstände könnten sie »Anvil« fallenlassen und sich auf einen Versuch konzentrieren, den italienischen Feldzug endgültig zum Abschluß zu bringen. Diese Ansicht entsprach den Überlegungen Churchills und der britischen Stabschefs. Auch Eisenhower neigte dazu, wenn auch aus dem etwas anderen Grund, daß der größte Teil der Schiffe im Mittelmeer dann für »Overlord« zur Verfügung stehen würde. Doch die amerikanischen Stabschefs akzeptierten zwar widerwillig eine Verschiebung von »Anvil« bis Juli, aber waren gegen die völlige Aufgabe, und sie bezweifelten den Wert einer Fortführung der italienischen Offensive über die bereits gesteckten Ziele hinaus. Sie bezweifelten auch, daß sie deutsche Divisionen aus der Normandie abziehen würde – dies erwies sich bald als richtig. Ein längerer Streit folgte, der sich im Austausch ellenlanger Telegramme zwischen Churchill und Roosevelt niederschlug.

Unterdessen gingen in Italien die Vorbereitungen für die Frühjahrsoffensive weiter, da dies zum britischen Kommandobereich gehörte. Die Verschiebung und Neuaufstellung der 8. Armee bewirkte, zusammen mit anderen Faktoren wie dem Mangel an Schiffsraum, eine Vertagung der Offensive bis zum 11. Mai. Aufgabe der 8. Armee war es, bei Cassino durchzubrechen, während die 5. Armee sie dabei an der linken Flanke unterstützen sollte, indem sie über den Garigliano vorstieß und aus dem Brückenkopf Anzio auf der Nationalstraße 6 in Richtung Valmontone ausbrach. Bei Anzio standen jetzt sechs alliierte Divisionen fünf deutschen gegenüber, während vier weitere deutsche Divisionen im Raum Rom in Reserve standen. An der Gustav-Linie waren 16 alliierte Divisionen (davon vier unmittelbar angriffsbereit) gegen sechs deutsche Divisionen (davon eine in Reserve) aufmarschiert. Bei weitem der größere Teil der alliierten Kräfte an dieser Front war auf dem Abschnitt von Cassino bis zur Mündung des Garigliano konzentriert: insgesamt zwölf Divisionen (zwei amerikanische, vier französische, vier britische und zwei polnische) für den Durchbruch und vier weitere dicht dahinter, um diesen durch einen Vorstoß im Liri-Tal auszuweiten, in der Hoffnung, die Hitler-Linie etwa zehn Kilometer weiter hinten zu durchstoßen, bevor die Deutschen sich dort sammeln und die Verteidigung dort aufbauen könnten.

Die neun Divisionen der 8. Armee wurden von über 1000 Geschützen unterstützt; noch mehr kam ihnen eine Periode trockenen Wetters zugute, das ihren Panzern und sonstigen Fahrzeugen ermöglichte, gut vorwärts zu kommen – im Gegensatz zu dem Schlamm bei der Winteroffensive. So hatten die drei Panzerdivisionen (die 6. britische, 5. kanadische und 6. südafrikanische) bessere Chancen wirkungsvollen Einsatzes als je. Bei dem Angriff sollte das polnische Korps mit zwei Divisionen Cassino nehmen, während das britische XIII. Korps mit vier Divisionen zu seiner Linken nach St. Angelo vorrückte.

Die alliierte Offensive an der Hauptfront sollte insgesamt von über 2000 Geschützen unterstützt werden, während die alliierte Luftwaffe durch ausgedehnte schwere Angriffe auf die Bahn- und Straßenverbindungen des Feindes mitwirken sollte, bevor sie sich in der Endphase den Angriffszielen auf dem Schlachtfeld zuwandte. (Diese »Operation Strangle« störte jedoch die deutschen Nachschublinien nicht im gehofften Ausmaß.) Umfangreiche Sabotageakte sollten außerdem stattfinden, hatten aber enttäuschende Ergebnisse. Zur Täuschung probten alliierte Truppen offen amphibische Landungen in der Hoffnung, Kesselring solle glauben, daß eine solche bevorstehe – etwa in der Nähe von Civitavecchia nördlich von Rom. Doch dieser war ohnehin so sehr davon überzeugt, daß die Alliierten ihre Überlegenheit zur See in dieser Weise ausnutzen würden, daß solche Täuschungsmanöver keinen großen Effekt gehabt zu haben scheinen.

Die Offensive begann um 11 Uhr abends in der Nacht zum 11. Mai mit einem massiven Artilleriefeuer, dem bald der Vormarsch der Infanterie folgte. Aber gegen hartnäckigen Widerstand auf den meisten Abschnitten machte der Angriff in den ersten drei Tagen wenig Fortschritte. Das polnische Korps unter General Anders erlitt bei Cassino schwere Verluste, trotz ihrer großen Tapferkeit und ihrem großen Geschick in der Benutzung weniger frontaler Angriffswege.

Das britische XIII. Korps machte auch nur langsame Fortschritte und hätte schwere Verluste erlitten, wenn nicht die Polen die Aufmerksamkeit des Feindes auf sich gelenkt hätten. Ebenso erzielte das II. US-Korps an der Küste wenig Geländegewinne. Nur das französische Korps unter Juin, das zwischen diesen beiden lag, hatte mit vier Divisionen eine einzige feindliche gegen sich und machte in den Bergen jenseits des Garigliano, wo die Deutschen keinen ernsthaften Angriff erwartet hatten, recht schnelle Fortschritte. Am 14. brachen die Franzosen in das Ausente-Tal ein, und die deutsche 71. Division begann schnell vor ihnen zurückzuweichen. Dies half dem amerikanischen II. Korps, das jetzt entlang der Küstenstraße schneller die deutsche 94. Division zurückdräng te. Zudem waren diese beiden deutschen Divisionen jetzt auf Rückzugsstraßen, die durch die fast wegelosen Auruncui-Berge voneinander getrennt waren. Juin erfaßte die Chance und schickte seine berggewohnten marokkanischen Goums – etwa eine Division unter Guillaume – in die Lücke über die Berge hinweg, um die rückwärtige Hitler-Linie im Liri-Tal zu durchstoßen, bevor sie richtig besetzt werden konnte.

Die deutsche rechte Flanke, ihr westlicher Flügel, war jetzt im Zusammenbruch, und die Hoffnungen auf eine Neuformation waren auch dadurch schlechter, daß ihr fähiger Kommandeur von Senger gerade auf einem Lehrgang war, als die alliierte Offensive begann. Auch zögerte Kesselring diesmal, Reserven nach Süden zu entsenden, ehe er sehen konnte, wie sich die Lage im Norden entwickelte, und erst am 13. wurde eine deutsche Division nach Süden zum Liri-Tal verlegt. Obwohl drei weitere bald folgten, wurden sie sogleich in den Wirbelsturm der Schlacht hineingezogen und kamen zu spät, um die Front zu stabilisieren. Die Deutschen im Abschnitt Cassino hielten noch einige Tage aus, obwohl das kanadische Korps am 15. zur Verstärkung des Durchbruchs hinzugezogen wurde; aber in der Nacht zum 17. zogen sich diese unverwüstlichen deutschen Fallschirmjäger endlich zurück, und die Polen betraten die langerstrebten Ruinen des Klosters am nächsten Morgen — bei ihren tapferen Kämpfen hatten sie 4000 Mann verloren.

Da der größte Teil der spärlichen deutschen Reserven endlich nach Süden abgezogen worden war, war die Zeit gekommen für einen sorgfältig geplanten Ausbruch aus dem Brückenkopf von Anzio, der jetzt durch eine weitere US-Division, die 36., verstärkt worden war. Alexander, der den Ausbruch für den 23. Mai befahl, hoffte auf einen kräftigen und schnellen Vormarsch nach Valmontone, um die Nationalstraße 6, die wichtigste Straße im Landesinnern, und damit das Gros der deutschen Armee an der Gustav-Linie abzuschneiden. Wenn dies erreicht war, sollte Rom wie ein reifer Apfel fallen. Doch die Chancen des Planes wurden beeinträchtigt durch Mark Clarks abweichende Absichten und seinen Wunsch, daß die Truppen der 5. Armee als erste in Rom einziehen sollten. Die amerikanische 1. Panzer- und 3. Infanterie-Division erreichten am 25. nach einem Vormarsch von 20 Kilometern Cori, jenseits der Küstenstraße 7, aber noch weit von der Straße Nr. 6 entfernt; dort vereinigten sie sich mit dem II. Korps, das entlang der Straße Nr. 7 nach Norden vorrückte. Kesselrings einzige noch vorhandene bewegliche Division, die Division Hermann Göring, wurde dorthin befohlen, um den Vorstoß abzufangen, und wurde von alliierten Luftangriffen arg bedrängt. Doch dann schwenkte Mark Clark auf einen direkten Vormarsch nach Rom mit vier Divisionen ein, während nur eine einzige den Vormarsch nach Valmontone fortsetzen durfte — und diese wurde 5 Kilometer vor der Straße Nr. 6 von dem Gros der drei deutschen Divisionen aufgehalten.

Auch Alexanders Appell an Churchill erreichte nicht, daß die Richtung von Mark Clarks Vorstoß geändert wurde, und dieser wurde verlangsamt durch den deutschen Widerstand an der »Caesar-Linie« knapp südlich von Rom. Zudem hatten die Panzerdivisionen der 8. Armee festgestellt, daß nach dem Durchbruch ihr Vormarsch im Liri-Tal nicht so leicht war wie gehofft; es glückte ihnen nicht, die zurückweichende deutsche 10. Armee gegen das Rückgrat des Apenninen-Höhenzuges zu drängen. Vielmehr konnten sich die Deutschen auf schmalen Bergstraßen in Sicherheit zurückziehen, wobei ihr Ausweichen durch das Ausbleiben jeder Intervention seitens der alliierten Truppen bei Anzio erleichtert wurde. Einige Tage lang schienen die Deutschen sogar eine Chance zu haben, ihre Front an der »Caesar-Linie« wieder zu stabilisieren, weil unter Führung von Sengers im Abschnitt Arce-Ceprano der Straße Nr. 6 zäher Widerstand geleistet wurde und weil der Nachschub für die Panzerdivisionen auf der überfüllten Straße nur langsam und schwerfällig vorwärts kam.

Die düstere Aussicht auf einen neuen toten Punkt verschwand aber nach dem Erfolg der 36. US-Division, die am 30. Mai Velletri an der Straße Nr. 7 in den Albaner Bergen nahm und die »Caesar-Linie« durchstieß. Um diesen Erfolg auszunutzen, befahl Mark Clark eine große Offensive der ganzen 5. Armee, bei der sein 2. Korps Valmontone nahm und auf der Straße Nr. 6 nach Rom vorrückte, während das Gros seines VI. Korps den Vormarsch auf der Straße Nr. 7 deckte. Unter dem Druck von elf Divisionen wurden die relativ schwachen deutschen Kräfte, die den Zugang nach Rom deckten, zum Abzug gezwungen, und die Amerikaner zogen am 4. Juni in die Stadt ein. Alle Brücken waren dort noch intakt, da Kesselring Rom zu einer »offenen Stadt« erklärt hatte, um nicht ihre Zerstörung in einem längeren Kampf zu riskieren.

Zwei Tage später, am 6. Juni, begann die alliierte Invasion in der Normandie, und der italienische Feldzug trat in den Hintergrund. Ihre Frühjahrsoffensive in Italien, »Operation Diadem«, hatte die Amerikaner bis zu ihrer Krönung durch die Einnahme Roms 18 000 Mann, die Briten 14 000 und die Franzosen 10 000 an Verlusten gekostet. Die Deutschen hatten etwa 10 000 Tote und Verwundete verloren, aber insgesamt 20 000 waren in alliierte Gefangenschaft geraten.

Wenn man die beiderseitige Stärke vergleicht – 30 alliierte Divisionen auf diesem Kriegsschauplatz gegen 22 deutsche und eine Truppenstärke von etwa 2:1 –, dann hatte sich die alliierte Offensive in Italien nicht als eine gute strategische Investition erwiesen. Sie erleichterte auch nicht die Invasion in der Normandie, indem sie deutsche Truppen von dort abzog. Ja, es »gelang ihr nicht einmal, den Feind an der Verstärkung in Nordwesteuropa zu hindern«: Die deutsche Truppenstärke in Frankreich nördlich der Loire, in Belgien und den Niederlanden erhöhte sich von 35 Divisionen Anfang 1944 auf 41 im Juni, als die alliierte Invasion erfolgte.

Man kann nur dies für den strategischen Effekt des Italien-Feldzuges als Hilfe für die Landung in der Normandie anführen, daß ohne diesen Feldzug die deutsche Truppenstärke an der Kanalfront noch mehr hätte erhöht werden können. Die Zahl der alliierten Invasionstruppen am Kanal war begrenzt durch die Zahl der zur Verfügung stehenden Landefahrzeuge, so daß die alliierten Truppen in Italien im entscheidenden Anfangsstadium die Invasion ohnehin nicht hätten verstärken können. Andererseits hätte der Einsatz der in Italien gebundenen deutschen Kräfte für die Landung in der Normandie tödlich sein können. Dies ist ein zutreffendes Argument, das seltsamerweise viele britische Verteidiger des Italien-Feldzuges nicht angeführt haben, weil sie zuviel beweisen wollten. Freilich ist auch dieses Argument in Frage gestellt durch den Zweck, ob wirklich angesichts der massiven alliierten Bombardierung der Eisenbahnlinien eine große deutsche Truppenbewegung in die Normandie möglich gewesen wäre.

In der politischen Sphäre war das wichtigste Ereignis in diesem Raum die Abdankung König Victor Emmanuels zugunsten seines Sohnes und die Ablösung Marschall Badoglios als Ministerpräsident durch den antifaschistischen Politiker Bonomi.

Für die alliierten Armeen in Italien war das Nachspiel zu der langersehnten Einnahme von Rom sehr enttäuschend, teils wegen Entscheidungen auf höherer Ebene und teils wegen militärischer Gegenzüge der Deutschen.

Obwohl Maidland Wilson die amerikanische Ansicht akzeptiert hatte, daß »Anvil«, obwohl aufgeschoben, die wirkungsvollste Operation war, die das Mittelmeer-Oberkommando machen konnte, um deutsche Divisionen von Nordfrankreich abzuziehen und so der Invasion in der Normandie zu helfen, hatte Alexander eine andere Ansicht. Am 6. Juni, zwei Tage nach dem Einzug in Rom, entwickelte er seinen Plan für die Fortführung von »Diadem«. Er meinte, wenn seine Streitkräfte intakt blieben, würden sie die deutsche »Goten-Linie« nördlich von Florenz bis zum 15. August angreifen können — dem gleichen Datum, das Wilson für »Anvil« festgesetzt hatte — und dann durch diese Linie durchbrechen, wenn Hitler sie nicht mit mindestens acht Divisionen verstärken würde. Danach, so glaubte er, würde er bald ganz Norditalien überrennen können und gute Aussichten haben, durch die sogenannte »Laibacher Pforte« nach Österreich vorzudringen. Dies war eine erstaunlich optimistische Einschätzung der Möglichkeit, die verschiedenen gebirgigen Hindernisse auf dem Weg zwischen Venetien und Wien schnell zu überwinden — um so erstaunlicher angesichts der wiederholten Rückschläge, welche die Italiener dort im Ersten Weltkrieg schon im ersten Stadium erlitten hatten.

Dennoch gefiel dieser Plan Churchill und den britischen Stabschefs, insbesondere Alan Brooke, als Alternative zu den schweren Verlusten und möglicherweise der Katastrophe, die sie in der Normandie befürchteten. Bei der Befürwortung dieses Planes hatte Alexander ein besseres Argument, wenn er auf die moralische Wirkung hinwies, die es haben müßte, wenn seine Truppen von der großen Bedeutung des Italien-Feldzuges überzeugt wären.

Die amerikanischen Stabschefs, an ihrer Spitze General Marshall, widersetzten sich dieser fragwürdigen Ausweitung der Offensive in Italien; aber es gelang Alexander, Wilson zu seiner Ansicht zu bekehren. Dann intervenierte jedoch Eisenhower zugunsten von »Anvil«. Wieder einmal wurden Churchill und Roosevelt in den Streit hineingezogen. Am 2. Juli mußten die Briten nachgeben, und Wilson erhielt den Befehl, »Anvil« — das jetzt bescheidener »Dragoon« (Drache) umgetauft wurde — am 15. August zu starten. Diese Entscheidung bedeutete den Abzug des VI. US-Korps mit seinen drei Divisionen und dann des französischen Korps mit vier Divisionen aus Italien — das letztere war natürlich froh, an der Befreiung des französischen Heimatlandes mitzuwirken. Die 5. Armee wurde dadurch auf fünf Divisionen reduziert, und die ganze Heeresgruppe verlor etwa 70 Prozent ihrer Luftunterstützung.

Unterdessen bemühten sich Kesselring und seine Leute mit Erfolg, die Alliierten an der Ausnutzung ihres Teilsieges zu hindern.

Die deutschen Verluste im Verlauf von »Diadem« waren schwer: Vier Infanteriedivisionen mußten in Ruhestellung zurückgezogen werden, und weitere sieben waren arg dezimiert worden. Aber vier neue Divisionen waren unterwegs, dazu ein schweres Panzerregiment. Den größten Teil dieser Verstärkungen erhielt die 14. Armee, welche die leichteren Vormarschstraßen abdeckte. Kesselrings Plan war, den alliierten Vormarsch im Laufe des Sommers durch eine Reihe von hinhaltenden Manövern zu verlangsamen und sich im Winter auf die starke Goten-Linie zurückzuziehen. Etwa 130 Kilometer nördlich von Rom gab es eine natürliche Verteidigungslinie am Trasimenischen See, einst dem Schauplatz von Hannibals geschicktestem Hinterhalt; sie bot eine passende Stellung für den ersten Widerstand. Geschickte Sprengungen durch die deutschen Pioniere sollten helfen, den alliierten Vormarsch zu verlangsamen.

Dieser Vormarsch begann am 5. Juni, am Tag nachdem die Amerikaner in Rom eingezogen waren. Aber zu der Zeit, da er am gefährlichsten hätte sein können, wurde er nicht sehr energisch durchgeführt. Dann übernahmen die Franzosen die Führung im Abschnitt der 5. Armee; das britische XIII. Korps rückte gleichzeitig auf den Nationalstraßen Nr. 3 und 4 landeinwärts vor, stieß aber auf zunehmend härteren Widerstand und wurde an der trasimenischen Linie zum Stehen gebracht, ebenso wie der Vormarsch auf anderen Abschnitten. So hatte Kesselring knapp 14 Tage nach dem Rückzug aus Rom seine zeitweilig sehr gefährliche Situation wieder stabilisiert.

Außerdem hatte das OKW ihm mitgeteilt, daß er vier weitere Divisionen erhielt, die ursprünglich für die russische Front bestimmt waren, und außerdem frisch eingezogene Rekruten zur Auffüllung seiner angeschlagenen Divisionen – das Ganze zusätzlich zu den vier neuen Divisionen und dem einen schweren Panzerregiment, die bereits auf dem Weg zu ihm waren. Es war eine Ironie, daß dieser große Zuwachs für Kesselrings Stärke zu gleicher Zeit erfolgte, als Alexander vor die deprimierende Tatsache gestellt wurde, sieben seiner Divisionen, den größeren Teil seiner Luftwaffe und einen großen Teil der logistischen Organisation der alliierten Heeresgruppe in Italien abgeben zu müssen.

Kesselring hatte sich als ein sehr fähiger Befehlshaber erwiesen, und er wurde jetzt auch vom Glück belohnt. Er hatte beschlossen, an einer sehr günstigen natürlichen Verteidigungslinie Widerstand zu leisten, gerade als die den ersten Erfolg ausnutzende alliierte Operation an Schwung verlor.

So waren die zwei Sommermonate nach dem 20. Juni für Alexanders Armeen eine Zeit der Rückschläge und Enttäuschungen. Geländegewinne wurden nur gelegentlich gemacht und waren niemals entscheidend, die Gefechte waren eine Reihe von isolierten Aktionen zwischen einzelnen alliierten und deutschen Verbänden, wobei die Deutschen die Taktik verfolgten, eine Position so lange zu halten, bis das ihnen gegenüberstehende alliierte Korps sich zu einem massiven Angriff anschickte, und dann unbemerkt zur nächsten Widerstandslinie zurückzugehen.

Nach Abschluß von Kesselrings Umgruppierung seiner Kräfte stand das XIV. Panzerkorps an der Westküste dem II. US-Korps gegenüber, das I. Fallschirmjägerkorps dem französischen Korps (das noch nicht für »Anvil« abgezogen war), das LXXVI. Panzerkorps dem XIII. und X. britischen Korps, während das LI. Gebirgsjägerkorps an der Adriaküste dem polnischen II. Korps gegenüberstand.

Anfang Juli stießen die Alliierten im Mittelabschnitt, von schlechtem Wetter behindert, endlich durch die trasimenische Linie, wurden aber ein paar Tage später wieder an der Arezzo-Linie zum Stehen gebracht. Am 15. Juli räumten die Deutschen diese Linie und zogen sich allmählich auf die Arno-Linie, von Pisa über Florenz ostwärts, zurück. Hier wurden die alliierten Armeen zu einem längeren Halt gezwungen, während ihr Ziel, die Goten-Linie, nur wenig dahinter verlief. Eine Entschädigung für ihren Mißerfolg war die Einnahme von Ancona durch die Polen am 18. Juli und von Livorno durch die Amerikaner am 19., wodurch ihre Nachschublinien verkürzt wurden.

Angesichts des Wunsches der Briten, insbesondere Churchills und Alexanders, den Italien-Feldzug trotz mehrfacher Enttäuschungen und verminderter Kräfte fortzusetzen, wurden Pläne für eine große Herbstoffensive gegen die Goten-Linie ausgearbeitet. Man hoffte, eine solche Offensive hätte immer noch Wert dadurch, daß sie deutsche Kräfte von den wichtigeren Kriegsschauplätzen abzog, oder umgekehrt, daß ein deutscher Zusammenbruch an der Westfront auch zu einem Rückzug aus Italien führen und so Alexanders Streitkräfte in die Lage versetzen würde, in Norditalien durchzubrechen und bis Triest oder gar bis Wien vorzustoßen.

Der erste Plan für einen Angriff auf die Goten-Linie, von Alexanders Stabschef Harding und seinen Offizieren ausgearbeitet, beruhte auf dem Gedanken eines überraschenden Durchbruchs durch das Zentrum der deutschen Front in den Apenninen. Aber am 4. August überredete Oliver Leese, der Befehlshaber der 8. Armee, Alexander zu einem anderen Plan. Dieser beruhte darauf, die 8. Armee heimlich an die Adriaküste zurückzuverlegen; dort sollte sie in Richtung Rimini durchbrechen. Nachdem Kesselrings Aufmerksamkeit so auf die Adriaküste gelenkt war, sollte die 5. Armee am linken Abschnitt des Zentrums in Richtung Bologna vorstoßen. Dann, wenn Kesselring sich gegen diesen neuen Angriff gewandt habe, sollte die 8. Armee wieder vorstoßen und in die Lombardische Tiefebene einbrechen, wo ihre Panzer bessere Einsatzmöglichkeiten haben würden als jemals seit der Landung in Italien.

Trotz seiner schwierigen logistischen Probleme war dieser neue Plan um so besser, als die Aussichten des ersten vermindert worden waren durch den Abzug der Franzosen mit ihren gut ausgebildeten Gebirgstruppen. Leese glaubte auch, die 5. und 8. Armee würden mehr Erfolg haben, wenn sie nicht das gleiche Angriffsziel hätten. Alexander stimmte bald diesen Argumenten zu und akzeptierte den neuen Plan, der den Namen »Operation Olive« erhielt.

Doch der Plan hatte Nachteile, die sich nach Beginn der Operation herausstellten. Wenn auch die 8. Armee nicht länger eine Reihe von Gebirgsketten vor sich hatte, so hatte sie jetzt eine Reihe von Flüssen zu überqueren, die ihren Vormarsch verlangsamen mußten. Im Gegensatz dazu hatte Kesselring jetzt eine gute Querverbindung zur Verschiebung seiner Streitkräfte: die Nationalstraße Nr. 9 von Rimini nach Westen bis Bologna. Auch scheinen die Planer allzu optimistisch die Fortdauer des trockenen Wetters einkalkuliert zu haben. Jedenfalls war das Gelände nördlich von Rimini zwar flach, aber weit entfernt, für einen schnellen Vormarsch von Panzern geeignet zu sein.

Alexanders Offensive hatte am 25. August, zehn Tage später als zuerst geplant, einen guten Start. Die Deutschen wurden wieder überrascht, da die Verlegung des britischen V. Korps mit fünf Divisionen und des kanadischen I. Korps mit zwei Divisionen in Bereitschaftsstellungen hinter dem polnischen II. Korps nicht entdeckt worden war (das britische X. Korps deckte weiter den gebirgigen Abschnitt im Zentrum, während das XIII. Korps weiter westlich verlegt wurde, um den bevorstehenden Angriff der 5. Armee zu unterstützen).

Nur zwei Divisionen geringerer Kampfkraft, freilich unterstützt durch die 1. Fallschirmjägerdivision, hielten den Adria-Abschnitt – die deutsche Truppenbewegung ging damals mehr von Osten nach Westen. Der Vormarsch des polnischen Korps an der Adria regte die Deutschen wenig auf, und erst am 29. August, nach vier Tagen des Vormarsches aller drei alliierten Korps auf breiter Front, bei dem sie rund 16 Kilometer weiter, von Metauro bis zum Foglia-Fluß, gelangt waren, begannen die Deutschen zu reagieren. Bis zum nächsten Tag waren Teile von zwei weiteren Divisionen auf dem Kampfplatz erschienen; aber sie kamen zu spät, um die Alliierten zu hindern, am 2. September die Linie des Conca-Flusses, etwa elf Kilometer weiter, zu erreichen.

Doch dann begann der Schwung der 8. Armee zu erlahmen. Der entscheidende Kampf fand am 4. September an der Coriano-Bergkette hinter der Ausa – zwei Flußbetten weiter – statt. Hier kam der britische Vormarsch zum Stehen. Unterdessen erhielten die Deutschen einige Verstärkungen, und am 6. September kam schwerer Regen ihnen zu Hilfe.

Kesselring hatte einen Rückzug seiner anderen Divisionen auf die Goten-Linie befohlen; dies hatte seine Front verkürzt und einige seiner Truppen für den Adria-Abschnitt frei gemacht. Dieser teilweise Rückzug ermöglichte die Überquerung des Arno, so daß die 5. Armee jetzt losschlagen konnte. Vom 10. September an griffen das II. US- und das XIII. britische Korps die schwach besetzten, aber hartnäckig verteidigten deutschen Stellungen an, und eine Woche später brachen sie durch den Il-Gioga-Paß nördlich von Florenz. Wieder scheint Kesselring überrascht worden zu sein; daß dies eine größere Offensive war, erkannte er erst am 20., zehn Tage nach Beginn, als zwei neue Divisionen auf diesem Abschnitt ankamen. Dann aber stieß die amerikanische 88. Infanteriedivision vor, um Bologna von Osten anzugreifen. Doch selbst dann, obwohl sie die Goten-Linie und ihre rückwärtige Schlüsselstellung am Monte Bataglia verloren hatten, waren die Deutschen noch in der Lage, den alliierten Angriff aufzuhalten. Ende September kehrte Mark Clark zu dem Plan eines direkteren Angriffs auf Bologna zurück.

Unterdessen stieß die 8. Armee an der Adriaküste immer noch auf Schwierigkeiten. Vom 17. September an standen Teile von zehn deutschen Divisionen an diesem Abschnitt und verlangsamten den alliierten Vormarsch. Wenn auch die Kanadier am 21. Rimini und damit die Poebene erreichten, konnten sich die Deutschen auf eine neue Verteidigungslinie zurückziehen: den Uso-Fluß, den historischen Rubicon. Vor dem Po waren noch 13 Flüsse in dieser flachen und von Wasserstraßen durchzogenen Gegend zu überqueren, und bisher waren bei der Operation fast 500 Panzer vernichtet oder fahrunfähig gemacht worden, während viele Infanterieeinheiten zu bloßen Gerippen eingeschrumpft waren. Daher konnten die Deutschen jetzt einen großen Teil ihrer Kräfte der 5. Armee entgegenwerfen.

Am 2. Oktober begann Mark Clarks neue Offensive auf Bologna, diesmal entlang der Nationalstraße Nr. 65. Alle vier Divisionen seines II. Korps wurden eingesetzt, aber die deutschen Verteidiger kämpften so hartnäckig, daß die Amerikaner in den nächsten drei Wochen im Durchschnitt nicht mehr als eine Meile am Tag vorwärts kamen. Am 27. Oktober wurde die Offensive abgeblasen. Ende Oktober war der Vormarsch der 8. Armee ebenfalls erlahmt, nachdem nur fünf weitere Flüsse überquert wurden – und der Po war noch 80 Kilometer entfernt!

In der jetzt folgenden stillen Zeit erfolgten einige Kommandowechsel. Kesselring wurde durch einen Autounfall schwer verletzt und durch Vietinghoff ersetzt. McCreery löste Leese, der nach Burma versetzt wurde, im Oberbefehl der 8. Armee ab. Ende November wurde Maidland Wilson nach Washington versetzt; sein Nachfolger wurde Alexander, während Mark Clark die ganze Heeresgruppe in Italien übernahm.

Die alliierte Situation Ende 1944 war sehr enttäuschend im Vergleich zu den großen Hoffnungen im Frühjahr und Sommer. Wenn auch Alexander immer noch Optimismus in bezug auf einen Vormarsch nach Österreich an den Tag legte, so ließ das langsame Heraufkriechen im italienischen Stiefel solche weit entfernten Perspektiven immer unrealistischer erscheinen. Maidland Wilson selbst gab dies in seinem Bericht an die britischen Stabschefs vom 22. November zu. Der fehlende Glaube an den Sieg und die Unzufriedenheit bei den alliierten Truppen äußerte sich in einer wachsenden Zahl von Desertionen.

Die letzte alliierte Offensive des Jahres suchte Bologna und Ravenna als Winterquartiere zu erobern. Die Kanadier in der 8. Armee nahmen am 4. Dezember Ravenna ein, und ihr Erfolg veranlaßte die Deutschen, drei neue Divisionen der 8. Armee entgegenzustellen. Dies schien der 5. Armee bessere Aussichten zu eröffnen. Doch ihr kam ein feindlicher Gegenangriff im Senio-Tal am 26. Dezember zuvor – der von Mussolini in dem Gedanken, Hitlers Ardennen-Offensive nachzuahmen, angeregt und großenteils von faschistischen italienischen Verbänden ausgeführt wurde. Dieser Angriff wurde zwar bald zum Stehen gebracht; doch die 8. Armee war jetzt erschöpft und litt an Munitionsmangel, während die Deutschen, wie man wußte, bei Bologna noch starke Reserven hatten. So entschied Alexander, daß die alliierten Armeen zur Defensive übergehen und sich auf eine mächtige Frühjahrsoffensive vorbereiten sollten.

Ein weiterer Dämpfer für die auf den Italien-Feldzug gesetzten Hoffnungen war der Beschluß der Vereinigten Stabschefs, fünf weitere Divisionen aus Italien an die Westfront zu verlegen, um die Alliierten für ihre Frühjahrsoffensive nach Deutschland hinein zu verstärken. Infolge dieses Beschlusses wurde das kanadische Korps mit zwei Divisionen dorthin verlegt, doch die anderen drei Divisionen durften schließlich in Italien bleiben.

KAPITEL 31

DIE BEFREIUNG FRANKREICHS

Vor ihrem Beginn sah die Invasion in der Normandie wie ein höchst riskantes Abenteuer aus. Die alliierten Truppen mußten an einer Küste landen, die der Feind schon vier Jahre besetzt hielt und die er genügend Zeit hatte zu befestigen, mit Hindernissen zu bestücken und mit Minen zu besäen. Zu ihrer Verteidigung hatten die Deutschen 58 Divisionen im Westen, davon zehn Panzerdivisionen, die einen raschen Gegenschlag führen konnten.

Die Alliierten hatten jetzt gewaltige Streitkräfte in England zusammengezogen; aber ihre Einsatzfähigkeit war begrenzt durch die Tatsache, daß sie erst das Meer überqueren mußten, also praktisch durch die Zahl der verfügbaren Landefahrzeuge. In der ersten Operation zur See konnten sie nur sechs Divisionen an Land setzen, dazu drei auf dem Luftweg, und eine Woche würde vergehen, bevor sie die Zahl ihrer Truppen an der Küste verdoppeln könnten.

So bestand Grund, skeptisch zu sein über die Aussichten, die Verteidigungslinie zu überwinden, die Hitler den »Atlantikwall« nannte — ein furchterregender Name —, und das Risiko nicht allzu gering einzuschätzen, wieder ins Meer zurückgeworfen zu werden.

Und doch wurden schließlich die ersten Landeköpfe schon bald zu einem großen, 130 Kilometer breiten Brückenkopf erweitert. Es gelang dem Feind nicht, einen einzigen gefährlichen Gegenangriff zu führen, ehe die alliierten Streitkräfte aus dem Brückenkopf ausbrachen. Dieser Ausbruch wiederum erfolgte genau in der Form und an dem Ort, wie Feldmarschall Montgomery es von Anfang an geplant hatte. Dann brach die ganze deutsche Position in Frankreich schnell zusammen.

Wenn man zurückblickt, erscheint also der ganze Verlauf der Invasion wundervoll glatt und sicher. Doch der Anschein täuscht. Es war eine Operation, die zwar schließlich nach Plan verlief, aber nicht nach Zeitplan. Anfangs war die Spanne zwischen Erfolg und

Mißerfolg nur klein, und der schließliche Triumph hat in Vergessenheit geraten lassen, daß die Alliierten anfangs in großer Gefahr schwebten und nur mit Mühe davonkamen.

Die landläufige Vorstellung, die Invasion sei leicht und glatt verlaufen, wurde noch gefördert durch Montgomerys späteren Ausspruch, daß »die Schlacht genauso geschlagen wurde, wie es vor der Invasion geplant war«, ferner dadurch, daß die alliierten Armeen in 90 Tagen die Seine erreichten – die Linie, die bei der Planung im April auf der Landkarte als die Linie »D + 90« bezeichnet worden war.

Es war »Montys« Art, zu reden, als ob jede von ihm geleitete Operation stets genauso verlaufen wäre, wie er beabsichtigte, mit der Sicherheit und Präzision einer Maschine – oder der göttlichen Vorsehung. Diese seine Eigenart hat seine Fähigkeit verdunkelt, sich schnell den Umständen anzupassen, und ihn so, in einer Ironie des Schicksals, der Anerkennung beraubt, die er für seine Kombination von Beweglichkeit und entschlossener Führung verdient hätte.

Nach dem ursprünglichen Plan sollte Caen am ersten Tag der Landung, dem 6. Juni, genommen werden. Der Start war gut, und die Küstenverteidigung war schon um 9 Uhr vormittags überrannt. Aber Montgomerys Schilderung verheimlichte, daß der Vormarsch zu Lande auf Caen erst am Nachmittag begann. Dies lag zum Teil an einer unentwirrbaren Verkehrsstauung an der Küste, aber auch an der übermäßigen Vorsicht der Befehlshaber an Ort und Stelle – zu einem Zeitpunkt, da fast niemand da war, sie zu hindern. Als die Alliierten schließlich nach Caen, der Schlüsselstellung des Invasionsraumes, vorrückten, kam eine deutsche Panzerdivision – die einzige in dem ganzen Invasionsraum – an dem Schauplatz an und verursachte den ersten Stillstand. Eine zweite Panzerdivision kam am nächsten Tag, und über ein Monat verging, bevor Caen endlich nach vielen schweren Kämpfen genommen wurde.

Montgomerys ursprünglicher Plan sah ferner vor, daß auf dem britischen rechten Flügel ein Panzerverband sofort landeinwärts bis Villers-Bocage, 32 Kilometer von der Küste, vorstoßen und

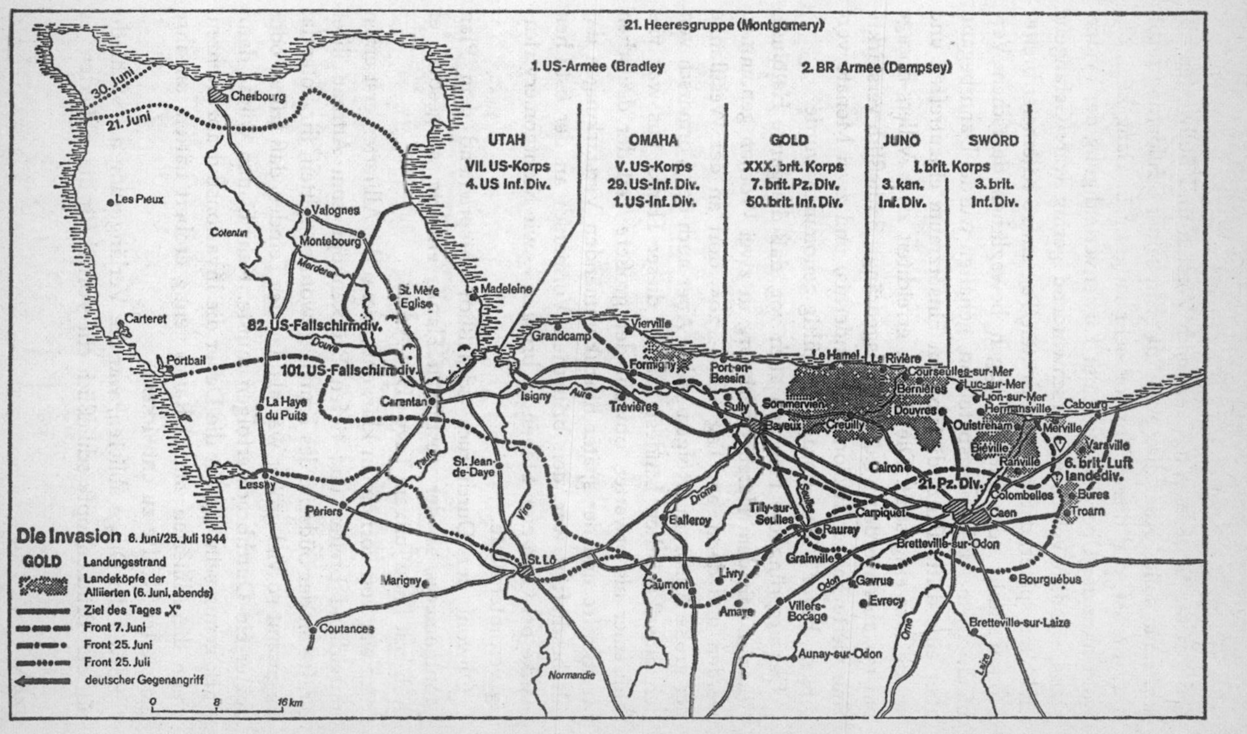

21. Heeresgruppe (Montgomery)
1. US-Armee (Bradley
2. BR Armee (Dempsey)
UTAH
VII. US-Korps
4. US Inf. Div.
OMAHA
V. US-Korps
29. US-Inf. Div.
1. US-Inf. Div.
GOLD
XXX. brit. Korps
7. brit. Pz. Div.
50. brit. Inf. Div.
JUNO
SWORD
I. brit. Korps
3. kan. Inf. Div.
3. brit. Inf. Div.
30. Juni
21. Juni
Cherbourg
Les Pieux
Cotentin
Valognes
Montebourg
Merderet
St. Mère Eglise
La Madeleine
Carteret
82. US-Fallschirmdiv.
Douve
Portbail
101. US-Fallschirmdiv.
La Haye du Puits
Carentan
Isigny
Aure
Trévières
Grandcamp
Vierville
Formigny
Port-en-Bessin
Sully
Sommervieu
Bayeux
Creully
Le Hamel
La Rivière
Courseulles-sur-Mer
Bernières
Luc-sur-Mer
Lion-sur-Mer
Douvres
Hermanville
Cabourg
Ouistreham
Merville
Varaville
Bieville
Ranville
6. brit. Luft landediv.
Cairon
21. Pz. Div.
Colombelles
Bures
Troarn
Caen
Carpiquet
Tilly-sur-Seulles
Seulles
Rauray
Bretteville-sur-Odon
Grainville
Balleroy
Drome
St. Jean-de-Daye
Taute
Vire
Lessay
Périers
St. Lô
Marigny
Caumont
Livry
Amaye
Villers-Bocage
Odon
Gavrus
Evrecy
Bourguébus
Orne
Bretteville-sur-Laize
Laize
Aunay-sur-Odon
Coutances
Normandie
Die Invasion 6. Juni/25. Juli 1944
GOLD Landungsstrand
Landeköpfe der Alliierten (6. Juni, abends)
Ziel des Tages „X"
Front 7. Juni
Front 25. Juni
Front 25. Juli
deutscher Gegenangriff
0
8
16 km

dadurch die Straßen von Caen nach Westen und Südwesten abschneiden sollte. Aber dies erwähnt er in seiner Schilderung nicht. Tatsache ist, daß dieser Vorstoß sehr langsam in Gang kam, obwohl nach der Überwältigung der Küstenverteidigung der Widerstand westlich von Caen verschwindend gering war: Gefangene erzählten später, daß bis zum dritten Tag ein 16 Kilometer breiter Frontabschnitt von einem einzigen beweglichen deutschen Verband, einem Aufklärungsbataillon, gehalten wurde. Dann begann aber eine dritte Panzerdivision im Einsatzraum einzutreffen und wurde hier eingesetzt. Die Briten erreichten zwar Villers-Bocage am 13., aber wurden wieder herausgedrängt. Schließlich verstärkte eine vierte Panzerdivision das Hindernis, und zwei Monate vergingen, bevor Villers-Bocage endgültig genommen wurde.

Der ursprüngliche Plan sah auch vor, daß die ganze Halbinsel Cotentin mit dem Hafen Cherbourg in zwei Wochen genommen werden und dann, am Tag »D + 20«, dort an der Westflanke der große Ausbruch erfolgen sollte. Aber auch der Vormarsch von den amerikanischen Landestellen an dieser Flanke aus war viel langsamer als erwartet, obwohl der größere Teil der deutschen Streitkräfte und der später hinzukommenden Verstärkungen damit beschäftigt war, den britischen Vormarsch an der östlichen Flanke bei Caen zum Stehen zu bringen – wie Montgomery richtig vermutet hatte.

Obwohl der Durchbruch schließlich entsprechend dem Plan Montgomerys an der westlichen Flanke erfolgte, so geschah er doch erst Ende Juli, am Tage »D + 56«.

Es war von vornherein klar, daß, wenn die Alliierten erst einen hinreichend breiten und tiefen Brückenkopf zum Aufbau ihrer Kräfte an der Südseite des Kanals gewonnen hätten, ihr Potential insgesamt so viel größer war als das des Feindes, daß früher oder später ein Durchbruch erfolgen mußte. Kein Damm würde dann stark genug sein, um für die Dauer die Invasionsflut abzuwehren, wenn die Alliierten einmal Raum genug erobert hätten, um ihre massierten Kräfte zu entwickeln.

So wie die Dinge abliefen, war die Verlängerung der »Schlacht um den Brückenkopf« schließlich ein Vorteil für die Alliierten. Es war das sprichwörtliche »Glück im Unglück«. Denn so wurde das Gros der deutschen Streitkräfte im Westen dorthin gelenkt; aber sie kamen nur kleckerweise an, wegen Meinungsverschiedenheiten im deutschen Oberkommando und wegen ständiger Behinderung durch die den Luftraum beherrschende alliierte Luftwaffe. Die Panzerdivisionen, die zuerst ankamen und benutzt wurden, Löcher zu stopfen, wurden auch zuerst überrannt – der Feind verlor dadurch seinen beweglichen Arm, den er brauchte, als es zum Kampf im offenen Gelände kam. Gerade die Zähigkeit des Widerstandes, die den Durchbruch der Alliierten so lange verzögerte, verschaffte ihnen freie Bahn durch ganz Frankreich, nachdem sie einmal durchgebrochen waren.

Die Alliierten hätten keine Chance gehabt, sich jemals an der Küste festzusetzen, hätten sie nicht die absolute Luftüberlegenheit besessen. Sie verdankten viel der Unterstützung ihrer Schiffsgeschütze; aber der entscheidende Faktor war die lähmende Wirkung der von Air Chief Marshal Tedder, Eisenhowers Stellvertreter als Oberstem Befehlshaber, geleiteten alliierten Luftwaffe.

Durch die Zerstörung der meisten Brücken über die Seine im Osten und über die Loire im Süden verwandelten sie die Normandie in eine strategisch isolierte Zone. Die deutschen Reserven mußten lange Umwege machen und wurden auf ihrem Marsch ständig behindert, so daß sie endlose Verzögerungen in Kauf nehmen mußten und nur tröpfchenweise eintrafen.

Doch fast ebensoviel verdankten die Alliierten den Meinungsverschiedenheiten auf deutscher Seite – zwischen Hitler und seinen Generalen und zwischen den Generalen selbst.

Von Anfang an war es das größte Handicap der Deutschen, daß sie fast 5000 Kilometer Küste abdecken mußten – von Holland über sämtliche Küsten Frankreichs bis zur französisch-italienischen Grenze. Von ihren 58 Divisionen war die Hälfte kaum beweglich und fest an einzelne Abschnitte der langen Küste gebunden. Doch die andere Hälfte waren Felddivisionen, und von diesen waren die zehn Panzerdivisionen höchst beweglich. Dies verschaffte dem Feind die Möglichkeit, eine überwältigende Überlegenheit an einem Abschnitt zu konzentrieren, um die Invasoren ins Meer zurückzuwerfen, ehe sie sich festsetzten und für eine Vertreibung zu stark wurden.

Am Tag »X« gelang es der einzigen Panzerdivision, die in der Normandie und in der Nähe der alliierten Landeplätze stand, Montgomerys Plan der Einnahme von Caen am gleichen Tag zu vereiteln. Ein Teil der Division durchstieß sogar die britische Front und fuhr bis zur Küste durch; aber der Keil war zu schmal, um eine größere Wirkung zu haben. Wenn aber auch nur die drei Panzerdivisionen, die bis zum vierten Tag am Schauplatz angelangt waren, am »Tag X« zur Verfügung gestanden hätten und hätten eingreifen dürfen, dann hätten die alliierten Landeköpfe beseitigt werden können, bevor sie sich vereinigt und konsolidiert hatten. Doch ein solcher starker und schneller Gegenschlag wurde vereitelt durch die Uneinigkeit im deutschen Oberkommando sowohl über den wahrscheinlichen Ort der Invasion als auch über die beste Methode, ihr zu begegnen.

Vor dem großen Ereignis war Hitlers Intuition bei der Abschätzung der vermutlichen Landestelle richtiger als die Berechnung seiner Generale. Nach der Landung jedoch nahmen seine ständige Einmischung und seine rigorosen Befehle den Generalen die Möglichkeit, die Situation wiederherzustellen, und führten schließlich zur Katastrophe.

Generalfeldmarschall von Rundstedt, der Oberbefehlshaber im Westen, glaubte, die Invasion werde an der schmalsten Stelle des Ärmelkanals, zwischen Calais und Dieppe, stattfinden. Seine Ansicht beruhte auf der Überzeugung, daß dies vom Standpunkt der Alliierten die richtigste Strategie wäre, und sie wurde durch den Mangel an Informationen bestärkt. Denn keine wichtigen Meldungen sickerten durch aus der schweigsamen Insel, wo sich die Invasionsarmeen versammelten.

Rundstedts Stabschef General Blumentritt berichtete später im Verhör, wie arg der deutsche Nachrichtendienst getäuscht worden war:

»Sehr wenig zuverlässige Nachrichten kamen aus England. Die Abwehr gab uns Berichte, wo, in großen Zügen, die britischen und amerikanischen Streitkräfte sich in Südengland versammelten – es gab eine kleine Zahl deutscher Agenten in England, die ihre Beobachtungen durch Funk wiedergaben[1]. Aber sie stellten darüber hinaus sehr wenig fest ... Nichts von dem, was wir erfuhren, gab uns einen klaren Schlüssel, wo die Invasion tatsächlich stattfinden würde.«

Hitler jedoch hatte eine Art Vorahnung in bezug auf die Normandie. Seit März sandte er seinen Generalen wiederholt Warnungen über die Möglichkeit einer Landung zwischen Caen und Cherbourg. Wie kam er zu dieser Schlußfolgerung, die sich als richtig herausstellte? General Warlimont, der zu seinem Stab gehörte, sagte, er sei darauf gekommen durch dic allgemeine Aufstellung der Truppen in England – mit den Amerikanern im Südwesten – zusammen mit seiner Annahme, daß die Alliierten so früh wie möglich einen großen Hafen zu nehmen versuchen würden und Cherbourg für ihre Zwecke der geeignetste war. Seine Schlußfolgerung wurde bestärkt durch Agentenberichte über eine große Invasionsübung in der Grafschaft Devon, wo die Truppen auf einem Streifen flacher und offener Küste an Land gingen, die der Küste der Normandie ähnlich war.

Rommel, der die Truppen an der Kanalküste befehligte, kam zu derselben Ansicht wie Hitler. In den letzten Monaten bemühte er sich fieberhaft, die Anlage von Unterwasserhindernissen, bombensicheren Bunkern und von Minenfeldern zu beschleunigen, und bis zum Juni waren diese in der Tat viel dichter als im Frühjahr. Aber zum Glück für die Alliierten hatte er weder Zeit noch Material genug, um die Verteidigung der Normandie auf den gewünschten Stand zu bringen oder auch nur auf den Stand der Verteidigung östlich der Seine.

Rommel stand auch im Gegensatz zu Rundstedt in bezug auf die beste Methode, der Invasion zu begegnen. Rundstedt baute auf einen Plan, die Alliierten nach der Landung durch eine mächtige Gegenoffensive zu vernichten. Rommel meinte, dies wäre dann zu spät angesichts der alliierten Luftherrschaft, die es dem Gegner ermögliche, die Konzentration deutscher Reserven für eine solche Gegenoffensive zu hindern. Er meinte, die beste Chance

1 Dies wurde durch keinerlei andere Nachrichten bestätigt.

wäre, die Invasoren an der Küste selbst zu schlagen, noch ehe sie richtig gelandet seien. Rommels Stab berichtete: »Er (Rommel) war stark beeinflußt durch die Erinnerung daran, wie er in Afrika für viele Tage an der Küste festgenagelt worden war durch eine Luftwaffe, die nicht annähernd so stark war wie die, mit der er jetzt rechnen mußte.«

Der tatsächlich vereinbarte Plan war dann ein Kompromiß zwischen diesen verschiedenen Vorstellungen und »fiel daher zwischen beide Stühle«. Schlimmer noch: Hitler bestand darauf, die Kämpfe von dem entfernten Berchtesgaden aus zu lenken, und behielt sich den Einsatz von Reserven vor.

Rommel hatte nur eine einzige Panzerdivision in der Normandie zur Verfügung, und er hatte diese dicht hinter Caen aufgestellt. So glaubte er die Briten dort am Tag »X« aufhalten zu können. Aber er bat vergebens um eine zweite, die er bei St. Lo aufstellen wollte, dicht an der Küste, wo dann die Amerikaner landeten.

Am Tage »X« selbst vergingen auf deutscher Seite wertvolle Stunden mit internen Meinungsverschiedenheiten. Der nächstliegende verfügbare Teil der allgemeinen Reserven war das 1. SS-Panzerkorps, das nordwestlich von Paris lag. Aber Rundstedt durfte es nicht bewegen ohne Erlaubnis des Führerhauptquartiers. Blumentritt berichtete:

> »Um vier Uhr morgens rief ich im Auftrag Feldmarschall von Rundstedt das Hauptquartier an und bat um die Freigabe des Korps, um Rommel zu stärken. Aber Jodl lehnte im Namen Hitlers ab. Er bezweifelte, daß die Landung in der Normandie mehr sei als ein Täuschungsmanöver, und war sicher, daß eine zweite Landung östlich der Seine erfolgen würde. Der Kampf der Argumente dauerte den ganzen Tag bis vier Uhr nachmittags, als das Korps uns endlich zur Verfügung gestellt wurde.«

Zwei andere entscheidende Faktoren am Tag der Landung waren, daß Hitler selbst erst am späten Vormittag davon erfuhr und daß Rommel ausgeschaltet war. Ohne diese beiden Faktoren hätte die deutsche Gegenaktion schneller und stärker sein können.

Hitler hatte ebenso wie Churchill die Gewohnheit, bis lange

nach Mitternacht aufzubleiben – was sehr ermüdend war für seinen Stab, der nicht so lange ausschlafen konnte, aber dafür oft noch schläfrig war, wenn er am Vormittag seine Dienstgeschäfte erledigte. Jodl, der nicht gern Hitlers Vormittagsschlaf stören wollte, nahm es auf sich, Rundstedts Hilferuf nach Freigabe der Reserven abzulehnen.

Die Reserven wären vielleicht doch eher freigegeben worden, wenn nicht Rommel gerade von der Normandie abwesend gewesen wäre. Denn im Gegensatz zu Rundstedt rief er oft Hitler direkt an und hatte immer noch mehr Einfluß auf ihn als jeder andere General. Aber Rommel hatte am Tag vorher sein Hauptquartier zu einer Reise nach Deutschland verlassen. Da starker Wind und Seegang die Invasion im Augenblick unwahrscheinlich zu machen schien, wollte er einen Besuch bei Hitler, mit dem Ersuchen um mehr Panzerdivisionen für die Normandie, mit einem Besuch zum Geburtstag seiner Frau in seinem Heim bei Ulm verbinden. Am frühen Morgen des nächsten Tages, bevor er seine Reise fortsetzte, erfuhr er durch einen Telefonanruf vom Beginn der Invasion. Doch er kam erst am Abend in sein Hauptquartier zurück, und da hatte der Gegner an der Küste schon festen Fuß gefaßt.

Auch der Armeebefehlshaber in diesem Teil der Normandie war abwesend – er leitete eine Übung in der Bretagne. Der Befehlshaber des Panzerkorps, das in Reserve lag, war gerade in Belgien. Ein anderer wichtiger Kommandeur, so heißt es, war abwesend, weil er die Nacht mit einem Mädchen verbrachte. Eisenhowers Entscheidung, trotz der rauhen See die Landung durchzuführen, erwies sich also als ein großer Vorteil für die Alliierten.

Ein seltsamer Zug der folgenden Wochen war, daß Hitler zwar den Ort der Landung richtig vermutet hatte, aber nach ihrem Beginn von dem Gedanken besessen war, dies sei nur ein Vorspiel zu einer zweiten und größeren Landung östlich der Seine. Daher gab er nur zögernd Reserven aus jenem Abschnitt für die Normandie frei. Dieser Glaube an eine zweite Landung ging zurück auf die grobe Überschätzung der Zahl der auf der anderen Seite des Kanals noch verfügbaren Divisionen durch die deutsche Abwehr. Diese Überschätzung war wiederum zum Teil der Erfolg eines britischen Täuschungsmanövers; aber sie war andererseits ein Beweis dafür, wie sehr Großbritannien für Spionage unzugänglich war.

Als die ersten Gegenzüge scheiterten und offenkundig den weiteren Aufbau der alliierten Streitkräfte im Brückenkopf nicht hinderten, erkannten Rundstedt und Rommel bald, daß es hoffnungslos war, an einer so weit westlichen Linie festzuhalten. Blumentritt berichtete:

»In seiner Verzweiflung bat Feldmarschall von Rundstedt Hitler, zu einem persönlichen Gespräch nach Frankreich zu kommen. Er und Rommel trafen Hitler in Soissons am 17. Juni und versuchten, ihm die Situation begreiflich zu machen ... Aber Hitler bestand darauf, es dürfe keinen Rückzug geben: ›Sie müssen stehen, wo Sie sind.‹ Er war nicht einmal damit einverstanden, uns mehr Freiheit als bisher in der Bewegung unserer Truppen nach unserem Dafürhalten zu geben ... Da er seine Befehle nicht ändern wollte, mußten die Truppen weiterhin an ihrer bröckelnden Linie festhalten. Es gab keinen Plan mehr. Wir versuchten lediglich, ohne wirkliche Hoffnung, Hitlers Befehl nachzukommen, daß die Linie Caen—Avranches unter allen Umständen gehalten werden müsse.«

Hitler fegte die Warnungen der Feldmarschälle beiseite, indem er ihnen versicherte, die neue V-Waffe, die fliegende Bombe, werde bald eine entscheidende Wirkung auf den Kriegsverlauf haben. Die Feldmarschälle schlugen dann vor, wenn diese Waffe so wirkungsvoll sei, dann solle man sie gegen die Invasionsküste richten — oder, wenn dies technisch zu schwierig sei, gegen die Invasionshäfen in Südengland. Hitler aber bestand darauf, die Beschießung müsse auf London konzentriert werden, »um die Engländer zum Frieden zu bekehren«.

Doch die fliegenden Bomben hatten nicht die von Hitler erhoffte Wirkung, während der alliierte Druck in der Normandie immer stärker wurde. Als er eines Tages am Telefon von Hitlers Hauptquartier gefragt wurde »Was sollen wir denn tun?«, antwortete Rundstedt: »Schluß machen mit dem Krieg! Was sonst können wir tun?« Hitlers Antwort war, Rundstedt abzulösen und durch Kluge zu ersetzen, der bisher an der Ostfront war.

»Feldmarschall von Kluge war ein robuster und aggressiver Soldatentyp«, bemerkte Blumentritt: »Anfangs war er sehr optimistisch und zuversichtlich, wie alle neuernannten Befehlshaber... Aber innerhalb weniger Tage wurde er nüchtern und ruhig. Hitler gefiel der veränderte Ton seiner Berichte gar nicht.«

Am 17. Juli wurde Rommel schwer verletzt, als sich sein Wagen nach einem Angriff durch alliierte Tiefflieger überschlug. Dann kam drei Tage später, am 20. Juli, der Versuch, Hitler in seinem Hauptquartier in Ostpreußen zu töten. Die Bombe der Verschwörer verfehlte ihr Hauptziel, aber ihre »Schockwelle« hatte furchtbare Auswirkungen auf die Schlacht im Westen zu diesem kritischen Zeitpunkt. Blumentritt erinnert sich:

»Als die Gestapo die Verschwörung untersuchte... fand sie Dokumente, in denen Feldmarschall von Kluges Name erwähnt wurde; dadurch kam er in schweren Verdacht. Ein anderer Zufall ließ die Dinge noch schlimmer erscheinen: Kurz nach General Pattons Durchbruch aus der Normandie, während der entscheidenden Schlacht von Avranches, war von Kluge über zwölf Stunden lang ohne Verbindung mit seinem Hauptquartier. Der Grund war, daß er zur Front gefahren und dort in ein schweres Artilleriefeuer hineingeraten war... In der Zwischenzeit erlitten wir ein schweres ›Bombardement‹ im Rücken: Die lange Abwesenheit des Feldmarschalls erregte sofort, angesichts der gefundenen Dokumente, Hitlers Argwohn... Hitler vermutete, der Feldmarschall sei deshalb an die Front gefahren, um mit den Alliierten Kontakt aufzunehmen und eine Kapitulation auszuhandeln. Seine schließliche Rückkehr beruhigte Hitler nicht. Von diesem Tag an waren Hitlers Befehle brüsk und oft beleidigend im Ton. Der Feldmarschall wurde sehr unruhig. Er fürchtete, jederzeit verhaftet zu werden – und erkannte gleichzeitig mehr und mehr, daß er seine Loyalität nicht durch einen Erfolg auf dem Schlachtfeld beweisen könne.

All dies beeinträchtigte erheblich jede noch verbliebene Chance, die Alliierten am Durchbruch zu hindern. In den kritischen

Tagen widmete Feldmarschall von Kluge nur einen Teil seiner Aufmerksamkeit dem Geschehen an der Front. Er blickte ständig besorgt nach hinten, zum Führerhauptquartier.

Er war nicht der einzige General, der wegen Beteiligung an der Verschwörung gegen Hitler Sorgen hatte. Angst durchdrang und lähmte in den folgenden Wochen und Monaten die höheren Kommandostäbe.«

Am 25. Juli begann die amerikanische 1. Armee eine neue Offensive, die »Operation Cobra«, während die frisch gelandete 3. Armee General Pattons bereitstand, ihr zu folgen. Die letzten deutschen Reserven waren schon eingesetzt worden, um die Briten zum Stehen zu bringen. Am 31. durchbrach die amerikanische Panzerspitze bei Avranches die Front; durch die Lücke hindurchströmend überfluteten Pattons Panzer schnell das offene Gelände dahinter. Auf Befehl Hitlers wurden die Überreste der Panzerverbände zusammengerafft zu einem verzweifelten Versuch, die Lücke bei Avranches zu stopfen. Der Versuch scheiterte – worauf Hitler sarkastisch bemerkte: »Er scheiterte nur, weil Kluge keinen Erfolg wollte.« Alles, was von den deutschen Armeen noch übriggeblieben war, versuchte jetzt der Falle zu entkommen, in die man durch Hitlers Verbot jedes rechtzeitigen Rückzuges geraten war. Ein großer Teil der deutschen Truppen wurde in der »Tasche von Falaise« gefangen, die Entkommenen mußten beim Übergang über die Seine den größten Teil ihrer schweren Waffen und ihrer Ausrüstung zurücklassen.

Kluge wurde dann seines Kommandos enthoben. Auf der Fahrt nach Deutschland fand man ihn tot in seinem Wagen: Er hatte eine Giftkapsel geschluckt; wie sein Stabschef erklärte, fürchtete er, er würde in der Heimat sofort von der Gestapo verhaftet werden.

Doch nicht nur auf deutscher Seite gab es stürmische Meinungsverschiedenheiten innerhalb des Oberkommandos. Zum Glück hatten sie auf der alliierten Seite keine so schweren Auswirkungen auf den Kampf oder auf einzelne Personen, wenn sie auch Mißstimmungen hinterließen, die sich später unangenehm bemerkbar machten.

Der größte Streit hinter den Kulissen entstand anläßlich eines Beinahe-Durchbruchs der Briten zwei Wochen bevor die Amerikaner die Front bei Avranches aufrissen. Dieser britische Vorstoß, durch die 2. Armee unter Dempsey, geschah am entgegengesetzten Ende östlich von Caen.

Es war der massierteste Panzerangriff des ganzen Feldzuges, ausgeführt von drei auf engem Raum konzentrierten Panzerdivisionen. Sie waren heimlich in dem kleinen Brückenkopf jenseits der Orne zusammengezogen worden und brachen dort am Morgen des 18. Juli aus, nachdem ein gewaltiger Bombenteppich von 2000 schweren und mittleren Bombern zwei Stunden lang abgeworfen worden war. Die Deutschen an diesem Abschnitt waren wie vor den Kopf geschlagen, und die meisten Gefangenen waren von dem Lärm der Explosionen so benommen, daß sie erst 24 Stunden später verhört werden konnten.

Doch die deutsche Verteidigung war tiefer gestaffelt, als der britische Nachrichtendienst gedacht hatte. Rommel, der einen solchen Angriff erwartete, hatte die Verteidigung dort verstärkt – bis er am Vorabend des Angriffs selbst von britischen Tieffliegern getroffen wurde, in der Nähe eines Dorfes, das sinnigerweise Sainte Foy de Montgommery hieß. Außerdem hatte der Feind die unablässigen Panzergeräusche gehört, als die britischen Fahrzeuge in der Nacht ostwärts fuhren. Der deutsche Korpskommandeur Sepp Dietrich erklärte, er habe diese Geräusche aus über sechs Kilometer Entfernung trotz ablenkender Geräusche hören können, indem er sein Ohr auf den Boden legte – ein Trick, den er in Rußland gelernt habe.

Die brillanten Anfangsaussichten verblaßten schon bald, nachdem man durch die ersten Verteidigungsringe durchgebrochen war. Die Panzerdivision an der Spitze fuhr sich an den feindlichen Stützpunkten in den Dörfern fest, statt sie zu umgehen. Die anderen wurden aufgehalten durch die Überfüllung auf den Straßen, als sie aus dem schmalen Brückenkopf herauskommen wollten, und die Spitze war schon zum Stehen gebracht, bevor die nachfolgenden Verbände auf dem Schauplatz eintrafen. Schon am Nachmittag war die große Gelegenheit verpaßt.

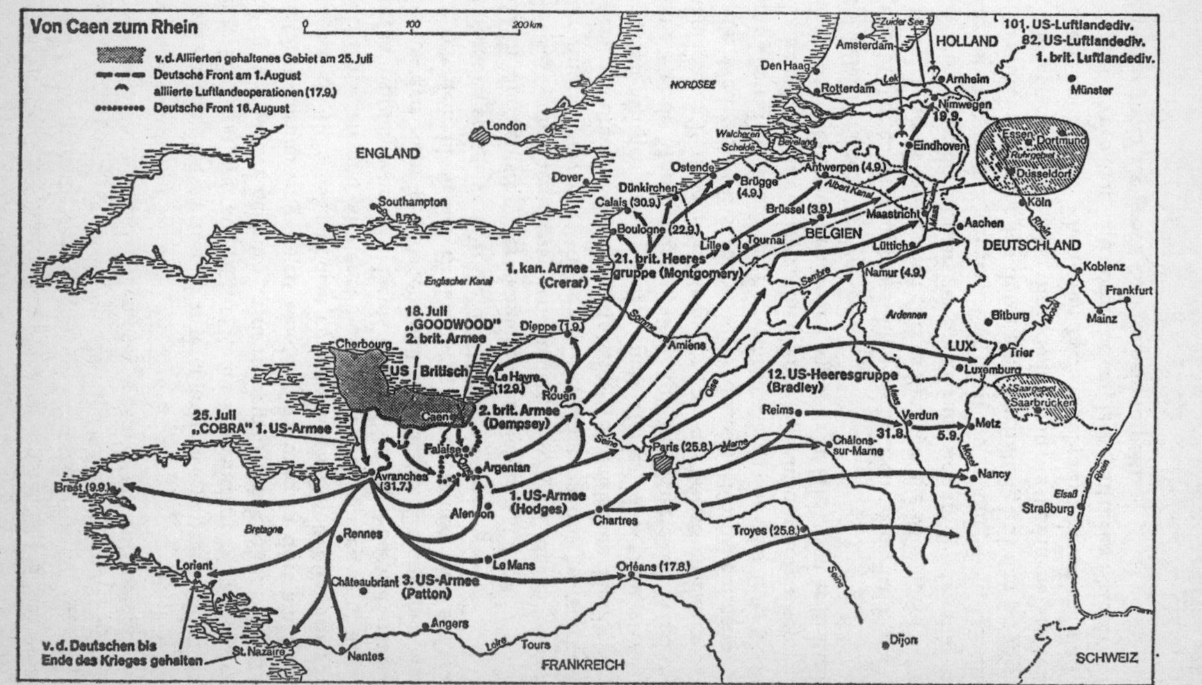

Von Caen zum Rhein
0
100
200 km
v.d. Alliierten gehaltenes Gebiet am 25. Juli
Deutsche Front am 1. August
alliierte Luftlandeoperationen (17.9.)
Deutsche Front 16. August
101. US-Luftlandediv.
82. US-Luftlandediv.
1. brit. Luftlandediv.
ENGLAND
London
Dover
Southampton
Englischer Kanal
NORDSEE
HOLLAND
Zuider See
Amsterdam
Den Haag
Rotterdam
Lek
Arnheim
Nimwegen
19.9.
Eindhoven
Münster
Essen
Dortmund
Ruhrgebiet
Düsseldorf
Köln
Rhein
Walcheren
Schelde
Beveland
Ostende
Brügge (4.9.)
Antwerpen (4.9.)
Albert Kanal
Dünkirchen
Calais (30.9.)
Boulogne (22.9.)
Brüssel (3.9.)
Maastricht
Maas
Aachen
BELGIEN
Lille
Tournai
Lüttich
DEUTSCHLAND
Koblenz
Frankfurt
Mainz
1. kan. Armee (Crerar)
21. brit. Heeresgruppe (Montgomery)
Sambre
Namur (4.9.)
Ardennen
Bitburg
Mosel
18. Juli „GOODWOOD“ 2. brit. Armee
Dieppe (1.9.)
Somme
Amiens
LUX.
Trier
Luxemburg
Cherbourg
US
Britisch
Le Havre (12.9.)
Rouen
12. US-Heeresgruppe (Bradley)
Oise
Saargebiet
Saarbrücken
25. Juli „COBRA“ 1. US-Armee
Caen
2. brit. Armee (Dempsey)
Reims
Verdun
31.8.
5.9.
Metz
Falaise
Seine
Paris (25.8.)
Marne
Châlons-sur-Marne
Argentan
Orne
Avranches (31.7.)
Brest (9.9.)
Nancy
1. US-Armee (Hodges)
Alençon
Chartres
Elsaß
Straßburg
Bretagne
Rennes
Troyes (25.8.)
Le Mans
Lorient
Orléans (17.8.)
Châteaubriant
3. US-Armee (Patton)
Angers
v.d. Deutschen bis Ende des Krieges gehalten
St. Nazaire
Nantes
Loire
Tours
Dijon
FRANKREICH
SCHWEIZ

Dieser Mißerfolg ist lange vom Schleier des Geheimnisses umgeben worden. Eisenhower erwähnt ihn in seinem Bericht als einen geplanten »Durchbruch« und einen »Vorstoß in Richtung auf das Seine-Becken und Paris«. Aber alle britischen Kriegsgeschichten erklären, auf dieser Flanke sei niemals ein Durchbruch geplant gewesen, und man habe keineswegs so weitreichende Ziele gehabt. Sie folgen der Erzählung Montgomerys, der beteuert, diese Operation sei lediglich ein »Positionskampf« gewesen, dazu bestimmt, zur Unterstützung des bevorstehenden amerikanischen Durchbruchs eine »Drohung« zu schaffen, und zweitens, »um Gelände zu gewinnen, auf dem größere Verbände sich bereitstellen könnten, um nach Süden und Südosten vorzustoßen, sobald die Amerikaner nach Osten ausbrachen«. Eisenhower übergeht in seinen Erinnerungen nach dem Krieg diese Episode taktvoll, während Churchill sie nur ganz knapp erwähnt.

Aber jeder, der damals hinter den Kulissen stand, merkte den heftigen Sturm, der sich erhoben hatte. Die Luftwaffenbefehlshaber, besonders Tedder, waren wütend. Ihre Stimmung wird enthüllt in dem Tagebuch von Eisenhowers Marine-Verbindungsoffizier Captain Butcher: »Gegen Abend rief Tedder Ike an und sagte, Monty habe praktisch seine Panzer gestoppt. Ike war wütend.« Nach Butcher rief Tedder am Tag darauf Eisenhower wieder von London aus an und berichtete, die britischen Stabschefs seien bereit, Montgomery abzulösen, wenn dies verlangt werde; freilich wird dies von Tedder in seiner eigenen Darstellung bestritten.

Es war natürlich, daß auf Montgomerys Seite die unmittelbare Reaktion auf solche Beschwerden die war, jeden Gedanken an einen Durchbruch an seiner Flanke zu bestreiten. Diese Behauptung wurde bald zu einem Glaubenssatz erhoben und ist seitdem von allen Kriegsgeschichtsschreibern ohne Bedenken akzeptiert worden. Sie stimmte aber nicht überein mit dem Codenamen, den man diesem Angriff gegeben hatte – »Operation Goodwood« nach dem bekannten englischen Rennplatz; auch nicht mit dem Ausdruck »durchgebrochen«, den Montgomery in seiner ersten Meldung über den Angriff am 18. gebrauchte. Auch seine Bemerkung vom ersten Tag, er sei »mit dem gemachten Fortschritt sehr zufrieden«, scheint schwer zu vereinbaren mit dem Fehlen der Absicht eines ähnlichen Vorgehens am zweiten Tag. Und dies erbitterte die Luftwaffenbefehlshaber, die nicht bereit gewesen wären, ihre schweren Bombergeschwader für eine bloße Bodenoperation zur Verfügung zu stellen, die aber geglaubt hatten, das Ziel von »Goodwood« sei ein massierter Durchbruch.

Montgomerys spätere Behauptung war nur eine Halbwahrheit und tat ihm selbst unrecht. Er hatte vielleicht keinen Durchbruch an dieser Flanke geplant und nicht damit gerechnet; aber er wäre töricht gewesen, nicht die Möglichkeit eines deutschen Zusammenbruchs unter diesem schweren Schlag einzukalkulieren und gegebenenfalls ihn weiter auszunutzen.

Dempsey, der die 2. Armee befehligte, dachte auch, ein schneller Zusammenbruch sei wahrscheinlich, und hatte sich zum Hauptquartier des Panzerkorps begeben, um dort für weitere Operationen bereitzustehen: »Was mir vorschwebte, war die Einnahme aller Übergänge über die Orne zwischen Caen und Argentan« – dies sollte einen Sperrgürtel hinter dem Rücken der Deutschen schaffen und sie noch gründlicher in einer Falle festhalten als jeder amerikanische Durchbruch auf der westlichen Flanke. Dempseys Hoffnung auf einen totalen Durchbruch erfüllte sich beinahe in den Mittagsstunden des 17. Juli. Angesichts dieser Enthüllung dessen, was ihm vorschwebte, ist es amüsant, die vielen Behauptungen zu lesen, daß keineswegs der Versuch unternommen werden sollte, Falaise zu erreichen; denn Argentan als das geplante Ziel war fast doppelt so weit entfernt.

Dempsey selbst war klug genug zu erkennen, daß die Vereitelung seiner Hoffnungen letztlich zum Vorteil ausschlagen könnte. Als ein Offizier seines Stabes ihm nahelegte, gegen Pressekritik an dem Scheitern von »Goodwood« zu protestieren, antwortete er: »Regen Sie sich nicht auf – dies wird unseren Zwecken nützlich sein und sich als ein idealer Tarnungsplan herausstellen.« In der Tat verdankte der amerikanische Durchbruch an der entgegengesetzten Flanke viel der Tatsache, daß die Aufmerksamkeit des Feindes auf die Drohung eines Durchbruchs in der Nähe von Caen abgelenkt worden war.

Der Durchbruch bei Avranches am westlichen Ende enthielt aber keine so große unmittelbare Chance, die deutschen Streitkräfte abzuschneiden. Seine Erfolgsaussichten hingen davon ab, ob man eine sehr schnelle Schwenkung nach Osten machen konnte oder ob der Feind an seinen Positionen festhielt, bis er eingeschlossen werden könnte. Als dann am 31. Juli der Durchbruch bei Avranches erfolgte, lagen nur wenige verstreute deutsche Bataillone in dem 150 Kilometer breiten Korridor zwischen diesem Ort und der Loire. So hätten die amerikanischen Panzerspitzen ohne Widerstand nach Osten weiterfahren können. Doch das alliierte Oberkommando verscherzte sich die beste Chance, diese große Gelegenheit auszunutzen, indem es an dem inzwischen überholten, vor der Invasion aufgestellten Programm festhielt, nach dem ein Vorstoß nach Westen zur Eroberung der Bretagne der nächste Schritt sein solle[1].

Die Schwenkung zur Bretagne, um dort die Häfen zu nehmen, brachte keinen Nutzen. Denn die Deutschen in Brest hielten sich bis 19. September – 44 Tage, nachdem Patton vorzeitig die Einnahme gemeldet hatte –, während Lorient und St. Nazaire bis zum Ende des Krieges in der Hand des Feindes blieben.

1 Der Durchbruch bei Avranches wurde von der 4. US-Panzerdivision unter John S. Wood ausgeführt. Kurz vor der Invasion hatte ich zwei Tage mit ihm verbracht, und er hatte mich beeindruckt als einer von denen, die sich der Möglichkeiten weitgestreckter Panzeroperationen und der Bedeutung der Schnelligkeit mehr bewußt waren als jeder andere. Selbst Patton hatte damals in der Unterhaltung mit mir die an der Spitze vorherrschende Ansicht wiedergegeben, die Alliierten müßten »zu den Methoden von 1918 zurückkehren« und könnten nicht jene weitreichenden und schnellen Panzervorstöße nachahmen, welche die Deutschen, insbesondere Guderian und Rommel, im Jahr 1940 ausgeführt hatten.
Als er mir später erzählte, was nach dem Durchbruch geschehen ist, sagte Wood: »Bei unseren Spitzen bestand keine Konzeption weitreichender Panzeroperationen oder der nachschubmäßigen Versorgung solcher Vorstöße. Ich selbst unterstand noch der 5. Armee, und diese konnte nicht schnell genug reagieren. Als sie endlich reagierte, bestanden ihre Befehle darin, ihre beiden Panzerdivisionen an der Flanke um 180 Grad von dem eigentlichen Feind zurückzunehmen, damit sie die Belagerung von Lorient und Brest beginnen sollten. Der 4. August war somit ein schwarzer Tag. Ich protestierte lange laut und heftig – und stieß mit meinen Panzerverbänden ohne Befehl bis Châteaubriant und mit meinen Panzerspähwagen bis in die Umgebung von Angers die Loire aufwärts vor, bereit, nach Osten bis Chartres vorzustoßen. Ich hätte in zwei Tagen dort sein können, mitten im Herzen des Feindes. Aber nein, wir wurden gezwungen, an dem ursprünglichen Plan festzuhalten – und dabei hatten wir die einzigen verfügbaren Panzer, die bereit waren, den Feind in Stücke zu schlagen. Es war eine der unglaublich dummen Entscheidungen dieses Krieges.«

Es vergingen noch zwei Wochen, bis die amerikanischen Kräfte weit genug nach Osten vorstießen, um Argentan zu erreichen und den Anschluß an den britischen linken Flügel, der unterdessen schon kurz hinter Caen zum Stehen gebracht worden war, wiederzugewinnen. Dies verursachte neue gegenseitige Vorwürfe. Als Patton den Befehl erhielt, er dürfe nicht nach Norden fahren, um die Lücke zu schließen und die Rückzugsstraße der Deutschen abzuschneiden, weil sonst eine Kollision mit den Briten drohte, rief er ins Telefon: »Lassen Sie mich nach Falaise gehen, und wir werden die Briten in einem neuen Dünkirchen ins Meer zurückwerfen.«

Es ergibt sich daraus, daß die deutschen Truppen reichlich Zeit gehabt hätten, sich zur Seine zurückzuziehen und dort eine starke Verteidigungslinie aufzubauen, wenn nicht Hitlers hartnäckig stupide Befehle gewesen wären, es dürfe keinen Rückzug geben. Nur seine Torheit stellte die versäumten Gelegenheiten der Alliierten wieder her und ermöglichte ihnen, in diesem Herbst Frankreich zu befreien.

Der Krieg hätte leicht schon im September 1944 zu Ende sein können. Das Gros der deutschen Streitkräfte im Westen war in der Schlacht in der Normandie hineingeworfen und dort durch Hitlers »Kein-Rückzug«-Befehle festgehalten worden, bis sie zusammenbrachen – und ein großer Teil von ihnen wurde abgeschnitten und gefangengenommen. Die Trümmer der deutschen Streitkräfte waren vorerst zu weiterem Widerstand nicht imstande, und auf ihrem Rückzug – großenteils zu Fuß – wurden sie bald von den britischen und amerikanischen motorisierten Verbänden überholt. Als die Alliierten Anfang September nach einem schnellen Vormarsch aus der Normandie sich der deutschen Grenze näherten, gab es dort keinen organisierten Widerstand, der sie gehindert hätte, weiter mitten ins Herz Deutschlands zu fahren[1].

Am 3. September erreichte eine Panzerspitze der britischen 2.

1 Ich orientierte mich darüber unmittelbar nach dem Krieg, als ich die hauptsächlich beteiligten deutschen Generale befragte. General Blumentritt, damals Stabschef im Westen, beschrieb die Situation in einem einzigen Satz. »Hinter dem Rhein standen keine deutschen Kräfte, und Ende August war unsere Front bald aufgerissen.«

Armee, die Gardepanzerdivision, Brüssel nach einer 160 Kilometer langen Fahrt durch Belgien von ihrem morgendlichen Ausgangspunkt in Nordfrankreich aus. Am Tag darauf fuhr die 11. Panzerdivision, die im gleichen Tempo vorgeprescht war, bis Antwerpen und nahm dort die großen Docks unbeschädigt ein, ehe die überraschten deutschen Nachschubeinheiten dort die Möglichkeit zu irgendwelchen Sprengungen hatten. Am gleichen Tag nahmen die Panzerspitzen der amerikanischen 1. Armee Namur an der Maas.

Vier Tage vorher, am 31. August, hatten die Panzerspitzen von Pattons amerikanischer 3. Armee 150 Kilometer weiter südlich die Maas bei Verdun überschritten. Am nächsten Tag gelangten Panzervorposten ohne Widerstand entlang der Maas bis in die Nähe von Metz, 60 Kilometer weiter östlich. Dort waren sie kaum 50 Kilometer von dem großen Industriegebiet der Saar nahe der deutschen Grenze entfernt – und weniger als 150 Kilometer vom Rhein! Aber das Gros der Verbände konnte diesem Vorstoß zur Mosel nicht sofort nachfolgen, da ihm das Benzin ausgegangen war, und gelangte erst am 5. September zu dem Fluß. Bis dahin hatte der Feind aber fünf schwache Divisionen, sehr bescheiden mit Flak-Geschützen ausgerüstet, zusammengerafft, um die Mosel gegen die sechs starken amerikanischen Divisionen zu halten, welche die Spitze des Pattonschen Vorstoßes bildeten.

Unterdessen waren die Briten in Antwerpen angekommen, das ebenfalls weniger als 150 Kilometer vom Rhein bei dessen Eintritt in Deutschlands größtes Industriegebiet, das Ruhrgebiet, entfernt war. Wenn das Ruhrgebiet genommen war, dann konnte Hitler nicht weiter Krieg führen. Auf dieser Flanke bestand jetzt eine ungeheuer breite Lücke von über 150 Kilometern an der britischen Front. Keine deutschen Streitkräfte waren unmittelbar zur Hand, um sie auszufüllen. Selten gab es in einem Krieg eine so gute Gelegenheit.

Als die Nachricht von dieser Notlage Hitler in seinem weit entfernten Hauptquartier in Ostpreußen erreichte, rief er am Nachmittag des 4. September General Student, den Befehlshaber der Fallschirmtruppen, an, der gerade in Berlin war. Student erhielt den Befehl, sich der offenen Flanke von Antwerpen bis Maastricht anzunehmen und entlang dem Albert-Kanal eine Linie mit den Besatzungstruppen zu halten, die aus Holland zusammengekratzt werden konnten, wobei er gleichzeitig die verstreuten Fallschirmjägereinheiten, die in verschiedenen Teilen Deutschlands in Ausbildung standen, dorthin verlegen sollte. Diese Einheiten wurden mobilisiert, alarmiert und so schnell wie möglich ausgebildet. Die neuaufgestellten Einheiten erhielten ihre Waffen erst in ihren Einsatzstellungen und wurden dann sofort zur Kampflinie geführt. Doch all diese Fallschirmjägereinheiten betrugen zusammen nur etwa 18 000 Mann – kaum so viel wie eine alliierte Division.

Dieses groteske Sammelsurium wurde »1. Fallschirmjägerarmee« genannt – ein hochtrabender Name, der alle möglichen Mängel verdeckte. Polizisten, Matrosen, Rekonvaleszenten und Verwundete ebenso wie Jungens von nur 16 Jahren mußten die dünnen Reihen auffüllen helfen. Die Waffen waren äußerst knapp. Außerdem war der Albert-Kanal an seinem Nordufer nicht zur Verteidigung vorbereitet; es gab dort keine Befestigungen und keine Gräben.

Nach dem Krieg sagte General Student:

»Der plötzliche Vorstoß der britischen Panzer nach Antwerpen überraschte das Führerhauptquartier völlig. Zu diesem Zeitpunkt hatten wir keine nennenswerten verfügbaren Reserven, weder an der Westfront noch in Deutschland. Ich übernahm das Kommando des rechten Flügels der Westfront am Albert-Kanal am 4. September. Damals hatte ich nur Rekruten, Genesungseinheiten und eine Küstenverteidigungsdivision aus Holland zur Verfügung. Sie wurde von einem Panzerverband verstärkt – von nur 25 Panzern und Geschützen auf Selbstfahrlafetten.«

Zu dem Zeitpunkt hatten die Deutschen, wie die erbeuteten Dokumente enthüllen, kaum 100 einsatzbereite Panzer an der ganzen Westfront, gegenüber über 2000 der alliierten Panzerspitzen. Die Deutschen hatten auch nur 570 flugfähige Flugzeuge, während die britische und amerikanische Luftwaffe, die an der Westfront operierte, über 14 000 Maschinen umfaßte. Somit hatten die Alliierten eine effektive Überlegenheit von 20:1 in Panzern und 25:1 in Flugzeugen.

Aber gerade als der Endsieg in Reichweite zu sein schien, erlahmte der alliierte Vormarsch. In den nächsten zwei Wochen bis zum 17. September machten sie sehr geringe weitere Fortschritte.

Die britische Panzerspitze nahm nach einer Pause zum Ausruhen, Verproviantieren und Auftanken am 7. ihren Vorstoß wieder auf und schaffte bald den Übergang über den Albert-Kanal östlich von Antwerpen. Doch in den folgenden Tagen kam sie nur je 30 Kilometer weiter – bis zum Maas-Schelde-Kanal. Dieses sumpfige Heideland war von kleinen Bächen durchzogen, und die deutschen Fallschirmspringer, die mit verzweifeltem Mut kämpften, leisteten einen Widerstand, der in keinem Verhältnis zu ihrer geringen Zahl stand.

Die amerikanische 1. Armee zog mit der britischen Armee gleich, aber stieß nicht weiter vor. Der größere Teil von ihr gelangte bis zu dem befestigten Gürtel im Bergbaugebiet rund um Aachen – das in dem berühmten historischen Einfallstor nach Deutschland liegt. Dort rannten sich die Amerikaner fest und ließen sich alle weiteren Möglichkeiten entgehen: Als sie die deutsche Grenze erreichten, war der 130 Kilometer breite Abschnitt zwischen Aachen und Metz nur von acht feindlichen Bataillonen gedeckt, die in dem hügeligen bewaldeten Ardennengebiet verstreut waren. Die Deutschen hatten dieses unwegsame Gelände sehr wirksam für ihren überraschenden Panzervorstoß nach Frankreich im Jahr 1940 ausgenutzt. Indem sie den scheinbar leichteren Weg nach Deutschland wählten, stießen die Alliierten auf größere Schwierigkeiten.

Dies zeigte sich im Süden ebenso wie im Norden. Denn Pattons 3. Armee hatte schon am 5. September mit dem Übergang über die Mosel begonnen, aber war zwei Wochen später, ja, zwei Monate später noch nicht viel weitergekommen. Sie rannte sich fest bei dem Angriff auf die stark verteidigte Stadt Metz und benachbarte Punkte, wo die Deutschen schon von Anfang an etwas stärkere Kräfte konzentriert hatten.

Bis Mitte September hatten dann die Deutschen ihre Verteidigung an der ganzen Front verstärkt, vor allem am nördlichsten Abschnitt, der dem Ruhrgebiet vorgelagert war und wo die größte Lücke bestanden hatte. Das war um so bedauerlicher, da Montgomery jetzt einen anderen großen Vorstoß bis zum Rhein im Raum Arnheim am 17. September begonnen hatte. Hier plante er die neugebildete 1. alliierte Luftlandearmee abzusetzen, um den Weg für die britische 2. Armee freizukämpfen.

Dieser Vorstoß scheiterte, ehe er sein Ziel erreichte; ein großer Teil der britischen 1. Luftlandedivision, die bei Arnheim abgesetzt worden war, wurde dort abgeschnitten und zur Übergabe gezwungen — nach einem für seine Tapferkeit legendär gewordenen Versuch auszuhalten, bis sie entsetzt wurde. Der ganze nächste Monat wurde von der 1. US-Armee dazu benutzt, die Verteidigungslinie von Aachen zu überwinden, während Montgomery die kanadische 1. Armee heranführte, um die beiden verbliebenen deutschen »Taschen« — an der Küste östlich von Brügge und auf der Insel Walcheren — zu säubern. Diese beiden Taschen versperrten die Schelde-Durchfahrt bis Antwerpen und hatten so die Benutzung des Hafens zur Zeit der Arnheim-Operation verhindert. Die Säuberung dieser Taschen erwies sich als qualvoll langsamer Prozeß, der erst Anfang November abgeschlossen wurde.

In der Zwischenzeit machte der Aufbau der deutschen Kräfte an der Front entlang der Grenze schnellere Fortschritte als der der Alliierten, trotz der deutschen Unterlegenheit in bezug auf alle materiellen Hilfsquellen. Mitte November wurde von allen sechs alliierten Armeen an der Westfront eine große Offensive eröffnet. Sie brachte nur enttäuschend geringe Geländegewinne unter schweren Verlusten. Nur ganz im Süden, im Elsaß, erreichten die Alliierten den Rhein, und das war von geringer Bedeutung. Im Norden waren sie noch mindestens 50 Kilometer von dem Abschnitt des Stromes entfernt, der zwischen ihnen und dem Ruhrgebiet lag — diese Entfernung wurde erst im Frühjahr 1945 überwunden!

Der Preis, den die alliierten Armeen für die Anfang September versäumte Gelegenheit zahlten, war sehr hoch. Von ihren Gesamtverlusten bei der Befreiung Westeuropas von etwa drei Viertel

Millionen entfielen etwa eine halbe Million auf die Zeit nach dem September-Stillstand. Doch der Preis, den die ganze Welt zahlen mußte, war noch viel höher: Millionen starben noch im Felde oder in den deutschen Konzentrationslagern infolge dieser Verlängerung des Krieges. Und auf lange Sicht war es bedeutsam, daß im September 1944 die russische Flut noch nicht bis Mitteleuropa vorgedrungen war.

Was waren die Gründe für dieses in ihren Folgen so katastrophale Versäumnis? Die Briten haben die Amerikaner und die Amerikaner haben die Briten dafür getadelt. Schon Mitte August hatte zwischen ihnen ein Streit begonnen über den weiteren Verlauf des Feldzuges, nachdem die alliierten Armeen die Seine überquert haben würden.

Auf Grund des immer breiteren Stroms von Verstärkungen waren die alliierten Streitkräfte in der Normandie am 1. August in zwei Heeresgruppen zu je zwei Armeen aufgeteilt worden. Die 21. Heeresgruppe unter Montgomery umfaßte nur britische und kanadische Truppen, während die Amerikaner die 12. Heeresgruppe unter General Omar Bradley bildeten. Aber Eisenhower, der Oberste Befehlshaber, verfügte, daß Montgomery weiterhin den operativen Befehl und die »taktische Koordinierung« beider Heeresgruppen behalten solle, bis er selbst sein Hauptquartier auf den Kontinent verlegen würde – dies tat er am 1. September. Die Zwischenlösung, unklar definiert, ergab sich aus Eisenhowers verbindlicher Einstellung und dem Wunsch, Montgomerys Empfindlichkeit zu schonen, ebenso wie aus dem Respekt vor dessen größerer Erfahrung. Aber der gutgemeinte Kompromiß führte zu Reibungen, wie es so oft der Fall ist.

Am 17. August hatte Montgomery Bradley vorgeschlagen, »nach dem Übergang über die Seine sollen die 12. und die 21. Heeresgruppe weiterhin zusammen operieren, als eine feste Masse von 40 Divisionen, so stark, daß sie niemanden zu fürchten hätten. Diese Streitmacht soll nach Norden auf Antwerpen und Aachen vorrücken, mit der rechten Flanke in den Ardennen«. Die Formulierung dieses Vorschlages zeigt wohl, daß Montgomery noch nicht das ganze Ausmaß des feindlichen Zusammenbruches erkannt hatte, ebensowenig die Schwierigkeit des Nachschubes für eine solche »feste Masse«, es sei denn, sie bewege sich sehr langsam vorwärts.

Gleichzeitig hatte Bradley mit Patton den Gedanken eines östlichen Vorstoßes an der Saar vorbei bis zum Rhein südlich Frankfurt erörtert. Bradley dachte sich dies als den Hauptvorstoß und wollte beide amerikanische Armeen dafür einsetzen. Dies bedeutete die Beschränkung des nördlichen Vorstoßes auf eine zweitrangige Rolle und gefiel daher Montgomery nicht. Außerdem würde dies nicht direkt bis zum Ruhrgebiet führen.

Eisenhower war nun in der unangenehmen Lage, in der Mitte eines Tauziehens zwischen seinen beiden wichtigsten Unterführern zu stehen. Am 22. August erörterte er die beiden verschiedenen Vorschläge, und am nächsten Tag sprach er mit Montgomery, der die Wichtigkeit der Konzentration auf »einen großen Vorstoß« und der Massierung des Nachschubs auf diesen Vorstoß betonte. Dies hätte bedeutet, Pattons Vormarsch nach Osten zu stoppen, gerade als er mit voller Kraft voranging. Eisenhower wies auf die politischen Bedenken hin: »Die amerikanische Öffentlichkeit würde dies niemals billigen.« Immerhin hatten die Briten noch nicht den Unterlauf der Seine erreicht, während Pattons Vorstoß nach Osten sie schon weit über 150 Kilometer überholt hatte und bis auf 300 Kilometer an den Rhein herangekommen war.

Angesichts dieser widerstreitenden Argumente suchte Eisenhower eine annehmbare Kompromißlösung. Montgomerys nördlicher Vorstoß nach Belgien solle für den Augenblick Vorrang erhalten, und die amerikanische 1. Armee solle zusammen mit den Briten nach Norden vorrücken, um deren rechte Flanke zu decken, wie es Montgomery im Interesse seines Vormarsches gewünscht hatte. So lange sollte auch das Gros der verfügbaren Fahrzeuge und des Nachschubs für diesen nördlichen Vorstoß zur Verfügung gestellt werden, auf Kosten Pattons. Doch sobald Antwerpen gefallen sei, sollten die alliierten Armeen auf den vor der Invasion entworfenen Plan eines Vorstoßes bis zum Rhein »auf breiter Front nördlich und südlich der Ardennen« zurückkommen.

Keiner von Eisenhowers Unterführern schätzte diesen Kompromiß besonders; aber ihr Widerspruch war damals nicht so laut wie in den späteren Monaten und Jahren, als alle fühlten, daß man durch diese Entscheidung des schnellen Sieges verlustig gegangen war. Patton nannte dies »den schwerwiegendsten Irrtum des Krieges«.

Auf Eisenhowers Befehl wurde Pattons 3. Armee auf 2000 t Nachschub pro Tag beschränkt, während Hodges' 1. Armee 5000 t pro Tag erhielt. Bradley berichtet, Patton habe in seinem Hauptquartier »wie ein Stier gebrüllt« und gerufen: »Zur Hölle mit Hodges und Monty. Wir werden den verdammten Krieg gewinnen, wenn ihr die 3. Armee am Fahren haltet.« Er befahl seinem Spitzenkorps, ohne Rücksicht auf die Beschränkung des Nachschubs weiterzufahren, solange sie noch Benzin hätten, »und dann auszusteigen und zu Fuß weiterzugehen«. Der Vorstoß erreichte am 31. August die Maas, bevor das Benzin tatsächlich ausging. Am Tage davor hatte Pattons Armee nur 32 000 Galonen Benzin erhalten statt ihres laufenden täglichen Bedarfs von 400 000 Galonen, und man sagte ihm, er werde bis 3. September nichts mehr bekommen. Als er am 2. September mit Eisenhower in Chartres zusammentraf, sagte Patton wütend: »Meine Männer können ihre Ledergürtel essen, aber meine Panzer müssen Gas haben.«

Nach der Einnahme Antwerpens am 4. September erhielt Patton wieder den gleichen Anteil des Nachschubs wie die 1. Armee. Aber bei seinem östlichen Vorstoß zum Rhein stieß er jetzt auf viel härteren Widerstand und wurde bald an der Mosel zum Stehen gebracht. Dies veranlaßte ihn, sich noch heftiger darüber zu beklagen, daß er in der entscheidenden letzten Augustwoche zugunsten von Montgomerys Vorstoß an Benzin knappgehalten worden war. Er meinte, »Ike« habe die Harmonie der Strategie vorgezogen und die beste Chance eines schnellen Sieges versäumt durch seinen Wunsch, »Montys unersättlichen Appetit zu befriedigen«.

Andererseits hielt Montgomery Eisenhowers Plan eines Vorstoßes zum Rhein »auf breiter Front« für im Kern falsch, und er widersetzte sich jeder Abzweigung von Nachschub für Pattons Vorstoß nach Osten, solange das Schicksal seines eigenen nördlichen

Vorstoßes noch ungewiß war. Seine Beschwerden wurden naturgemäß noch heftiger, nachdem die Operation bei Arnheim gescheitert war und seine Hoffnungen nicht erfüllt hatte. Er glaubte, daß Pattons guter Draht zu Bradley und Bradleys zu Eisenhower bei diesem Tauziehen entscheidend gewesen sei und seinen eigenen Plan ruiniert habe.

Man kann gut Montgomerys Mißbilligung jeder Operation verstehen, die nicht direkt zu seinen Plänen paßte. Oberflächlich gesehen gibt es so gute Gründe für seine Beschwerden über Eisenhowers Entscheidung, mit zwei Heeressäulen vorzustoßen, daß die meisten britischen Kriegshistoriker diese als den Hauptgrund angesehen haben, weshalb damals der Sieg verpaßt wurde. Aber bei näherer Betrachtung stellt sich heraus, daß die Auswirkung dieser Entscheidung relativ gering war.

Denn tatsächlich erhielt Patton während der ganzen ersten Hälfte September im Durchschnitt nur 2500 t Nachschub pro Tag – nur 500 t mehr als in den Tagen, als seine Armee anhalten mußte. Dieser Unterschied war nur eine geringe Menge, verglichen mit der täglichen Zuteilung für die Armeen, die bei dem nördlichen Vorstoß beteiligt waren, und kaum ausreichend, um eine zusätzliche Division zu versorgen. Daher müssen wir nach den wirklichen Ursachen des Mißerfolgs tiefer forschen.

Ein schweres Handicap entstand durch den Plan, starke Luftlandetruppen bei Tournai, nahe der belgischen Grenze, zur Unterstützung der nördlichen Offensive abzusetzen. Die Landtruppen gelangten aber schon am 3. September dorthin, bevor die Luftlandung erfolgen sollte, und diese wurde daraufhin abgeblasen. Die Abzweigung von Transportflugzeugen für diese Operation bewirkte eine sechstägige Unterbrechung der Luftversorgung der vorrückenden Armeen, die diese 5000 t Nachschub kostete. Dies wäre gleichbedeutend gewesen mit 1½ Millionen Galonen Benzin – genug, um zwei Armeen ohne Pause bis zum Rhein fahren zu lassen, während sich der Feind noch in chaotischem Zustand befand.

Die Verantwortung für diesen überflüssigen und in seiner Wirkung so kostspieligen Luftlandeplan ist nicht leicht zu entscheiden. Seltsamerweise beanspruchen sowohl Eisenhower wie Montgomery in ihren Nachkriegs-Darstellungen die Vaterschaft. Eisenhower schreibt: »Es schien mir, daß sich eine gute Chance für einen nützlichen Luftlandeangriff im Raum Brüssel entwickelte, und obwohl die Ansichten verschieden waren, ob man Flugzeuge dem Nachschubtransport entziehen solle ..., beschloß ich, es zu wagen.« Montgomery aber schreibt: »Ich hatte Pläne ausgearbeitet für eine Luftlandung im Raum Tournai«, und er spricht davon als von »meiner Idee«. Im Gegensatz dazu Bradley: »Ich appellierte an Ike, den Plan aufzugeben und uns die Flugzeuge für unseren Nachschub zu lassen ... Wir werden schon dort sein, bevor die Sache anläuft, warnte ich.« Dies erwies sich als richtig.

Ein anderer Faktor war, daß ein großer Teil der Nachschubtonnage für die nördliche Offensive von dem Transport von Munition in Anspruch genommen war, die gar nicht notwendig war, solange sich der Feind im vollen Zusammenbruch befand – statt sich auf den Nachschub von Benzin zu konzentrieren, der notwendig war, um die Verfolgung fortzusetzen und dem Feind keine Erholungspause zu gönnen.

Eine dritte Feststellung ist die, daß der Nachschub für Montgomerys Vorstoß gerade zur kritischen Zeit wesentlich vermindert wurde, weil sich herausstellte, daß 1400 in Großbritannien gebaute Drei-Tonnen-Lastwagen und alle nach dem gleichen Modell gebauten Fahrzeuge fehlerhafte Kolben hatten. Hätte man diese Lastwagen benutzen können, dann hätte die 2. Armee täglich 800 t Nachschub mehr erhalten können – ausreichend, um zwei zusätzliche Divisionen zu versorgen.

Ein vierter Faktor von noch größerer Bedeutung ist das große Handicap, das in der Großzügigkeit der britischen und amerikanischen Nachschubberechnung bestand. Die alliierte Planung beruhte auf der Berechnung eines Bedarfs von 700 t täglich für jede Division, von denen 520 t täglich für die Fronteinheiten benötigt wurden. Die Deutschen waren weit sparsamer: ihre Nachschubberechnung betrug nur 200 t täglich für eine Division. Dabei mußten sie mit ständigen Störungen durch Luftangriffe und durch Partisanen rechnen – zwei ernsten Komplikationen, von denen die Alliierten nicht betroffen waren.

Dieses selbstgeschaffene Handicap der extravaganten Nachschubanforderungen wurde noch durch die verschwenderischen Gewohnheiten ihrer Truppen vergrößert. Ein krasses Beispiel waren die Kanister, die für das Auftanken so wichtig waren: Von 17½ Millionen Kanistern, die seit der Landung nach Frankreich geschickt wurden, waren im Herbst nur noch 2½ Millionen vorhanden!

Ein weiterer wichtiger Faktor bei dem Mißerfolg des nördlichen Vorstoßes war die Tatsache, daß die 1. US-Armee sich in dem befestigten Bergbaugebiet um Aachen herum festrannte – eine strategische Bindung, die praktisch zu einem großen »Internierungslager« führte, wie es Saloniki für die Alliierten im Ersten Weltkrieg gewesen war. Bei näherer Untersuchung wird es deutlich, daß der Mißerfolg des Vorstoßes der 1. US-Armee – die drei Viertel der amerikanischen Nachschubtonnage erhielt, auf Kosten Pattons – auf Montgomerys Forderung zurückzuführen ist, das Gros dieser Armee solle nördlich von den Ardennen seine rechte Flanke dekken. Der Raum zwischen seiner eigenen Vormarschlinie und den Ardennen war so schmal, daß die Armee wenig Manövrierfähigkeit behielt und keine Chance hatte, Aachen zu umgehen.

Diese arg festgefahrene Armee war nicht in der Lage, Montgomery irgendwelche Hilfe zu leisten, als er Mitte September seine Arnheimer Operation durchführte. Aber hier mußten die Briten auch für ein ungewöhnliches Versäumnis Strafe zahlen: Als die 11. Panzerdivision am 4. September in Antwerpen einzog, fielen die Docks unbeschädigt in ihre Hand; aber sie tat nichts, um die Brücken über den Albert-Kanal und in den Vororten zu sichern, und diese waren dann gesprengt worden, ehe man zwei Tage später den Übergang versuchte. Der Divisionskommandeur hatte nicht daran gedacht, die Brücken unmittelbar nach der Einnahme der Stadt zu sichern, und kein höherer Vorgesetzter hatte ihm entsprechende Befehle gegeben. Es war ein vielfaches Versäumnis – von insgesamt vier Befehlshabern von Montgomery abwärts, die sich sonst alle sorgfältig und energisch um wichtige Details kümmerten.

Außerdem befindet sich knapp 30 Kilometer nördlich von Antwerpen der Eingang zur Halbinsel Beveland, einem nur wenige hundert Meter breiten Landstreifen. In der zweiten und dritten Septemberwoche ließ man die Reste der deutschen 15. Armee, die an der Kanalküste abgeschnitten worden waren, nach Norden entkommen. Sie wurden dann nahe der Schelde-Mündung übergesetzt und entwichen weiter durch den Flaschenhals von Beveland. Drei deutsche Divisionen kamen rechtzeitig an, um die verzweifelt dünne Front in Holland zu verstärken, ehe Montgomery seinen Vorstoß bei Arnheim begann, und trugen so zu dessen Mißerfolg bei.

Was wäre nach Ansicht der anderen Seite für die Alliierten das beste Vorgehen gewesen? Bei der Befragung bestätigt Blumentritt Montgomerys Argumente für einen konzentrierten Vorstoß im Norden bis ins Ruhrgebiet und von dort nach Berlin und sagte:

»Wer Norddeutschland in der Hand hat, hat Deutschland in der Hand. Ein solcher Durchbruch, zusammen mit der Luftüberlegenheit, würde die schwache deutsche Front zerrissen und den Krieg beendet haben. Berlin und Prag wären dann schon von den Russen besetzt worden.«

Blumentritt meinte, die alliierten Streitkräfte seien zu weit und zu gleichmäßig verteilt worden. Besonders kritisch äußerte er sich über den Angriff auf Metz:

»Ein direkter Angriff auf Metz war unnötig. Das Festungsgebiet von Metz hätte abgedeckt werden können. Statt dessen hätte eine Schwenkung nach Norden auf Luxemburg und Bitburg viel Erfolg versprochen und den Zusammenbruch der rechten Flanke unserer 1. Armee, danach den Zusammenbruch unserer 7. Armee zur Folge gehabt. Durch eine solche Flankenbewegung nach Norden hätte die ganze 7. Armee abgeschnitten werden können, ehe sie sich hinter den Rhein zurückzog.«

General Westphal, der am 5. September Blumentritt als Stabschef an der Westfront ablöste, war der Ansicht, die Wahl der Richtung des Hauptvorstoßes sei unter diesen Umständen weniger wichtig gewesen als eine konzentrierte Anstrengung, um den Hauptvorstoß zum Erfolg zu führen:

»Die Gesamtsituation im Westen war äußerst ernst. Eine schwere Niederlage irgendwo an der Front, die so voller Löcher war, daß sie diesen Namen nicht mehr verdiente, hätte zur Katastrophe geführt, wenn der Feind seine Möglichkeiten geschickt ausgenutzt hätte. Eine besondere Gefahrenquelle war, daß keine einzige Rheinbrücke für die Sprengung vorbereitet war, eine Unterlassung, die erst nach Wochen wiedergutgemacht werden konnte . . . Bis Mitte Oktober hätte der Feind an jedem beliebigen Punkt leicht durchbrechen können, und er hätte dann den Rhein überschritten und wäre fast ungehindert tief nach Deutschland hineingestoßen.«

Westphal meinte, im September sei der verwundbarste Teil der ganzen Westfront der Abschnitt Luxemburg gewesen, der den Durchgang zum Rhein bei Koblenz öffnet. Seine Aussage bestätigte die Blumentritts über die Folgen eines Vorstoßes in diesem Abschnitt – dem breiten und dünn verteidigten Ardennengebiet zwischen Metz und Aachen.

Welche wichtigen Schlußfolgerungen ergeben sich aus dem Licht, das seitdem auf diese kritischen Tage geworfen worden ist?

Eisenhowers Plan eines Vormarsches zum Rhein auf »breiter Front«, schon vor der Invasion ausgearbeitet, wäre eine gute Methode gewesen, den Widerstand eines starken, noch ungeschlagenen Feindes zu erschöpfen und zu brechen. Er war weit weniger geeignet für die tatsächliche Situation eines schon zusammenbrechenden Feindes, in der es darauf ankam, den Zusammenbruch so schnell auszunutzen, daß der Feind keine Chance hatte, sich wieder zu fangen. Das erforderte eine pausenlose Verfolgung.

Unter diesen Umständen war Montgomerys Argument für einen einzigen konzentrierten großen Vorstoß grundsätzlich viel richtiger. Aber wenn man die Tatsachen erkundet, sieht man, daß der Mißerfolg seines Vorstoßes im Norden nicht, wie allgemein angenommen, auf die Abzweigung von Nachschub zu Pattons Armee zurückging. Ein viel größeres und wichtigeres Handicap waren eine Reihe von Fehlern in seinem eigenen Bereich: die verzögerte Inbetriebnahme des Hafens von Antwerpen, die sechstägige Unterbrechung des Nachschubs auf dem Luftwege zugunsten einer überflüssigen Operation, die übermäßige Zuteilung von Munition und anderem Nachschub, die dem Benzinnachschub Transportraum wegnahm, die 1400 fehlerhaften britischen Lastwagen, der Einsatz der 1. US-Armee in einer Sackgasse, das Versäumnis, die Brücken über den Albert-Kanal rechtzeitig zu sichern, ehe sie gesprengt und die Übergänge vom Feind verteidigt werden konnten.

Am verhängnisvollsten aber war die Pause vom 4. bis 7. September, nachdem man Brüssel und Antwerpen erreicht hatte. Sie ist schwer zu vereinbaren mit Montgomerys erklärtem Ziel seines Vorstoßes aus dem Seine-Raum: »Den Feind am Laufen zu halten direkt bis zum Rhein und dann den Übergang über diesen Fluß zu erzwingen, ehe der Feind dort eine neue Front bilden konnte.« Tempo und unablässiger Druck sind die Schlüssel zum Erfolg bei jeder großen Verfolgungsoperation, und eine Pause von nur einem Tag kann den Erfolg zunichte machen.

Doch überall bei den alliierten Streitkräften bestand nach dem Vorstoß nach Belgien hinein die Neigung, jetzt auszuspannen. Sie wurde von der höchsten Spitze gefördert. Eisenhowers interalliierter Nachrichtendienst meldete ihm, die Deutschen könnten unter keinen Umständen genügend Kräfte aufstellen, um ihre Grenze zu verteidigen — und man versicherte auch der Presse: »Wir werden direkt durchkommen.« Eisenhower übermittelte diese Zusicherungen seinen Unterbefehlshabern. Noch am 15. September schrieb er Montgomery: »Wir werden bald die Ruhr und die Saar und den Raum Frankfurt genommen haben, und ich möchte gern Ihre Ansicht darüber hören, was wir dann tun sollen.« Ein ähnlicher Optimismus herrschte überall. Als er sein Versäumnis entschuldigte, die Brücken über den Albert-Kanal zu nehmen, erklärte General Horrocks, Kommandeur der Panzerspitzen, ganz offen: »Ich nahm damals nicht an, es werde ernsthaften Widerstand am Albert-Kanal geben. Es schien uns, daß die Deutschen total desorganisiert seien.«

John North hat in seiner auf amtlichen Quellen beruhenden Geschichte der 21. Heeresgruppe die Situation gut geschildert: »Eine Einstellung ›der Krieg ist gewonnen‹, herrschte auf allen Ebenen.« Daher gab es während der entscheidenden zwei Wochen im September bei den Kommandeuren wenig Gefühl für die Dringlichkeit der Sache und bei den Truppen eine ganz natürliche Neigung, nicht allzu forsch vorzugehen und zu vermeiden, noch am Schluß des ohnehin bald beendeten Krieges zu fallen.

Die beste Chance eines schnellen Endsieges war vermutlich vertan, als in der letzten Augustwoche Pattons Panzern »das Gas abgedreht« wurde, als sie über 150 Kilometer näher am Rhein und an seinen Brücken waren als die Briten.

Patton hatte ein klareres Gefühl für die entscheidende Wichtigkeit des Tempos als irgendein anderer auf alliierter Seite. Er war bereit, in jeder gewünschten Richtung weiterzustoßen – ja, am 23. August schlug er selbst vor, seine Armee solle nördlich statt östlich vorstoßen. Sein späterer Kommentar hatte viel für sich: »Man darf nicht planen und dann versuchen, die Umstände dem Plan anzupassen. Man muß die Pläne den Umständen anpassen. Ich glaube, der Unterschied zwischen Erfolg und Mißerfolg hoher Kommandeure liegt in ihrer Fähigkeit oder Unfähigkeit, dies zu tun.«

Jedoch die tiefste Wurzel allen Mißgeschicks der Alliierten zu diesem Zeitpunkt gewaltiger Möglichkeiten war, daß niemand von den Planern einen so vollständigen Zusammenbruch des Feindes vorhergesehen hatte, wie er im August eintrat. Niemand war bereit, weder psychologisch noch materialmäßig, diesen Zusammenbruch durch eine schnelle Offensive mit ganz weit gesteckten Zielen auszunutzen.

KAPITEL 32

DIE BEFREIUNG RUSSLANDS

Für den Feldzug an der Ostfront im Jahr 1944 war die Tatsache entscheidend, daß mit dem Vormarsch der Russen die Front nicht kürzer wurde, während die deutschen Truppen zahlenmäßig zusammenschrumpften – mit dem natürlichen Ergebnis, daß der russische Vormarsch ohne große Hindernisse weiterging, abgesehen von dem eigenen Nachschubproblem. Die Ereignisse lieferten eine denkbar klare Demonstration für die entscheidende Bedeutung des Verhältnisses zwischen Raum und Stärke. Dabei bemaßen sich die Pausen in dem Vormarsch nach der Entfernung, über welche die russischen Nachschublinien nach vorne verlängert werden mußten.

Der Hauptteil des Feldzuges bestand aus zwei großen russischen Anstrengungen auf verschiedenen Abschnitten, denen jeweils eine lange Pause folgte. Die erste wurde noch im Winter, die zweite im Hochsommer unternommen. In dem darauffolgenden Feldzug, der sich aus der Ausdehnung der südlichen Flanke bis nach Mitteleuropa hinein ergab, wurden die Pausen kürzer – dies erklärt sich großenteils dadurch, daß das Mißverhältnis zwischen Raum und deutscher Truppenstärke dort noch größer war, so daß die Russen in geringerem Grad neue Stellungen aufbauen mußten, bevor sie die nächste deutsche Verteidigungslinie angriffen.

Die Winteroffensive begann mit einem Eröffnungszug ähnlich dem der Herbstoffensive, und der ähnliche Erfolg war ein Beweis nicht sosehr für falsche Berechnungen der Deutschen als für ihre abnehmende Fähigkeit, mit den vorhandenen Kräften auszukommen. Anfang Dezember 1943 hatte Konjew einen neuen Flankenvorstoß begonnen, um das Hindernis von Kriwoj Rog zu überwinden, das sich bei seinem ersten Versuch der Begradigung der Dnjepr-Linie ergeben hatte. Als er diesmal aus dem Brückenkopf von Krementschug nach Westen statt nach Süden ausbrach, gelangte er fast bis Kirowograd; aber wurde dort wieder zum Stehen gebracht. Dieser Vorstoß und ein ergänzender aus dem Brückenkopf von Tscherkassy hatte jedoch einen beträchtlichen Teil der schwachen deutschen Reserven in Anspruch genommen. Manstein stand vor einem schweren Dilemma: Da Hitler den großen Rückzug verboten hatte, den die strategischen Erwägungen nahelegten, mußte er diese Bruchstellen in dem Abschnitt zwischen dem Dnjepr-Knie und Kiew kitten, obwohl dies seine Chancen verminderte, die Truppen Watutins in dem Bogen von Kiew einzuschließen, wo sie sich laufend verstärkten – gerade wie eine eingedämmte Sturzflut.

Am Weihnachtsabend begann dann Watutins neue Offensive unter dem Schleier eines dichten Morgennebels – wie fast jeder erfolgreiche Angriff im späteren Stadium des Ersten Weltkrieges. Mit dieser Hilfe überrannte er die deutschen Stellungen schon am ersten Tag, und nachdem er durchgebrochen war, entfalteten sich seine Truppen so, daß Gegenmaßnahmen nicht mehr möglich waren. Innerhalb einer Woche hatte er Schitomir und Korosten wieder genommen, und gleichzeitig war er so weit nach Süden vorgestoßen, daß er die vorher ungefährdeten Stützpunkte Berditschew und Bjelaja Tserkow umfaßte.

Am 3. Januar 1944 nahmen russische bewegliche Streitkräfte auf ihrem Vorstoß nach Westen den Knotenpunkt Nowigrad Wolynsk, 80 Kilometer über Korosten hinaus. Am nächsten Tag überschritten sie die russisch-polnische Vorkriegsgrenze. An der Südflanke wurden Bjelaja Tserkow und Korosten jetzt von den Deutschen aufgegeben, die sich bis Winnitza und bis zum Bug zurückzogen, um die wichtige Bahnlinie Odessa–Warschau abzudecken. Hier sammelte Manstein einige Reserven und versuchte einen Gegenschlag; aber dieser hatte geringe Durchschlagskraft, und Watutin war darauf gut vorbereitet. Wenn er auch vorübergehend den Vormarsch der Russen zum Bug aufhielt, so wurde ihnen nur Halt geboten um den Preis, daß man ihnen freie Hand für ihre Ausdehnung an der Flanke ließ. Von Berditschew und Schitomir aus drangen sie nach Westen vor, umgingen ein Hindernis bei Schepetowka und nahmen am 5. Februar das wichtige polnische Nachschubzentrum Rowno. Am gleichen Tag wurde durch einen Flankenvorstoß Luck genommen, etwa 80 Kilometer nordwestlich Rowno und schon 160 Kilometer jenseits der polnischen Grenze.

Doch noch unmittelbarere Folgen hatte die Ausdehnung der Flut nach Süden. Hier arbeitete Watutins linker Flügel mit Konjews rechtem Flügel zusammen, um die deutschen Truppen abzuschneiden, die durch Hitlers »Kein-Rückzug«-Befehl in dem Abschnitt zwischen den russischen Brückenköpfen bei Kiew und Tscherkassy festgehalten wurden. Diese Truppen, die an ihren vorgeschobenen Positionen nahe am Dnjepr festhielten, forderten eine Einschließung geradezu heraus, der sie nicht ausweichen durften. Als die beiden Zangen sich am 28. Januar hinter ihnen schlossen, waren Teile von sechs Divisionen in der Falle. Dank den Anstrengungen des III. und XLVII. Panzerkorps glückten schließlich die Ausbruchversuche: Von den 60 000 Mann in dieser Tasche von Korsun wurden 30 000 ohne ihre Ausrüstung herausgezogen, 18 000 Mann fielen als Gefangene oder als Verwundete in die Hand des Feindes. Unter den Gefallenen befand sich Stemmermann, der Kommandierende General des XI. Korps.

Die Befreiung dieser eingeschlossenen Verbände geschah um den Preis der Position weiter südlich, im Dnjepr-Knie. Hier konnten die Deutschen einen Angriff nicht zum Stehen bringen, den Malinowskij gegen die Grundlinie ihres Bogens bei Nikopol führte. Am 8. Februar mußte Nikopol aufgegeben werden, und wenn auch der größte Teil der Besatzung entkommen konnte, verloren die Deutschen ihre lange Nutzung dieses wichtigen Manganerz-Vorkommens. Noch zwei Wochen behaupteten sie Kriwoj Rog, dann räumten sie es unter der Drohung einer neuen Einschließung.

Die tiefen Einbrüche, die den Russen in der Südfront zwischen den Pripjet-Sümpfen und dem Schwarzen Meer gelangen, hatten die Frontlinie verlängert, welche die Deutschen abdecken mußten, während Hitlers starrer Grundsatz jeden rechtzeitigen Rückzug zum Zweck der Frontverkürzung verhindert hatte. Ihre wachsenden Verluste, besonders bei den Kämpfen um Korsun, hinterließen Lücken, die sie nun nicht mehr schließen konnten. Der Preis für Hitlers Grundsatz war somit ein viel größerer Rückzug, als er zwei Monate früher nötig gewesen wäre.

Ihre eigene Schwäche und die Weite des Raumes erzeugten jetzt bei den deutschen Truppen ein Gefühl der Hilflosigkeit; es wurde vertieft nicht nur durch die Übermacht des vorrückenden Feindes, sondern auch durch seine scheinbare Unbekümmertheit über Nachschubprobleme. Die Russen rollten an wie eine Flut oder wie eine riesige Nomadenhorde. Sie konnten leben, wo jede westliche Armee verhungert wäre, und immer weiter vorrücken, wenn jede andere Armee erst einmal gewartet hätte, bis die zerstörten Verkehrswege wieder instand gesetzt waren. Bewegliche deutsche Verbände, die den Vormarsch aufzuhalten suchten, indem sie die russischen Nachschubwege angriffen, fanden selten Versorgungskolonnen, die sie unter Feuer nehmen konnten. Ihr Eindruck wurde von einem ihrer kühnsten Kommandeure, Manteuffel, so formuliert:

> »Der Vormarsch der russischen Armee ist etwas, das sich ein westlicher Mensch nicht vorstellen kann. Hinter den Panzerspitzen rollt eine riesige Horde heran, zum großen Teil auf Pferden. Jeder Soldat trägt einen Rucksack mit trockenen Brotresten und rohem Gemüse, das er auf dem Marsch in den Feldern und Dörfern aufgesammelt hatte. Die Pferde essen das Stroh von den Hausdächern — sie bekommen kaum etwas anderes. Die Russen sind gewohnt, bis zu drei Wochen auf ihren Vormärschen so primitiv zu leben.«

Die Hoffnungen, die russische Flut aufzuhalten, wurden weiter vermindert durch die Entlassung Mansteins, der an einem Augenleiden litt. Wenn dies auch der unmittelbare Anlaß war, so wurde die Entlassung doch beschleunigt durch Reibungen mit Hitler, dessen Strategie Manstein als unsinnig bezeichnete und mit dem er in harten Worten aneinandergeraten war, die der Führer nicht vertragen konnte. Von nun an war der Mann, den die deutschen Soldaten als ihren besten Strategen ansahen, völlig kaltgestellt. Wenn auch sein Augenlicht durch eine Operation wiederhergestellt wurde, so konnte er es doch nur benutzen, um in seinem Zufluchtsort bei Celle auf der Landkarte zu verfolgen, wie die deutschen Armeen blindlings in den Abgrund geführt wurden.

Anfang März 1944 entwickelte sich ein neues kombiniertes russisches Manöver von noch größerer Ausdehnung. Die Aufmerksam-

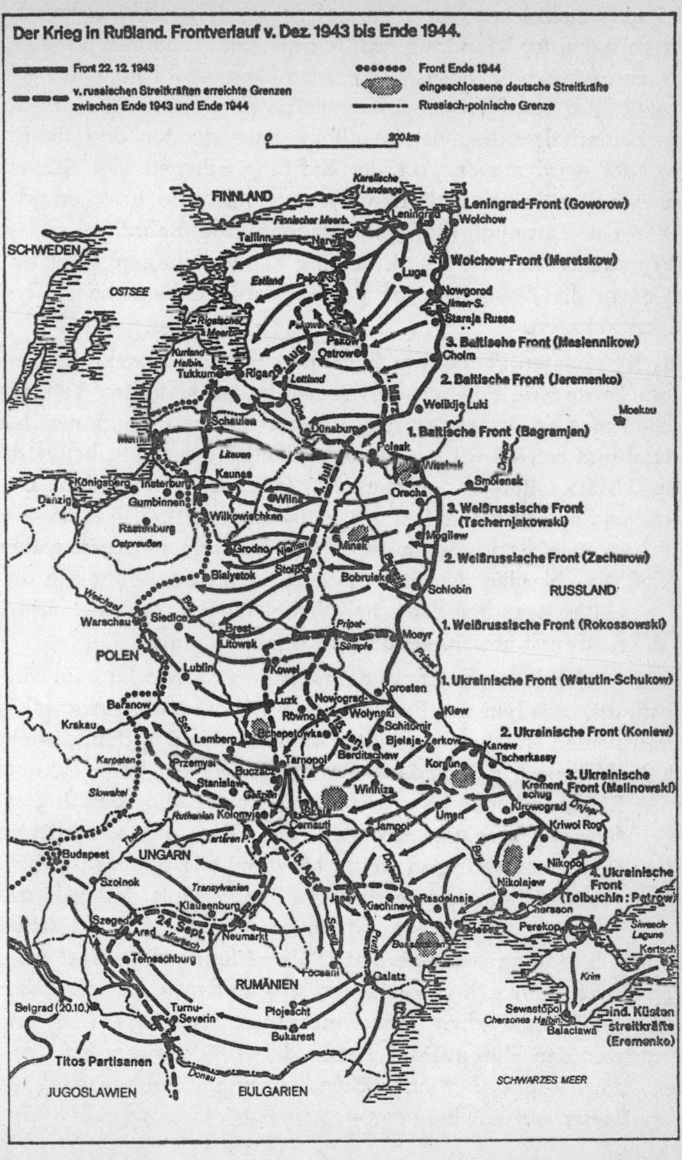
Der Krieg in Rußland. Frontverlauf v. Dez. 1943 bis Ende 1944.
Front 22. 12. 1943
v. russischen Streitkräften erreichte Grenzen zwischen Ende 1943 und Ende 1944
Front Ende 1944
eingeschlossene deutsche Streitkräfte
Russisch-polnische Grenze
0
200 km
FINNLAND
SCHWEDEN
OSTSEE
Leningrad-Front (Goworow)
Wolchow-Front (Meretskow)
3. Baltische Front (Masiennikow)
2. Baltische Front (Jeremenko)
1. Baltische Front (Bagramjan)
3. Weißrussische Front (Tschernjakowski)
2. Weißrussische Front (Zacharow)
1. Weißrussische Front (Rokossowski)
1. Ukrainische Front (Watutin-Schukow)
2. Ukrainische Front (Koniew)
3. Ukrainische Front (Malinowski)
4. Ukrainische Front (Tolbuchin : Petrow)
Selbständ. Küstenstreitkräfte (Eremenko)
RUSSLAND
POLEN
UNGARN
RUMÄNIEN
JUGOSLAWIEN
BULGARIEN
SCHWARZES MEER
Titos Partisanen
Moskau
Leningrad
Wolchow
Tallinn
Narwa
Luga
Nowgorod
Staraja Russa
Pskow
Ostrow
Cholm
Riga
Tukkum
Weliikije Luki
Schaulen
Dünaburg
Polozk
Witebsk
Smolensk
Kaunas
Königsberg
Insterburg
Gumbinnen
Danzig
Wilna
Orscha
Wilkowischken
Rastenburg
Ostpreußen
Mogilew
Minsk
Grodno
Bialystok
Stolpce
Bobruisk
Schlobin
Warschau
Siedlce
Brest-Litowsk
Mosyr
Lublin
Kowel
Korosten
Baranow
Krakau
Luzk
Rowno
Nowograd-Wolynski
Kiew
Schitomir
Schepetowka
Lemberg
Bjelaja-Zerkow
Berditschew
Kanew
Tscherkassy
Tarnopol
Przemysl
Buczacz
Korsun
Stanislau
Winniza
Krementschug
Kirowograd
Kolomyja
Czernowitz
Jampol
Uman
Kriwoi Rog
Budapest
Szolnok
Nikopol
Nikolajew
Jassy
Kischinew
Rasdelnaja
Cherson
Perekop
Odessa
Klausenburg
Szeged
Arad
Neumarkt
Temeschburg
Focsani
Galatz
Kertsch
Krim
Sewastopol
Balaclawa
Belgrad (20.10.)
Turnu-Severin
Plojeschti
Bukarest
Donau
24. Sept.
15. Apr.
15. Jan.
4. Juli
1. März
9. Aug.

keit wurde zuerst auf einen Vorstoß in die südöstliche Ecke von Galizien nahe der Mündung des Bug gelenkt. Es wurde durchgeführt von Marschall Schukow, der den Oberbefehl über die Armeen westlich von Kiew übernommen hatte, nachdem Watutin in einen Hinterhalt antisowjetischer Partisanen geraten und tödlich verwundet worden war. Aus der Richtung Schepetowka rückten Schukows Streitkräfte täglich 50 Kilometer vor, und am 7. erreichten sie bei Tarnopol die große südnördliche Bahnlinie Odessa–Warschau. Dieser Vorstoß umging die Verteidigungslinie am Bug, bevor die Deutschen sich dorthin zurückziehen und sie befestigen konnten.

An der anderen Flanke der Südfront griff Malinowskij die unhaltbar gewordene Position der Deutschen am südlichen Teil des Dnjepr-Knies an, indem er seine neugewonnenen Positionen bei Nikopol und bei Kriwoj Rog zu einer Zangenbewegung benutzte. Am 13. März nahm er den Hafen Khersen an der Mündung des Dnjepr und schnitt einen Teil der deutschen Streitkräfte in diesem Raum ein. Gleichzeitig näherte er sich mit seinem ergänzenden Vorstoß von Norden der Stadt Nikolajew an der Mündung des Bug – freilich war der deutsche Widerstand hier so hartnäckig, daß die Stadt erst am 28. genommen werden konnte.

Schon vorher hatte eine noch dramatischere Entwicklung im Mittelabschnitt, zwischen den Fronten von Schukow und Malinowskij, die von beiden erzielten Geländegewinne in den Schatten gestellt. Von den Hörnern der beiden Vorstöße eingefaßt, hatte Konjew aus der Richtung Uman angegriffen und am 12. März den Bug erreicht. Mehrere Übergänge erfolgten bald. Ohne Zeit zu verlieren, rückten seine Panzertruppen weiter bis zum Dnjestr, der in diesem Raum nur 110 Kilometer westlich des Bug verläuft. Jetzt, da das Eis schmolz, sah der Dnjestr mit seinem steilen Ufer und seiner schnellen Strömung wie eine starke Verteidigungslinie aus. Aber auf deutscher Seite gab es keine verfügbaren Kräfte zu seiner Verteidigung. Die russischen Panzer erreichten das Ufer am 18. und überquerten den Fluß auf den Fersen der zurückweichenden deutschen Armee – über Pontonbrücken bei Jampol und benachbarten Orten. Dieser leichte Übergang war die Folge ihres schnellen Vormarsches und der Verwirrung des Feindes. Auch jetzt war der Erfolg großenteils darauf zurückzuführen, daß die russischen Panzertruppen unter General Rotmistrow den Widerstand durch eine neue Taktik ausmanövrierten, indem sie sich weit entfalteten und dadurch feindliche Versuche vereitelten, sie durch einzelne Stützpunkte auf den Hauptvormarschstraßen aufzuhalten.

Die Gefahr für diesen tiefen Einbruch wurde vermindert durch einen neuen Angriff von Schukows linkem Flügel aus Richtung Tarnopol nach Süden. Dieser Angriff kam gerade rechtzeitig, unmittelbar nachdem die deutschen Gegenangriffe bei Tarnopol durch die schnell zusammengeraffte Verteidigung der Russen gescheitert waren, und der Angriff erfolgte so, daß der Rückzug der Deutschen gut ausgenutzt wurde; er war so geplant, daß er mit Konjews Vorstoß zusammenwirkte. Nach einem schnellen Vormarsch zu der Dnjestr-Linie rückte Schukows linker Flügel am Ostufer weiter, rollte die Flanke des Feindes auf und drängte ihn zusammen, sobald er sich mit Konjews rechtem Flügel vereinigte. Eine solche kombinierte Hebelbewegung bot Sicherheit für die Verteidigung wie Aussicht auf eine verlängerte Offensive.

Während diese Flankenvorstöße den Einbruch erweiterten und Teile der feindlichen Armee abschnitten, die zu spät ihren Rückzug begonnen hatten, setzten die Russen auch ihren allgemeinen Vorstoß nach Westen fort. Noch vor Ende März waren Konjews Panzerspitzen bis zum Pruth bei Jassy durchgebrochen, und Schukows Panzerspitzen hatten die wichtigen Städte Kolomyja und Cernauty genommen; dort hatten sie einen Übergang über den oberen Pruth erzwungen. Dieser Vorstoß brachte die Russen bis nahe an die Karpaten heran, die Verteidigungslinie Ungarns.

Als unmittelbare Reaktion auf diese Bedrohung besetzten die Deutschen jetzt Ungarn. Es war offensichtlich, daß dies erfolgte, um die Gebirgslinie der Karpaten halten zu können. Die Deutschen brauchten diese Barriere, nicht nur um einen russischen Einbruch in die mitteleuropäischen Ebenen zu verhindern, sondern auch als Schlüsselstellung für jede weitere Verteidigung des Balkans. Die Karpaten, im Süden verlängert durch die transsylvanischen Alpen, bilden eine natürliche Verteidigungslinie von großer

Stärke. Ihre Länge wird, strategisch gemessen, vermindert durch die kleine Zahl der Paßübergänge, die eine sparsame Verwendung von Streitkräften ermöglicht. Zwischen dem Schwarzen Meer und dem Beginn der Bergkette bei Focsani gibt es eine Ebene von etwa 190 Kilometern, doch deren östliche Hälfte wird durch das Donau-Delta und eine Seenkette ausgefüllt, so daß die eigentliche Gefahrenzone nur in dem 90 Kilometer breiten Tor von Galatz besteht.

Anfang April sah es so aus, als müßten die Deutschen bald auf diese rückwärtige Linie zurückgehen, die bereits an der nordöstlichen Ecke gefährdet war durch den Keil, den Schukow zwischen Tarnopol und Cernauty in die Richtung auf den Jablonica-Paß (bekannter unter dem Namen Tataren-Paß) vortrieb. Es schien, als wolle Schukow den stürmischen Marsch auf Budapest von Sabutai wiederholen, der als Anführer der Mongolen Dschingis-Khans — der Vorläufer der modernen Panzertruppen — im März 1241 von den Karpaten durch die ungarische Tiefebene bis zur Donau vorgerückt war, wobei er in drei Tagen 400 Kilometer zurücklegte.

Am 1. April erreichten Schukows Panzerspitzen den Eingang zum Tataren-Paß. Die Bergkette ist hier viel niedriger und ein geringeres Hindernis als weiter südlich, und der Paß ist nur gut 600 Meter hoch. Doch selbst solch ein sanfter Anstieg kann zu einem schwierigen Marsch werden, wenn der Übergang hartnäckig verteidigt wird — weil die Manövrierfähigkeit des Angreifers behindert ist. So war es auch hier. Die Panzerspitzen schafften den Durchbruch nicht, und hinter ihnen standen nicht genug Kräfte, um den Angriff wiederaufzunehmen, da der Nachschub mit einem so langen und schnellen Vormarsch nicht Schritt hielt.

Im Gegensatz dazu kam es den Deutschen jetzt zugute, daß sie auf ein gutes Straßennetz mit dem Zentrum Lemberg zurückgegangen waren, während ihre Streitkräfte seit dem Rückzug nach Galizien stärker konzentriert werden konnten. In der folgenden Woche, der Woche vor Ostern, begannen die Deutschen einen stärkeren Gegenangriff, als sie ihn seit langer Zeit hatten führen können. Er hatte ein doppeltes Ziel: den russischen Vormarsch zu lähmen und die 18 zusammengeschmolzenen Divisionen der 1. Panzerarmee zu entsetzen, die östlich des Dnjestr zwischen den vorspringenden Keilen von Schukow und Konjew eingeschlossen waren. Diese großen deutschen Verbände hatten zuerst versucht, an Skala und Buczacz vorbei nach Westen bis auf Lemberg auszubrechen.

Der deutsche Gegenangriff erfolgte auf beiden Ufern des Dnjestr. Am rechten Ufer brach er tief in den russischen Tatarenpaß-Keil ein und eroberte den Knotenpunkt Delatyn an der Bahnlinie von Kolomyja bis zum Paß zurück. Am linken Ufer wurde Buczacz wieder genommen und ein Korridor wieder geöffnet, durch den die bei Skala eingeschlossenen Divisionen sich zurückziehen konnten. Danach wurde die Front im südlichen Polen zwischen den Pripjet-Sümpfen und den Karpaten auf einer Linie ziemlich weit östlich von Lemberg stabilisiert. Dort blieb die Front statisch von April bis Juni 1944.

Auch Konjews Vorstoß über den Pruth, der Rumäniens Grenze bildete, war knapp hinter dem Fluß zum Stehen gebracht worden. Es gelang ihm nicht einmal, bis Jassy vorzudringen, das nur 16 Kilometer jenseits des Pruth liegt; freilich erreichte Konjew etwas weiter nördlich den Sereth-Fluß. Er hatte jedoch für den Augenblick ein noch wichtigeres Ziel: Sein linker Flügel war nach Süden entlang des Dnjestr geschwenkt, gegen den Rücken der feindlichen Truppen am Schwarzen Meer, die zum großen Teil aus rumänischen Divisionen bestanden. Diese Flankenbewegung Konjews war genau abgestimmt mit Malinowskijs direktem Vormarsch von Nikolajew nach Westen auf Odessa.

Diese kombinierte Drohung war ein sehr heikles Problem für Schörner, der Kleist als Befehlshaber der früheren Heeresgruppe A (jetzt Heeresgruppe Südukraine) abgelöst hatte, und für Model, der Mansteins Nachfolger als Oberbefehlshaber der Heeresgruppe Nordukraine (früher Heeresgruppe Don und dann Heeresgruppe Süd) geworden war. Schörners Schwierigkeiten wurden vergrößert durch die geringe Zahl und den schlechten Zustand der Verkehrsverbindungen in seinem Rücken; denn seit dem russischen Vorstoß zu den Karpaten war er von den Armeen in Polen abgeschnitten und auf den Umweg durch Ungarn und den Balkan angewiesen.

Gleichzeitig führten die alliierten schweren Bomber aus Italien eine Reihe von Angriffen auf die wichtigsten Eisenbahnknotenpunkte; sie begannen in der ersten Aprilwoche mit Angriffen auf Budapest, Bukarest und Ploesti. Diese Gefahr im Rücken entstand etwas zu spät, um eine unmittelbare Wirkung zu haben, aber sie sollte verspätete Früchte tragen.

Am 5. April erreichten Malinowskijs Truppen den Knotenpunkt Rasdelnaja und schnitten damit die einzige noch intakte Bahnlinie von Odessa nach Westen ab. Am 10. besetzten sie den großen Hafen selbst. Aber der größte Teil der feindlichen Truppen war entkommen. Sie brauchten sich nur ein kurzes Stück zurückzuziehen – auf die Linie des unteren Dnjestr, von wo die Front jetzt in einer westlichen Kurve bis Jassy verlief; denn Konjews Vorstoß nach Süden war im Raum Kischinew zum Stehen gekommen.

In der ersten Maiwoche führte Konjew einen schweren Angriff westlich von Jassy entlang beider Ufer des Sereth; er setzte dabei die neuen Stalin-Panzer ein. Mit deren Hilfe gelang den Russen ein Durchbruch. Aber Schörner hatte eine ziemlich starke Panzerreserve unter dem Befehl Manteuffels zur Hand; dieser gelang es, die Ausweitung des Durchbruchs durch eine kluge Defensivtaktik zu verhindern, die auf dem natürlichen Vorteil jedes Gegenangriffes und auf dem Grundsatz größerer Beweglichkeit zum Ausgleich für unterlegene Panzerung und Bewaffnung beruhte. Eine große Panzerschlacht, bei der etwa 500 Panzer beteiligt waren, endete mit einem Rückschlag für die Russen und in der erneuten Stabilisierung der Front.

Doch dieser Erfolg wurde den Deutschen drei Monate später zum Verhängnis. Denn er ermutigte Hitler, darauf zu bestehen, daß jeder Fußbreit gehalten werden müsse, nicht nur im Raum Jassy, sondern auch im südlichen Teil Bessarabiens zwischen Pruth und Dnjestr. Dies bedeutete, daß die Truppen in einer exponierten Stellung weit ostwärts der Karpaten und der Pforte von Galatz stehenblieben – und währenddessen brach hinter ihnen die Front zusammen, unter dem Druck der Friedenssehnsucht des rumänischen Volkes.

Im April erfolgte auch die Befreiung der Krim. Die Besatzungstruppen, zur Hälfte Deutsche und zur Hälfte Rumänen, war durch Evakuierung über das Meer allmählich an Zahl vermindert worden. Doch das Problem für die Angreifer war immer noch schwierig, da keine große Truppenstärke notwendig war, um an den beiden schmalen Zugängen zu der Halbinsel eine starke Stellung aufzubauen. Die Einnahme der Krim erforderte einen großangelegten und sorgfältig geplanten Angriff. Das war Hitlers Rechtfertigung dafür, an der Krim festzuhalten, lange nachdem die russische Flut auf dem Festland an der Halbinsel vorbeigestürmt war — diesmal hatte er mehr Anlaß als sonst, eine Truppeneinheit zu opfern, da dies die Abzweigung großer russischer Verbände in einer kritischen Periode bedeutet hatte.

Der Hauptangriff auf die Krim wurde am 8. April von Tolbuchin eröffnet, nach einem vorbereitenden Angriff, der den Zweck hatte, daß die Deutschen ihre Artilleriestellungen enthüllen sollten. Der Frontalangriff auf die Verteidigung der Enge von Perekop wurde ergänzt durch eine Überquerung der Siwasch-Lagune an der Flanke; dadurch gelangte man in den Rücken der Deutschen. Sobald dieses Manöver das nördliche Tor der Krim aufgebrochen hatte, griffen Jeremenkos Truppen von ihren Stützpunkten am Ostende bei Kertsch aus an. Am 17. April hatten die beiden aufeinander abgestimmten Vorstöße den Stadtrand von Sewastopol erreicht und 37 000 Gefangene gemacht. Daß es so viele waren, ging wieder auf den deutschen Fehler zurück, entsprechend Hitlers starren Grundsätzen auf einer Linie südlich der Enge von Perekop stehenzubleiben, statt sich sofort auf Sewastopol zurückzuziehen. Dies ermöglichte Tolbuchin, seine Panzer heranzubringen, in die improvisierte Verteidigungslinie einen Einbruch zu machen, der für die wenigen verfügbaren Truppen viel zu breit war, und dann einen großen Teil der Verteidiger zu überrennen, bevor sie sich nach Sewastopol zurückziehen konnten.

Die Russen machten eine Pause, um schwere Artillerie heranzuführen, bevor sie diese Festung angriffen — wo die verteidigenden Kräfte aber längst nicht mehr ausreichten, um die Befestigungen mit einer vernünftigen Zahl zu halten. Dennoch bestand Hitler darauf, Sewastopol müsse unter allen Umständen gehalten werden.

Der Angriff begann in der Nacht zum 6. Mai; schnell wurde ein entscheidender Durchbruch an den südwestlichen Zugängen zwischen Inkerman und Balaclawa erzielt. Am 9. Mai widerrief Hitler verspätet seinen Befehl und versprach Schiffe zur Evakuierung der Besatzung. Am 10. wurde Sewastopol aufgegeben; die Truppen zogen sich in die Halbinsel Chersones zurück, wo fast 30 000 Mann am 13. Mai kapitulierten, nachdem nur einige wenige übers Meer entkommen konnten. Die meisten Gefangenen waren Deutsche: Vor Beginn der Offensive hatte das deutsche Oberkommando beschlossen, die Rumänen über das Meer zu evakuieren und sich nur noch auf die deutschen Truppen zu verlassen. Dies hätte vielleicht die Verteidigung verlängern können, wenn nicht die verhängnisvolle Starrheit des Verteidigungsplans gewesen wäre.

Auch an der anderen Flanke der Ostfront hatten die Russen in den ersten Monaten 1944 Gelände gewonnen, wenn auch nicht im gleichen Ausmaß wie im Süden. Zu Beginn des Jahres hatten die Deutschen Leningrad noch eng eingeschlossen. Ihre Front erstreckte sich an der Stadt vorbei bis zu einem Punkt knapp 100 Kilometer weiter östlich und schwenkte dann nach Süden entlang des Wolkow-Flusses zum Ilmensee; auf jeder Seite dieses großen Sees hielten sie die Schlüsselstädte Nowgorod bzw. Staraja Russa. Mitte Januar begannen die Russen ihre langerwartete Offensive, um Leningrad aus dem Griff des Feindes zu befreien. Von der Küste westlich der Stadt vorstoßend, trieben Goworows Truppen einen Keil in die linke Flanke des deutschen Bogens und Meretskows Truppen einen noch tieferen in die rechte Flanke bei Nowgorod. Die ersten Durchbrüche führten zu der üblichen Illusion, die Deutschen seien eingeschlossen; aber es gelang ihnen ein geordneter etappenweiser Rückzug auf die Grundlinie des Bogens. Die übertriebenen Erwartungen ließen etwas die klaren Vorteile vergessen, die man durch die Befreiung Leningrads gewonnen hatte: die Öffnung der Bahnlinie Leningrad–Moskau und die Abschneidung Finnlands von der deutschen Front.

Am Ende dieses Rückzuges standen die Deutschen auf einer Frontlinie von Narwa am Finnischen Meerbusen bis Pskow. Die

Begradigung und Verkürzung der Front verbesserte vorläufig die deutsche Situation, um so mehr, da die praktische Verkürzung der Verteidigungsfront weit größer war, als die Zahl der Kilometer angab; denn drei Viertel des 190 Kilometer langen Abschnittes zwischen der Küste und der neuen Schlüsselstellung von Pskow wurde durch die beiden Seen, den Peipus-See und den Pskower See, eingenommen. Ende Februar bildete ein plötzlicher Vorstoß Goworows einen Brückenkopf über den Narwa-Fluß zwischen dem Meer und dem Peipus-See, der aber dann abgeriegelt wurde. Auch südlich der Seen wurde der russische Vorstoß zum Stehen gebracht, als er Pskow, 190 Kilometer hinter Staraja Russa, erreicht hatte. Das war eine Enttäuschung für die Rote Armee, die gehofft hatte, ihren 26. Geburtstag durch die Wiedereroberung der Stadt zu feiern, wo sie im Kampf gegen die Deutschen am 23. Februar 1918 ins Leben getreten war.

Die militärischen Ergebnisse dieser Winteroffensive im Norden waren weniger wichtig als die politischen Auswirkungen. Beunruhigt durch das Gefühl der räumlichen Isolierung, nahm die finnische Regierung Mitte Februar Verhandlungen über einen Waffenstillstand auf. Angesichts der Umstände waren die russischen Bedingungen bemerkenswert maßvoll; sie beruhten auf einer Rückkehr zu den Grenzen von 1940. Doch die Finnen hatten Angst, daß die Bedingungen in der Praxis weiter ausgelegt werden könnten, und verlangten klarere Sicherungen, als die Russen bereit waren zuzugestehen. Sie beteuerten auch, daß sie nicht in der Lage seien, die Forderung einer Entwaffnung der deutschen Truppen in Nordfinnland zu erfüllen, und hatten Bedenken, die russischen Truppen zu diesem Zweck einmarschieren zu lassen. Aber obwohl die Gespräche im März abgebrochen wurden, war dies eindeutig nicht mehr als eine vertagte Entscheidung. Darüber hinaus ermutigte die finnische Initiative zu offenen Friedensverhandlungen Deutschlands andere Satelliten, ähnliche Fühler im geheimen auszustrecken. Im Falle Rumäniens wurde ein solcher Schritt von Stalins Erklärung gefördert, daß er einer Rückgabe Transsylvaniens (Siebenbürgens) an Rumänien sympathisch gegenüberstehe.

Daher brachte die Stabilisierung der Ostfront, welche die Deutschen im Mai erreichten, nur eine oberflächliche Verbesserung ihrer Situation. Die Auszehrung ihrer Kräfte war so weit vorgeschritten, daß es ihnen wenig nützte, Zeit zu gewinnen, während die Russen Zeit brauchten, um ihre nächste große Offensive vorzubereiten, und die verschiedenen Unterhändler Zeit brauchten für die Vollendung ihrer Friedensbemühungen – denn nur ein Autokrat kann über Nacht die Seite wechseln. Unterdessen wurde das Verlangen nach Frieden ebenso wie die Störung der feindlichen Verbindungswege verstärkt durch die fortschreitende Ausdehnung der alliierten Bombenangriffe auf dem Balkan. Am 2. Juni wurde ein »Rückfahrbetrieb« eingeweiht, als amerikanische Flying Fortresses auf neuerrichteten Flugplätzen auf russischem Gebiet landeten und wieder auftankten, ehe sie auf ihrem Rückflug zu ihren Stützpunkten im Mittelmeer einen zweiten Angriff durchführten. Ein ähnlicher Betrieb zwischen Flugplätzen in England und Rußland begann am 21., wobei die amerikanischen Bomber auf beiden Flügen durch Langstreckenjäger begleitet wurden.

Am 10. Juni wurde der bisherige russische Druck auf die zögernden Finnen verstärkt in Form von Luftangriffen und durch einen Vorstoß zu Lande durch die Karelische Landenge zwischen dem Ladoga-See und dem Finnischen Meerbusen. Nach dem Durchbruch durch mehrere Stellungen nahmen Marschall Goworows Truppen am 20. Viipuri und gewannen damit das Ende der Landenge. Daraufhin boten die Finnen an, die russischen Waffenstillstandsbedingungen anzunehmen, die sie vorher abgelehnt hatten. Doch Stalin verlangte jetzt eine formelle Kapitulation, und davor scheuten die Finnen zurück. Inzwischen flog Ribbentrop nach Helsinki, wo er die Ängste der Finnen ansprach und ihnen deutsche Verstärkungen in Aussicht stellte. Seiner Mission kam zugute, daß der russische Vormarsch sehr an Schwung verlor, je weiter er ging und je mehr er in das Seengebiet hinter der Grenze von 1940 gelangte.

So hatte der russisch-finnische Krieg noch eine neue Runde, wenn auch in ruhigerer Form. Die unmittelbare Folge war, daß die USA jetzt ihre Beziehungen zu Finnland abbrachen, die sie so lange aufrechterhalten hatten, während die Deutschen ihre Verpflichtungen gegenüber Finnland noch verstärkten — zu einem Zeitpunkt, als ihre eigene Front verzweifelt nach Reserven rief.

Die Russen hatten Grund, mit diesem kleinen Gewinn zufrieden zu sein. Ihre eigene Sommeroffensive begann am 23. Juni — als die britisch-amerikanische Invasion der Normandie schon festen Fuß gefaßt hatte. Dies, zusammen mit dem alliierten Vormarsch über Rom hinaus, garantierte den Russen, daß die Deutschen noch vor ihrem eigenen Angriff an allen Fronten gleichzeitig bedrängt wurden. Aber am meisten profitierten die Russen von Hitlers unverändertem Verharren auf einer starren statt einer elastischen Verteidigung.

Wenn auch die russischen Vorbereitungen an der ganzen Front zwischen Karpaten und Ostsee erkennbar waren, so richtete sich die Hauptaufmerksamkeit doch auf den Abschnitt südlich der Pripjet-Sümpfe. Denn hier standen die Russen schon tief in Polen, und es war natürlich, dort eine Wiederaufnahme ihrer Frühjahrsoffensive zu erwarten, die sie fast bis Lemberg und zeitweise bis Kowel geführt hatte. Die dreimonatige Pause hatte Schukow ermöglicht, die Eisenbahnlinien in der Tiefe seines rückwärtigen Armeegebietes instand zu setzen.

Die Russen beschlossen jedoch, ihre Offensive von der rückwärtigsten Stellung ihrer Front zu beginnen, wie es das deutsche Oberkommando 1942 getan hatte. Sie griffen in Weißrußland nördlich der Pripjet-Sümpfe an, wo der Feind immer noch ein gutes Stück russischen Bodens besetzt.

Diese Wahl war sorgfältig berechnet. Da die nördliche Front am wenigsten weit vorangekommen war, boten dort die russischen rückwärtigen Verbindungslinien die beste Möglichkeit, den Angriff mit Elan zu beginnen. Und da dieser Abschnitt sich im Jahr 1943 so zäh gehalten hatte, würde das deutsche Oberkommando, so glaubten sie, ihn kaum verstärken auf Kosten der wichtigeren und offensichtlich gefährdeten Positionen zwischen Kowel und den Karpaten. Obwohl der Hauptteil des Nordabschnittes im vorangegangenen Herbst und Winter allen Angriffen standgehalten hatte, war es den Russen gelungen, in seine Flanken bei Witebsk und Chlobin je einen Keil zu treiben. Diese Einbrüche boten einen wertvollen Hebel für eine neue Offensive. Sobald sie außerdem den Feind in die Flucht schlagen konnten, könnte man eine größere Hebelbewegung von dem südlichen Bogen bei Kowel aus in den Rücken des Feindes ansetzen. Denn hier standen die Russen am westlichen Ende des Sumpfgürtels, der die beiden deutschen Armeen trennte.

Vor der Offensive wurde der Abschnitt zwischen Ostsee und Pripjet-Sümpfe verstärkt und die dortigen Truppen neu gegliedert. In dem Abschnitt standen jetzt sieben kampfstarke Heeresgruppen oder »Fronten«. Am rechten Flügel war Goworows »Leningrader Front«, dann kam die »3. Baltische Front« unter Maslennikow und die »2. Baltische Front« unter Jeremenko; diese beiden waren zunächst inaktiv. Die vier Heeresgruppen, welche die Offensive ausführten, waren, von Norden nach Süden: die »1. Baltische« unter Bagramjan, die vorher den Keil nördlich von Witebsk gebildet hatte, die »3. Weißrussische« unter Tschernjachowskij, der mit 36 Jahren der jüngste aller höheren Befehlshaber war, die »2. Weißrussische« unter Sacharow und die »1. Weißrussische« unter Rokossowskij, die den Vorsprung bei Chlobin gebildet hatte. Diese vier Heeresgruppen umfaßten 166 Divisionen.

Der Schwerpunkt der russischen Offensive lag im Abschnitt der deutschen Heeresgruppe Mitte, die jetzt Feldmarschall Busch befehligte, der Kluge abgelöst hatte, nachdem dieser bei einem Autounfall schwer verletzt worden war. Obwohl die russische Winteroffensive die Verteidigungslinie in diesem Abschnitt nicht hatte durchbrechen können, wußten Busch und seine wichtigsten Unterführer, daß sie nur gerade eben davongekommen waren, und sie dachten skeptisch über die Chance, einem neuen Angriff im Sommer standzuhalten, wenn die Bedingungen für den Angreifer günstiger waren. In Erwartung des Angriffs wollten sie sich auf die historische Linie der Beresina zurückziehen, 150 Kilometer hinter ihrer jetzigen Front. Ein solcher rechtzeitiger Rückzug hätte die russische Offensive leer laufen lassen. Aber er widersprach dem Grundsatz Hitlers, der den Argumenten für einen Rückzug kein Gehör schenkte.

Tippelskirch, dem Nachfolger Heinricis als Befehlshaber der 4. Armee, gelang es, das Verbot zu umgehen durch einen verschleierten kurzen Rückzug von seinen vorgeschobenen Stellungen auf die Linie des oberen Dnjepr. Aber der Nutzen wurde dadurch zunichte gemacht, daß der russische Plan sich auf die Ausweitung der Keile an beiden Flanken konzentrierte.

An der nördlichen Flanke wurde Witebsk durch eine Zangenbewegung abgeschnitten, die von Bagramjans Truppen zwischen Polotsk und Witebsk sowie von Tschernjachowskijs Truppen zwischen Witebsk und Orscha ausgeführt wurde. Witebsk fiel am vierten Tag, und eine große Lücke entstand in der Front der 3. Panzerarmee. Diese öffnete den Weg für einen Vorstoß nach Süden, der die Rollbahn Moskau–Minsk abschnitt und den Rücken der deutschen 4. Armee bedrohte, die dem Frontalangriff Sacharows bisher standgehalten hatte. Die Gefahr wurde vergrößert durch Rokossowskijs Vorstoß an der anderen Flanke, nördlich der Pripjet-Sümpfe, gegen die deutsche 9. Armee. Nach einem Durchbruch bei Chlobin, das ebenfalls am vierten Tag genommen wurde, überschritt er die Beresina und umging die starke Riegelstellung bei Bobruisk. Am 2. Juli erreichten seine beweglichen Verbände Stolbtsy, 65 Kilometer westlich des noch bedeutenderen Nachschubzentrums Minsk, und schnitten damit sowohl die Bahnlinie wie die Rollbahn von Minsk nach Warschau ab.

Der weite Raum, den die Russen mit ihrer vermehrten Manövrierfähigkeit gut ausnutzten, vereitelte alle deutschen Versuche, diesen stürmischen Vormarsch zum Stehen zu bringen, bei dem seit dem Durchbruch in einer Woche 240 Kilometer zurückgelegt wurden. Der Wert der amerikanischen Materiallieferungen an Rußland zeigte sich jetzt darin, daß große Verbände motorisierter Infanterie den Panzern dicht auf den Fersen folgten. Unterdessen stießen die Truppen Tschernjachowskijs von Nordosten auf Minsk vor und bedrohten damit auch die Straße Minsk–Wilna. Zwischen diesen beiden Vormarschwegen stieß ein zur Verfügung gehaltener Panzerverband unter Rotmistrow auf der Rollbahn Moskau–Minsk und rückte am 3. Juli in Minsk ein, nachdem er in zwei Tagen fast 130 Kilometer zurückgelegt hatte.

Diese große Zangenbewegung hatte eine auffallende Ähnlichkeit mit der, welche die Deutschen drei Jahre vorher in umgekehrter Richtung ausgeführt hatten. Wie damals gelang es nur einem Teil der eingeschlossenen Truppen, der Falle zu entkommen. Allein in der ersten Woche wurden bei dem nördlichen Durchbruch 30 000 und bei dem südlichen 24 000 Gefangene gemacht. Etwa 100 000 Mann wurden in Minsk eingeschlossen; aber obwohl die Hauptstraße nach rückwärts abgeschnitten war, konnte ein Teil von Tippelskirchs 4. Armee nach Süden entkommen über Nebenstraßen, die schon seit einiger Zeit wegen der Störungen durch russische Partisanen nicht mehr als Nachschubwege benutzt worden waren. Doch die Heeresgruppe Mitte war praktisch vernichtet, und die deutschen Gesamtverluste betrugen über 200 000 Mann.

Westlich von Minsk kamen die zurückweichenden Deutschen vorübergehend zum Stehen; aber es gab dort keine starke natürliche Verteidigungslinie, und ihre geschwächten Truppen reichten nicht mehr aus, den ganzen Raum abzudecken, der immer weiter wurde, je tiefer die russischen Einbrüche wurden. Die Russen hatten immer Raum genug, um zwischen den Städten, an denen sich der Feind festklammerte, durchzustoßen und die Städte zu umgehen. Ihr Vormarsch sah auf der Karte wie ein Halbkreis mit ausgestreckten Speerspitzen aus – die sich auf Dwinsk, Wilna, Grodno, Bialystok und Brest-Litowsk zu bewegten. Am 9. drangen die Russen in Wilna ein, das am 13. ganz in ihrer Hand war, nachdem motorisierte Verbände schon auf beiden Seiten an der Stadt vorbeigefahren waren. Am gleichen Tag erreichte eine andere Panzerspitze Grodno.

Bis Mitte Juli hatte die Rote Armee nicht nur die Deutschen aus Weißrußland vertrieben, sondern auch einen großen Teil des nordöstlichen Polen überrannt. Ihre westlichsten Spitzen standen schon tief in Litauen und nicht mehr weit von der Grenze Ostpreußens. Hier waren sie schon rund 300 Kilometer weiter westlich als die Flanke der deutschen Heeresgruppe Nord unter Friessner, die noch immer in den baltischen Ländern stand. Bagramjans Panzerspitzen, die sich Dünaburg näherten, waren näher an dem deutschen Hauptstützpunkt Riga als Friessners Front weiter nördlich. Tschernjachowskij, der über Wilna hinausstoßend den Njemen erreicht hatte, war schon fast ebenso nahe an der Ostsee. So sah es aus, als würde hinter Friessners Rücken eine doppelte Schranke aufgerichtet werden, ehe er sich zurückziehen konnte. Die Schwierigkeiten der Lage wurden vermehrt durch eine Ausweitung der russischen Offensive nach Norden in den Raum um Pskow, wo die »3. Baltische Front« unter Maslennikow zusammen mit den Truppen Jeremenkos angriff.

Gleichzeitig wurde die Belastung der deutschen Streitkräfte an der gesamten Ostfront noch vermehrt durch eine noch weitreichendere Entwicklung: Am 14. Juni begannen die Russen ihre langerwartete Offensive südlich der Pripjet-Sümpfe zwischen Tarnopol und Kowel. Es war ein Vorstoß mit zwei Schwerpunkten. Der rechte überschritt den Bug und rückte auf Lublin und die Weichsel vor – im Zusammenwirken mit Rokossowskijs Vorstoß nördlich der Sümpfe, der jetzt südlich an Brest-Litowsk vorbeistieß. Der linke Stoß durchbrach die feindliche Front bei Luck und umging Lemberg von Norden.

Diese bekannte Stadt fiel am 27. Juli in die Hand der Truppen Konjews; aber zu der Zeit waren dessen Panzerspitzen bereits 110 Kilometer westlich Lembergs am anderen Ufer des Flusses San. Die ganze Ausdehnung der russischen Offensive entwickelte sich dramatischerweise, als am gleichen Tag Stanislaw am Fuß der Karpaten, Bialystok in Nordpolen, Dünaburg in Lettland und der Knotenpunkt Siauliai an der Bahnlinie von Riga nach Ostpreußen genommen wurden. Dieser letzte Schlag war der Erfolg eines Blitzvorstoßes von einem der Panzerverbände Bagramjans, der das Schicksal der deutschen Truppen an der Nordfront zu besiegeln drohte.

Doch selbst dieser Erfolg wurde in den Schatten gestellt durch den tiefen Vorstoß in der Mitte und die Gefahr, die dieser für die Deutschen bedeutete. Denn drei Tage vorher, am 24. Juli, hatte Rokossowskijs linker Flügel Lublin genommen, nur 50 Kilometer von der Weichsel und 160 Kilometer südöstlich Warschau. Dabei hatten die Russen geschickt die Tatsache ausgenutzt, daß die deutschen Armeen durch den Pripjet voneinander getrennt waren und durch die neue Offensive südlich des Flusses Verwirrung entstanden war. Am 26. erreichten einige von Rokossowskijs beweglichen Verbänden die Weichsel, während andere schon nach Norden in Richtung Warschau abdrehten. Am nächsten Tag gaben die Deutschen Brest-Litowsk auf, und am gleichen Tag erreichte eine russische Marschgruppe, welche die Stadt umgangen hatte, Siedlce, 80 Kilometer westlich Brest-Litowsk und nur gut 60 Kilometer östlich Warschau.

Bei Siedlce brachten die Deutschen vorübergehend den Vormarsch zum Stehen; auch an der Weichsel gab es Zeichen härteren Widerstandes, und von den fünf Brückenköpfen, die Rokossowskijs Truppen in der Nacht zum 29. gebildet hatten, wurden vier am nächsten Vormittag wieder bereinigt. Aber am 31. Juli wurden die Deutschen aus Richtung Siedlce durch ein Umfassungsmanöver herausgedrängt, während gleichzeitig die ersten Panzerspitzen Rokossowskijs die ersten Häuser von Praga erreichten, dem am Ostufer der Weichsel gelegenen Stadtteil von Warschau. Am nächsten Morgen begannen sich die Deutschen über die Brücken nach Warschau zurückzuziehen, und die Führer der polnischen Untergrundbewegung wurden dadurch ermutigt, das Signal zu einem Aufstand zu geben.

Der gleiche Tag erlebte auch im Baltikum entscheidende Ereignisse. An der Front Bagramjans nahm eine Panzereinheit unter General Obuchow die Bahnstation Tukkums nahe dem Golf von Riga nach einem nächtlichen Vorstoß von 80 Kilometern und schnitt dadurch die Rückzugsstraße der deutschen Heeresgruppe Nord ab. Tschernjachowskij besetzte gleichzeitig Kaunas (Kowno), die Hauptstadt Litauens, während seine weit vorgepreschten Panzerspitzen bis dicht an die Grenze Ostpreußens in die Nähe von Insterburg gelangten. Und am 2. August errichteten Konjews Truppen einen neuen großen Brückenkopf an der Weichsel bei Baranow, 200 Kilometer südlich Warschau oberhalb des Zusammenflusses von San und Weichsel.

Es war für die Deutschen ein Zeitpunkt der Krise an allen Fronten. Im Westen brach die Front in der Normandie zusammen, und Pattons Panzer stießen nach dem Durchbruch von Avranches weit vor. In der Heimat aber hatte ein politisches Erdbeben stattgefunden, dessen Wellen sich bis an die Fronten fortpflanzten: Am 20. Juli wurde der Versuch unternommen, Hitler zu töten und das Nazi-Regime zu stürzen, und eine Anzahl von Generalen war an der mißglückten Verschwörung beteiligt. Die anfängliche Ungewißheit über den Ausgang und dann die Furcht vor Strafe und Vergeltung hinterließen in vielen militärischen Hauptquartieren lähmende Verwirrung.

Nachdem die Bombe in Hitlers Hauptquartier bei Rastenburg in Ostpreußen explodiert war, gingen von Berlin Fernschreiben an die Mitverschworenen in den verschiedenen Stäben heraus, mit der Meldung, Hitler sei tot. Die gegensätzliche Meldung des deutschen Rundfunks erweckte Zweifel an der Richtigkeit der ersten Nachricht, aber führte natürlich zu allgemeiner Verwirrung über den wirklichen Stand der Dinge. Zudem war das Fernschreiben der Verschwörer an Friessners Stab von ausführlichen Anweisungen begleitet, daß sich die Streitkräfte im Norden unverzüglich zurückziehen und jedes Risiko eines »zweiten Stalingrad« vermeiden sollten. Ebenso wie im Westen hatten die Ereignisse des 20. Juli erhebliche Auswirkungen auch an der Ostfront.

Am geringsten waren die Auswirkungen bei der Heeresgruppe Mitte. Das lag weitgehend an ihrem neuen Oberbefehlshaber Model, der fast unmittelbar nach dem ersten feindlichen Durchbruch Busch abgelöst hatte. Dieser hatte unter dem doppelten Druck — die Russen vor sich und Hitler in seinem Rücken — einen Nervenzusammenbruch erlitten. Model war bei dem Einmarsch in Rußland 1941 Divisionskommandeur gewesen und war jetzt mit 54 Jahren fast ein Jahrzehnt jünger als die meisten deutschen hohen Befehlshaber. Bei seinem schnellen Aufstieg hatte er die Energie und Rücksichtslosigkeit beibehalten, die er bei der Führung seiner Panzerdivision bewiesen hatte. Er war auch einer der wenigen Generale, die wagten, mit Hitler zu streiten, der seine Rauhbeinigkeit der sarkastischen Art Mansteins vorzog und daher eher bereit war, ihm freie Hand zu lassen. Von Hitlers ungewöhnlicher Duldsamkeit profitierend, handelte Model oft nach eigenem Gutdünken, wenn er sich aus heiklen Positionen zurückzog und mißachtete oft die erhaltenen Befehle. Diese unerschrokkene Initiative war noch mehr als die geschickte Art seiner Rückzüge der Grund für seine Erfolge bei der Rettung gefährdeter Truppenteile. Gleichzeitig verstärkte natürlich diese Sonderstellung und diese Hinnahme seiner Entscheidungen durch Hitler seine Loyalität gegenüber dem Führer. Nach dem 20. Juli war Model der erste militärische Befehlshaber, der die Verschwörung verurteilte und die unerschütterliche Treue des Heeres beteuerte. Hitlers Vertrauen zu ihm wurde aber durch die folgenden militärischen Ereignisse noch besser gerechtfertigt.

Denn Anfang August erfolgte eine bemerkenswerte Festigung der deutschen Stellungen, und der Einmarsch der Russen nach Warschau verzögerte sich bis in das kommende Jahr. Gegen Abend des 1. August war der größte Teil der Stadt in den Händen der aufständischen Bevölkerung. Aber gerade als sie erwartete, die Russen würden den Strom überschreiten und ihr zu Hilfe kommen, hörte man, wie der Donner der Geschütze abflaute, und die Aufständischen mußten sich fragen, was das unheilverkündende Schweigen zu bedeuten habe. Dann wurde am 10. August das Schweigen abgelöst von einem massierten Bomben- und Geschützhagel aus der Luft und vom Boden aus, dem Vorboten des deutschen Versuchs, die Stadt wieder in die Hand zu bekommen. In der Stadt kämpfte die polnische Untergrundarmee unter General Bor-Komorowski hartnäckig weiter; aber sie wurde bald in drei kleineren Sektoren isoliert, und von der anderen Seite des Stromes kam keine Hilfe.

Es war natürlich, daß die Polen glaubten, die Russen hätten sich bewußt zurückgehalten. Es war auch verständlich, daß die Sowjetregierung nicht besonders erfreut war, wenn die Polen selbst ihre Hauptstadt aus deutscher Hand befreiten und dadurch zu einer unabhängigeren Haltung gegenüber Moskau ermuntert würden. Aber wenn es auch schwierig ist, die Fäden dieser Kontroverse zu entwirren, so ist der Stillstand der Russen fast an der ganzen Ostfront zu dieser Zeit doch ein Anzeichen dafür, daß militärische Faktoren vielleicht noch entscheidender waren als politische Erwägungen[1].

In der deutschen Front vor Warschau war jetzt der wichtigste neue Faktor das Eingreifen von drei recht starken SS-Panzerdivisionen, die erst am 29. Juli eingetroffen waren, zwei vom Südabschnitt der Ostfront und eine aus Italien. Ihr Gegenschlag von der nördlichen Flanke aus trieb einen Keil in den russischen Bogen hinein und zwang den Feind zum Rückzug. Gleichzeitig wurde ein versuchter russischer Vorstoß von den Brückenköpfen westlich der Weichsel aus mit Hilfe einiger Verstärkungen aus Deutschland zum Stehen gebracht. Bis zum Ende der ersten Augustwoche kamen die Russen überall zum Stehen, außer unbedeutenden Fortschritten am Fuß der Karpaten und in Litauen. Die große Woge hatte ihre Kraft verloren. In den letzten Stadien des zügigen Vormarsches war dieser nur von kleineren Verbänden beweglicher Truppen durchgehalten worden, und Models geringe Reserven genügten, diese aufzuhalten, sobald er eine passende festere Stellung gefunden hatte. Nach einem Vormarsch von bis zu 700 Kilometern in fünf Wochen – ihrem bei weitem größten und schnellsten Vormarsch in diesem Kriege – litten die Russen jetzt an den natürlichen Folgen der Überlänge ihrer Nachschublinien und mußten diesem strategischen Gesetz Tribut zollen: Sie sollten noch fast sechs Monate an der Weichsel stehenbleiben, bevor sie in der Lage waren, eine neue große Offensive zu beginnen.

Die zweite Augustwoche war gekennzeichnet durch harte Kämpfe an vielen Punkten, wobei die Deutschen kräftige Gegenangriffe führten und die Russen neue Angriffsmöglichkeiten suchten; aber keine Seite erzielte nennenswerte Vorteile. Die Weichsel-Front wurde stabilisiert; an der ostpreußischen Grenze wurde der russische Vorstoß zur Pforte von Insterburg von Manteuffels Pan-

1 Allerdings ist die russische Weigerung, amerikanischen Bombern aus Westeuropa nach ihrem Abwurf von Material für die Polen in Warschau die Landung auf russischen Flugplätzen zu gestatten, niemals zufriedenstellend erklärt worden. Britische und polnische Piloten flogen zwar bei solchen Einsätzen von Italien nach Warschau und wieder zurück, aber bei so großen Entfernungen konnten diese mutigen Flüge den Ausgang nicht entscheiden.

zerdivision zum Stehen gebracht, die soeben von der rumänischen Front angekommen war und die Russen von dem Straßenknotenpunkt Vilkaviskis wieder zurückdrängte. An diesem von Seen und Sümpfen ausgefüllten Abschnitt kamen die Kämpfe zum Stillstand. Manteuffel wurde dann nach Norden geschickt, und in der zweiten Augusthälfte rückte er von Tauroggen aus bis Tukkums am Golf von Riga vor und machte dadurch für die Heeresgruppe Nord die Rückzugsstraße wieder frei.

Die Erfolge eines so kleinen Panzerverbandes beleuchteten schlagend, wie labil die Situation war und wie sehr die Nachschubschwierigkeiten die Russen an der Konsolidierung ihrer Geländegewinne hinderten. Unter diesen Umständen wiegen oft kleine Panzerverbände weit mehr als große Infanteriemassen, und der Verlauf des Feldzuges wurde bestimmt dadurch, welche Seite derartige Verbände an die jeweils kritischen Stellen werfen konnte. Die Geschichte von David und Goliath wiederholte sich vielfach in ihrer modernen Form.

Die Erleichterung, die sich die Deutschen durch die Stabilisierung der Lage an der Hauptfront zwischen Ostsee und Karpaten verschafften, wurde aber ausgeglichen durch die Entstehung einer noch größeren Gefahr an einer Nebenfront. Politische Entwicklungen, die den Weg frei gemacht hatten, führten zu einer russischen Offensive gegen Rumänien.

Am 20. August griffen die Truppen der »2. Ukrainischen Front« (jetzt unter Malinowskij) aus dem Raum Jassy auf beiden Ufern des Sereth in der Richtung Galatz an. Dies war eine Bedrohung der Flanke und des Rückens des großen Vorsprung, der sich immer noch bis ins südliche Bessarabien erstreckte. Die »3. Ukrainische Front« (jetzt unter Tolbuchin) griff diesen Vorsprung durch einen westlichen Vormarsch vom Unterlauf des Dnjestr aus direkt an. Anfangs stießen die Russen auf harten Widerstand, und der Feind gab nur langsam Gelände preis, aber das Tempo des Vormarsches wurde bald schneller.

Am 23. August verkündete dann der rumänische Rundfunk, Rumänien habe mit den Alliierten Frieden geschlossen und befinde sich im Kriegszustand mit Deutschland, Marschall Antonescu sei gestürzt und verhaftet worden, und seine Nachfolger hätten die russischen Bedingungen angenommen, vor allem einen sofortigen Frontwechsel in diesem Krieg.

Die allgemeine Verwirrung ausnutzend, besetzten die Russen am 27. Galatz und am 30. die großen Ölfelder von Ploesti, am nächsten Tag zogen sie in Bukarest ein. Ihre Panzer hatten in zwölf Tagen 400 Kilometer zurückgelegt; in den nächsten sechs Tagen legten sie noch weitere gut 300 Kilometer zurück und erreichten bei Turnu-Severin an der Donau die jugoslawische Grenze. Ein großer Teil der deutschen Truppen war im bessarabischen Bogen gefangengenommen oder durch den russischen Vormarsch überrollt worden. Die ganze deutsche 6. Armee mit 20 Divisionen war verloren – es war, in dieser Hinsicht, eine ebenso große Katastrophe wie Stalingrad.

Rumäniens Kapitulation veranlaßte auch die bulgarische Regierung, sich um einen Friedensschluß mit Großbritannien und den USA zu bemühen. Denn obwohl Bulgarien sich nicht an der Invasion in Rußland beteiligt hatte, hatte man Grund, sich beunruhigt zu fragen, was die Russen von dieser Neutralität hielten. In der Tat befriedigte Bulgariens Bereitschaft, auf die Bedingungen der Westmächte einzugehen, die Sowjetregierung nicht, die sogleich Bulgarien den Krieg erklärte und dieser Erklärung eine schnelle Invasion von Osten und Norden folgen ließ. Diese Invasion war nur ein Spaziergang; denn die bulgarische Regierung befahl, keinen Widerstand zu leisten, und beeilte sich mit einer eigenen Kriegserklärung an Deutschland.

Der Weg war frei für die Rote Armee, die weiteste offene Flanke auszunutzen, die es jemals in einem modernen Krieg gegeben hatte. Das ganze Manöver war jetzt in der Hauptsache ein logistisches Problem, das durch die Faktoren Geschwindigkeit und Nachschub, nicht durch feindlichen Widerstand bestimmt wurde. Über 100 000 Deutsche waren in der rumänischen Falle gefangengenommen worden, und jede Möglichkeit, diese Verluste auszugleichen, wurde durch die verzweifelte Situation im Westen verhindert, wo bis Ende September über eine halbe Million an den verschiedenen Fronten in Gefangenschaft geraten waren.

So erfolgte im Herbst etappenweise eine große Schwenkung der Armeen des russischen linken Flügels in den weiten Räumen Südosteuropas. Das einzige, was die Deutschen tun konnten, war, so lange wie möglich einzelne Verkehrsknotenpunkte zu halten und die Verkehrsverbindungen zu zerstören, wenn sie sich zurückziehen mußten. Ihre verfügbaren Kräfte waren spärlich, verglichen mit dem Raum, den sie abdecken mußten; doch zu ihrem Glück waren die Verkehrsverbindungen in dieser Gegend auch spärlich, während es viele natürliche Hindernisse gab. So wurde die heranrückende Gefahr zu einer Bewegung im Zeitlupentempo, und die Deutschen gewannen Zeit, ihre Truppen aus Griechenland und Jugoslawien herauszuziehen.

Die Deutschen hätten eine noch größere Verzögerung bewirken können, wenn nicht die Russen durch einen Blitzvorstoß in das nordwestliche Rumänien in der Verwirrung der ersten Wochen nach dem Frontwechsel den Ansatz zu einer großen Zangenbewegung gefunden hätten. Die Südseite der Karpaten umgehend, war eine Panzergruppe in diesen Teil des Landes vorgedrungen und hatte am 19. September Temesvar, am 22. Arad besetzt. Damit schnitten die Russen einige der Straßen von Belgrad nach Norden ab und standen dicht an der Südgrenze Ungarns, nur 160 Kilometer von Budapest. Ein so kühner Vorstoß konnte nur gewagt werden, wenn der Gegner nicht mehr die Kraft zu einem Gegenstoß zur Abschneidung des vorstoßenden Keiles hatte. Auch so, wie die Dinge lagen, konnte der Geländegewinn nicht ausgeweitet werden, ehe stärkere Kräfte in dem Keil nachgeschoben wurden. Dies ging nur ziemlich langsam, aber es war immerhin schneller als der direktere Vormarsch über die Berge nach Siebenbürgen.

Daher wurde erst am 11. Oktober der Feind aus Klausenburg (Cluj) vertrieben, der Hauptstadt Siebenbürgens, das noch 200 Kilometer östlicher liegt als Arad. Doch bis dahin hatte Malinowskij genügend Streitkräfte in dem Keil massiert, rückte über den Fluß Mures in die ungarische Tiefebene vor und drehte auf alle Rückzugsstraßen aus Siebenbürgen ein. Als Klausenburg von seinem rechten Flügel genommen wurde, waren die Spitzen seines linken Flügels schon 270 Kilometer weiter westlich und nur noch 90 Kilometer von Budapest entfernt. Das indirekte Vorgehen machte sich jetzt reichlich bezahlt.

In der Woche darauf entstand eine neue Zange, als die Truppen der neu aktivierten »4. Ukrainischen Front« unter Petrow von Norden über die Karpatenpässe vorrückten — auf dem von der ungarischen I. Armee gehaltenen Abschnitt zwischen dem Tatarenpaß und Lupkow — und nach Ruthenien vorstießen, von wo Petrow nach Westen, auf die Slowakei eindrehte. In der gleichen Woche wurde auch die jugoslawische Hauptstadt Belgrad befreit durch Tolbuchins Vorstoß von der Südflanke des großen Keils über die Donau im Zusammenwirken mit den Partisanen Marschall Titos. Die deutsche Besatzung kämpfte zäh, wurde aber am 20. Oktober endgültig aus der Stadt herausgedrängt. Es ist erstaunlich, daß sie sich so lange gehalten hatte; aber noch erstaunlicher war, daß erhebliche deutsche Streitkräfte in Griechenland geblieben waren, getreu dem Hitlerschen Grundsatz, nicht freiwillig zurückzugehen. Erst in der ersten Novemberwoche räumten sie Griechenland und versuchten einen Rückzug fast nach Art Xenophons durch tausend Kilometer unwegsamen und feindseligen Landes.

Die Befreiung Belgrads und das russische Eindringen in die ungarische Tiefebene vollendeten die erste Phase der großen Schwenkung.

Nachdem er seine Truppen auf einer 130 Kilometer breiten Front am Tisa-Fluß von Szeged bis nördlich von Szolnok aufgeschlossen hatte, begann Malinowskij am 30. Oktober einen großangelegten Direktangriff auf Budapest. Er hatte jetzt 64 Divisionen einschließlich der rumänischen unter seinem Kommando, und seine Truppen hatten nur noch 80 Kilometer bis dahin vor sich. Schrittweise die Deutschen und Ungarn zurückdrängend, erreichten die ersten Panzerspitzen am 4. November die Vorstädte von Budapest; aber schlechtes Wetter hemmte ihren Versuch, die Stadt im Handstreich zu nehmen, ehe die Verteidigung sich konsolidiert hatte. Wie andere hartnäckig verteidigte Städte erwies sich auch Budapest als eine harte Nuß. Ende November waren die Russen immer noch dort aufgehalten und hatten auch wenig Fortschritte bei ihren Versuchen gemacht, die Stadt von den Flanken zu umgehen. Auch Petrow wurde bei seinem Versuch zum Stehen gebracht, von Ruthenien in die Slowakei vorzustoßen und den slowakischen Partisanen zu Hilfe zu kommen. Die Unwegsamkeit und die korridorähnliche Form der Slowakei bot ihm wenig Entfaltungsmöglichkeiten.

In Budapest festgerannt, begannen die Russen jetzt eine Schwenkung innerhalb der großen Schwenkung. Tolbuchins insgesamt etwa 35 Divisionen rückten von Jugoslawien aus nach Norden, und von einem Brückenkopf in der Nähe des Zusammenflusses von Donau und Drau aus, etwa 200 Kilometer südlich von Budapest, begannen sie in der letzten Novemberwoche ein großes Umfassungsmanöver. Am 4. Dezember erreichten sie den Plattensee, im Rücken der ungarischen Hauptstadt. Gleichzeitig startete Malinowskij einen neuen Angriff nördlich von Budapest ebenso wie einen neuen Angriff auf die Stadt selbst. Doch der kombinierte Vorstoß scheiterte, und am Ende des Jahres war Budapest noch nicht erobert. Selbst nachdem es in den Weihnachtstagen durch eine erneute Umfassung ganz eingeschlossen worden war, hielt es sich bis Mitte Februar.

Am anderen Ende der großen Ostfront, im Baltikum, war der Herbstfeldzug ähnlich verlaufen – zuerst ein deutscher Zusammenbruch, dann ein Stocken des russischen Vormarsches. Deutschlands Niederlagen im Laufe des Sommers hatten die Finnen dazu gebracht, sich in das Unvermeidliche zu fügen, fast in den gleichen Tagen wie die Rumänen und Bulgaren. Anfang September hatten sie die russischen Waffenstillstandsbedingungen angenommen. Dazu gehörte die Bestimmung, daß sie gegen alle deutschen Truppen vorgehen mußten, die nicht bis zum 15. September Finnland verlassen hatten. Nach einem deutschen Versuch, auf der Insel Hogland im Finnischen Golf zu landen, erklärte Finnland Deutschland den Krieg.

Die Kapitulation Finnlands machte den Weg frei für eine konzentrische russische Offensive gegen die deutsche Heeresgruppe Nord, die statt Friessner jetzt Schörner befehligte. Die Truppen von zwei »Fronten« – Goworows und Maslennikows – rückten gegen Schörners Front vor, während die Truppen Jeremenkos seine Flanke umfaßten und die Bagramjans seinen Rücken bedrohten. Es schien kaum möglich, daß die Deutschen aus einem so langen Schlauch entkommen könnten, zumal da der Ausgang so schmal war. Aber innerhalb einer Woche hatten sie sich über 300 Kilometer in den Schutz ihrer Stellungen bei Riga zurückgezogen, ohne daß nennenswerte Verbände abgeschnitten wurden; den Truppen Bagramjans war es nicht gelungen, den Flaschenhals zu schließen. Wieder einmal hatten die Ereignisse gezeigt, wie schwer es ist, auf schmalen Frontabschnitten anzugreifen, wenn die Verteidigung noch dicht genug ist.

Um die Scharte auszuwetzen, verstärkte das russische Oberkommando Bagramjans Heeresgruppe, damit er aus dem mittleren Litauen südlich von Riga bis zur Ostsee durchstoßen könnte. Diese neue Offensive begann am 5. Oktober. Die Weite des Raumes und die Konzentration des Gegners im Raum Riga ausnutzend, erreichte sie nördlich und südlich von Memel am 11. Oktober die Küste. Zwei Tage später gab Schörner Riga auf und zog sich nach Kurland zurück. Dort gelang es jedoch seinen eingeschlossenen Truppen, noch länger Widerstand zu leisten; ebenso gelang dies der eingeschlossenen Garnison von Memel. Freilich hatten die Russen genug überschüssige Kräfte, die sie gegen die dort eingeschlossenen Deutschen einsetzen konnten. Ihr Hauptproblem war wieder der Nachschub und der Raum zum Manövrieren.

Nach dieser Säuberung der baltischen Flanke griffen die Russen jetzt Ostpreußen an und begannen dort Mitte Oktober eine starke Offensive. Doch wiederum behauptete sich die Verteidigung in einem Gelände, das von Seen und Sümpfen durchzogen und für frontale Angriffe ungünstig war. Der Hauptvorstoß erfolgte in Richtung Insterburg, wurde aber abgeschlagen in einer großen Panzerschlacht bei Gumbinnen – dem Schauplatz der kurzlebigen russischen Erfolge im Jahre 1914. Anderen Vorstößen in benachbarten Abschnitten gelang ebensowenig ein Durchbruch, der weit genug war, die Front aus den Angeln zu heben. Bis Ende Oktober hatte sich die Offensive erschöpft, und es kam wieder zu einer Kampfpause.

Die erstaunliche Behauptung der Deutschen im Osten, im Westen und auch in Mitteleuropa war ein schlagender Beweis für die Auswirkungen ihrer eigenen Frontverkürzung und der Ausdehnung der gegnerischen Nachschublinien – aber auch dafür, daß die alliierte Forderung nach »bedingungsloser Kapitulation« Hitler geholfen hatte, den Widerstandswillen der Deutschen zu stärken. Der Verlauf der Herbstfeldzüge zeigte auch, wie durch eine elastische, geschickte Verteidigung Zeit gewonnen werden könnte, bis Deutschlands neue Waffen einsatzbereit waren. Aber Hitler wollte dies nur als Bestätigung für seinen Grundsatz der starren Verteidigung anerkennen. In dieser Überzeugung verbot er nicht nur seinen Befehlshabern im Westen, sich rechtzeitig aus dem Ardennen-Bogen zurückzuziehen, sondern befahl auch eine Stärkung der Verteidigung Budapests, die seine Front im Osten verhängnisvoll schwächte.

KAPITEL 33

DIE STRATEGISCHE LUFTOFFENSIVE GEGEN DEUTSCHLAND

Die Theorie der strategischen Luftangriffe wurde in England gegen Ende des Ersten Weltkrieges und in den Jahren darauf entwickelt. Sie war zum großen Teil eine Folge der Tatsache, daß am 1. April 1918, im letzten Kriegsjahr, die Royal Air Force als unabhängige Waffengattung geschaffen wurde und die bisherigen Luftwaffeneinheiten des Heeres und der Kriegsmarine zusammenfaßte. Die Theorie wurde um so leidenschaftlicher von dieser neuen dritten Waffengattung vertreten, als sie die Berechtigung für ihre unabhängige Existenz darstellte.

Ironischerweise wurde die Theorie bald stark unterstützt von Generalmajor Hugh Trenchard, der die Fliegereinheiten des Heeres, das Royal Flying Corps, in Frankreich befehligt und in dieser Eigenschaft sich der Schaffung einer dritten unabhängigen Waffengattung widersetzt hatte. Im Januar 1918 kehrte er von der Front in Frankreich zurück, um militärischer Chef der neuen Waffengattung unter dem Namen »Chief of the Air Staff« (Chef des Luftwaffenstabes) zu werden. Fast unmittelbar darauf stieß er mit dem neuernannten Luftwaffenminister Lord Rothermere zusammen und wurde als Chef des Luftwaffenstabes durch Generalmajor Sir Frederick Sykes, einen anderen Pionier der Fliegerei, abgelöst. Trenchard erhielt dann das Kommando über die unabhängigen Bomberverbände, die im Herbst 1918 aufgestellt worden waren mit dem Ziel, Berlin und andere Ziele in Deutschland zu bombardieren – als Vergeltung für die Angriffe der deutschen »Gotha«-Bomber auf London in den Jahren 1917/18, deren Auswirkungen auf die Stimmung und die Vorstellungen der britischen militärischen Chefs unvergleichlich größer waren als der von ihnen angerichtete Schaden. Doch selbst zur Zeit des Waffenstillstandes im November 1918 umfaßten die Bomberverbände der R. A. F. nur neun Squadrons und hatten kaum selbständige Operationen unternommen – ja, nur drei der großen »Handley-Page«-

Bomber, die zum Angriff auf Deutschland bestimmt waren, sich damals schon bei den Verbänden befanden. Doch Trenchard war ein begeisterter Befürworter eigenständiger Bombenangriffe geworden. Dies zeigte sich sehr klar, als er 1919 nach Kriegsende nach London zurückkehrte, um seinen Posten als Chef des Luftwaffenstabes wieder einzunehmen, den er dann noch zehn Jahre, bis 1929, innehatte. In diesen zehn Jahren wurde die Theorie des strategischen Luftangriffs weiterentwickelt von Brigadegeneral P. R. C. Groves, der im Luftwaffenstab die rechte Hand von Sykes und Direktor der Flugoperationen war.

In Amerika wurde der Gedanke von Brigadegeneral William Mitchell in den zwanziger Jahren begeistert aufgegriffen. Doch Mitchell stieß bald auf Schwierigkeiten bei den zwei älteren Waffengattungen und wurde wegen seines aggressiven Enthusiasmus seines Postens enthoben. Erst viele Jahre später, als eine neue Generation zur Macht gekommen war, wurden die USA die führende Luftmacht der Welt und der große Exponent strategischer Luftangriffe.

Eine spätere Generation von Historikern neigt dazu, als Vater der Theorie einen italienischen General anzusehen: Goulio Diuhet, der im Jahr 1921 ein Buch über die Zukunft des Luftkrieges veröffentlicht hatte. Aber seine Schriften, obwohl rückschauend interessant zu studieren, hatten damals in den Kindertagen der Luftwaffe keinerlei praktischen Einfluß[1].

Die Theorie des britischen Luftwaffenstabes wird in der von Sir Charles Webster und Dr. Noble Frankland geschriebenen offiziellen Geschichte »The Strategic Air Offensive against Germany« wie folgt zusammengefaßt:

1 1935 stieß ich in Paris auf eine französische Übersetzung von Douhets Buch »Die Luftherrschaft«, und bei der Rückkehr nach England erwähnte ich es im Gespräch mit verschiedenen Freunden im Luftwaffenstab, stellte aber fest, daß keiner von ihnen davon gehört hatte. In der Tat war auch die Theorie des Luftwaffenstabes schon erheblich weiterentwickelt. Erst 1942 erschien in Amerika eine englische Übersetzung der Schriften Douhets, und erst 1943 in England. Selbst in Italien hatte Douhet wenig Eindruck gemacht. Als ich 1927 auf offizielle Einladung die italienischen Streitkräfte besuchte, erwähnte weder der Luftwaffenminister Marschall Balbo noch einer der Fliegergenerale Douhets Schriften auch nur in der Unterhaltung, obwohl sie sonst sehr freimütig in der Diskussion waren und sich lebhaft für die in England entwickelten neuen Ideen der Luftwaffenstrategie interessierten.

»Die strategische Luftoffensive ist eine Methode des direkten Angriffes auf den feindlichen Staat mit dem Ziel, ihn der Mittel oder des Willens zur Fortsetzung des Krieges zu berauben. Sie kann in sich selbst schon ein Instrument des Sieges sein, oder sie kann ein Mittel sein, mit dem der Sieg von den anderen Streitkräften errungen werden kann. Sie unterscheidet sich von allen bisherigen Arten bewaffneten Angriffs dadurch, daß sie allein unmittelbar direkt und zerstörerisch das Herzland des Feindes treffen kann. Ihre Aktionssphäre liegt daher nicht nur über, sondern auch jenseits der von Armeen und Flotten.«

Obwohl die bis zum Ende des ersten Krieges gewonnenen praktischen Erfahrungen sehr gering waren, ermöglichte doch diese Konzeption strategischer Bombenangriffe den Chefs der R. A. F., in den Jahren zwischen den Kriegen, vor allem in dem ersten Jahrzehnt, ihre Unabhängigkeit gegen alle Versuche des Heeres und der Marine zu behaupten, die Luftwaffe als besondere Waffengattung wieder abzuschaffen und sie wie früher den beiden anderen zu unterstellen.

Diese Konzeption war, in natürlicher Reaktion auf den Standpunkt von Heer und Marine, von Trenchard und seinen treuen Helfern als eine extreme Bombertheorie entwickelt worden. Trenchard argumentierte, die Luftwaffe und ihre Aufgabe seien ihrem Wesen nach völlig verschieden und lägen in einer ganz anderen Dimension als die des Heeres und der Marine. Dies trug zwar dazu bei, die noch gefährdete Unabhängigkeit der Luftwaffe zu stützen; aber diese Bagatellisierung der taktischen Aufgabe der Luftwaffe erwies sich als ein Fehler. Ein zweites Argument, das sich aus dem ersten ergab, war, daß die beste Luftverteidigung ein Bomberfeldzug gegen das Herzstück des Feindes sei — zweifelhaft selbst in der Theorie, wurde dieses Argument völlig abwegig angesichts der Luftüberlegenheit, die Deutschland Ende der dreißiger Jahre erreicht hatte. Die doktrinäre Starrheit, mit der dieses Argument verfochten wurde, führte zu der Schlußfolgerung, die in dem von Baldwin als Premierminister allzu bereitwillig akzeptierten Satz formuliert wurde: »Der Bomber wird überall durchkommen.« Das war ein Trugschluß, dem sich sowohl die R. A. F. als auch die amerikanische U. S. A. A. F. hingaben, bis ihre schweren Verluste in den Jahren 1943/44 sie zwangen zu erkennen, daß die Luftherrschaft die erste Voraussetzung einer wirksamen strategischen Bomberoffensive ist.

Eine andere vor dem Krieg herrschende Theorie war, daß Luftangriffe bei Tage gemacht und gegen bestimmte militärische oder wirtschaftlich wichtige Ziele gerichtet werden sollten, da jede andere Form der Bombardierung »unproduktiv« sei. Trenchard betonte zwar auch die moralischen Auswirkungen von Bombenangriffen auf die Zivilbevölkerung, und nächtliche Angriffsflüge wurden bis zu einem gewissen Grade geprobt; im allgemeinen bestand aber beim Luftwaffenstab die weitgehend in der ganzen R. A. F. geteilte Neigung, die operativen Schwierigkeiten zu unterschätzen.

Angesichts der Hartnäckigkeit und Konsequenz, mit der die Konzeption strategischer Bombenangriffe in den Zwischenkriegsjahren verkündet wurde, werden künftige Historiker verwundert sein, wenn sie feststellen, daß bei Kriegsausbruch im Jahr 1939 die R. A. F. keine geeigneten Flugzeuge für strategische Bombenangriffe besaß. Das war nicht nur auf die Knappheit für Mittel und die Sparpolitik zurückzuführen, die in den zwanziger und Anfang der dreißiger Jahre betrieben wurde, sondern auch auf falsche Vorstellungen der R. A. F. über die Art der zu diesem Zweck benötigten Flugzeuge. Selbst nachdem man den veralteten Doppeldecker nach 1933 zu ersetzen begann, gab es immer noch viele leichte Bomber, die für strategische Angriffe nutzlos waren, während auch die Mehrheit der neueren Typen – die Whitleys, Hampdens, Wellingtons – selbst für die Vorstellungen dieser Periode nicht gut genug waren. Von den 17 Squadrons schwerer Bomber, die 1939 zur Verfügung standen, waren nur die sechs, die mit Wellingtons ausgerüstet waren, leidlich leistungsfähig. Außerdem war die ganze Bomberwaffe gehandicapt durch den Mangel ausreichend geschulten Personals – hauptsächlich wegen der allzu langen Konzentration auf leichte Zweisitzer-Maschinen – sowie durch die Mängel der technischen Hilfsmittel für Navigation und Bombenabwurf.

Trenchard, der Ende 1929 als Chef des Luftwaffenstabes zurückgetreten und Mitglied des Oberhauses geworden war, hatte auch im nächsten Jahrzehnt durch seine Schüler großen Einfluß in der R. A. F. Er und seine Schüler stellten die Bomber weiterhin in die erste Reihe, auch nachdem es bekannt war, daß die deutsche Luftwaffe eine große Überlegenheit errungen hatte. Der vom Luftwaffenstab Anfang 1938 aufgestellte Plan L sah 73 Bomber-Squadrons vor und 38 Jäger-Squadrons bis zum Frühjahr 1940 – also ein Verhältnis von fast 2:1 und nach der Zahl der Flugzeuge sogar noch mehr als das. Nach der Münchener Krise vom September 1938 wurde durch den revidierten »Plan M« des Luftwaffenstabes das Programm auf 85 Bomber- und 50 Jäger-Squadrons erweitert – dadurch wurde das Verhältnis von Jägern zu Bombern von 1:2 auf etwas weniger als 3:5 erhöht.

Trenchard bedauerte auch diese geringfügige Veränderung, und noch im Frühjahr 1939 führte er im Oberhaus aus, daß das 2:1-Verhältnis von Bombern zu Jägern aufrechterhalten werden solle und die beste Abschreckung für die deutsche Luftwaffe darstelle. Aber dies war offensichtlich unrealistisch; denn die deutsche Bomberwaffe war schon fast doppelt so stark wie die britische, und der Ausbau einer Bomberwaffe nimmt viel mehr Zeit in Anspruch als der von Jägerverbänden.

Glücklicherweise hatte eine realistischere Denkweise im Luftwaffenstab die Oberhand gewonnen. Schon im Jahr 1937 hatte Sir Thomas Inskip, Minister für die Rüstungskoordination, seine Zweifel ausgesprochen und erklärt, es würde leichter sein, eine deutsche Bomberwaffe über England zu vernichten als durch Bombardierung ihrer Flugplätze oder ihrer Fabriken. Dann kehrte Anfang 1939 Air Vice Marshal Richard Peck – der in den zwanziger Jahren der junge Chef der Planungsabteilung gewesen war und viele von Trenchards Bomber-Argumenten für das Kabinett formuliert hatte – aus Indien zurück, wo er drei Jahre lang ranghöchster Luftwaffen-Stabsoffizier gewesen war, und wurde Leiter der Operationsabteilung. Angesichts der tatsächlichen Lage hatte er seine Ansichten revidiert, wie viele der jüngeren Offiziere, und bald nach Kriegsausbruch überzeugte er den Chef des Luftwaffenstabes Sir Cyril Newall von der entscheidenden Bedeutung einer Verstärkung der Jäger-Waffe. Seine Argumente wurden dadurch verstärkt, daß die Aussichten wirksamer Luftabwehr jetzt durch die Entwicklung des Radars als eines Mittels frühzeitiger Erfassung des Gegners besser geworden waren, ebenso auch durch die Entwicklung neuer und schnellerer Jägertypen, der Hurricanes und Spitfires. So wurde im Oktober 1939 der Befehl erteilt, 18 weitere Jäger-Squadrons für die Verteidigung Großbritanniens aufzustellen. Dieser rasch verwirklichte Entschluß erwies sich als entscheidend wichtig für den Ausgang der »Schlacht von England« ein Jahr später, von Juli bis September 1940. Andernfalls hätte die Luftverteidigung Großbritanniens sich kaum gegen die schweren anhaltenden Angriffe der Luftwaffe behaupten können.

Diese die Überhand gewinnende realistische Ansicht brachte das Kabinett und — etwas widerstrebend — auch den Luftwaffenstab zu dem Beschluß, daß unter den Verhältnissen von 1939 Großbritannien besser daran täte, nicht mit strategischen Bombenangriffen zu beginnen, solange die Deutschen sich ihrer enthielten — jedenfalls so lange, bis die eigene Bomberwaffe weit stärker geworden und die eigene Jägerwaffe auf ein besseres Kräfteverhältnis gebracht worden war.

Die ganze Ironie der Situation und der Planung des Luftwaffenstabes zeigt sich in dem Kommentar der offiziellen Kriegsgeschichte:

> »Seit 1918 hatte die Strategie auf der Vorstellung beruht, der nächste Krieg könne nicht ohne strategische Bombenangriffe gewonnen werden; aber als der Krieg ausbrach, war das Bomberkommando nicht in der Lage, dem Feind mehr als ganz unbedeutenden Schaden zuzufügen.«

Aus diesen Gründen begnügte sich die R. A. F. während des Polenfeldzuges und des sogenannten »seltsamen Krieges« im Westen mit sehr bescheidenen Aktionen: dem Abwurf von Propagandaflugblättern und gelegentlichen Angriffen auf Kriegsmarineziele. Außerdem waren die Franzosen, die noch mehr Angst vor Bomber-Vergeltungsangriffen hatten, strikt dagegen, daß das britische Bomberkommando von französischen Stützpunkten aus operierte – die Franzosen, wie die Deutschen, glaubten nur an den taktischen Wert von Bombern zur Unterstützung des Heeres. Die Deutschen waren, im Gegensatz zu den Briten, des Glaubens, daß die »Gotha«-Angriffe im Ersten Weltkrieg in jeder Hinsicht ein Mißerfolg gewesen waren, und sie hatten in ihrer Planung die Konzeption strategischer Bombenangriffe praktisch aufgegeben.

Obwohl der britische Luftwaffenstab Pläne für einen Angriff auf die deutschen industriellen Zentren im Ruhrgebiet hatte, ließ man ihn diese Pläne nicht praktisch durchführen.

Das war vermutlich ein Glück, da solche Angriffe bei Tageslicht von langsamen und schutzlosen Bombern hätten ausgeführt werden müssen. Air Chief Marshal Sir Edgar Ludlow-Hewitt, Oberbefehlshaber des Bomberkommandos von 1937 bis 1940, glaubte selbst, daß solche Angriffe nur gewaltige Verluste und fragwürdige Ergebnisse erbringen würden. Ohne selbst entscheidende Ergebnisse zu erzielen, erlitten im Dezember 1939 die Wellingtons des Bomberkommandos bei Tagesangriffen auf Ziele der Kriegsmarine schwere Verluste durch deutsche Jäger, die von einer primitiven Form von Radar gelenkt wurden, während die weniger flugtüchtigen Whitleys bei ihren Angriffen zum Flugblattabwurf zwischen November 1939 und Mitte März 1940 keinerlei Verluste erlitten. Der Vergleich dieser beiden Erfahrungen führte dazu, daß das Bomberkommando sich nach dem April 1940 auf Nachtangriffe beschränkte. Dies zeigte die Irrigkeit der vor dem Krieg vom Luftwaffenstab vertretenen Ansicht, Bombenangriffe bei Tage seien ohne schwere Verluste möglich.

Ein anderer Trugschluß, nämlich der, daß ein spezielles Ziel leicht gefunden und getroffen werden könne, stellte sich erst allmählich heraus – hauptsächlich weil nachträgliche Luftaufnahmen der Ergebnisse erst 1941 zur allgemeinen Übung wurden, so daß man bis dahin sich auf die oft meilenweit von den Tatsachen entfernten Berichte von den Bomberbesatzungen verlassen mußte.

Die Bomber und Stukas der Luftwaffe spielten eine bedeutende Rolle bei der deutschen Invasion in Norwegen vom April 1940 wie auch schon beim Polenfeldzug 1939. Noch aktiver waren sie bei der Invasion im Westen im Mai und Juli 1940, wo sie mit den Panzertruppen zusammenarbeiteten. Dennoch blieb die R. A. F. jeder Zusammenarbeit mit dem Heer abgeneigt, und sie bestand immer noch auf ihrer Theorie spezieller strategischer Bombenangriffe. So hatte das Bomberkommando auf den Verlauf dieser entscheidenden Feldzüge noch weniger Einfluß, als möglich gewesen wäre. Einige vereinzelte Angriffe der Luftstreitkräfte der britischen Expeditionsarmee auf die vorrückenden deutschen Truppen, insbesondere ein Angriff gegen die Maas-Brücken, kosteten hohe Verluste und hatten wenig Erfolg. Erst am 15. Mai durfte das Bomberkommando mit Genehmigung des Kriegskabinetts, an dessen Spitze jetzt Winston Churchill stand, Angriffe östlich des Rheins ausführen: In dieser Nacht wurden 99 Bomber eingesetzt, um Raffinerien und Eisenbahnknotenpunkte anzugreifen. Dies gilt allgemein als der Beginn der strategischen Luftoffensive gegen Deutschland. Aber das Bomberkommando überschätzte lange Zeit die Ergebnisse dieses und auch späterer strategischer Bombenangriffe.

Die Pläne des Luftwaffenstabes für Angriffe auf Ölraffinerien in Deutschland wurden dann vertagt wegen der akuten Drohung des Luftangriffes auf England seit dem Juli 1940; während dieser »Schlacht von England« erhielt das Bomberkommando den Befehl, Häfen, Schiffe, Zusammenziehungen von Landefahrzeugen, Flugzeug- und Flugzeugmotorenwerke des Feindes anzugreifen – alles, um die Chancen einer deutschen Invasion zu schwächen.

Unterdessen hatte die Bombardierung Rotterdams am 14. Mai und dann noch anderer Städte durch die Deutschen begonnen, das Meinungsklima in Großbritannien zu verändern und den Widerwillen gegen den Gedanken wahlloser Bombenangriffe zu vermindern. Diese Wandlung wurde noch beschleunigt durch Bomben, die am 24. August irrtümlich auf London abgeworfen wurden. Solche Vorfälle wurden im Grunde falsch interpretiert – was natürlich war –, da die deutsche Luftwaffe immer noch an den alten und bewährten Regeln des Bombenkrieges festhielt;

Ausnahmen beruhten meist auf Navigationsfehlern. Aber sie schufen ein zunehmendes Verlangen, gegen deutsche Städte zurückzuschlagen, und zwar wahllos. Das Bewußtsein, daß die Bomber in der nächsten Zukunft die einzige britische Offensivwaffe darstellten, vertiefte diesen instinktiven Wunsch. Dies zeigte sich besonders klar in der Haltung Churchills.

Der Meinungswandel im Luftwaffenstab ging jedoch in erster Linie auf operative Erwägungen zurück. Sowohl seine Erkenntnis der operativen Wirklichkeit wie sein Nachgeben gegenüber dem Druck Churchills zeigte sich in seiner Direktive vom 30. Oktober 1940, daß in klaren Nächten Raffinerien und in Nächten mit bedecktem Himmel Städte angegriffen werden sollten. Das bedeutete ganz klar die Übernahme des Gedankens wahlloser Flächenbombardierungen.

Doch diese beiden Zielsetzungen zeigten ein Übermaß des Optimismus. Es war ebenso unsinnig zu glauben, das Bomberkommando könne mit den noch unzulänglichen Mitteln des Jahres 1940 kleine Ölraffinerien in Deutschland treffen, wie zu glauben, durch die Bombardierung von Städten würde man die Moral des deutschen Volkes treffen und das Nazi-Regime diskreditieren.

Die allmähliche Ansammlung von Tatsachenberichten über die Auswirkung gezielter Bombenangriffe zwang den Luftwaffenstab, deren Wirkungslosigkeit zuzugeben. Noch im April 1941 nahm man 1000 Meter als durchschnittlichen theoretischen Fehler bei Bombenabwürfen an – dies bedeutete, daß kleinere Raffinerien in der Regel nicht getroffen wurden. Die Kontroverse wurde jedoch vertagt wegen der Notwendigkeit, die Kräfte des Bomberkommandos während der »Schlacht im Atlantik« im Jahr 1941 vor allem gegen deutsche Marine- und U-Boot-Stützpunkte einzusetzen. Der Widerwillen des Bomberkommandos, in dieser großen Krise der Kriegsmarine zu helfen, bewies eine Kombination von Kurzsichtigkeit und doktrinärer Starrheit.

In langsamer Abänderung oder besser in schrittweisem Rückzug von seinem ursprünglichen Standpunkt versuchte das Bomberkommando seit Juli 1941, »halbspezielle Ziele« wie etwa das deutsche Eisenbahnsystem anzugreifen. Wenn das Wetter nicht klar war, wurden auch solche Ziele ersetzt durch das noch weiter gefaßte Ziel »große Industriegebiete«; aber selbst dieser abgeänderte Plan erwies sich in der Praxis als unwirksam. Der Butt-Bericht vom August 1941, der auf sorgfältigen Untersuchungen fußte, gab an, daß bei den Angriffen auf das Ruhrgebiet nur jeder zehnte Bomber weniger als acht Kilometer an sein bestimmtes Ziel herangekommen war – von den theoretischen 1000 Metern war nicht mehr die Rede. Die Beherrschung der Navigation war offensichtlich das schwierigste Problem des Bomberkommandos. Die operativen Schwierigkeiten, verbunden mit politischem Druck, brachten schließlich den Luftwaffenstab zu der Erkenntnis: »Das einzige Ziel, das durch Nachtangriffe wirksam getroffen werden konnte, war eine ganze deutsche Stadt.«

Je klarer die Ungenauigkeit der britischen Bombenangriffe wurde, desto mehr legte der Luftwaffenstab das Schwergewicht auf die moralischen Auswirkungen auf die Zivilbevölkerung – mit anderen Worten, auf die Terrorisierung des Gegners. Die Brechung des feindlichen Kampfwillens wurde ebenso wichtig wie die Brechung des feindlichen Kampfpotentials.

Churchill dachte jedoch immer skeptischer über den weiterhin vom Luftwaffenstab an den Tag gelegten Optimismus, insbesondere über dessen Plan vom 2. September, Deutschland mit einer Bomberflotte von 4000 Bombern zu vernichten, und seine Voraussage, dies Ziel könne in sechs Monaten erreicht werden. Beeindruckt durch den Butt-Bericht und andere Untersuchungen, wies er darauf hin, daß ein genauerer Zielabwurf bei geringeren Verlusten die Wirkungen der Bombenangriffe vervielfachen würde. Er bezweifelte auch den großen Optimismus des Luftwaffenstabes in bezug auf den deutschen Kampfgeist und die deutsche Abwehr und schrieb dem neuen Chef des Luftwaffenstabes, Sir Charles Portal:

> »Es ist sehr zweifelhaft, ob Bombenangriffe für sich allein ein entscheidender Faktor in diesem Krieg sein werden. Im Gegenteil: alles, was wir seit Kriegsbeginn gehört haben, zeigt, daß sowohl ihre konkreten wie ihre moralischen Auswirkungen stark übertrieben sind.«

Er betonte auch mit Recht, daß die deutsche Abwehr sich sehr wahrscheinlich verbessern werde.

In einer Aktennotiz für Portal machte er die prophetische Bemerkung: »Ein ganz anderes Bild würde sich ergeben, wenn die feindliche Luftwaffe so weit dezimiert wäre, daß schwere gezielte Bombenangriffe auf Fabriken bei Tage möglich wären.« Diese Angriffe wurden dann seit 1944 geführt, aber nicht früher – und dann nur von den Amerikanern!

Churchills Befürchtungen und Warnungen vor der Verstärkung der deutschen Abwehr bewahrheiteten sich bald. Im November 1941 erlitt das Bomberkommando schwere Verluste, vor allem bei einem Angriff von 400 Bombern auf verschiedene Ziele am 7., als 21 der 169 Bomber, die Berlin angriffen, nicht zurückkehrten; freilich waren die Verluste bei Angriffen auf nähere Ziele nicht so hoch.

Die Summe der Erfahrungen seit Kriegsausbruch hatte gezeigt, daß die seit langem festgelegten Konzeptionen des Luftwaffenstabes und des Bomberkommandos auf schweren Irrtümern beruhten. Die Ergebnisse der Bombenangriffe in den ersten zwei Kriegsjahren waren sehr enttäuschend.

Die Ebbe für das Bomberkommando dauerte bis März 1942. Während des Winters waren die Operationen meist gegen die beiden deutschen Schlachtschiffe »Scharnhorst« und »Gneisenau« im Hafen von Brest gerichtet – hier wurden manche Treffer erzielt. Der Kriegseintritt Amerikas im Dezember 1941 hatte zunächst die Auswirkung, daß die Aussichten auf eine Vermehrung der kleinen Zahl aus amerikanischen Fabriken gelieferter Bomber vermindert wurde. Daneben führten die Rückschläge der deutschen Heere in Rußland in diesem Winter zu zweifelnden Fragen, ob es noch nötig sei, den Krieg durch Bombenangriffe zu gewinnen.

Die Bombenangriffe gegen Deutschland begannen erst wieder Mitte Februar, nachdem das Problem Brest sich durch die abenteuerliche Kanalfahrt der beiden Schlachtschiffe von selbst gelöst hatte. Bis dahin waren viele britische Bomber mit »Gee« ausgerüstet worden – einem funktechnischen Gerät für Navigation und

Zielbestimmung. Eine neue Anweisung an das Bomberkommando vom 14. Februar 1942 betonte, die Bombenangriffe sollten jetzt »auf die Moral der feindlichen Zivilbevölkerung und insbesondere der Industriearbeiter einwirken«, dies sei das Hauptziel. Damit wurde die Terrorisierung des Gegners ohne Einschränkung zur offiziellen Politik der britischen Regierung, obwohl dies in einigen Antworten auf parlamentarische Fragen noch verschleiert wurde.

Diese neue Direktive war aber auch eine Anerkennung der realen operativen Möglichkeiten. Der Grundgedanke war schon früher, am 4. Juli 1941, von Portal so formuliert worden: »Auch das vom wirtschaftlichen Standpunkt geeignetste Angriffsziel lohnt nicht, verfolgt zu werden, wenn es nicht taktisch erreichbar ist.«

Diese Direktive lag vor, als am 22. Februar Air Marshal A. T. (später Sir Arthur) Harris Oberbefehlshaber des Bomberkommandos wurde — als Nachfolger von Sir Richard Peirse, der kurz nach Japans Kriegseintritt als Oberbefehlshaber der alliierten Luftstreitkräfte in den Fernen Osten gegangen war. Eine energische Persönlichkeit, gab Harris der Organisation und den Mannschaften des Bomberkommandos kräftige Impulse; aber rückschauend zeigte sich, daß viele seiner Ansichten und Entscheidungen falsch waren.

Unterstützung und Ermutigung in einer Zeit der Anspannung und Depression erhielt das Bomberkommando auch durch ein Memorandum, das Lord Cherwell (früher Professor F. A. Lindemann), Churchills persönlicher Berater in naturwissenschaftlich-technischen Fragen, Ende März ausarbeitete. Die darin enthaltenen Zusicherungen folgten auf einen sehr wirkungsvollen Angriff auf die Renault-Werke in Billancourt bei Paris Anfang März, von dem nur einer von 235 Bombern nicht zurückkehrte; das war der erste große Versuch mit Leuchtschirmen zur Erhellung der Ziele.

Noch im gleichen Monat folgte ein »erfolgreicher» Angriff auf die Hansestadt Lübeck, bei dem das dichtbebaute Stadtzentrum mit Brandbomben zerstört wurde, und im April gab es vier solche Angriffe auf Rostock. (Den größten Schaden erlitten aber die hübschen alten Häuser im Zentrum dieser historischen Hansestädte, nicht die in der Nähe gelegenen Fabriken.) Diese Städte lagen zwar jenseits der Reichweite von Gee; aber sie waren leicht zu lokalisieren, und daher wurde die Tatsache überbewertet, daß, ausgerüstet mit Gee, 40 Prozent der Bomber ihr Ziel gefunden hatten. Immerhin waren die Verluste des Bomberkommandos bei dem Lübecker Angriff hoch, und acht Angriffe auf Essen in diesen beiden Monaten stießen auf stärkere Abwehr, hatten weniger günstiges Wetter und weit geringere Wirkung. Auf deutscher Seite wurde die Abwehr jetzt schnell verstärkt — durch ein Radarsystem, welches das Flakfeuer lenkte, durch Scheinwerfer und eine wachsende Zahl von Nachtjägern. Anfang 1942 wurden nur ein Prozent der Bomber Opfer der Nachtjäger; aber bis zum Sommer stieg der Prozentsatz auf dreieinhalb, trotz der zunehmenden Verwendung von Ablenkungs- und Täuschungsmanövern.

»Alle diese Pläne gingen von der Annahme aus, daß man bei Nacht den feindlichen Jägern entkommen könne.« Dies war der Grundirrtum in den Köpfen des Bomberkommandos und des Luftwaffenstabes. Man mißachtete die grundlegende Erfahrung, daß ein noch so gut geschützter Bomber — und die der R. A. F. waren nicht gut geschützt — verwundbar ist durch Angriffe eines Flugzeuges, das eigens dazu entworfen und gebaut wurde, Bomber abzuschießen. Ausweichtaktiken und technische Hilfsmittel, die den Bombern helfen sollten, konnten diese nicht lange vor dem immer stärker werdenden deutschen Luftverteidigungssystem schützen — es sei denn, die R. A. F. würde die Luftherrschaft erringen.

Dieses Ziel aber wurde von den sogenannten »Zirkus«-Operationen angestrebt, die Anfang 1941 begannen und 1942 fortgesetzt wurden: Einflüge bei Tage in das feindliche Küstengebiet, gemeinsam ausgeführt von Bombern und Jägern, mit dem Ziel, die Luftwaffe zum Luftkampf herauszufordern, damit die Spitfires des Jägerkommandos sie angreifen könnten. Diese »Zirkusse« hatten einigen Erfolg; aber dieser war begrenzt durch die relativ kurze Reichweite der britischen Jäger, und als diese Tagflüge weiter ausgedehnt wurden, entstanden schwere Verluste überall dort, wo man auf starken Widerstand stieß, auch nachdem der großartige Lancaster-Bomber eingesetzt wurde. Der Haupterfolg der »Zirkus«-Operationen war, daß sie trotz aller Rückschläge den Kampf um die alliierte Luftüberlegenheit an der französischen Nordküste eröffneten, die später bei der Invasion so entscheidend war.

Im Jahr 1942 war die wichtigste Neuerung die mit soviel Beifall bedachten »Tausend-Bomber-Angriffe«. Mit ihnen versuchte Harris, die Verluste durch Massierung der Kräfte gering zu halten und dabei größere Wirkungen zu erzielen. Obwohl das Bomberkommando im Mai 1942 nur 416 Maschinen der »ersten Linie« besaß, gelang es ihm, durch Verwendung von Maschinen der »zweiten Linie« und von Ausbildungsverbänden 1046 Bomber in der Nacht zum 30. Mai gegen Köln auszusenden. Bei diesem Angriff wurden 1600 ha des Stadtgebietes verwüstet – viel mehr als bei den insgesamt 1346 Angriffen gegen Köln in den vorhergehenden neun Monaten. Die Verluste betrugen 40 Bomber (3,8 Prozent). Am 1. Juni wurde die ganze verfügbare Stärke des Bomberkommandos, 956 Maschinen, gegen das schwierigere Ziel Essen eingesetzt; aber Wolken und Dunst retteten die Stadt vor schweren Schäden, während 31 Maschinen (3,2 Prozent) nicht zurückkehrten. Die »Tausend-Bomber«-Flotte wurde dann aufgelöst. Aber Harris plante weiterhin ähnliche Angriffe, und am 26. Juni griffen 904 Bomber, darunter 102 des Küstenkommandos, den großen Hafen von Bremen und die Focke-Wulf-Flugzeugwerke an. Diesmal war der Himmel sehr bewölkt und der angerichtete Schaden relativ gering, während die Verluste auf fast fünf Prozent stiegen, vor allem bei den Ausbildungsverbänden. Dann wurden bis 1944 keine »Tausend-Bomber«-Angriffe mehr geflogen.

Diese großen Sonderangriffe hatten durch die Publizität, die sie erhielten, Harris zweifellos bei seinem Kampf geholfen, den Anspruch des Bomberkommandos auf Priorität durchzusetzen und eine Verstärkung seiner Truppe auf 50 flugfähige Geschwader zu erreichen. Weiterhin half ihm im August 1942 die Schaffung der »Pathfinder«-Begleitverbände – der er sich seltsamerweise zuerst widersetzt hatte – und schließlich die Einführung der neuen Navigationshilfen Oboe und H 2 S im Dezember 1942 bzw. im Januar 1943.

Rückschauend sieht man dennoch, daß die Auswirkungen der britischen Bomberangriffe damals stark übertrieben wurden und daß die Schäden für die deutsche Industrie geringfügig waren, angesichts der Tatsache, daß sich Deutschlands Rüstungsproduktion im Jahr 1942 um etwa 50 Prozent erhöhte. Die Benzinversorgung, Deutschlands schwächster Punkt, wurde kaum berührt, und Deutschlands Flugzeugproduktion steigerte sich erheblich. Es war ein schlechtes Zeichen, daß die Ist-Stärke der deutschen Tagjäger an der Westfront im Laufe des Jahres von 292 auf 453 und die der Nachtjäger von 162 auf 349 stieg. Im Gegensatz dazu hatten sich die britischen Bomberverluste im Laufe des Jahres 1942 auf 1404 erhöht.

Die Konferenz von Casablanca im Januar 1943 wies den strategischen Bombenangriffen eine sekundäre Rolle als Wegbereiter einer Landinvasion zu. Die damals den alliierten Luftstreitkräften erteilte Direktive forderte »die fortschreitende Zerstörung und Desorganisation des deutschen militärischen, industriellen und wirtschaftlichen Systems sowie die Unterhöhlung des Kriegswillens des deutschen Volkes bis zu einem Punkt, an dem seine Bereitschaft zu bewaffnetem Widerstand entscheidend geschwächt wird«. Dies befriedigte Harris (der den zweiten Teil dieser Direktive hervorhob) ebenso wie Generalleutnant Eaker, den Befehlshaber der 8. US-Luftflotte (der den ersten Teil hervorhob). Wenn die Direktive auch eine allgemeine Prioritätenliste der Angriffsziele festlegte, so blieb den Luftwaffenbefehlshabern doch die taktische Auswahl. Daher ergänzten sich, obwohl die Briten bei Nacht und die Amerikaner bei Tag angriffen, ihre Angriffe höchstens in einem ganz allgemeinen Sinn.

Dennoch betonte die Konferenz von Washington im Mai 1943 die Zusammenarbeit, die man von den beiden Bomberwaffen erwartete (und die in der Praxis auch oft bestand); sie wies auch auf die jetzt offenkundig werdenden Gefahren für beide durch die deutsche Jagdabwehr hin. Daher sollte das erste Ziel von »Pointblank« – der gemeinsamen Bomberoffensive – die Vernichtung der Luftwaffe und der deutschen Flugzeugindustrie sein; dies sei »die entscheidende Vorbedingung für den Angriff auf andere Teile des feindlichen Kriegspotentials«. Diese Zielsetzung war auf lange Sicht ebenso entscheidend für das britische Bomberkommando wie für die Amerikaner. Immerhin war dieses Dokument so vage formuliert, daß es Harris gestattete, das Flächenbombardement der deutschen Städte fortzusetzen und der Einsicht auszuweichen, wie sehr die Zukunft sowohl der Bomber als auch der Operation »Overlord« von der Zerstörung der Luftwaffe abhing, deren Stärke sich zwischen Januar und August 1943 verdoppelt hatte. Die großen Erfolge des Bomberkommandos bei den Angriffen auf die Ruhr und auf Hamburg trugen aber dazu bei, diese Gefahr zu verschleiern.

Obwohl jetzt die »Pathfinder«-Verbände schrittweise aufgebaut wurden und Oboe ebenso wie H 2 S einsatzfähig waren, wurden die ersten Monate 1943 eine ruhige Periode für das Bomberkommando, verglichen mit 1942. Dies gab den Besatzungen die Möglichkeit, einige Mängel in der neuen Ausrüstung zu beseitigen und sich an die Lancasters und Mosquitos zu gewöhnen, die in wachsender Zahl die älteren Bomber ersetzten. Die allgemeine operative Stärke stieg von 515 Maschinen im Januar 1943 auf 947 im März 1944; das Problem der Besatzungen wurde zum Teil durch die großen Ausbildungspläne im Commonwealth gelöst, vor allem in Kanada, und außerdem durch die Abschaffung des Kopiloten im Laufe des Jahres 1942.

Alle diese Faktoren trugen zum Erfolg der »Schlacht von der Ruhr« bei – einer Serie von 43 Großangriffen vom März bis zum Juli 1943, mit Zielen von Stuttgart bis nach Aachen, aber in erster Linie im Ruhrgebiet. Sie begann am 5. März, als 442 Maschinen Essen angriffen – einen stark verteidigten Raum, da dort die Krupp-Werke lagen. Essen wurde weit stärker getroffen als früher dank der Markierung von Zielen durch die »Pathfinder« mit Hilfe der Oboe-Geräte, nur 14 Bomber gingen verloren. Essen wurde in den folgenden Monaten noch viermal schwer getroffen, ebenso die meisten großen Städte des Ruhrgebiets. Der Schaden entstand in erster Linie durch Brandbomben, aber auch durch Sprengbomben von einer Größe bis 4000 Kilogramm. Duisburg, Dortmund, Düsseldorf, Bochum und Aachen erlitten schwere Schäden dank des neuen Oboe-Zielfindungsgeräts; und 90 Prozent des

Stadtgebiets von Wuppertal wurden in einem einzigen Angriff in der Nacht zum 29. Mai verwüstet. Obwohl das Wetter manchmal die Angriffe hinderte, war es doch klar, daß die Zielgenauigkeit der Bomberangriffe erheblich besser geworden war; dies stärkte Harris' Argumente für den Einsatz seiner Bomberwaffe.

Dennoch war das Bomberkommando noch kaum zu genauen Bombenangriffen bei Nacht in der Lage – mit Ausnahmen wie etwa der Zerstörung des Möhne- und des Eder-Staudamms im Ruhrgebiet in der Nacht zum 16. Mai durch die eigens dazu ausgebildete 617. (»Dambuster«-)Squadron unter Führung von Wing Commander Guy Gibson. Der glänzende Erfolg dieses Staudammangriffs wurde freilich mit dem Verlust von acht der 19 Lancasters bezahlt.

In der Bilanz hatten, wie die offizielle Kriegsgeschichte bemerkt, die »umwälzenden Fortschritte in der Technik des Bombenabwurfs«, welche die Schlacht von der Ruhr gezeigt hatte, das Bomberkommando zu einer mächtigen Keule gemacht, aber ihm noch nicht ermöglicht, die Wirkung einer scharfen Klinge zu erreichen. Da außerdem das Oboe-Gerät der entscheidende Faktor war, waren die Ergebnisse für Operationen außerhalb seiner Reichweite nicht sehr vielversprechend. Nach dem ersten Angriff auf Essen stiegen die Verluste schnell an, und bei dem Feldzug insgesamt betrugen sie im Durchschnitt 4,7 Prozent (872 Flugzeuge). Nur der gute Kampfgeist der Mannschaften und ständige Verstärkungen ermöglichten es dem Bomberkommando, so hohe Verluste zu verkraften, die sich dem kritischen Gefahrenpunkt näherten.

Bezeichnenderweise erlitten die Mosquitos, deren große Geschwindigkeit und Flughöhe sie für die deutschen Jäger und die Flak fast unerreichbar machten, sehr wenig Verluste. Oboe konnte nur in einem so hoch fliegenden Flugzeug funktionieren (die Funkwellen stießen in einer Tangente auf die Krümmung der Erdoberfläche), und anderenfalls hätten die Lancaster-Bomber der Hauptstreitmacht keine genaue Zielfeststellung gehabt.

Die Einführung von Beaufighters als Begleiter für Nachtflüge war keine Lösung, da diese Maschinen zu langsam waren. Und ebenso wie auf britischer Seite die technischen Fortschritte für das Bomberkommando die Nacht immer mehr zum Tage machten, so taten es auch die deutschen Gegenmaßnahmen für die Luftwaffe – und wahrscheinlich würde bald die Zeit kommen, da die Bomber bei Nacht ebenso verwundbar waren wie bei Tage.

Der »Schlacht von der Ruhr« folgte die »Schlacht von Hamburg« – eine Reihe von 33 großen Angriffen auf diese Stadt und einige andere vom Juli bis November 1943 mit insgesamt 1700 Bomber-Einsätzen. Sie begann mit dem Großangriff von 791 Bombern, darunter 374 Lancasters, am 24. Juli. Dank der neuen Navigationsinstrumente, klarem Wetter und guter Zielmarkierung wurde das Zentrum von Hamburg mit einer großen Zahl von Brand- und Sprengbomben getroffen – und dank einem neuen, das feindliche Radar ablenkenden Instrument mit dem Namen Window gingen nur zwölf Bomber verloren. Am 24. und am 26. Juli setzte auch die 8. US-Luftwaffe die Angriffe fort, und Mosquitos (die selbst bis zu 2000-Kilogramm-Bomben tragen konnten) beschäftigten in diesen beiden Nächten die Abwehr um die Stadt. In der Nacht zum 27. führten 787 britische Bomber einen neuen verheerenden Angriff, nur 17 gingen dabei verloren. Am 29. trafen 777 Bomber die Stadt von neuem, wenn auch mit geringerer Zielgenauigkeit und auf 33 Maschinen angestiegenen Verlusten, da sich die Deutschen jetzt auf die Auswirkungen von Window einzustellen begannen. Wegen schlechten Wetters war der vierte Großangriff am 2. August nicht so erfolgreich. Insgesamt jedoch erlitt die Stadt schreckliche Zerstörungen, und die Verluste des Bomberkommandos, obwohl mit jedem Angriff steigend, betrugen im Durchschnitt nur 2,8 Prozent. Außerdem hatte am 25. und 30. Juli – mitten in der »Schlacht von Hamburg« – das Bomberkommando auch Remscheid und die Krupp-Werke in Essen schwer getroffen. In den folgenden Monaten erreichten seine Angriffe Mannheim, Frankfurt, Hannover und Kassel; alle diese Städte wurden schwer beschädigt. Britische Bomber führten ferner in der Nacht zum 17. August ihren berühmten Angriff auf die Raketenforschungsstation in Peenemünde an der Ostsee. An diesem Angriff waren 597 viermotorige Bomber beteiligt, von denen 40 abgeschossen und 32 andere beschädigt wurden; die Auswirkungen waren freilich nicht so groß, wie man in London gedacht hatte.

Die Angriffe auf Berlin in dieser Periode hatten noch weniger Auswirkungen — wegen schlechten Wetters, dem Ausfall von Oboe auf eine so große Entfernung und wegen der Größe des Stadtgebietes, die H 2 S ziemlich unwirksam machte. Außerdem hatten hier die deutschen Nachtjäger ausgiebig Gelegenheit zu Angriffen während des langen Fluges — hin und zurück 1800 Kilometer; sie wurden dabei geleitet durch Radarstationen, die jetzt so weit dem britischen Window überlegen waren, daß sie den Kernverband des Angriffs, wenn auch nicht einzelne Bomber, identifizieren konnten. Von den 123 Bombern, die in drei Angriffen auf Berlin abgeschossen wurden, waren 80 Opfer der Nachtjäger. Das war ein Vorgeschmack auf die bevorstehende »Schlacht von Berlin«.

Diese Schlacht, die vom November 1943 bis März 1944 dauerte, ging auf einen Wunsch Churchills zurück — da Berlin-Angriffe auch Stalin gefielen. Sie bestand aus 16 Großangriffen auf die Reichshauptstadt, während zu den zwölf anderen großen Angriffszielen Stuttgart, Frankfurt und Leipzig gehörten. Insgesamt wurden mehr als 20 000 Einsätze geflogen.

Doch die Ergebnisse dieser massiven Offensive entsprachen nicht den Voraussagen von »Bomber«-Harris. Deutschland wurde nicht auf die Knie gezwungen, nicht einmal Berlin, während die britischen Verluste so schwer wurden, daß die Kampagne abgebrochen werden mußte. Die Verlustquote stieg auf 5,2 Prozent, während die Bombenschäden nicht mit denen von Hamburg oder Essen vergleichbar waren. Der Kampfgeist des Bomberkommandos war erschüttert, was kaum überraschen kann, da insgesamt 1047 Bomber abgeschossen und weitere 1682 beschädigt worden waren. In der Regel war es entscheidend, ob deutsche Nachtjäger eingriffen oder nicht — als sie beispielsweise bei dem Angriff auf München am 7. Oktober in die falsche Richtung gelenkt worden waren, verlor das Bomberkommando nur 1,2 Prozent seiner Maschinen. Meistens aber waren die Nachtjäger prompt zur Stelle und sehr aktiv — allmählich zwangen sie das Bomberkommando, seine Ziele immer weiter südlich zu suchen und einen immer größeren Teil seiner Verbände für Ablenkungsangriffe abzuzweigen. Die Wende kam dann mit dem katastrophalen Angriff auf Nürnberg am 30. März 1944, als von 795 Bombern 94 abgeschossen und 71 beschädigt wurden.

Schon vorher war die Opposition gegen Harris' Strategie immer stärker geworden, und der Luftwaffenstab erkannte allmählich, daß selektive Bombenangriffe, d. h. Angriffe auf einzelne Ziele wie Raffinerien, Flugzeugwerke und dergleichen, besser der Konzeption von Casablanca angepaßt waren, die eine Landinvasion in Nordwesteuropa unter der Voraussetzung einer endgültig errungenen Luftherrschaft vorsah.

Je mehr die deutsche Luftabwehr an Stärke und die deutsche Flugzeugproduktion an Umfang zunahm, desto umstrittener wurden Harris' Ansichten. Seine Hauptsorge war jetzt, die Amerikaner dazu zu bringen, sich an den Angriffen auf Berlin zu beteiligen — dies war bei Nacht für sie unmöglich, da sie für Nachtangriffe nicht ausgebildet waren, und wäre bis etwa Ende 1943 bei Tagesangriffen reiner Selbstmord gewesen. Anfang 1944 verwarf der Luftwaffenstab seine Ansicht, man könne mit Lancasters allein Deutschland bis zum April auf die Knie zwingen; er bestand auf gezielten Angriffen auf die deutsche Industrie wie etwa die große Kugellagerfabrik in Schweinfurt.

Der Angriff auf diese Werke am 25. Februar, dem Harris widerstrebend zugestimmt hatte, war wohl das erste echte Beispiel für die gemeinsame britisch-amerikanische Bomberoffensive. Die Gefährdung dieser Offensive ebenso wie der Chancen der bevorstehenden »Operation Overlord« durch die ständig wachsende Luftwaffe führte zur endgültigen Ablehnung der Ansichten des Luftmarschalls, und das Scheitern der »Schlacht von Berlin« bestätigte diese Entwicklung. Harris selbst erkannte seine Niederlage an, als er im April die Bereitstellung von Nachtjägern zum Schutz seiner Bomber forderte — wie es die Amerikaner schon getan hatten, indem sie ihre Tagesflüge mit Langstreckenjägern begleiteten.

Die ganze Zukunft der massierten Bomberangriffe auf deutsche Städte war damit zweifelhaft geworden, und das Bomberkommando hatte Glück, daß, wie vorher geplant, die Bomberwaffe im April auf Operationen gegen das französische Eisenbahnnetz zur Unterstützung der bevorstehenden Invasion angesetzt wurde. Dies erleichterte ihre Aufgabe und verschleierte gleichzeitig die schwere Niederlage bei der direkten Luftoffensive gegen Deutschland. Noch mehr Glück hatte das Bomberkommando, als es nach der Invasion feststellen konnte, daß die ganze Situation sich entscheidend zugunsten der Alliierten gewandelt hatte.

Nach 1942 wurde die britische strategische Luftoffensive Teil einer gemeinsamen Anstrengung; sie war nicht mehr selbständig wie bisher. Auf der Konferenz von Washington wurde von General H. H. Arnold, dem Befehlshaber der US-Heeresluftwaffe, der Plan vorgelegt, eine große Bomberflotte in Großbritannien zu stationieren; dies gefiel natürlich Churchill und den britischen Stabschefs und dämpfte ihre Kritik an der amerikanischen Strategie der Bombenangriffe bei Tage. Die Amerikaner waren sicher, wenn die Bomber schwer bewaffnet und gepanzert seien, hoch genug und in dichter Formation flögen, dann könnten sie ohne schwere Verluste Tagangriffe fliegen. Dies erwies sich als ein Irrtum, ebenso wie die Annahme der R. A. F., man könne feindlicher Gegenwirkung entgehen, wenn man nachts fliegt.

Die ersten amerikanischen Angriffe im Jahr 1942 hatten noch ein zu kleines Ausmaß, um eindeutige Erfahrungen zu bieten; aber als im Jahr 1943 stärkere Angriffe auf größere Entfernungen geflogen wurden, stiegen die Verluste bald steil an. Bei dem Angriff auf Bremen am 17. April wurden von 115 eingesetzten Bombern 16 abgeschossen und 44 beschädigt. Bei dem Angriff auf Kiel am 13. Juni wurden von 66 »B 17« Flying Fortresses 22, bei dem Angriff auf Hannover im Juli von 92 24, bei dem Angriff auf Berlin am 28. Juli von 120 22 abgeschossen. Die Amerikaner versuchten Thunderbolt-Jäger als Begleitschutz zu verwenden, die mit Zusatz-Benzintanks ausgerüstet waren; aber deren Reichweite war nicht groß genug, und die Notwendigkeit besseren Jägerschutzes wurde noch klarer im Herbst, als die Serie von Angriffen auf die Kugellagerfabrik von Schweinfurt östlich von Frankfurt erfolgte.

Bei dem katastrophalen Angriff vom 14. Oktober startete ein Verband von 291 Flying Fortresses mit starkem Begleitschutz von Thunderbolts; aber diese konnten nur bis zum Raum Aachen fliegen, und als sie abgedreht hatten, wurden die »B 17« von einer Welle deutscher Jäger nach der anderen angegriffen, auf dem ganzen Weg zu ihrem Ziel und auf dem Rückflug bis zur Kanalküste. Als der amerikanische Verband zurückgekehrt war, hatte er 60 Bomber verloren, und weitere 138 waren beschädigt. Dies war der Höhepunkt einer schrecklichen Woche, in der die 8. US-Luftflotte bei vier Versuchen, die deutsche Abwehr jenseits der bisherigen Reichweite des Jägerschutzes zu durchbrechen, zusammen 148 Bomber mit ihren Besatzungen verlor. Eine so extrem hohe Verlustquote war untragbar, und die amerikanischen Luftwaffenchefs mußten die Notwendigkeit eines Jägerschutzes für große Entfernungen erkennen – eine Notwendigkeit, die sie bisher bestritten oder für technisch undurchführbar erklärt hatten.

Zum Glück war jetzt das richtige Flugzeug vorhanden in Gestalt des von der North American Company gebauten Mustang-Jägers. Die Briten hatten schon 1940 einen Auftrag für Mustangs erteilt, als die Amerikaner ihn noch ablehnten; die Leistung dieser Jäger wurde sehr erhöht durch den Einbau von britischen Rolls-Royce-»Merlin«-Motoren. Mit einem Packard-»Merlin«-Motor, der im Herbst 1942 erprobt wurde, war jetzt der »P 51 B« Mustang in allen Höhen schneller als die damaligen deutschen Jäger und besaß auch höhere Beweglichkeit. Mit Benzintanks für weite Entfernungen ausgestattet, hatte er eine Reichweite von 2500 Kilometern und konnte so den Bombern Geleitschutz bis über 1000 Kilometer Entfernung geben – das heißt bis zur Ostgrenze Deutschlands. Ein Sofortprogramm der Produktion von Mustangs wurde nach dem Desaster von Schweinfurt in Angriff genommen, und die ersten wurden von der 8. US-Luftflotte im Dezember 1943 eingesetzt. Bis zum Ende des Krieges im Mai 1945 wurden insgesamt 14 000 Mustangs gebaut.

Der Winter 1943/44 war für die 8. US-Luftflotte eine relativ ruhige Zeit, da die Angriffe zeitweise auf Ziele in kurzer Entfernung beschränkt wurden. Im Dezember betrugen die Verluste nur 3,4 Prozent gegenüber 9,1 Prozent im Oktober. Die Schaffung der 15. US-Luftflotte, die von Italien aus operierte, war aber ein weiterer Schritt im Rahmen des amerikanischen Plans, die deutsche Kriegswirtschaft zu lähmen. General Carl Spaatz wurde zum Befehlshaber beider Luftflotten ernannt.

Die ersten Monate des Jahres 1944 waren gekennzeichnet durch einen ständig steigenden Zuwachs von Mustangs und eine Erhöhung ihrer Reichweite. Außerdem waren sie nicht mehr an die Bomber gefesselt, sondern durften die deutsche Luftwaffe angreifen, wo immer sie sie fanden – mit dem Ziel, die Luftherrschaft insgesamt zu erringen, nicht nur die Luftherrschaft in der unmittelbaren Nähe der Bomber. Nach dieser Richtlinie zwangen sie die deutschen Jäger zum Kampf und fügten ihnen immer stärkere Verluste zu. Seit März 1944 zeigte sich, daß sich die deutschen Jäger mehr und mehr nur noch widerwillig in einen Kampf mit den Mustangs einließen. Diese aggressive Taktik ermöglichte nicht nur den amerikanischen Bombern, ihre Tagesangriffe mit immer weniger Widerstand und immer weniger Verlusten zu fliegen, sondern sie bahnte auch den Weg für »Overlord«.

Es war eine Ironie, daß dies auch der Weiterführung der Nachtoffensive des britischen Bomberkommandos gegen Deutschland zugute kam. Gerade als die deutsche Luftwaffe die Luftherrschaft bei Nacht errang, verlor sie sie bei Tage an die Amerikaner. Als die britischen Bomber nach ihrem Einsatz zur Unterstützung der Invasion im Westen ihre strategische Offensive gegen Deutschland wieder aufnahmen, begannen die deutschen Nachtjäger an Benzinknappheit zu leiden, und sie litten auch an dem Verlust ihres Radar-Frühwarnsystems in Frankreich – während umgekehrt das Bomberkommando von der Aufstellung von Funkstationen auf dem Kontinent profitierte.

Diese veränderte Lage zeigte sich in den Verlustzahlen. Sie waren noch hoch bei den wenigen Bomberangriffen auf Deutschland im Mai 1944, und im Juni stiegen sie bei den Angriffen auf Ölraffinerien auf 11 Prozent. Infolgedessen wurde im August und September etwa die Hälfte der britischen Angriffe auf Deutschland bei Tage geflogen, und dabei waren die Verluste weit geringer. Doch zu diesem Zeitpunkt wurden auch die Nachtangriffe wesentlich weniger verlustreich: 3,7 bzw. 2,2 Prozent. Im September setzte das Bomberkommando mehr als dreimal soviel Maschinen für Nachtangriffe ein als im Juni 1944, aber verlor nur etwa zwei Drittel soviel.

Der Einsatz von Nachtjägern mit großer Reichweite zum Schutz der Bomber bestärkte diesen Trend, war aber kein entscheidender Faktor, da die eingesetzten Jäger zu langsam und der Aufgabe nicht gewachsen waren. Nur 31 deutsche Nachtjäger wurden in der Zeit vom Dezember 1943 bis April 1944 abgeschossen, und selbst als neue Verbände besserer Jäger verfügbar wurden, betrug die behauptete Gesamtabschußzahl zwischen Dezember 1943 und April 1945, den letzten 17 Monaten des Krieges, nur 257 – ein Durchschnitt von knapp 15 im Monat. Daraus ergibt sich, daß weder der Jagdschutz noch Radar, noch technische Hilfsmittel zur Überlistung von Radar so entscheidend waren wie die deutschen Einbußen an Benzin, Territorium und Luftherrschaft bei Tage.

Im Jahr 1943 wurden insgesamt 200 000 t Bomben auf Deutschland abgeworfen – fast fünfmal soviel wie im Jahr 1942. Dennoch stieg die deutsche Produktionsleistung zu neuen Höhen an, großenteils dank der Reorganisation, die Albert Speer, der neue Reichsminister für die Rüstung, durchgeführt hatte; neue Luftschutzmaßnahmen und ganz allgemein die deutsche Fähigkeit zu schneller Umstellung verhinderten jede ernste Krise sowohl des Kampfgeistes wie der Rüstungsproduktion. Die erhöhte Produktion von Flugzeugen, Geschützen, Panzern und U-Booten hatte einen erheblichen Anteil an der 50prozentigen Gesamtsteigerung der Rüstungsproduktion im Jahr 1943.

Sicher waren für die Deutschen zum ersten Mal seit Kriegsbeginn die Massenangriffe der Bomber ein schweres Problem geworden; nach dem Großangriff auf Hamburg im Juli 1943 soll Speer pessimistisch geäußert haben, sechs weitere Großangriffe dieses Ausmaßes würden Deutschland auf die Knie zwingen. Aber keine ähnlichen Verheerungen und keine ähnliche moralische Wirkung wurde durch die Flächenbombardements des zweiten Halbjahrs 1943 erreicht, während gleichzeitig Speers glänzende Erfolge bei der weiteren Streuung der Industrie seine früheren Befürchtungen widerlegten.

Die gezielten Präzisionsangriffe der Amerikaner hatten eine Zeitlang größere Auswirkungen, und bis zum August 1943 hatten sie die deutsche Jägerproduktion um etwa 25 Prozent vermindert. Aber nach der verlustreichen Niederlage der 8. US-Luftflotte im Oktober stieg diese Produktion wieder an und erreichte Anfang 1944 neue Rekorde. Wenn auch die Feststellung der angerichteten Schäden inzwischen ziemlich zuverlässig geworden war, so unterschätzten die Alliierten doch die Kraftreserven der deutschen Produktion und nahmen irrigerweise an, die offenkundige Verstärkung der deutschen Luftwaffe ginge auf die Verlegung von Flugzeugen von der Ostfront zurück.

Für das britische Bomberkommando war die wichtigste Neuentwicklung dieser Periode die Weiterentwicklung von gezielten Bombenangriffen bei Nacht; zuerst beschränkt auf den Einsatz der 617. Squadron als eines Spezialverbandes, der sich bei dem Staudammangriff bewährt hatte, wurden solche Angriffe häufiger seit der Verbesserung des Pfadfinder-Zielmarkierungssystems, den neuen Leuchtschirmen und dem Einsatz der neuen, 6000 Kilo schweren Tallboy-»Erdbeben«-Bombe. Dieser folgte am Schluß des Krieges die 11 000 Kilo schwere Grand Slam.

Die wichtigste allgemeine Auswirkung des Bombenfeldzuges auf den Kriegsverlauf war jedoch, daß er einen immer größeren Teil der deutschen Jäger und der deutschen Flak von der Ostfront nach Westen abzog; dadurch half man dem russischen Vormarsch, und dank der Luftherrschaft bei Tage konnte die Invasion bei wenig Störungen seitens der Luftwaffe ihren Fortgang nehmen.

Im letzten Kriegsjahr, von April 1944 bis Mai 1945, errangen die Alliierten endgültig die Luftherrschaft, in der Hauptsache dank der amerikanischen Großangriffe von Februar bis April 1944. Freilich bedeuteten die Bedürfnisse von »Overlord« eine erhebliche Ablenkung, die für mehrere Monate die gemeinsame Bomberoffensive von deutschen Zielen auf Ziele ablenkte, wo sie für die alliierten Armeen eine direkte Hilfe bedeutete, sowohl vor wie nach der Landung in der Normandie.

Diese Ablenkung gefiel natürlich Sir Arthur Harris und anderen einseitigen Bomberenthusiasten; aber Sir Charles Portal und der Luftwaffenstab hatten eine ausgewogenere Ansicht und erkannten, daß der Bomber in der alliierten Strategie eine etwas sekundärere Rolle spielen müsse. Da die strategischen Bomberverbände zur Unterstützung der taktischen Verbände gebraucht wurden, wurde die gesamte alliierte Luftwaffe Mitte April Sir Arthur Tedder unterstellt, der gleichzeitig stellvertretender Oberster Befehlshaber unter Eisenhower geworden war. Tedder hatte vorher die Luftwaffe im Mittleren Osten befehligt und dort einen großen Eindruck hinterlassen. Er erkannte, daß die wichtigste Unterstützung der Bomberverbände für »Overlord« die Lähmung des deutschen Verkehrsnetzes sein müsse. Dieser Plan wurde dann am 25. März 1944 angenommen, trotz Churchills Besorgnis über hohe Verluste der französischen Zivilbevölkerung und trotz der von Portal geteilten Vorliebe von General Spaatz für Raffinerien als Angriffsziele.

Die Entscheidung von Spaatz, in erster Linie Ölraffinerien anzugreifen, führte dazu, daß die 8. US-Luftflotte den Angriff auf Deutschland im Frühjahr 1944 wieder fortführte, während das britische Bomberkommando die Monate April bis Juni 1944 in der Hauptsache mit Angriffen auf Eisenbahnziele in Frankreich verbrachte — im Juni wurden nur 8 Prozent seiner Bomben auf deutsche Ziele abgeworfen. Bis Ende Juni waren über 25 000 t Bomben auf das feindliche Verkehrs- und Transportsystem abgeworfen worden, dazu kamen Angriffe auf Küstenbatterien, Raketenstellungen und ähnliche Ziele. Rückschauend sieht man heute, daß die Lähmung des Transport- und Verkehrsnetzes der Deutschen durch Tedders Bomber der bedeutendste Faktor bei dem Erfolg der Invasion in der Normandie war. Die Einwände von Harris, das Bomberkommando sei zu der erforderlichen Genauigkeit beim Abwurf nicht in der Lage, wurden bereits im März durch wirkungsvolle Angriffe auf Nachschubzentren in Frankreich widerlegt.

Diese vielkritisierte »Ablenkung« war eine Wohltat für das

Bomberkommando, da sie nicht nur seine Belastung durch Verluste erleichterte, sondern auch ein Ansporn für die technische Verbesserung des Bombenabwurfs war. Außerdem war die Abwehr durch deutsche Jäger über Frankreich viel geringer als bei der »Schlacht von Berlin« und anderen Angriffen auf Ziele in Deutschland. Der Präzision des Bombenabwurfs kamen technische Neuerungen zugute, die Wing Commander Leonard Cheshire für die Zielmarkierung durch Mosquitos aus geringer Höhe entwickelt hatte. Zuerst in Frankreich im Lauf des April angewandt, wurde dank dieser neuen Technik Ziel nach Ziel zerstört, ohne daß viele Bomben ihr Ziel verfehlten und französische Zivilisten töteten, wie Churchill gefürchtet hatte. Die durchschnittliche Abweichung von dem genauen Ziel verminderte sich von 620 Metern im März auf 260 Meter im Mai 1944.

Der Erfolg dieser Angriffe auf Verkehrsziele vor der Invasion bestärkte Tedder in seiner Ansicht, daß ein solcher Feldzug mit höchstem Vorrang auf ganz Deutschland ausgedehnt werden sollte. Er glaubte, ein Zusammenbruch des deutschen Eisenbahnsystems werde nicht nur Truppenbewegungen erschweren — und daher auch den Russen zugute kommen —, sondern auch den Zusammenbruch der deutschen Wirtschaft bedeuten. Dies wäre dann eine Alternative zu den Flächenbombardierungen von Harris und den Raffinerie-Angriffen von Spaatz. In der Tat hatten diese Angriffe schnellere Rückwirkungen auf das deutsche Heer und die Luftwaffe als das wahllose Flächenbombardement.

In der ersten Zeit nach der Invasion griffen die Bomber eine Vielzahl von Zielen an. Während die Amerikaner in den jetzt folgenden Monaten in erster Linie Raffinerien und Flugzeugwerke angriffen, fielen nur 32 000 von den 181 000 t Bomben, die das britische Bomberkommando in dieser Zeit abwarf, auf Ziele in Deutschland.

Die Tendenz, von den Flächenangriffen wegzukommen, wurde sehr deutlich. Der britische Luftwaffenstab übernahm die amerikanische Ansicht, daß Angriffe auf Raffinerien den höchsten Vorrang erhalten sollten. Schon im April hatte die 15. US-Luftwaffe von Italien aus die Ölfelder von Ploesti in Rumänien angegriffen.

Am 12. Mai hatte dann die 8. US-Luftwaffe von England aus ihre Angriffe auf Raffinerien in Deutschland begonnen. Obwohl 400 deutsche Jäger aufstiegen, um die 935 amerikanischen Bomber zu bekämpfen, wurden sie von etwa 1000 amerikanischen Jägern abgewehrt und verloren 65 Maschinen, gegenüber einem amerikanischen Verlust von 46 Bombern.

Diese Kampagne wurde nach dem D-Day noch intensiver, und im Juni befahl der Luftwaffenstab, angesichts der Fortschritte des Bomberkommandos bei gezielten Bombenabwürfen bei Nacht, die Aufnahme britischer Angriffe auf Ölraffinerien. Der Angriff auf Gelsenkirchen in der Nacht zum 9. Juli war recht erfolgreich, wenn auch bei hohen Verlusten; doch die anderen Angriffe waren wegen des Wetters weniger wirkungsvoll bei katastrophalen Verlusten — 93 Bomber von insgesamt 832 in drei Nächten eingesetzten wurden abgeschossen, meist durch Nachtjäger.

Die amerikanischen Angriffe gingen mit voller Kraft weiter. Am 16. Juni wurden über 1000 Bomber eingesetzt, von fast 800 Jägern begleitet, und am 20. waren es sogar 1361 Bomber. Am Tag darauf wurde Berlin angegriffen, während gleichzeitig ein anderer Verband Ölraffinerien angriff und dann in Rußland landete. (Nach seinem kühlen Empfang dort wurde dieses Experiment nicht wiederholt.) Die amerikanischen Verluste waren schwer; aber eine immer größere Zahl von Ölraffinerien wurde betriebsunfähig, mit katastrophalen Auswirkungen auf die Benzinversorgung der Luftwaffe. Diese wurde im September auf 10 000 t Oktan vermindert, während sie im Monat mindestens 160 000 t brauchte. Bis zum Juli war jede größere Ölraffinerie in Deutschland getroffen worden, und die große Zahl neuer Flugzeuge und Panzer, die dank Speers Bemühungen gebaut wurden, waren wegen Benzinmangels praktisch nutzlos.

Während die Zahl der einsatzfähigen deutschen Flugzeuge zurückging, wurden die beiden alliierten Luftwaffen immer stärker. Die Zahl der britischen Bomber erster Linie stieg von 1023 im April auf 1513 im Dezember 1944 und auf 1609 im April 1945, die der Bomber der 8. US-Luftflotte von 1049 im April auf 1826 im Dezember 1944 und auf 2085 im April 1945.

Unterdessen war das britische Bomberkommando zum ersten Mal zu Massenangriffen bei Tage übergegangen. Die Bedenken von Harris wurden zerstreut durch den geringen Widerstand seitens der Luftwaffe, verglichen mit dem Widerstand, den man von Nachtangriffen her kannte. Der erste große Tagesangriff erfolgte gegen Le Havre Mitte Juni, ebenso wie die folgenden unter Begleitschutz von Spitfires. Seit Ende August griff das Bomberkommando auch das Ruhrgebiet bei Tage an und fand nur geringfügige Abwehr vor. Diese neuen Umstände ermutigten das Bomberkommando, die Nachtangriffe auf deutsche Ölraffinerien wiederaufzunehmen. Diese Angriffe waren jetzt wirkungsvoller und weniger verlustreich als früher. Der sehr erfolgreiche Angriff auf das entfernte Ziel Königsberg – freilich kein Ölraffinerie-Ziel im engeren Sinne – am 29. August zeigte die Verbesserung auf der ganzen Linie.

So war die Periode von Oktober 1944 bis Mai 1945 eine Zeit der Luftherrschaft der Bomber. Das britische Bomberkommando warf in den letzten drei Monaten 1944 mehr Bomben ab als im ganzen Jahr 1943. Das Ruhrgebiet allein wurde in diesen drei Monaten von über 60 000 t Sprengstoff beworfen. Außerdem war dies, wie die amtliche Kriegsgeschichte schreibt, eine Zeit, in der die Bomber »praktisch die operative Luftherrschaft besaßen«. Unter diesem schweren Angriff wurde die deutsche Widerstandskraft allmählich zermalmt und die deutsche Kriegswirtschaft erdrosselt.

Angesichts dieser neuen Perfektion im gezielten Bombenabwurf und der Schwäche des Widerstandes ist es zweifelhaft, ob es, sowohl militärisch als auch moralisch gesehen, wirklich klug war, wenn das Bomberkommando in diesem Zeitraum 53 Prozent seiner Bomben auf Stadtgebiete abwarf, dagegen nur 14 Prozent auf Ölraffinerien und 15 Prozent auf Verkehrsziele. (Die entsprechenden Zahlen für die Zeit Januar bis Mai 1945 waren 36,6, 26,2 und 15,4 Prozent – ein Verhältnis, das immer noch sehr fragwürdig erscheint.) Das Verhältnis bei den amerikanischen Bombenabwürfen war grundlegend anders. Der Plan der Amerikaner, Deutschlands bekannte schwache Punkte zu treffen, war vernünftiger als der Gedanke, jede Bombe müsse irgendein Ziel treffen und dadurch irgendwie Deutschland schwächen. Die Amerikaner vermieden so auch die zunehmende moralische Kritik, die an der Strategie von Harris geübt wurde.

Die Schlußphase litt im großen und ganzen daran, daß die gut ausgewählten Prioritäten nicht innegehalten wurden. Eine Direktive vom 25. September 1944 erklärte Ölraffinerien zum Ziel Nr. 1, während Verkehrsziele an der Spitze einer Liste anderer Ziele standen. Darin lag eine gute Chance, den Krieg abzukürzen, da sich das Bomberkommando seit Oktober ebenfalls auf Ziele in Deutschland konzentrierte. Aber zwei Drittel der Angriffe im Oktober entfielen wieder auf Flächenbombardements, und wenige Bomben wurden auf Raffinerien oder Verkehrsziele abgeworfen. Daher erhielten am 1. November 1944 die Befehlshaber eine neue Direktive, in der die Ölversorgung als erster und Verkehrsziele als zweiter Vorrang aufgeführt wurden; andere Ziele wurden nicht mehr genannt, um nicht Verwirrung zu stiften. Diese beiden Ziele, die jetzt relativ leicht zu treffen waren, hätten sicher den Zusammenbruch Deutschlands eher beschleunigt, als die Flächenbombardements.

Harris' Starrköpfigkeit verhinderte jedoch, daß der Plan richtig ausgeführt wurde – er drohte sogar aus Protest dagegen zurückzutreten.

Anfang 1945 wurde die Lage wieder komplizierter durch die deutsche Gegenoffensive in den Ardennen, das Auftauchen der deutschen Düsenjäger und der deutschen Schnorchel-U-Boote. Dies führte zu einer neuen Erörterung der Prioritäten. Aber da die verschiedenen Autoritäten in verschiedene Richtungen zogen, war das Ergebnis ein Kompromiß – und, wie viele Kompromisse, unklar und unbefriedigend.

Der umstrittene Aspekt war die bewußte Wiederbelebung der Terrorangriffe. Sie erfolgte weitgehend in dem Wunsch, den Russen einen Gefallen zu tun. Am 27. Januar 1945 erhielt Harris die Anweisung, solche Angriffe auszuführen – die damit nach der Ölversorgung den zweiten Vorrang erhielten, noch vor Verkehrs- und anderen Zielen. Daraufhin wurde die weit entfernte Stadt

Dresden Mitte Februar einem verheerenden Großangriff unterzogen — mit der bewußten Absicht, ein Blutbad unter der Zivilbevölkerung und den vielen Flüchtlingen anzurichten. Angegriffen wurde das Stadtzentrum, nicht die Fabriken oder das Bahngelände.

Im April war es dann soweit, daß kaum noch lohnende Ziele übrigblieben, und sowohl die Flächenangriffe als auch die gezielten Bombenabwürfe wurden zugunsten der direkten Unterstützung der alliierten Heere aufgegeben.

Die Ergebnisse der strategischen Bomberoffensive

Selbst nachdem seit dem Sommer 1944 die furchtbare Bomben-Sintflut die deutsche Rüstungsproduktion zu lähmen begann, gelang es Speer durch weitere räumliche Streuung der Fabriken und geschickte Improvisationen, die materiellen Auswirkungen in Grenzen zu halten. Auch der deutsche Kampfgeist hielt sich in bemerkenswerter Weise, jedenfalls bis zu dem Dresdener Angriff im Februar 1945.

Angriffe auf die Ölversorgung

Weil die entfernten Ölfelder Rumäniens lange von Angriffen unberührt blieben und die Anlagen zur synthetischen Herstellung von Benzin immer weiter ausgebaut wurden, erreichten Deutschlands Benzinvorräte im Mai 1944 einen Höhepunkt und begannen erst von da an sich zu vermindern.

Mehr als zwei Drittel des im Hydrierverfahren gewonnenen Benzins wurde in sieben Werken produziert, deren Verwundbarkeit offenkundig war, und da die Ölraffinerien ebenso verwundbar waren, begannen sich die konzentrierten Bombenangriffe auf diese Anlagen seit Sommer 1944 schnell auszuwirken. Die April-Produktion von Benzin für Kraftwagen wurde bis zum Juni halbiert und bis zum September auf ein Viertel reduziert. Die Produktion von Flugbenzin sank auf ganze 10 000 t im September;

das bescheidene Produktionsziel war 30 000 t, aber der monatliche Mindestbedarf der Luftwaffe betrug 160 000 t! Etwa 90 Prozent des Flugbenzins, das am dringendsten benötigt wurde, wurde im Bergius-Hydrierverfahren gewonnen.

Als dann der deutsche Verbrauch infolge der Invasion im Westen und des russischen Vormarschs im Osten anstieg, wurde die Lage sehr ernst – seit Mai 1944 überstieg der Verbrauch die Produktion. Speer gelang es, durch hektische Gegenmaßnahmen die Lage etwas zu entspannen und die Benzinvorräte wieder etwas aufzustocken – bis zur Ardennen-Offensive im Dezember, aber nicht ausreichend, um diese für längere Zeit durchzuhalten, und diese Schlacht trug viel zur Erschöpfung der Vorräte bei. Dazu kamen noch die alliierten Angriffe auf Raffinerien im Dezember und Januar. Besonders wirkungsvoll waren die britischen Nachtangriffe, dank der viel größeren Bomben, welche die Lancasters jetzt mitführen konnten, und dank der neugewonnenen Zielgenauigkeit bei Nachtangriffen.

Die Angriffe auf die Benzinversorgung trafen auch erheblich die deutsche Produktion von Sprengstoffen und synthetischem Kautschuk, während die Knappheit an Flugbenzin zur fast völligen Einstellung der Ausbildungsflüge und zur drastischen Verminderung der Kampfflüge in der Luftwaffe führte. Zum Beispiel konnten Ende 1944 nur noch 50 Nachtjäger gleichzeitig aufsteigen. Dieser Mangel glich auch größtenteils den Wert der neuen Düsenjäger aus, die jetzt bei der Luftwaffe in Dienst gestellt wurden.

Angriffe auf Verkehrsziele

Angriffe auf Verkehrsziele, eine Mischung taktischer und strategischer Operationen, waren eindeutig von allergrößter Bedeutung für den Erfolg der Invasion und der Kämpfe im Westen; aber ihre Auswirkungen sind schwieriger einzuschätzen, nachdem die Alliierten bis zur deutschen Grenze vorgedrungen waren. Der November-Plan legte das Schwergewicht auf Eisenbahnen und Kanäle in Westdeutschland und insbesondere im Ruhrgebiet – dadurch sollte die Kohlenversorgung unterbrochen und so ein großer Teil der deutschen Industrie zum Stillstand gebracht werden. Die Wirkungen waren auch sehr groß und machten Speer im Herbst 1944 große Sorge; aber die alliierten Befehlshaber neigten dazu, in ihren eigenen Lagebeurteilungen die Wirkungen zu unterschätzen. Meinungsverschiedenheiten lähmten diese Operationen; doch im Februar 1945 waren insgesamt wieder 8000–9000 Flugzeuge für Angriffe auf das deutsche Verkehrsnetz eingesetzt. Bis zum März lag dieses in Trümmern, und die Industrie hatte keinen Brennstoff mehr. Nach dem Verlust Oberschlesiens im Februar infolge des russischen Vormarsches hatte Deutschland keine Reserve-Kohlenversorgung mehr. Die Stahlproduktion verfügte zwar noch über genügend Erze, aber reichte nicht aus, den Mindestbedarf an Munition zu decken. Dies war der Zeitpunkt, da Speer die Hoffnungslosigkeit der Lage erkannte und begann, schon für die Nachkriegszeit zu planen.

Direkte Angriffe

Die Ergebnisse der direkten Angriffe wurden immer offenkundiger. Eine Stadt nach der anderen wurde verwüstet. Die deutsche Industrieproduktion sank nach ihrem Rekordmonat, dem Juli 1944, rasch ab; die Krupp-Werke in Essen stellten Ende Oktober die Produktion ein. Oft war es die völlige Zerstörung der Strom-, Gas- und Wasserversorgung, die zum Verfall der Produktion führte. Außerhalb des Ruhrgebietes aber war die Knappheit an Rohstoffen, die sich aus dem Zusammenbruch des Verkehrssystems ergab, der Hauptgrund für den endgültigen Zusammenbruch der deutschen Industrie im Jahr 1945.

Schlußfolgerungen

Die strategische Bombenoffensive gegen Deutschland begann mit großen Hoffnungen, aber hatte anfangs geringe Auswirkungen

— sie bewies ein zu großes Übergewicht des Optimismus über den nüchternen Verstand. Die allmähliche Stärkung des Gefühls für die Realitäten zeigte sich in dem plötzlichen Übergang von Tag- zu Nachtangriffen und dann in der Übernahme der Taktik der Flächenangriffe, so fragwürdig diese in vieler Hinsicht waren.

Bis 1942 waren die Bombenangriffe für Deutschland nur eine Belästigung, keine Gefahr. Sie mögen vielleicht für die Moral des britischen Volkes nützlich gewesen sein, obwohl auch dies zweifelhaft ist.

Im Jahr 1943 wurden die Schäden, welche die Bomberflotten der beiden Alliierten anrichteten, vor allem dank der immer stärkeren amerikanischen Hilfe größer — aber sie hatten noch keine große Auswirkung auf die deutsche Produktion oder auf den deutschen Kampfgeist.

Erst im Frühjahr 1944 trat eine entscheidende Wandlung ein, und sie ging in erster Linie darauf zurück, daß die Amerikaner Langstreckenjäger zum Schutz ihrer Bomber einsetzten.

Nachdem sie bei der Invasion große Dienste geleistet hatten, kehrten die alliierten Bomber zu ihren Angriffen auf die deutsche Industrie zurück und hatten viel größere Erfolge als früher. In den letzten neun Monaten des Krieges hatten sie leichtes Spiel dank verbesserter Navigation und Abwurftechnik sowie dank der zusammenbrechenden deutschen Abwehr.

Die Fortschritte der alliierten Luftoffensive — ebenso wie der Landoffensive — wurden jedoch beeinträchtigt durch Unentschlossenheit, Meinungsverschiedenheiten und fehlende Konzentration auf ein Hauptziel. Das Potential der alliierten Luftstreitkräfte war größer als ihre Erfolge. Insbesondere die britische Luftwaffe setzte die Flächenangriffe noch fort, lange nachdem keinerlei Grund oder Vorwand für solche wahllosen Aktionen mehr bestand. Es gibt genügend Beweise, daß der Krieg durch stärkere Konzentration der Luftangriffe auf die Benzinversorgung und das Verkehrsnetz um Monate hätte verkürzt werden können.

Doch trotz strategischer Irrtümer und trotz der Mißachtung elementarer Moralbegriffe hatte die Bomberoffensive ohne Frage einen entscheidenden Anteil an der Niederlage Hitler-Deutschlands.

KAPITEL 34

DIE BEFREIUNG DES SÜDWESTPAZIFIKS UND BURMAS

Die Situation im Pazifik zu Beginn des Frühjahrs 1944 war folgende: Die alliierten Streitkräfte im mittleren Pazifik unter dem Befehl von Admiral Spruance und der Oberleitung von Admiral Nimitz hatten die Gilbert- und die Marshall-Inseln genommen, durch Luftangriffe den japanischen Stützpunkt Truk in den Karolinen schwer mitgenommen und somit das, was die Japaner als ihre lebenswichtige Verteidigungszone bezeichneten, schon erheblich angenagt. Unterdessen hatten die Streitkräfte General MacArthurs im Südwestpazifik nacheinander den größten Teil des Bismarck-Archipels und die Admiralitäts-Inseln genommen, damit den dortigen japanischen Sperrgürtel durchstoßen und gleichzeitig den vorgeschobenen japanischen Stützpunkt Rabaul neutralisiert. Zugleich hatten sie ihren westlichen Vormarsch auf Neuguinea erheblich ausgedehnt, und sie bereiteten ihren nächsten großen Sprung auf die Philippinen vor.

Die Wiedereroberung Neuguineas

Der weitere Verlauf des Feldzuges auf Neuguinea war gekennzeichnet durch die Entwicklung der Methode des Inselspringens, die vorher auf den Salomon-Inseln erprobt worden war. In vier Monaten rückten MacArthurs Truppen 1500 Kilometer in einer Reihe solcher Sprünge vor — aus dem Raum Madang bis zur Vogelkop-Halbinsel am westlichen Ende der Insel.

Die Japaner hatten gehofft, sich an den wenigen Küstenpunkten zu behaupten, die für den Bau von Flugplätzen geeignet waren; aber die Alliierten, die von Land aus diese Stellungen nicht umgehen konnten, benutzten ihre Überlegenheit zur See und in der Luft zu Umgehungsmanövern entlang der Küste.

Die strategische Situation der Japaner war schwach, da das

Gros ihrer Luftwaffen- und Marineverbände zurückgehalten werden mußte, um Admiral Spruances nächstem Vorstoß im mittleren Pazifik zu begegnen. Auch auf der Insel selbst waren die japanischen Truppen weit verstreut und hatten Nachschubschwierigkeiten. Die sogenannte 8. Armee in Rabaul war sich selbst überlassen, während an der Nordküste Neuguineas die Reste von Adachis sogenannter 18. Armee bei Wewak der 2. Armee Anamis unterstellt wurden; dies ergab zusammen sechs schwache Divisionen gegen 15 alliierte (acht amerikanische und sieben australische) Divisionen, die durch haushohe Überlegenheit zur See und in der Luft noch unterstützt wurden.

Im April stießen die 7. und dann die 11. australische Division von Madang aus entlang der Küste westwärts vor, während MacArthur seinen bisher größten Sprung machte, um den Stützpunkt Hollandia, an der Humboldt-Bucht 300 Kilometer westlich Wewak, zu nehmen. Den Landungen ging eine Reihe schwerer Bombenangriffe voraus, die den größten Teil der 350 Flugzeuge zerstörten, welche die Japaner zur Verteidigung zusammengekratzt hatten. Dann erfolgte am 22. April die Landung zweier amphibischer Verbände auf beiden Seiten Hollandias, während ein dritter Verband bei Aitape landete, um die dortigen Flugplätze zu nehmen. Der alliierte Nachrichtendienst hatte die japanische Truppenstärke bei Hollandia auf 14 000, bei Aitape auf 3500 geschätzt; um des Erfolges sicher zu sein, setzte MacArthur fast 50 000 Mann ein. In Wahrheit waren die Verteidiger weniger, als man dachte, und bestanden hauptsächlich aus Etappeneinheiten, die keinen ernsthaften Widerstand leisteten und nach den ersten Bombenangriffen landeinwärts flohen.

Infolgedessen wurden Adachis drei schwache Divisionen bei Wewak abgeschnitten. Statt einen neuen strapaziösen Rückzug durch das Landesinnere zu beginnen, zog er es vor, einen direkten Ausbruch an der Küste zu versuchen; doch als dieser im Juli erfolgte, hatte MacArthur die amerikanischen Truppen bei Aitape durch drei starke Divisionen verstärkt, und der Durchbruch scheiterte unter schweren Verlusten.

Lange vorher waren die Amerikaner schon 200 Kilometer

weiter westlich auf ihr nächstes Ziel marschiert, die nahe der Küste gelegene Insel Wakade, wo die Japaner einen Flugplatz gebaut hatten. Mitte Mai landeteten amerikanische Einheiten bei Toem an der Küste Neuguineas und überquerten dann die schmale Passage zur Insel Wakade; doch dort leistete die japanische Besatzung harten, wenn auch nur kurzfristigen Widerstand, während der amerikanische Vormarsch an der Küste auf Sarmi auf nachhaltigeren Widerstand stieß. Dennoch war, im großen und ganzen, die japanische Verteidigung Neuguineas jetzt nur noch sporadisch und ungeordnet. Amerikanische U-Boote verursachten schwere Verluste bei den Truppentransporter-Geleitzügen aus China, während die Bedrohung der Marianen im mittleren Pazifik jede Hoffnung ausschloß, daß von dort weitere Verstärkungen nach Neuguinea entsandt werden könnten.

Knapp einen Monat nach der Einnahme von Hollandia und nur zehn Tage nach den Landungen bei Toem und auf Wakade machte MacArthur den nächsten Sprung. Er wollte die Insel Biak mit ihren Flugplätzen nehmen, die etwa 550 Kilometer westlich von Hollandia liegt. Diese Operation verlief nicht so glatt. Im Gegensatz zu Hollandia hatten die Amerikaner die Stärke der Besatzung, die über 11 000 Mann zählte, stark unterschätzt, und obwohl ihre erste Landung am 27. Mai auf wenig Widerstand stieß, änderte sich die Lage, als sie landeinwärts vorrückten, um die Flugplätze zu besetzen. Denn die Japaner hatten darauf verzichtet, sich an der Küste zu behaupten, wo sie dem Feuer alliierter Kriegsschiffe und den Bomben der Flugzeuge ausgesetzt waren, und das Gros ihrer Truppen auf befestigte Stellungen in den Hügeln über den Flugplätzen zurückgezogen. Obwohl MacArthur Verstärkungen heranführte, wurde die Säuberung der Insel ein langwieriger und erschöpfender Prozeß, der erst im August beendet war. Sie kostete die amerikanischen Landtruppen fast 10 000 Mann an Verlusten; doch entfiel davon ein großer Teil auf Krankheiten, und nur 400 fielen im Kampf. Es war ein Vorgeschmack auf die Schwierigkeiten, die den Amerikanern bevorstanden, als sie neun Monate später, im Februar 1945, auf Iwojima landeten.

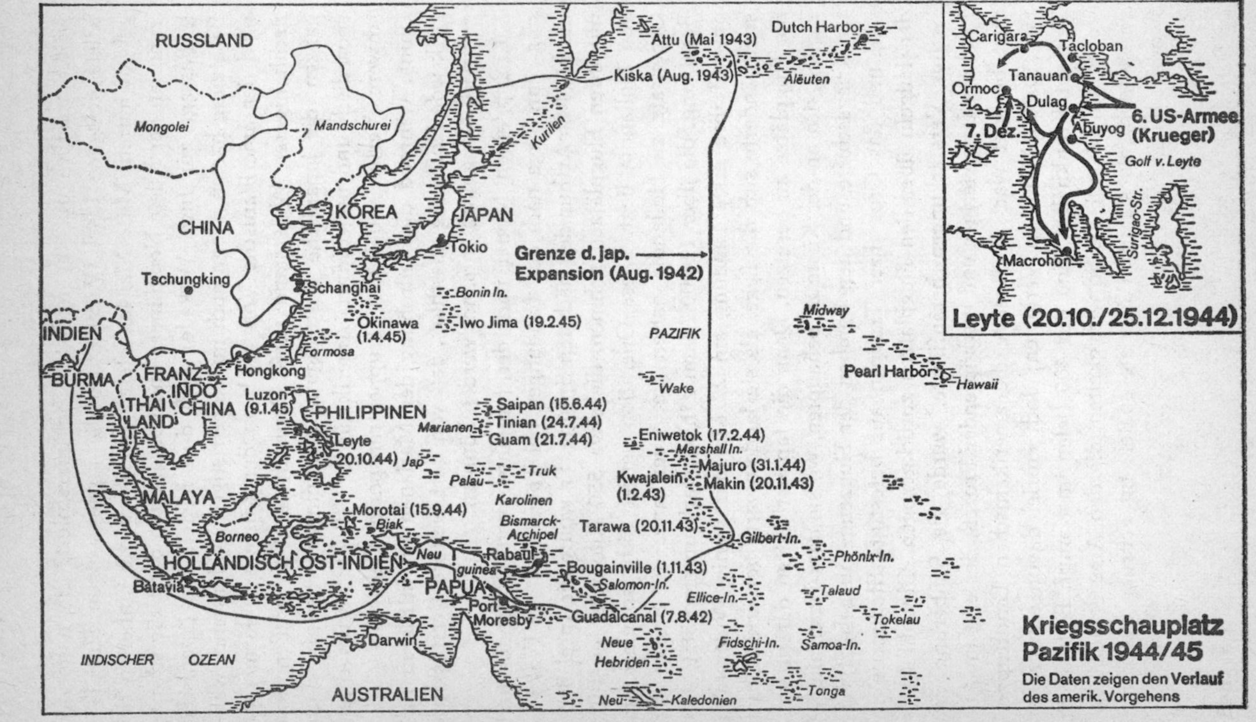

Kriegsschauplatz Pazifik 1944/45

Die Daten zeigen den Verlauf des amerik. Vorgehens

Der zähe Widerstand der Japaner auf Biak hätte noch größere Folgen gehabt, wenn das Oberkommando in Japan bei seiner verspäteten Entscheidung, die Insel zu verstärken, geblieben wäre. In Abänderung der früheren Entscheidung, sich auf die Verteidigung der Marianen zu konzentrieren, wurde ein Geleitzug von Truppentransportern Anfang Juni nach Biak entsandt, gedeckt von einem großen Verband von Kriegsschiffen und Flugzeugen von den Marianen. Doch dessen Fahrt wurde um fünf Tage verschoben infolge einer falschen Meldung, daß ein Verband amerikanischer Flugzeugträger in der Nähe von Biak sei, und beim zweiten Versuch stieß der Geleitzug auf einen Verband amerikanischer Kreuzer und Zerstörer und kehrte prompt um. Das japanische Oberkommando entsandte dann zur Bedeckung einen noch stärkeren Flottenverband, darunter die großen Schlachtschiffe »Yamato« und »Musaschi«; aber am Tag nach dessen Ankunft im Raum Neuguinea begannen die Amerikaner im mittleren Pazifik ihren Angriff auf die Marianen, und der japanische Flottenverband wurde nach Norden umdirigiert, um dieser größeren Bedrohung zu begegnen. Der doppelarmige amerikanische Vorstoß durch den Pazifik hatte wieder einmal seine Funktion erfüllt, den Gegner aus dem Gleichgewicht zu bringen.

Im Gegensatz dazu verlor MacArthur keine Zeit, als der Vormarsch auf Biak stockte, und führte einen neuen Angriff auf die benachbarte Insel Noemfoor. Er landete dort am 2. Juli nach schwerer Beschießung von See her und aus der Luft, und bis zum 6. waren alle drei Flugplätze der Insel genommen.

Ohne jede Luftwaffenunterstützung, mußten sich die Japaner auf die äußerste westliche Spitze der Vogelkop-Inseln zurückziehen. Am 30. Juli landete MacArthur eine Division an der Küste bei Cap Sansapor, wo keine japanischen Truppen standen. Auf der Halbinsel wurde jetzt eine Verteidigungszone eingerichtet, und die Arbeit am Bau neuer Flugplätze begann.

Der Weg war jetzt frei für einen Sprung zu den Philippinen, mit Luftunterstützung von drei Reihen von Flugplätzen am westlichen Ende Neuguineas aus. Die noch auf der großen Insel stehenden Reste von fünf japanischen Divisionen konnten außer acht gelassen werden, und es blieb den Australiern überlassen, sie zur Strecke zu bringen.

Die Einnahme der Marianen – und die Schlacht in den philippinischen Gewässern

Der Angriff auf die Marianen durch Admiral Spruances Streitkräfte im mittleren Pazifik bedeutete das Eindringen der Amerikaner in den inneren japanischen Verteidigungsring. Von dort konnten amerikanische Bomber Japan selbst angreifen, ebenso wie die Philippinen, Formosa und China. Gleichzeitig bedeutete die Einnahme der Inseln eine lebensgefährliche Bedrohung der Verbindungslinien Japans zu seinem neuerworbenen Reich im Süden.

Von den Marianen waren, wie auch bei den anderen Inselgruppen, die entscheidenden Inseln diejenigen mit Flugplätzen – Saipan, Tinian und Buam. Dort standen japanische Besatzungen in Stärke von 32 000 bzw. 9000 und 18 000 Mann. Die japanische Luftwaffe zählte dort auf dem Papier 1400 Maschinen, war aber in Wirklichkeit weit schwächer, da viele nach Neuguinea entsandt und noch mehr von Admiral Mitschers schnellem Flugzeugträgerverband zerstört worden waren, der schon seit Februar die Flugplätze angegriffen hatte. Immerhin hofften die Japaner, 500 einsatzfähige Flugzeuge zu haben, wenn sie Verstärkungen aus anderen Räumen bekommen könnten. Ihre Seestreitkräfte unter Admiral Ozawa waren in drei Verbände eingeteilt – den Kernverband von vier Schlachtschiffen, drei leichten Flugzeugträgern, einigen Kreuzern und Zerstörern unter Admiral Kurita, den Flugzeugträgerverband von drei Trägern, einigen Kreuzern und Zerstörern unter Ozawa selbst und einen Reserve-Trägerverband von zwei Flugzeugträgern der Kriegsmarine, einem leichten Träger, einem Schlachtschiff, einigen Kreuzern und Zerstörern unter Admiral Joschima.

Die Japaner hatten einen Gegenschlag gegen den amerikanischen Vorstoß über den Ozean vorbereitet und hofften damit die

Streitkräfte Spruances in eine Falle zu locken und seine Flugzeugträger zu versenken. Der Plan war im August 1943 vom Oberbefehlshaber der Kriegsmarine, Admiral Koga, entworfen worden; aber Ende März 1944 wurde er mit seinem Wasserflugzeug bei der Verlegung seines Hauptquartiers von Truk nach Davao in den Philippinen abgeschossen. Sein Nachfolger war Admiral Toyoda, der den Plan des Gegenangriffs nur mit Änderungen übernahm. Toyodas Hoffnung war, die amerikanischen Flugzeugträger in die Gewässer östlich der Philippinen zu locken und sie dort zwischen Ozawas mächtigem Flugzeugträgerverband und Flugzeugen, die von Plätzen auf den Mandatsinseln aus operierten, in die Zange zu nehmen.

Der amerikanische Flottenverband, welcher die Marianen angreifen sollte, legte am 9. Juni von den Marshall-Inseln ab; für den 15. war die Landung auf Saipan geplant. Zwei Tage später begannen die Flugzeuge von Mitschers Verband intensive Bombenangriffe auf die Inseln, und am 13. richteten die Schlachtschiffe ein schweres Geschützfeuer auf Saipan und Tinian. Gleichzeitig befahl Admiral Toyoda die »Operation A-Go« – die geplante japanische Gegenaktion. Dieser Beschluß bedeutete, wie schon erwähnt, die Aufgabe des Versuchs, die Insel Biak zu verstärken und sich auf Neuguinea zu behaupten.

Die amerikanische Armada bestand aus drei Marineinfanterie-Divisionen, einer Heeresdivision in Reserve und einer Marinestreitmacht von zwölf Flugzeugträgern, fünf Schlachtschiffen und elf Kreuzern; dahinter stand Admiral Spruances 5. Flotte, die größte Flotte der Welt, aus sieben Schlachtschiffen, 21 Kreuzern und 69 Zerstörern bestehend, zusammen mit Admiral Mitschers insgesamt 15 Flugzeugträgern und 956 Flugzeugen. Die Aufgabe, fast 130 000 Mann von Hawaii und Guadalcanal zu den Marianen zu bringen, war vorbildlich gelöst.

Am Morgen des 15. Juni landete die erste Welle der Marineinfanterie an der Küste von Saipan unter dem Schutz von schwerem Schiffsartilleriefeuer, von Kanonenbooten, die bis an die Küste fuhren, und Flugzeugen, die Raketen abschossen. In 20 Minuten wurden 8000 Mann an der Küste abgesetzt – ein Beweis für ihren hohen Ausbildungsstand. Aber obwohl bis zur Dämmerung insgesamt 20 000 Mann landeten, kam man von der Küste aus nur wenig vorwärts, da die Japaner die Höhen besetzt hatten und heftige Gegenangriffe führten.

Eine noch entfernte, aber größere Gefahr für die Invasion drohte von der japanischen Flotte, deren Fahrt in die philippinischen Gewässer amerikanische U-Boote am gleichen Vormittag entdeckt hatten. Spruances sagte daraufhin die Landung auf Guam ab, setzte seine Reserven, die 27. Division, in Saipan an Land, um die Einnahme dieser entscheidenden Insel zu beschleunigen, und dirigierte die Truppentransporter in sichere Gewässer. Die 5. Flotte wurde etwa 280 Kilometer westlich von Tinian zusammengezogen, stieß aber nicht weiter vor, um die japanische Flotte nicht zu verpassen.

Diese defensive Taktik erwies sich als klug. Bis dahin schien Toyodas Plan gut zu funktionieren, bis auf den wichtigen Umstand, daß der zweite Arm seiner Zange sich nicht bewegte, da Mitschers Flugzeuge die japanische Luftwaffe auf den Marianen am Boden zerstört hatten. Vom Vormittag des 19. Juni an flogen Ozawas Trägerflugzeuge vier Angriffe hintereinander — aber alle vier wurden im voraus durch Radar entdeckt; Hunderte von Jägern flogen ihnen entgegen, während Mitschers Bomber von ihren Trägern aus die japanischen Flugplätze auf den Inseln angriffen. Das Ergebnis dieser gewaltigen Luftschlacht war ein Massaker, das den Namen »das große Truthahnschießen auf den Marianen« erhielt. Die amerikanischen Piloten waren den weniger erfahrenen Japanern eindeutig überlegen, die 218 Maschinen verloren und nur 29 amerikanische Flugzeuge abschossen. Schlimmer noch: Zwei japanische Flugzeugträger, die »Schokaku« und die »Taiho«, beide mit vielen Flugzeugen an Bord, wurden von amerikanischen U-Booten torpediert und versenkt.

Ozawa glaubte, seine Flugzeuge seien auf Guam gelandet, und hielt sich noch im Kampfgebiet auf; er wurde am folgenden Tag von amerikanischen Aufklärungsflugzeugen entdeckt, woraufhin Admiral Mitscher 216 seiner Flugzeuge von den Trägern aufsteigen ließ, obwohl er wußte, daß sie erst bei Dunkelheit zurückkehren würden. Drei Stunden nach der Entdeckung des Verbandes führten diese Flugzeuge einen so wirkungsvollen Angriff, daß sie einen Flugzeugträger versenkten, zwei weitere ebenso wie zwei leichte Träger, ein Schlachtschiff und einen Kreuzer schwer beschädigten sowie 65 japanische Flugzeuge abschossen. Sie selbst verloren bei dem Angriff nur 20 Maschinen; freilich gingen 80 weitere bei dem langen nächtlichen Rückflug verloren. Viele ihrer Besatzungen wurden jedoch gerettet, da Ozawas Schiffe schon in Richtung Okinawa – in den Ryukyu-Inseln südlich von Japan – geflohen waren.

Bis dahin hatten die Japaner in dieser Schlacht insgesamt 480 Flugzeuge verloren, über drei Viertel ihrer anfänglichen Zahl, und die meisten Besatzungen waren ums Leben gekommen. Die Zerstörung eines so großen Teil der japanischen Flugzeuge und Flugzeugträger war ein sehr schwerer Verlust, erst im Herbst konnten sie weitgehend ersetzt werden. Viel ernster aber war der Verlust so vieler Piloten, denn diese konnten nicht ersetzt werden. Dies bedeutete, daß die japanische Marine in jeder künftigen Schlacht schwer gehandicapt und gezwungen sein würde, sich auf ihre traditionellere Rüstung zu verlassen.

Die Schlacht in den philippinischen Gewässern wurde so zu einer schweren japanischen Niederlage – der amerikanische Marinehistoriker Admiral S. E. Morison hält sie für noch bedeutender als die darauffolgende Schlacht im Golf von Leyte im Oktober. Der Weg zu den Philippinen war jetzt völlig frei, und die Landkämpfe auf den Marianen waren in ihrem Ausgang sicher.

Nach der großen See- und Luftschlacht war die Eroberung dieser Inseln nicht länger zweifelhaft, obwohl der Widerstand der japanischen Bodentruppen weiterhin zäh war. Die drei im Süden von Saipan gelandeten Divisionen kämpften sich mit starker Unterstützung der Marine und der Luftwaffe stetig nach Norden vor; am 25. Juni wurde die beherrschende Höhe des Mount Tapotschau genommen. Am 6. Juli begingen die beiden japanischen Befehlshaber auf Saipan, Admiral Nagumo und General Saito, Selbstmord, »um die Truppen bei ihrem Endkampf moralisch zu unterstützen«. Am nächsten Tag taten die überlebenden 3000

Mann praktisch dasselbe in Form eines selbstmörderischen Angriffs gegen die amerikanischen Linien. In den Kämpfen auf Saipan hatten die Japaner 26 000 Mann verloren, die Amerikaner 3500 Tote und 13 000 Verwundete oder Kranke.

Am 23. Juli wurden die beiden Marineinfanterie-Divisionen von Saipan nach Tinian übergesetzt, und innerhalb einer Woche war auch diese Insel erobert, wenn auch ihre endgültige Säuberung noch länger dauerte. Drei Tage vor der Landung auf Tinian kehrte der Verband, der die Invasion auf Guam ausführen sollte und in Reserve gehalten worden war, als die Gegenaktion von Admiral Ozawas Flotte drohte, zu seiner Aufgabe zurück, verstärkt durch eine weitere Heeresdivision. Obwohl der japanische Widerstand zäh war und sich auf ein System von Höhlenstellungen stützen konnte, war die Insel bis zum 12. August feindfrei.

Die Eroberung der Marianen und die vorhergehende schwere japanische Niederlage in der Seeschlacht beleuchteten deutlich Japans geschwächte Situation; aber der japanische Stolz weigerte sich noch, die Wirklichkeit zu erkennen. Bezeichnenderweise folgte jedoch diesen dramatischen Ereignissen der Rücktritt der Regierung General Tojos am 18. Juli. Vier Tage später bildete General Koiso ein Kabinett, das sich die Aufgabe stellte, einen stärkeren Widerstand gegen den amerikanischen Vormarsch aufzubauen. Wenn auch der Feldzug in China weitergeführt werden sollte, so war doch die erste Sorge jetzt die Verteidigung der Philippinen — auf Grund der Erkenntnis, daß bei einem Verlust dieser großen Inselgruppe Japans gesamte Kriegführung durch das Ausbleiben der Ölzufuhren aus Niederländisch-Indien katastrophal betroffen werden würde.

Ohnehin war Japans Lage bereits durch Benzinknappheit kritisch geworden. Die Versenkung japanischer Tanker durch amerikanische U-Boote war so ein strategischer Faktor ersten Ranges geworden. Die verminderte Ölzufuhr machte eine Beschränkung des Ausbildungsprogramms der Flugzeugpiloten notwendig; sie führte auch dazu, daß die japanische Flotte in Singapur liegenblieb, um ihren Versorgungsquellen nahe zu sein — und als sie schließlich in die Kämpfe im Pazifik eingriff, legte sie ab ohne genügend Ölvorräte für die Rückfahrt.

In diesem Stadium des Krieges wäre es den Amerikanern möglich gewesen, die Philippinen zu umgehen und sogleich den nächsten Sprung nach Formosa oder nach Iwojima und Okinawa zu wagen. Admiral King und mehrere andere Marinebefehlshaber befürworteten dies; aber MacArthurs natürlicher Wunsch nach einer triumphalen Rückkehr zu den Philippinen und politische Erwägungen behielten die Oberhand.

Es gab noch mehrere kleinere Ziele, deren Einnahme vor der Invasion auf den Philippinen für notwendig gehalten wurde. Der ursprüngliche Plan war, zuerst die Insel Morotai westlich von Neuguinea, dann die Palau-Inseln, die Insel Yap, die Talaud-Inseln und schließlich Mindanao, die große südliche Insel der Philippinen, zu nehmen. Zwar meinte Admiral Halsey, die Verteidigung der philippinischen Küsten sei sehr schwach, und schlug daher vor, die Zwischenziele zu überspringen. Jedoch blieb man bei den ersten Teilen des ursprünglichen Planes, dessen Durchführung schon angelaufen war. Ein Verband von MacArthurs Truppen landete am 15. September auf Morotai und stieß auf wenig Widerstand, und schon vom 4. Oktober ab operierten amerikanische Flugzeuge von dem dort angelegten neuen Flugplatz aus. Ebenfalls am 15. September wurden die Palau-Inseln von Admiral Halseys zentralpazifischen Streitkräften angegriffen und innerhalb weniger Tage besetzt. Dies verschaffte den Amerikanern vorgeschobene Flugplätze nur 800 Kilometer von Mindanao.

Die beiden großen Vormarschlinien durch den Pazifik, die MacArthurs und die von Nimitz, trafen jetzt zusammen und waren sich so nahe gekommen, daß sie sich bei der Rückeroberung der Philippinen gegenseitig unterstützen konnten.

Die Japaner hatten für die Verteidigung der Philippinen einen aus zwei Teilen bestehenden Plan, bekannt unter dem Namen »SHO 1«. Die Landverteidigung war der 14. Gebietsarmee unter General Yamaschita anvertraut, dem Eroberer von Malaya, der dafür neun Infanteriedivisionen, eine Panzerdivision, drei selbständige Brigaden und die 4. Luftflotte zur Verfügung hatte. Ihm unterstanden ferner die Marinestreitkräfte im Raum Manila, zu denen 25 000 auch für Landkämpfe brauchbare Marinesoldaten gehörten. Der entscheidende Teil des Planes war jedoch eine Aktion der Flotte, und das japanische Oberkommando war bereit, alles auf diese Karte zu setzen: Sobald der Ort der amerikanischen Landung bekannt war, sollten die japanischen Flugzeugträger die US-Flotte nach Norden locken, während die amerikanischen Landetruppen von Yamaschitas Truppen festgenagelt und dann von den zwei japanischen Schlachtschiffverbänden in die Zange genommen werden sollte. Toyoda kalkulierte, die Amerikaner, denen ihre Flugzeuge über alles gingen, würden um so eher bereit sein, die japanischen Träger zu verfolgen, als sie stets die Flugzeugträger als die eigentliche Offensivwaffe und die Schlachtschiffe nur als Deckung benutzt hatten.

Dieser Plan war durch Japans zunehmende Schwäche in der Luft bestimmt, beruhte aber auch auf dem immer noch vorhandenen Vertrauen zu den Schlachtschiffen. Dieses Vertrauen war über Gebühr bei den Admiralen verstärkt worden durch die Fertigstellung zweier Riesenschlachtschiffe, der größten der Welt – der »Yamato« und der »Musaschi«. Sie hatten eine Wasserverdrängung von über 70 000 t und eine Bewaffnung von neun 45-cm-Geschützen – es waren die einzigen Kriegsschiffe der Welt, die so viele große Geschütze hatten. Im Vergleich dazu hatten die Japaner viel zu wenig getan, um ihre Flugzeugträger mit den dazugehörigen Flugzeugen weiterzuentwickeln. Wie so oft in der Geschichte, hatten sie die Lehren ihrer eigenen großen Erfolge bei Kriegsbeginn weniger gut beherzigt als ihre Gegner.

Zwei Monate vor der ursprünglichen Planung begannen die Amerikaner im Oktober mit ihrem großen Sprung zu den Philippinen. Diese Inseln erstreckten sich über eine Entfernung von 1500 Kilometern, von Mindanao im Süden, so groß wie Irland, bis Luzon im Norden, fast so groß wie England. Der erste Angriff erfolgte gegen Leyte, eine der kleineren Inseln in der Mitte, und spaltete dadurch die Verteidigung in zwei Hälften. MacArthurs Truppen – vier Divisionen von General Kruegers 6. Armee – wurden am Morgen des 20. Oktober von Admiral Kinkaids 7. Flotte an Land gesetzt, einem Verband alter Schlachtschiffe und kleinerer Begleit- und Versorgungsschiffe. Im Hintergrund stand Admiral Halseys 3. Flotte in drei Gruppen etwas östlich der Philippinen; sie war der Kernverband, zu dem die neueren Schlachtschiffe und die schnellen großen Flugzeugträger gehörten.

Der Invasion war eine Reihe von Luftangriffen voraufgegangen, die von Mitschers Flugzeugträgern (der 3. Flotte Admiral Halseys) vom 10. Oktober an eine Woche lang gegen Formosa und in geringerem Ausmaß gegen Luzon und Okinawa geführt wurden; sie hatten verheerende Auswirkungen und waren von großer Bedeutung durch ihren Einfluß auf die kommenden Ereignisse. Die japanischen Piloten andererseits machten so übertriebene Berichte, daß ihre Regierung in amtlichen Nachrichten die Versenkung von elf Flugzeugträgern, zwei Schlachtschiffen und drei Kreuzern behauptete. In Wahrheit waren bei diesen amerikanischen Luftangriffen von Flugzeugträgern aus über 500 japanische Maschinen abgeschossen worden, dagegen nur 79 eigene — und keines der von den Japanern gemeldeten Schiffe war versenkt worden. Doch der zeitweilige Glaube an die Richtigkeit der Behauptungen verführte das Kaiserliche Hauptquartier dazu, den Rest seiner Kräfte für die »SHO 1«-Operation einzusetzen. Die Marine entdeckte zwar bald die Absurdität der amtlichen Behauptungen und zog sich wieder zurück; die Pläne der Armee wurden infolgedessen ständig geändert — drei der vier Divisionen Suzukis im südlichen Teil der Philippinen erhielten den Befehl, dort zu bleiben, statt, wie Yamaschita geplant hatte, sich für den Einsatz im Norden, in Luzon bereitzuhalten.

Wie erwähnt, hatte das japanische Oberkommando einen gewaltigen Gegenschlag mit allen verfügbaren Seestreitkräften geplant, wann und wo der große Angriff kommen sollte. Zwei Tage vor der amerikanischen Landung auf Leyte fingen die Japaner einen offenen Funkspruch eines US-Befehlshabers auf, der ihnen die entscheidende Information für ihren Gegenangriff zu liefern schien. Toyoda erkannte zwar, daß dies ein hohes Risiko wäre; doch die japanische Marine war zur Deckung ihres

Treibstoffbedarfs auf die Öllieferungen Niederländisch-Indiens angewiesen, und wenn die Amerikaner sich in den Philippinen festsetzten, wäre die Versorgungslinie abgeschnitten worden. In einem Verhör nach dem Krieg erklärte Toyoda seine Überlegungen wie folgt:

»Im schlimmsten Fall liefen wir Gefahr, die gesamte Flotte zu verlieren; doch ich glaubte, daß dieses Risiko eingegangen werden mußte... Wenn wir auf den Philippinen geschlagen wurden, dann wäre vielleicht die Flotte noch übrig, aber die Seeverbindung nach Süden wäre völlig abgeschnitten, so daß die Flotte, selbst wenn sie in die japanischen Gewässer zurückkehren konnte, keinen Treibstoff mehr erhalten würde... Die Flotte auf Kosten der Philippinen zu retten, wäre sinnlos gewesen.«

Den Lockvogel sollte Admiral Ozawas Flottenverband abgeben, der von Japan aus nach Süden fuhr. Er bestand aus den vier noch einsatzfähigen Flugzeugträgern und zwei zu Trägern umgebauten Schlachtschiffen, aber war zu nicht viel mehr nütze als zu einem Lockvogel, da er nur noch knapp 100 Flugzeuge mitführte, deren Piloten meist unerfahren waren.

So verließen sich die Japaner bei diesem Glücksspiel um Sieg und Niederlage auf einen altmodischen Flottenverband von sieben Schlachtschiffen, 13 Kreuzern und drei leichten Kreuzern, der aus dem Raum Singapur heranfuhr. Sein Befehlshaber, Admiral Kurita, sandte einen Teil seiner Kräfte auf dem südwestlichen Weg durch die Straße von Surigao in den Golf von Leyte voraus, während er selbst mit dem Hauptverband durch die Straße von San Bernardino auf dem nordwestlichen Weg kam. Er hoffte, die Truppentransporte MacArthurs und ihre begleitenden Kriegsschiffe zwischen diese beiden Zangen zu nehmen. Er nahm an, die »Yamato« und die »Musaschi« wären mit ihren 45-cm-Geschützen leicht in der Lage, die älteren amerikanischen Schlachtschiffe zu zerfetzen, und dabei dank ihrer gepanzerten Decks und ihrem mehrfach unterteilten Schiffsrumpf so gut wie unsinkbar. Er glaubte auch, er brauche nicht mit schweren Luftangriffen zu rechnen, wenn Halseys Trägerverband nicht zur Stelle sein würde – die Japaner hofften, dieser wäre zu der Zeit schon von Ozawas Verband weggelockt worden.

Doch die Lockvogel-Taktik funktionierte nicht. In der Nacht zum 23. Oktober stieß Kurita auf zwei amerikanische U-Boote, »Darter« und »Dace«, die an der Küste von Borneo patrouillierten. Diese fuhren jetzt unter dem Schutz der Dunkelheit mit voller Kraft über Wasser nach Norden, den Japanern voraus. Als der Tag anbrach, tauchten sie, erwarteten die heranfahrende Flotte und feuerten auf kurze Entfernung ihre Torpedos ab, die zwei Kreuzer versenkten und einen schwer beschädigten. Admiral Kurita selbst befand sich auf einem der Kreuzer, und obwohl er gerettet an Bord der »Yamato« gebracht wurde, war dies ein deprimierendes Erlebnis – und außerdem wußte er, daß die Amerikaner jetzt sein Herannahen bemerkt hatten.

Als Ozawa von Kuritas Zusammenstoß mit den U-Booten hörte, beeilte er sich, sein eigenes Herannahen von Norden dem Feind zu enthüllen, und sandte offene Funksprüche aus, um Halseys Aufmerksamkeit auf sich zu lenken. Aber seine Funksprüche wurden von den Amerikanern nicht aufgefangen, und er wurde auch von keinem Aufklärungsflugzeug entdeckt, da alle nur auf Kuritas Herannahen von Westen achteten!

Daher begannen jetzt die Bomber und Torpedo-Bomber von Halseys Flugzeugträgern in mehreren Wellen die Flotte Kuritas anzugreifen. Die Angriffe wurden nur durch Entlastungsangriffe japanischer Flugzeuge von Flugplätzen auf den Inseln und von Ozawas Flugzeugträgern aus unterbrochen; doch diese Angriffe wurden abgeschlagen und über die Hälfte der Angreifer abgeschossen. Freilich wurde der Flugzeugträger »Princeton« schwer getroffen und mußte aufgegeben werden.

Die amerikanischen Marineflugzeuge hatten bei ihren Angriffen auf Kuritas Flotte mehr Erfolg: Der große Goliath, die »Musaschi«, kenterte und sank nach dem fünften Angriff, von 19 Torpedos und 17 Bomben getroffen. Obwohl nur ein anderer schwerer Kreuzer kampfunfähig geworden war, drehte die japanische Flotte nach der Versenkung der »Musaschi« wieder nach Westen ab. Als ihm dies gemeldet wurde, glaubte Admiral Halsey, Kurita habe sich endgültig zurückgezogen. Aber als er Aufklärungsflugzeuge aussandte, um weit und breit nach ihm zu suchen, wurde der Flottenverband Ozawas auf seinem Weg nach Süden entdeckt. Daraufhin beschloß Halsey, getreu seinem Motto »Was wir tun, tun wir schnell«, nach Norden zu drehen und ihn beim Morgengrauen anzugreifen. Er nahm alle seine verfügbaren Schiffe mit und ließ kein einziges zur Bewachung der Straße von San Bernardino zurück.

Kurze Zeit darauf kam jedoch die Meldung eines Nachtaufklärers, Kurita habe wieder kehrtgemacht und fahre mit großer Geschwindigkeit auf diese Straße zu. Halsey glaubte die Meldung nicht; jetzt, da er die Möglichkeit zu einem kühnen Streich sah, wie er ihn so sehr liebte, wurde er blind für alles andere — mit Recht hatte er zu Kriegsbeginn den Spitznamen »der Bulle« erhalten.

Aber Kuritas Rückzug war nur eine taktische Finte gewesen, um bei Tageslicht den Luftangriffen zu entgehen und dann unter dem Schutz der Dunkelheit zurückzukehren. Außer der »Muschi« war keines seiner großen Schiffe verlorengegangen — im Gegensatz zu optimistischen Meldungen amerikanischer Piloten. Um 11 Uhr vormittags, als Halsey schon 250 Kilometer weiter nördlich stand, wurde Kuritas Verband wieder von Aufklärern entdeckt — wieder auf Kurs San Bernardino-Straße und nur noch 60 Kilometer davon entfernt. Halsey aber verkannte den Ernst der Gefahr und betrachtete diesen neuen Vorstoß nur als den selbstmörderischen Versuch einer schwerangeschlagenen Flotte im traditionellen japanischen Geist. Er fuhr nach Norden weiter und nahm zuversichtlich an, der Flottenverband Admiral Kinkaids würde mit diesem geschwächten Angreifer leicht fertig werden. So wurde die japanische Lockspeise zwar nicht zum erwarteten Zeitpunkt, aber am Ende doch noch geschluckt.

Die Situation von Kinkaids Verband war um so gefährlicher, als er in doppelter Weise irregeführt wurde. Das Auftauchen von Kuritas südlichem Verband, der auf die Straße von Surigao losfuhr, hatte seine Aufmerksamkeit dorthin gelenkt, und er konzentrierte den größeren Teil seiner Kräfte in dieser Richtung. Er nahm ferner an, ein Teil von Halseys Schlachtflotte deckte immer noch den nördlichen Zugang zur San-Bernardino-Straße ab, da es ihm nicht klar gesagt worden war, daß Halsey mit der ganzen Flotte abgefahren sei. Schlimmer noch: Kinkaid versäumte die Vorsichtsmaßnahme, Aufklärer auszusenden, um zu sehen, ob ein Feind aus jener Richtung herankam.

Der Angriff des südlichen japanischen Verbandes wurde nach einem heftigen Nachtgefecht abgeschlagen, großenteils dank der »Nachtsicht« des amerikanischen Radarsystems, das dem der japanischen Marine überlegen war. Ein anderer Nachteil für die Japaner war, daß ihre Schiffe im Gänsemarsch durch die schmale Straße von Surigao fahren mußten und somit dem konzentrierten Feuer von Admiral Oldendorfs Schlachtschiffen gefährlich ausgesetzt waren.

Beide Schlachtschiffe des Verbandes wurden versenkt; fast der ganze Verband war kampfunfähig. Bei Tageslicht war die Meeresenge wieder frei von Schiffen außer herumtreibenden Wracks und riesigen Öllachen.

Aber wenige Minuten nachdem Kinkaid seinen Glückwunsch zu dem Sieg signalisiert hatte, kam die Meldung, daß eine weit größere japanische Flotte – Kuritas Hauptverband – aus Nordwesten durch die Straße von San Bernardino gefahren war und sich östlich der Insel Samar befand, wo er den kleineren Teil von Kinkaids Flotte angriff, der dort MacArthurs Landeplätze auf Leyte schützte. Dieser Teil bestand nur aus sechs Begleit-Flugzeugträgern – umgebauten Handelsschiffen – und ein paar Zerstörern. Sie flohen nach Süden unter einem Hagel schwerer Geschosse der riesigen »Yamato« und der drei anderen Schlachtschiffe.

Als er diese Alarmnachricht erhielt, sandte Kinkaid einen Funkspruch an Halsey: »Brauche dringend sofort schnelle Schlachtschiffe Golf von Leyte.« Eine halbe Stunde später richtete Kinkaid einen neuen Hilferuf an Halsey, diesmal im Klartext. Aber Halsey fuhr weiter nach Norden, entschlossen, sein Ziel zu erreichen, die Flotte Ozawas zu vernichten. Er glaubte, Kinkaids Träger-Flugzeuge sollten in der Lage sein, den Angriff Kuritas aufzuhalten, bis das Gros von Kinkaids Flotte mit den sechs Schlachtschiffen zu Hilfe kam. Allerdings befahl er einen kleinen Verband von Flugzeugträgern und Kreuzern unter Admiral McCain aus den Karolinen herbei, um Kinkaid zu helfen; aber dieser war 600 Kilometer weit weg, 80 Kilometer weiter als er selbst.

Inzwischen wurde Kuritas Vorstoß nach Süden durch die tapferen Bemühungen einer Handvoll amerikanischer Zerstörer gebremst, die den Rückzug der sechs Begleit-Flugzeugträger deckten, ebenso wie durch deren noch einsatzfähige Flugzeuge. Ein Flugzeugträger und drei Zerstörer wurden versenkt; doch die übrigen entkamen, wenn auch etwas angeschlagen. Kurz nach 9 Uhr vormittags brach Kurita die Verfolgung ab und wandte sich dem Golf von Leyte zu, wo eine große Menge amerikanischer Truppentransporter und Landefahrzeuge ungeschützt versammelt waren. Er war jetzt nur noch knapp 50 Kilometer von der Einfahrt entfernt. Kinkaid sandte an Halsey einen neuen dringenden Hilferuf: »Lage wiederum sehr ernst. Begleitträger wieder von feindlichen Überwasserschiffen bedroht. Ihre Hilfe dringend notwendig. Begleitträger ziehen sich in den Golf von Leyte zurück.«

Diesmal reagierte Halsey auf den Hilferuf. Bis dahin, 11.15 Uhr vormittags, hatten seine Flugzeuge den Verband Ozawas schwer zerfetzt, und obwohl er diese Aktion mit den Geschützen seiner Schlachtschiffe gerne vollendet hätte, unterdrückte er diesen Wunsch und raste mit seinen sechs schnellen Schlachtschiffen und einer seiner drei Flugzeugträger-Gruppen zurück. Er war aber in seiner Verfolgung Ozawas schon so weit nach Noden gelangt, daß er den Golf von Leyte nicht vor dem nächsten Morgen erreichen konnte. Auch McCains Trägerverband war so weit entfernt, daß er noch für mehrere Stunden nicht mit seinen Flugzeugen eingreifen könnte. So sah die Situation bei Leyte gegen Mittag sehr ernst aus, als Kuritas Flotte sich dem Golf näherte.

Aber plötzlich drehte dieser nach Norden ab – und diesmal endgültig. Was war der Grund? Eine seltsame Verquickung aufgefangener Feindnachrichten und deren subjektive Deutung. Als erstes kam ein Funkspruch, der den Flugzeugen der amerikanischen Begleitträger befahl, auf der Insel Leyte zu landen. Kurita glaubte, dies sei die Vorbereitung für einen noch konzentrierteren Angriff auf seine Schiffe von Landflugplätzen aus, während es in Wahrheit nur eine Vorsichtsmaßnahme war, um zu verhindern, daß die Flugzeuge mit den Trägern untergingen. Einige Minuten später erhielt Kurita den abgehörten Klartext-Funkspruch Kinkaids an Halsey. Daraus schloß er fälschlich, daß Halsey schon seit über drei Stunden nach Süden fahre; denn Kurita war ohne direkten Kontakt mit Ozawa und wußte nicht, wie weit nach Norden Halsey gefahren war. Schließlich machte ihm der Mangel an Schutz durch Flugzeuge Sorgen.

Den letzten Ausschlag gab aber eine verstümmelte abgehörte Meldung, die Kurita zu der Annahme brachte, ein Teil der amerikanischen Entsatz-Streitkräfte stehe nur noch 110 Kilometer nördlich von ihm und nähere sich seiner Rückzugslinie durch die Straße von San Bernardino. So beschloß er, den Angriff im Golf von Leyte abzublasen und nach Norden zu fahren, um dieser Drohung zu begegnen, bevor sie noch stärker geworden und bevor seine Rückzugslinie abgeschnitten worden wäre. Es war einer von den vielen Fällen in der Kriegsgeschichte, die zeigen, daß Schlachten oft mehr durch Vermutungen als durch Tatsachen entschieden werden. Die subjektiven Eindrücke eines Befehlshabers zählen oft mehr als irgendein konkretes Geschehen.

Als Kurita die Straße von San Bernardino erreichte, fand er dort keinen Feind vor und durchfuhr sie nach Westen. Obwohl er diesen Flaschenhals erst gegen 10 Uhr abends erreichte – durch wiederholte Luftangriffe aufgehalten –, war dies noch drei Stunden bevor die ersten Schiffe Halseys auf ihrer rasenden Fahrt nach Süden dort eintrafen.

Das Entweichen der japanischen Schlachtschiffe, die selbst so wenig erreicht hatten, wurde aber mehr als ausgeglichen durch die Versenkung aller vier japanischen Flugzeugträger – der eine, die »Chitose«, schon um 9.30 Uhr bei Mitschers erstem Angriff, die anderen drei (»Chiyoda«, »Zuikaku« und »Zuiho«) am Nachmittag.

Wenn man die separaten Kampfhandlungen als eine einzige betrachtet, dann war die Schlacht im Golf von Leyte, wie man sie zusammenfassend nennt, die größte Seeschlacht aller Zeiten. Insgesamt waren 282 Schiffe und Hunderte von Flugzeugen daran beteiligt, gegenüber 250 Schiffen (und fünf Marineflugzeugen) bei der Schlacht von Jütland (Skagerrak) im Jahr 1916. Wenn die Schlacht in den philippinischen Gewässern im Juni im gewissen Sinne wegen ihrer verheerenden Auswirkungen auf die japanische Marineluftwaffe noch bedeutsamer war, so brachte die vierteilige Schlacht vom Leyte-Golf die Ernte ein und entschied den Feldzug. Die Japaner verloren in ihr vier Flugzeugträger, drei Schlachtschiffe, sechs schwere und drei leichte Kreuzer und acht Zerstörer – die Amerikaner verloren nur einen leichten Flugzeugträger, zwei Begleitträger und drei Zerstörer.

Es ist ferner erwähnenswert, daß man in dieser Schlacht eine neue Taktik des Feindes erlebte, gegen die man sich schwer wehren konnte. Nachdem Kinkaids 7. Flotte den unerwarteten und überlegenen Angriff von Kuritas Kernverband überlebt hatte, bis Kurita abdrehte und sich durch die San Bernardino-Straße zurückzog, wurden seine Begleitträger dem ersten planmäßigen »Kamikaze«-Angriff ausgesetzt – dem Angriff von Piloten, die sich freiwillig zu einer Spezialeinheit gemeldet hatten und selbstmörderische Sturzflüge auf ein feindliches Schiff ausführten, das sie mit ihren berstenden Benzintanks und ihren explodierenden Bomben in Brand setzten. Bei diesem ersten Versuch wurde jedoch nur ein Begleitträger versenkt, wenn auch mehrere schwer beschädigt.

Die wichtigste Auswirkung der Schlacht hatte die Versenkung von Ozawas vier Flugzeugträgern. Ohne den Schutz von Flugzeugträgern waren die übriggebliebenen sechs japanischen Schlachtschiffe hilflos, und sie leisteten in diesem Krieg keinen positiven Beitrag mehr. Ja, die ganze japanische Kriegsmarine war nutzlos geworden. Somit hatte zwar Halseys Fahrt nach Norden die übrige amerikanische Flotte schwerer Gefahr ausgesetzt, aber der Ausgang hatte dies gerechtfertigt. Außerdem zeigte er die Hohlheit des Schlachtschiff-Mythos auf und legte die

Torheit der Erwartungen an den Tag, die man noch auf diese veralteten Ungetüme gesetzt hatte. Der einzige Nutzen der Schlachtschiffe im Zweiten Weltkrieg waren Beschießungen der Küste – eine Aufgabe, für die man sie in früheren Generationen für ungeeignet, weil zu verwundbar, gehalten hatte.

Die japanische Entscheidung, um die Insel Leyte zu kämpfen und diese zur Schlüsselposition ihrer Verteidigung der Philippinen zu machen, kam zu spät, als daß die Verstärkungen von der Insel Luzon, fast drei Divisionen, die Insel noch rechtzeitig hätten erreichen können, bevor die Amerikaner ihre Landeköpfe erweiterten. Als erstes nahmen sie an der Ostküste die nahe gelegenen Flugplätze Dulag und Tacloban. Dann erreichten sie in Vorstößen auf beiden Flanken am 2. November Carigara Bay an der Nordküste und Abuyog in der Mitte der Ostküste. Damit hatten sie nicht nur alle fünf japanischen Flugplätze besetzt und die einzig feindliche Division zersprengt, die sich schon auf der Insel befand, sondern auch den Plan von Suzukis 35. Armee vereitelt, die verstärkenden Divisionen in der Carigara-Ebene zu konzentrieren.
General Krueger plante, zunächst durch eine doppelte Flankenbewegung den Bergrücken der Insel zu umgehen und den größten japanischen Stützpunkt Ormoc an der Westküste zu nehmen. Aber wolkenbruchartiger Regen hinderte die Arbeit der Instandsetzung der beiden genommenen Flugplätze, von denen aus er diese Operation unterstützen wollte, und inzwischen landeten zwei japanische Divisionen am 9. November bei Ormoc. Weitere Verstärkungen folgten trotz schwerer Verluste unter den Transport- und Begleitschiffen, und bis Anfang Dezember hatten die Japaner ihre Truppenstärke auf Leyte von 15 000 auf 60 000 Mann erhöht. Doch bis dahin hatte Krueger nicht weniger als 180 000 Mann auf der Insel zur Verfügung. Er landete eine seiner neuen Divisionen an der Westküste südlich von Ormoc und spaltete so die japanische Verteidigung; drei Tage später, am 10. Dezember, besetzte er diesen Stützpunkt und Hafen gegen nur schwachen Widerstand. Danach brach der Widerstand der

ausgehungerten Japaner rasch zusammen, und bis Weihnachten hatte jede organisierte Gegenwehr aufgehört. Unter weit schlechteren Umständen und mit weit verminderter Stärke kehrte dann Yamaschita zu seinem ursprünglichen Plan zurück, die Verteidigung auf die Hauptinsel Luzon zu konzentrieren.

Während der entscheidenden Wochen hatten sich drei Gruppen schneller Flugzeugträger von Halseys 3. Flotte in der Nähe der Philippinen aufgehalten, um den Truppen MacArthurs ständige Luftunterstützung zu geben – trotz immer häufiger Kamikaze-Angriffe. Diese erzielten eine beträchtliche Anzahl von schweren Treffern, und zwei Flugzeugträger mußten zu ausgedehnten Reparaturen zurückgezogen werden. Erst in der letzten Novemberwoche wurde der ganze Verband nach Erledigung seiner Aufgabe wieder entlassen.

Zur Vorbereitung der Invasion von Luzon, seinem Hauptziel, hatte MacArthur beschlossen, die dazwischen liegende Insel Mindoro zu nehmen, um dort Flugplätze aufzubauen, von denen aus die ihm unterstellte 5. US-Luftflotte die Gewässer um Luzon abdecken könnte. Dies war ein riskantes Unternehmen, da Mindoro fast 500 Kilometer vom Leyte-Golf entfernt war, aber viel näher an den japanischen Flugplätzen auf Luzon lag, insbesondere der Kette von Flugplätzen um Manila. Aber die Japaner hatten in Mindoro nur etwa 100 Mann stehen, und die vier aufgegebenen japanischen Flugfelder wurden schon wenige Stunden nach der Landung am 15. Dezember besetzt – und so schnell von den Amerikanern zu ihrem eigenen Gebrauch umgebaut, daß noch vor Ende des Monats Heeresflugzeuge dort eingeflogen werden konnten. Daß diese Landung so leicht war, ging zu einem großen Teil darauf zurück, daß Halseys schnelle Trägerflugzeuge die Flugplätze auf Luzon bombardierten und durch einen Schirm von Jägern abdeckten, um die japanischen Bomber am Start und am Angriff auf den Raum Mindoro zu hindern.

Am 3. Januar 1945 fuhr die amerikanische Armada, die aus vielen Verbänden zusammengestellt war, aus dem Golf von Leyte aus – insgesamt 164 Schiffe, darunter sechs Schlachtschiffe und 17 Begleit-Flugzeugträger, unter dem Befehl der Admirale Kinkaid und Oldendorf. Am 9. Januar kam sie am Golf von Lingayen (170 Kilometer nördlich von Manila) an — dort hatten vor fast vier Jahren die Japaner ihre Invasion der Philippinen begonnen. Am Morgen des 10. begann die Landung von vier Divisionen der 6. Armee Kruegers, und zwei weitere folgten bald. Die Landetruppen erhielten starke Unterstützung durch den Flugzeugträger-Verband Halseys, insbesondere bei der Abwehr der Kamikaze-Angriffe, die jetzt den Schiffen immer mehr Schaden zufügten. Nach der Abdeckung der Landung am Golf von Lingayen machte dieser Verband einen tiefen Vorstoß in das Chinesische Meer und griff japanische Stützpunkte und Schiffe in Indochina, Südchina, Hongkong, bei Formosa und Okinawa an. Es war eine Demonstration der Verwundbarkeit von Japans Südreich.

Inzwischen kämpften sich Kruegers Truppen gegen zähen Widerstand vom Golf von Lingayen nach Manila vor. Um ihnen zu helfen und die Japaner am Rückzug auf die Halbinsel Bataan zu hindern, landete MacArthur ein weiteres Korps am 29. Januar in der Höhe dieser Halbinsel. Zwei Tage später wurde eine Luftlandedivision etwa 60 Kilometer südlich Manila ohne feindlichen Widerstand abgesetzt. Als diese auf Manila vorrückte, hatten Kruegers Truppen aber schon den Stadtrand erreicht, und Yamaschitas Truppen hatten sich in die Berge zurückgezogen.

Manila wurde jedoch noch von Admiral Iwafuchi verteidigt, dem Befehlshaber des Flottenstützpunktes. Er weigerte sich, Yamaschitas Befehl zu folgen, der Manila zur offenen Stadt erklärte, und führte noch einen ganzen Monat einen fanatischen Kampf Haus um Haus, der die Stadt zerstörte. Erst am 4. März war Manila völlig feindfrei. Inzwischen war auch die Halbinsel Bataan genommen und Corregidor zurückerobert worden, obwohl die japanische Besatzung dieser Inselfestung sich zehn Tage lang hielt. Mitte März war der Hafen von Manila für amerikanische Schiffe verwendungsfähig, und nur die Säuberung des bergigen Geländes von Luzon, Mindanao und der kleineren südlichen Inseln dauerte noch einige Zeit.

Der Angriff auf Iwojima

Nach der Einnahme der wichtigsten Positionen auf den Philippinen wollten die Amerikaner jetzt Japan selbst angreifen; frühere Pläne MacArthurs, zuerst Formosa oder einen Teil der chinesischen Küste als Stützpunkte für Luftangriffe auf Japan zu erobern, wurden fallengelassen. Doch die Vereinigten Stabschefs hielten es für notwendig, Iwojima in den Bonin-Inseln, auf halber Strecke zwischen Saipan und Tokio, sowie Okinawa in den Ryukyu-Inseln, auf halber Strecke zwischen dem südwestlichen Ende Japans und Formosa, zu nehmen – als strategisch wichtige Zwischenstationen und Inselstützpunkte für Luftangriffe auf Japan.

Iwojima, das als die leichtere Operation galt, sollte zuerst an die Reihe kommen. Es wurde auch benötigt als Notlandeplatz für die »B 29« Superfortresses, die seit Ende November von den Marianen aus Tokio bombardierten, und als Stützpunkt für die begleitenden Jäger, da diese nicht die ganze Strecke fliegen konnten.

Eine vulkanische Insel von nur sechs Kilometern Länge, war Iwojima unbewohnt mit Ausnahme seiner japanischen Besatzung. Diese war seit dem September auf etwa 25 000 Mann verstärkt worden, und General Kuribayaschi hatte die Verteidigung zu einem Netz befestigter Höhlenstellungen ausgebaut, die gut getarnt und durch Tunnels miteinander verbunden waren. Sein Ziel war ganz einfach, so lange wie möglich auszuhalten, da Verstärkungen wegen der Überlegenheit der Amerikaner zur See und in der Luft nicht in Frage kamen. Er vertraute der defensiven Stärke seiner Position und vermied die üblichen typisch japanischen verlustreichen Gegenangriffe.

Nimitz hatte den Angriff auf Iwojima Admiral Spruance anvertraut, der Ende Januar Halsey im Kommando der 3. Flotte – sie wurde vorübergehend in 5. Flotte umbenannt – ablöste. Für die Landoperationen hatte er drei Marineinfanteriedivisionen erhalten. Das einleitende Bombardement aus der Luft und von See her war das längste des ganzen pazifischen Krieges, mit täglichen

Luftangriffen vom 8. Dezember und Tag- und Nacht-Beschießung von See her in den letzten drei Tagen. Aber dies hatte enttäuschend wenig Auswirkungen auf die schwer befestigten japanischen Verteidigungsstellungen. Als die Marinesoldaten am Morgen des 19. Februar landeten, wurden sie mit heftigem Mörser- und Artilleriefeuer empfangen und längere Zeit an der Küste festgenagelt; allein am ersten Tag verloren sie 2500 Mann von insgesamt 30 000 Gelandeten.

In den folgenden Tagen kämpften die Marinesoldaten langsam ihren Weg weiter, fast Meter für Meter und mit ständigem reichlichem Feuerschutz von Marine und Luftwaffe; dieser wurde noch stärker, als Mitschers schneller Trägerverband nach seinen großen Angriff auf Tokio zur Verstärkung herankam. Aber erst am 26. März war die Eroberung der Insel beendet, nach über fünf Wochen schwerer Kämpfe, in denen die Marineinfanterie 26 000 Mann, 30 Prozent ihrer Landetruppen, verloren hatte. Die Japaner hatten so hartnäckig gekämpft, daß sie 21 000 Tote hatten und nur 200 ihrer Leute gefangengenommen wurde. Die Säuberung einzelner Widerstandsnester dauerte noch weitere zwei Monate und brachte die Gesamtzahl der japanischen Toten auf über 25 000, während nur 1000 Gefangene gemacht wurden. Noch vor Ende März waren aber drei Flugplätze für die amerikanischen Maschinen benutzbar, und bis zum Kriegsende erfolgten dort etwa 2400 Landungen von »B-29«-Bombern.

Der Burma-Feldzug – von Imphal bis Rangun

Wenn auch das Scheitern der japanischen Offensive bei Imphal im Frühjahr 1944 ein schwerer Rückschlag war, so war er doch nicht so entscheidend, daß er die Position der Japaner in Burma erschüttert hätte. Alles hing davon ab, ob man diesen Rückschlag wirksam ausweiten und vertiefen könnte; aber zu diesem Zweck mußte das britische Nachschubsystem erst besser ausgebaut werden.

Die Aufgabe, die Mountbatten in der Direktive der Vereinigten Stabschefs vom 3. Juli gestellt wurde, lautete, mit den ihm zur Verfügung gestellten Kräften die Luftbrücke nach China zu verbreitern und eine Landverbindung herzustellen. Obwohl nicht ausdrücklich erwähnt, wurde dafür die Wiedereroberung Burmas erwartet. Dafür gab es zwei Pläne: »Capital«, ein Vorstoß zu Lande zur Wiedereroberung des nördlichen und mittleren Burma, und »Dracula«, eine amphibische Operation zur Einnahme des südlichen Burma. Die letztere versprach größere Auswirkungen auf lange Sicht, aber hing vom Nachschub auf dem Seeweg ab. Unter diesen Umständen zogen General Slim und die Amerikaner den ersten Plan vor. Zwar wurden Vorbereitungen für beide Pläne befohlen, aber der Schwerpunkt lag auf »Capital«.

Trotz der großen Verbesserungen in den Nachschubstraßen aus Indien und dem Ausbau Indiens als große militärische Basis wurde es bald klar, daß noch viel zu tun war, wenn eine Invasion Burmas schnelle Erfolge bringen sollte. Das Hauptproblem war die Logistik, nicht die Taktik. Trotz der Verbesserung der Landverbindungswege und der Wasserzufuhr über Land blieb Slims 14. Armee von Nachschub auf dem Luftwege abhängig, und dieser hing wiederum von der Unterstützung durch amerikanische Frachttransporter ab.

So verging die zweite Hälfte 1944 hauptsächlich mit solchen technischen Vorbereitungen und mit der Neuordnung der Befehlsverhältnisse. Der Luftnachschub wurde dem gemeinsamen alliierten Hauptquartier der neuen »Combat Cargo Task Force« anvertraut, der Nachrichtendienst der beiden Alliierten wurde koordiniert, und die »Spezialtruppe« wurde aufgelöst. Die Reorganisation wurde gefördert durch die Rückberufung General Stilwells aus China auf Verlangen Tschiang Kai-scheks, mit dem er immer heftiger aneinandergeraten war. Sein Nachfolger als Generalstabschef Tschiang Kai-scheks und der chinesischen Armee wurde General Albert C. Wedemeyer. Im November wurde General Sir Oliver Leese, bisher Befehlshaber der 8. Armee in Italien, zum Oberbefehlshaber der alliierten Landstreitkräfte Südostasien unter Mountbatten ernannt.

Mitte Oktober, als der Monsunregen aufhörte und der Boden

wieder trocknete, begann Slim den Vormarsch auf der mittleren Front. Er nahm Kalemyo und Kalewa, bildete Mitte Dezember einen Brückenkopf über den Chindwin und stieß dann südostwärts auf Mandalay vor.

Das japanische Oberkommando konnte angesichts der größeren und näher rückenden Gefahr des amerikanischen Vorstoßes zu den Philippinen keine Verstärkungen für General Kimuras Burma-Armee abzweigen; es befahl Kimura, seine Stellungen zu behaupten, um die Alliierten daran zu hindern, die Burma-Straße wieder zu öffnen oder nach Malaya überzusetzen. Die Aussichten, diese defensiven Aufgaben zu erfüllen, waren schlecht, da die Japaner durch ihre lange Imphal-Offensive ihre Kraft sehr geschwächt hatten. An der mittleren Front standen vier nicht vollständige Divisionen der japanischen 15. Armee mit zusammen nur 21 000 Mann acht oder neun starke Divisionen gegenüber, und die einzige Verstärkung konnte von der Division in Südburma kommen — deren Abzug bedeutet hätte, daß man Rangun ungeschützt ließ. Obwohl ein Teil der Streitkräfte Slims für die geplante »Operation Dracula« zurückgehalten wurde, konnte er mit einer größeren Zahl von Divisionen größerer Stärke, mit weit stärkerer Unterstützung duch Panzer und mit eindeutiger Beherrschung der Luft rechnen. Die Japaner erkannten diese harten Tatsachen und die Notwendigkeit eines Rückzuges aus Nordburma; aber sie hofften immer noch, eine Linie zu halten, die Mandalay und, 200 Kilometer weiter südlich, die Ölfelder von Yenangyaung einschloß.

Während sich die britische Offensive an der mittleren Front entfaltete, näherten sich die Operationen auf den beiden Nebenkriegsschauplätzen Arakan und Nordburma einem erfolgreichen Abschluß.

Christisons 15. Korps wollte, sobald der Monsum aufhörte, Arakan säubern, die Insel Akyad wegen ihrer Flugplätze nehmen und dann Truppen für den Hauptkriegsschauplatz abgeben. Ihm unterstanden für diese Aufgabe drei starke Divisionen, denen zwei schwache Divisionen von Sakurais sogenannter 28. Armee entgegentraten. Der britische Vormarsch begann am 11. Dezember; am 23. wurde Donbaik an der Spitze der Halbinsel und eine Woche später Rathedaung am Ostufer des Mayu genommen, während ein Drittel von Christisons Truppen das Kaladan-Tal weiter landeinwärts säuberten. Die Schwäche des Widerstandes kam daher, daß die Japaner bereits im Begriff waren, Arakan zu räumen. Daher wurden die Pläne für die Einnahme von Akyab zeitlich vorgezogen; als britische Truppen am 4. Januar in die Stadt einzogen, hatte der Feind sie schon aufgegeben.

Der Wunsch nach noch mehr Flugplätzen führte Christison dazu, auch die Insel Ramri, 110 Kilometer weiter südlich, zu nehmen, und dies geschah ohne Schwierigkeiten am 21. Januar; die Japaner waren jetzt hauptsächlich darum besorgt, die Bergübergänge zum unteren Irrawaddy-Tal zu halten und so die Briten am Durchbruch in das mittlere Burma zu hindern. Den größten Ruhm in diesem Feldzug erwarben sich die kleinen japanischen Nachhuten, die bis Ende April die Zugänge und die Pässe selbst hielten und so der dezimierten Armee Sakurais ermöglichten, sich aus Arakan zurückzuziehen.

In China selbst war der Feldzug im Laufe des Jahres 1944 schlecht für Tschiang Kai-schek ausgegangen. Dies hatte zu einem Widerruf der Entscheidung der »Dreizack«-Konferenz geführt, dem Luftnachschub über das große chinesische Hinterland hinweg den Vorrang zu geben; das Schwergewicht wurde jetzt auf den Aufbau der chinesischen Armeen, nicht mehr auf den der amerikanischen strategischen Luftwaffe in China gelegt. Selbst in der westlichen Provinz Chinas, in Yunnan, wurde eine Offensive von zwölf chinesischen Divisionen trotz einer Überlegenheit von 7:1 von einer einzigen japanischen Division in Schach gehalten.

Auch an der burmesischen Nordfront hatten Stilwells größtenteils chinesische Streitkräfte im Frühjahr 1944 bei ihrem Versuch, über Myitkyina hinaus gegen die Nordseite der Burma-Straße vorzurücken, wenig Fortschritte gemacht, obwohl ihnen nur drei schwache Divisionen von Hondas 33. Armee gegenüberstanden. Im Herbst besserte sich die Lage jedoch, nachdem die erschöpften Chindits durch die 36. britisch-indische Division abgelöst und, paradoxerweise, nachdem die Mehrheit der chinesischen Divisionen abgezogen worden war, um der japanischen Offensive in China zu begegnen. Eine weitere Verbesserung folgte der Ablösung Stilwells durch General Wedemeyer und der Übernahme des ihm unterstellten Oberkommandos nördlicher Kriegsschauplatz durch General Sultan, einen anderen noch jungen amerikanischen Kommandeur.

Im Dezember machten Sultans Truppen, nicht zuletzt seine zwei übriggebliebenen chinesischen Divisionen, schnellere Fortschritte, und Hondas schwache japanische Divisionen wurden zum Rückzug nach Südwesten auf Mandalay gezwungen. Bis Mitte Januar 1945 war der ganze westliche und mittlere Abschnitt der Burma-Straße vom Feind befreit; bis zum April war dann die ganze Straße von Mandalay bis China wieder offen.

Anfang 1945, während das IV. Korps sich auf eine tiefe Flankenbewegung vorbereitete, setzte Stopfords XXXIII. Korps seinen südlichen Vormarsch auf Mandalay wieder fort. Die Japaner waren in einer gefährlichen Lage: hart bedrängt im Raum Mandalay, kämpften sie gegen stark überlegene Landtruppen fast ohne Unterstützung aus der Luft und sahen, daß ihre rückwärtigen Verbindungen immer mehr abgeschnitten wurden. Dennoch leisteten sie zähen Widerstand. Mehrere britische Angriffe auf Fort Dufferin, ihre befestigte Stellung in Mandalay, wurden abgeschlagen, und sie führten sogar einen verzweifelten Gegenangriff im Raum Meiktila, um ihre Nachschubwege wieder freizukämpfen. Zwei Divisionen wurden zu dem Zweck von Süden und eine dritte aus Mandalay herangeführt, alle unter dem Befehl von Hondas 33. Armee, die sich jetzt von der Nordfront und der Burma-Straße zurückgezogen hatte. Mitte März war diese Schlacht in einem kritischen Stadium, aber bis zum Ende des Monats war die japanische Gegenoffensive abgeschlagen worden und wurde aufgegeben. Am 20. März hatte unterdessen Stopford endlich Fort Dufferin und die Stadt Mandalay genommen; in Erkenntnis der Hoffnungslosigkeit der Situation hatte die japanische 14. Armee Mandalay aufgegeben und sich nach Süden zurückgezogen. Das mittlere Burma war jetzt in britischer Hand, und der Weg nach Rangun lag offen. Die beiden britischen Korps hatten in diesen Wochen harter Kämpfe etwa 10 000 Mann verloren; aber die japanischen Verluste waren weit höher und betrugen vermutlich etwa ein Drittel ihrer bereits dezimierten Stärke. Noch ungünstiger für die Chancen weiteren Widerstandes waren die hohen Verluste an Waffen und Ausrüstung, die sie bei ihrem Rückzug nach Osten auf einem langen mühseligen Weg in die Schan-Hügel erlitten hatten.

Wohl lag Rangun jetzt in Reichweite der Briten; aber die Stadt mußte schnell erreicht werden, weil der Monsun bevorstand und weil die amerikanischen Transportflugzeuge Anfang Juni aus Burma zurückgezogen und nach China geschickt werden sollten. Rangun war noch fast 500 Kilometer von Meiktila entfernt, und das bereits überlastete Nachschubsystem von Slims 14. Armee würde zusammenbrechen, wenn man nicht bis dahin einen Hafen in Südburma erobert haben würde, um den Abzug der amerikanischen Maschinen auszugleichen und der Armee Slims eine zweite Nachschublinie über das Meer zu öffnen. Daher beschloß Mountbatten am 3. April, die geplante »Operation Dracula« Anfang Mai zu beginnen, um sicherzugehen, falls Slims Armee nicht rechtzeitig Rangun erreichte. Die Operation sollte durch eine Division des Christisonschen Korps zusammen mit einem Regiment mittelschwerer Panzer und einem Gurkha-Fallschirmjäger bataillon ausgeführt werden.

Slims Pläne für den Vorstoß nach Rangun lauteten: Messervys 4. Korps sollte entlang der Hauptstraße und der Bahnlinie vorrücken, Stopfords XXXIII. Korps an beiden Ufern des Irrawaddy. Das erstere sollte seinen Nachschub aus der Luft, das zweite seinen Nachschub auf dem Inland-Wasserwege erhalten.

Die Japaner hofften, mit den Truppen ihrer aus Arakan eingetroffenen 28. Armee den Irrawaddy zu halten und mit den Überresten ihrer beiden anderen Armeen den Vormarsch Messervys zu stoppen, Dies erwies sich freilich als eine Illusion, da die

Reste nicht mehr voll kampffähig waren. Am 3. Mai erreichte Stopfords Spitzendivision Prome, auf halbem Wege bis Rangun, während die japanische 28. Armee am Westufer des Irrawaddy festgenagelt wurde. Die Panzerspitzen Messervys rückten nach einem langsamen Start jetzt noch schneller auf die Hauptstraße vor, erreichten am 22. April Toungu (auf gleicher Höhe wie Prome), schlugen dort Überreste der japanischen 15. Armee in die Flucht und erreichten eine Woche später Kadok, nur noch 110 Kilometer von Rangun. Hier stießen sie auf härteren Widerstand, da die Japaner versuchten, die Verbindung nach Osten durch Thailand noch freizuhalten. In wenigen Tagen war der Widerstand gebrochen; doch immerhin genügte dies, um Messervys Truppen der Ehre zu berauben, Rangun befreit zu haben.

Denn am 1. Mai hatte »Dracula« begonnen – mit einer Landung von Fallschirmjägern an der Mündung des Rangun-Flusses und amphibischen Landungen an beiden Flußufern. Als sie hörte, daß die Japaner Rangun räumten, schiffte sich die ganze Streitmacht wieder ein und fuhr flußaufwärts, um am nächsten Tag in Rangun einzuziehen. Am Morgen des 6. Mai vereinigte sie sich mit Messervys Panzerspitzen, die von Norden kamen. Die Befreiung Burmas war praktisch abgeschlossen.

Die Schwäche des Widerstandes in den späteren Stadien des Feldzuges lag in erster Linie daran, daß die Japaner den größten Teil ihrer Luftwaffe und ihrer Seestreitkräfte abgezogen hatten, um der weit größeren Gefahr des amerikanischen Vormarschs im Pazifik zu begegnen. Den über 800 alliierten Kampfflugzeugen (650 Bomber und 170–180 Jäger) konnten sie nur 50 veraltete Maschinen entgegenstellen. Außerdem war der Erfolg des britischen Vormarschs insgesamt den amerikanischen Transportflugzeugen zu verdanken, die den Nachschub der Armee beförderten.

KAPITEL 35

HITLERS ARDENNEN-OFFENSIVE

Am 15. Dezember 1944 schrieb Montgomery in einem Brief an Eisenhower, er würde gerne Weihnachten zu Hause verbringen, ehe er die nächste große Offensive bis zum Rhein begänne. Er legte eine Rechnung über fünf Pfund bei, für eine Wette, die Eisenhower vor einem Jahr gemacht hatte, nämlich daß der Krieg bis Weihnachten 1944 zu Ende sein würde. Diese spaßhafte Mahnung war nicht sehr taktvoll, da Montgomery erst 15 Tage vorher — in einem Brief, der »Ike das Blut ins Gesicht trieb« — Eisenhowers Strategie und sein Unvermögen, den Deutschen den Gnadenstoß zu geben, scharf kritisiert und vorgeschlagen hatte, Eisenhower sollte das exekutive Kommando der Operation abgeben.

Eisenhower legte beispielhafte Geduld an den Tag und nahm Montgomerys zweiten Brief als Scherz und nicht als Spitze. In seinem Antwortbrief vom 16. schrieb er: »Ich habe noch neun Tage vor mir, und wenn es auch fast sicher scheint, daß Sie zu Weihnachten Ihre fünf Pfund haben werden, so sollen Sie diese doch nicht vorher bekommen.«

Keiner von beiden, und auch nicht die Befehlshaber unter ihnen, rechneten mit der Möglichkeit feindlicher Gegenaktionen bei der Durchführung ihrer offensiven Pläne. Am gleichen Tag hieß es in Montgomerys Lagebeurteilung, die er an die Truppen der 21. Heeresgruppe ausgab: »Der Feind kämpft heute einen Abwehrkampf an allen Fronten; seine Lage ist so, daß er keine größeren Offensivoperationen mehr führen kann.« Bradley, der Befehlshaber der amerikanischen Truppen in der 12. Heeresgruppe, hatte die gleiche Ansicht.

Doch gerade an diesem Morgen des 16. Dezember begann der Feind eine gewaltige Offensive, welche die Pläne der alliierten Befehlshaber über den Haufen warf. Der Schlag wurde gegen die Front der amerikanischen 1. Armee in den Ardennen geführt, einem hügeligen und waldreichen Landstrich, wo die alliierten Truppen stark ausgedünnt worden waren, um das Gros in den ebenen Zugängen nach Deutschland zu konzentrieren. Da die Alliierten die Ardennen als ungeeignet für ihre Offensive ansahen, ließen sie sie auch als möglichen Ort feindlicher Angriffe außer acht. Aber gerade hier hatten die Deutschen vor vier Jahren ihren Blitzkrieg begonnen, der die alliierte Front erschütterte und zum Zusammenbruch Frankreichs führte. Es war seltsam, daß die alliierten Befehlshaber im Jahr 1944 so blind waren gegenüber der Möglichkeit, daß Hitler versuchen könnte, seine überraschenden Erfolge im gleichen Abschnitt zu wiederholen.

Die Meldungen über den Angriff erreichten die höheren Stäbe in der Etappe nur langsam, und noch langsamer erkannten sie die Größe der Gefahr. Erst am späten Nachmittag erreichte die Meldung SHAEF, Eisenhowers Hauptquartier in Versailles, wo er und Bradley gerade die nächsten Schritte für die amerikanische Offensive besprachen. Bradley gibt offen zu, er habe den deutschen Vorstoß nur als ein »Störmanöver« betrachtet, das seinen eigenen Vorstoß hindern solle. Eisenhower schreibt, er sei »sofort überzeugt gewesen, daß dies nicht nur ein örtlicher Angriff war«. Aber die entscheidende Tatsache ist, daß die beiden Divisionen, die SHEAF in Reserve hielt, erst am Abend des nächsten Tages, des 17., alarmiert und an die Front geschickt wurden.

Doch zu diesem Zeitpunkt war die dünne Ardennenfront – wo vier Divisionen von General Middletons 8. Korps einen Abschnitt von 130 Kilometer hielten – schon weit aufgerissen worden durch den Ansturm von 20 deutschen Divisionen, davon sieben Panzerdivisionen, mit fast 1000 Panzern und Sturmgeschützen. Als Bradley in sein taktisches Hauptquartier in Luxemburg zurückkehrte, fand er seinen ratlosen Stabschef im Kartenraum über der Landkarte brütend, und er rief aus: »Wo zum Teufel haben diese Kerle ihre ganzen Truppen herbekommen?« Aber die Lage war noch schlimmer, als man in seinem Hauptquartier wußte. Deutsche Panzerspitzen waren bereits über 30 Kilometer vorgedrungen, und eine davon hatte Stavelot erreicht. Bis dahin hatte auch der Befehlshaber der 1. US-Armee, General Hodges, den deutschen Vorstoß verkannt — er hatte zuerst darauf bestanden, mit seinen eigenen offensiven Bewegungen gegen die Rur-Staudämme weiter nördlich fortzufahren. Erst am Morgen des 18. wurde ihm der Ernst der Gefahr bewußt, als er erfuhr, die Deutschen hätten schon Stavelot passiert und näherten sich seinem eigenen Hauptquartier in Spa — das in aller Eile weiter rückwärts verlegt wurde.

Daß die höheren Stäbe die Lage nur langsam erkannten, war zum Teil durch die Langsamkeit der Meldungen verursacht, die sie erreichten. Dies wiederum war eine Folge davon, daß deutsche Kommandotruppen, die oft in Tarnanzügen durch die zerbrochene Front vordrangen, viele Telefonverbindungen von der Front nach hinten durchschnitten und damit Verwirrung gestiftet hatten. Doch das alles entschuldigt nicht die offenkundige Blindheit der höheren Stäbe gegenüber der Möglichkeit einer deutschen Gegenoffensive in den Ardennen. Der alliierte Nachrichtendienst wußte bereits seit Oktober, daß Panzerdivisionen aus der Frontlinie zurückgezogen waren, um sich für neue Aktionen auszurüsten, und daß Teile davon zu einer neuen 6. Panzerarmee formiert worden waren. Anfang Dezember wurde berichtet, daß das Hauptquartier der 5. Panzerarmee nach Koblenz verlegt worden war und seine Aufgabe im Rur-Abschnitt westlich von Köln abgegeben habe. Außerdem waren Panzerformationen im Vormarsch in Richtung auf die Ardennen entdeckt worden, und neugebildete Infanteriedivisionen waren ebenfalls dort aufgetaucht. Dann kamen am 12. und 13. Dezember Meldungen, daß zwei berühmte »Blitzkrieg«-Divisionen, die Division Groß-Deutschland und die 116. Panzerdivision, an diesem »ruhigen« Abschnitt angelangt seien; am 14. wurde gemeldet, Brückenbauausrüstungen würden zur Rur transportiert, die am südlichen Teil der amerikanischen Ardennenfront floß. Und am 4. Dezember hatte ein deutscher Gefangener in diesem Abschnitt ausgesagt, daß dort ein großer Angriff vorbereitet werde; seine Aussage wurde von vielen anderen Gefangenen in den nächsten Tagen bestätigt. Die Gefangenen sagten ebenfalls aus, daß der Angriff in der Woche vor Weihnachten erfolgen solle.

Warum erhielten diese sich häufenden Alarmsignale so geringe Beachtung? Der Nachrichtenchef der 1. Armee stand sich schlecht mit dem Chef der Operationen, ebenfalls schlecht mit dem Nachrichtenchef der Heeresgruppe, und obendrein wurde er als ein Alarmist betrachtet, der gerne »Wolf« schrie. Außerdem zog auch er keine klaren Folgerungen aus den Tatsachen, die er erfahren hatte; das unmittelbar bedrohte 8. Korps kam sogar zu der gefährlich irreführenden Schlußfolgerung, die Ablösung der deutschen Divisionen an dieser Front sei nur eine Taktik, um den neuen Divisionen Fronterfahrung zu vermitteln, und »ist ein Zeichen für den Wunsch des Feindes, an diesem Abschnitt der Front Ruhe zu halten«.

Außer dem Fehlen einer klaren Vorstellung von der Stärke des Angriffes beim Nachrichtendienst scheint die Fehlberechnung der alliierten Befehlshaber noch vier weitere Gründe gehabt zu haben. Sie hatten so lange die Offensive geführt, daß sie sich kaum noch vorstellen konnten, der Feind könne noch einmal die Initiative zurückgewinnen. Sie waren so eingeschworen auf das militärische Prinzip »Angriff ist die beste Verteidigung«, daß sie sich der gefährlichen Selbsttäuschung hingaben, der Feind könne nicht wirksam zurückschlagen, solange sie selbst ihren Angriff fortsetzten. Sie rechneten damit, selbst wenn der Feind einen Gegenangriff versuchen würde, könne dies nur eine direkte Antwort auf den alliierten Vorstoß nach Köln und das Ruhrgebiet sein. Und sie vertrauten um so mehr auf eine orthodoxe und vorsichtige Taktik des Feindes, als Hitler den alten Feldmarschall von Rundstedt, der jetzt im 70. Lebensjahr stand, wieder als Oberbefehlshaber West eingesetzt hatte.

Alle vier Berechnungen waren falsch, und die Irreführung durch die ersten drei wurde vervielfacht durch den Irrtum der letzten Annahme. Denn Rundstedt hatte nur dem Namen nach mit dieser Offensive zu tun, wenn auch die Alliierten sie »die Rundstedt-Offensive« nannten — sehr zu seinem Ärger sowohl damals wie später, da er nicht nur mit der Offensive nicht einverstanden war, sondern sich auch von ihr distanzierte und es seinen Unterbefehlshabern überließ, sie nach besten Kräften zu

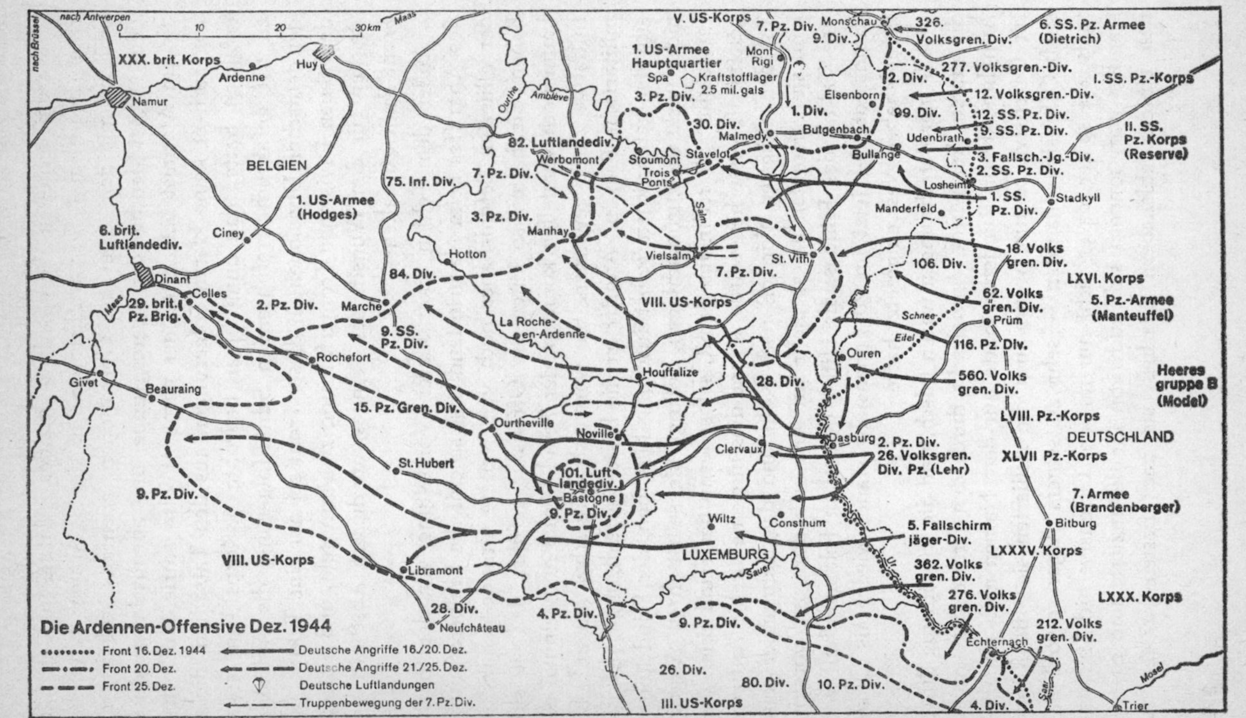
Die Ardennen-Offensive Dez. 1944
Front 16. Dez. 1944
Front 20. Dez.
Front 25. Dez.
Deutsche Angriffe 16./20. Dez.
Deutsche Angriffe 21./25. Dez.
Deutsche Luftlandungen
Truppenbewegung der 7. Pz. Div.
nach Brüssel
nach Antwerpen
0
10
20
30 km
Maas
XXX. brit. Korps
Ardenne
Huy
Namur
BELGIEN
Ourthe
Amblève
75. Inf. Div.
1. US-Armee
(Hodges)
6. brit.
Luftlandediv.
Ciney
Dinant
Celles
29. brit.
Pz. Brig.
2. Pz. Div.
Marche
Hotton
84. Div.
3. Pz. Div.
7. Pz. Div.
82. Luftlandediv.
Werbomont
Manhay
Stoumont
Trois
Ponts
Stavelot
Salm
Vielsalm
7. Pz. Div.
St. Vith
VIII. US-Korps
La Roche-
en-Ardenne
9. SS.
Pz. Div.
Rochefort
Givet
Beauraing
15. Pz. Gren. Div.
Ourtheville
Houffalize
28. Div.
Noville
Clervaux
St. Hubert
101. Luft
landediv.
Bastogne
9. Pz. Div.
9. Pz. Div.
Wiltz
Consthum
LUXEMBURG
Sauer
VIII. US-Korps
Libramont
28. Div.
Neufchâteau
4. Pz. Div.
9. Pz. Div.
26. Div.
80. Div.
10. Pz. Div.
III. US-Korps
4. Div.
V. US-Korps
1. US-Armee
Hauptquartier
Spa
Kraftstofflager
2.5 mil. gals
3. Pz. Div.
30. Div.
Malmedy
Mont
Rigi
7. Pz. Div.
9. Div.
Monschau
1. Div.
Butgenbach
Elsenborn
2. Div.
99. Div.
Bullange
Udenbrath
Losheim
Manderfeld
106. Div.
326.
Volksgren. Div.
277. Volksgren.-Div.
12. Volksgren.-Div.
12. SS. Pz. Div.
9. SS. Pz. Div.
3. Fallsch.-Jg.-Div.
2. SS. Pz. Div.
1. SS.
Pz. Div.
Stadkyll
6. SS. Pz. Armee
(Dietrich)
I. SS. Pz.-Korps
II. SS.
Pz. Korps
(Reserve)
18. Volks
gren. Div.
LXVI. Korps
62. Volks
gren. Div.
5. Pz.-Armee
(Manteuffel)
Schnee
Eifel
Prüm
116. Pz. Div.
Ouren
560. Volks
gren. Div.
Heeres
gruppe B
(Model)
LVIII. Pz.-Korps
DEUTSCHLAND
Dasburg
2. Pz. Div.
26. Volksgren.
Div. Pz. (Lehr)
XLVII Pz.-Korps
7. Armee
(Brandenberger)
Bitburg
5. Fallschirm
jäger-Div.
LXXXV. Korps
362. Volks
gren. Div.
276. Volks
gren. Div.
LXXX. Korps
212. Volks
gren. Div.
Echternach
Saar
Mosel
Trier

führen; sein Hauptquartier war nicht mehr als die Postverteilerstelle für Hitlers Befehle.

Die Idee, der Entschluß und der strategische Plan waren allein Hitlers geistiges Eigentum. Es war eine glänzende Konzeption und hätte zu einem glänzenden Erfolg führen können, wenn er noch genügend Kräfte und Reserven besessen hätte, um eine leidliche Erfolgschance zu garantieren. Der sensationelle Anfangserfolg war zum Teil der neuen Taktik zu verdanken, die der junge General Hasso von Manteuffel entwickelte — den Hitler kurz vorher mit 47 Jahren vom Divisionskommandeur zum Armeebefehlshaber befördert hatte. Aber zum Teil war er auch der lähmenden Auswirkung eines Hitlerschen Geistesblitzes zu verdanken — der darauf hinauslief, die alliierten Armeen mit ihren vielen Millionen Mann durch den kühnen Einsatz von einigen hundert Mann zu besiegen, und der zur Hälfte auch verwirklicht wurde. Mit der Durchführung beauftragte Hitler einen anderen seiner »Entdeckungen«, den erst 36 Jahre alten Otto Skorzeny, der ein Jahr zuvor Mussolini aus seiner Gefangenschaft in einem Berghotel durch eine erfolgreiche Lastensegler-Operation befreit hatte.

Dieser Geistesblitz Hitlers erhielt den Namen »Operation Greif«, nach dem Fabeltier der deutschen Sage. Der Name war sehr passend; denn Ziel der Operation war, hinter den alliierten Linien ein gigantisches und alarmierendes Täuschungsmanöver durchzuführen.

Es war ein Zwei-Stufen-Plan, eine Art moderner Version des Trojanischen Pferdes der Homerischen Legende. In der ersten Stufe sollte eine Kompanie englischsprechender Kommandotruppen mit amerikanischen Kampfjacken über ihren deutschen Uniformen und mit amerikanischen Jeeps in kleinen Gruppen vorauseilen, sobald die Front durchstoßen war — um Telefondrähte zu zerschneiden, Wegweiser umzudrehen, rote Warnflaggen aufzuhängen, um anzudeuten, daß die Straße vermint sei, und auf jede andere Weise Verwirrung stiften. In der zweiten Stufe sollte eine ganze Panzerbrigade in amerikanischer Aufmachung vorausfahren und die Maas-Brücken nehmen.

Die zweite Stufe funktionierte nicht. Der Heeresgruppe gelang es nicht, mehr als einen Bruchteil der angeforderten amerikanischen Panzer und Lastwagen zu beschaffen, und der Rest wurde durch getarnte deutsche Fahrzeuge ersetzt. Diese fadenscheinige Tarnung machte größere Vorsicht nötig, und am Nordabschnitt, wo die Brigade bereitstand, erfolgte kein klarer Durchbruch; so wurde deren Einsatz verschoben und dann ganz abgeblasen.

Doch die erste Stufe des Planes hatte erstaunliche Erfolge, noch mehr als erwartet. Etwa 40 Jeeps kamen durch und machten sich an ihre Verwirrung stiftende Aufgabe – alle bis auf acht kehrten heil zurück. Aber diejenigen, die in amerikanische Hand fielen, verursachten die meiste Unruhe, indem sie den Eindruck schufen, daß zahllose solche Sabotagetruppen hinter der amerikanischen Front am Werk waren. Die Folge war eine ungeheuere Behinderung des Verkehrs durch die Suche nach diesen Trupps, und Hunderte von amerikanischen Soldaten, die einem Verhör nicht standhielten, wurden verhaftet.

General Bradley schreibt:

> »Eine halbe Million GIs spielten Katz und Maus miteinander, wenn sie sich auf den Straßen begegneten. Weder Dienstgrad noch Ausweise, noch Proteste ersparten einem ein langes Verhör an jeder Straßenkreuzung, die man passierte. Dreimal wurde mir von vorsichtigen GIs empfohlen, meine Identität nachzuweisen: Das erste Mal mußte ich Springfield als Hauptstadt des Staates Illinois nennen (mein Befrager wollte mir Chicago in den Mund legen); dann mußte ich den damaligen Ehemann der Filmschauspielerin Betty Grable nennen. Betty Grable hätte mich fast zu Fall gebracht – aber der Wachtposten, erfreut, mich in Verlegenheit zu bringen, ließ mich dennoch passieren.«

Noch schlimmer war es für britische Verbindungsoffiziere, die nicht die richtigen Antworten auf solche Testfragen wußten.

Dann sagte am 19. Dezember einer dieser deutschen Gefangenen im Verhör aus, einige dieser Jeep-Gruppen hätten den Auftrag, Eisenhower und andere hohe Befehlshaber umzubringen.

Dies war zwar nur ein unfundiertes Gerücht, das im Ausbildungslager der Kommandotrupps vor ihrem Einsatz umlief. Aber als es jetzt nach oben weitergemeldet wurde, erzeugte es eine Sicherheitspsychose, die mit ihrem Netz von Vorsichtsmaßnahmen bis nach Paris reichte und das alliierte Hauptquartier für etwa zehn Tage lähmte. Eisenhowers Marine-Verbindungsoffizier, Captain Butcher, schrieb am 23. in sein Tagebuch:

»Heute ging ich nach Versailles und sah Ike. Er ist ein Gefangener unserer Militärpolizei und ist gründlich, aber hilflos verärgert über die Beschränkung seiner Bewegungsfreiheit. Überall stehen Wachen, viele mit Maschinengewehren, in der ganzen Umgebung des Hauses, und er muß in sein Büro und von seinem Büro unter Bedeckung einer bewaffneten Wache im Jeep vor und manchmal noch in einem anderen Jeep hinter seinem Wagen fahren.«

Zum Glück litten auch die Deutschen sehr unter Schwierigkeiten, die sie sich selbst zuzuschreiben hatten, ebenso wie dem Mangel an Kräften, mit denen Hitlers übertrieben ehrgeizige Ziele erreicht werden könnten. Denn bei der Planung im großen lief seine Phantasie ihm davon.

Die Lage wurde von Manteuffel gut geschildert [1]:

»Der Plan der Ardennen-Offensive wurde vollständig vom OKW ausgearbeitet und uns dann als fertiger Führerbefehl übermittelt. Das erklärte Ziel war ein entscheidender Sieg im Westen durch den Einsatz zweier Panzerarmeen, der 6. unter Dietrich und der 5. unter meinem Befehl. Die 6. sollte nach Nordwesten vorstoßen, zwischen Lüttich und Huy die Maas überqueren und dann auf Antwerpen vorrücken. Bei ihr lag der Schwerpunkt und die Masse der Kräfte. Meine Armee sollte in einer kurvenreicheren Linie vorstoßen, zwischen Namur und Dinant die Maas überschreiten und nach Brüssel vorrücken, um der anderen die Flanke zu decken ... Ziel der gan-

1 Kurz nach dem Krieg konnte ich eine Anzahl führender deutscher Befehlshaber befragen und mit ihnen die Operationen auf der Landkarte erörtern; wo es angebracht ist, verwende ich treffende Sätze aus ihren Erzählungen, nachdem ich sie mit anderen Aussagen verglichen habe.

zen Offensive war, die britische Armee von ihren Nachschublinien abzuschneiden und sie dadurch zum Verlassen des Festlandes zu zwingen.«

Hitler stellte sich vor, wenn er dieses zweite Dünkirchen erreicht habe, dann würde England praktisch aus dem Krieg ausscheiden, und er würde wieder genügend Luft bekommen, um im Osten die Russen aufzuhalten.

Der Plan wurde Ende Oktober Rundstedt und dem Heeresgruppen-Befehlshaber Feldmarschall Model vorgelegt. Rundstedt beschreibt seine Reaktion mit folgenden Worten:

»Ich war entsetzt. Hitler hatte mich nicht über die Erfolgsmöglichkeiten befragt. Es war mir klar, daß die verfügbaren Kräfte für einen so ehrgeizigen Plan viel zu schwach waren. Model hatte dieselbe Ansicht wie ich. Kein Soldat konnte glauben, daß das Ziel, Antwerpen zu erreichen, wirklich erreichbar war. Aber ich wußte inzwischen, daß es zwecklos war, bei Hitler die Durchführbarkeit von irgend etwas anzuzweifeln. Nach Beratung mit Model und Manteuffel kam ich zu der Ansicht, die einzige Hoffnung, Hitler von diesem phantastischen Plan abzubringen, sei ein Alternativvorschlag, der ihm einleuchtete und der eher durchführbar war. Ein solcher Vorschlag war eine begrenzte Offensive mit dem Ziel, den alliierten Bogen bei Aachen abzukneifen.«

Aber Hitler verwarf diesen bescheideneren Vorschlag und bestand auf dem ursprünglichen Plan. Die Vorbereitungen dazu waren so geheim wie möglich. Manteuffel berichtete:

»Alle Divisionen meiner 5. Panzerarmee waren einsatzbereit, aber im Raum zwischen Trier und Krefeld weit verstreut, damit Spione und die deutsche Zivilbevölkerung keine Ahnung haben sollten, was geplant war. Der Truppe wurde gesagt, sie solle sich bereithalten, den bevorstehenden alliierten Angriff auf Köln abzuschlagen. Nur sehr wenige Stabsoffiziere wurden von dem wirklichen Plan informiert.«

Die 6. Panzerarmee versammelte sich noch weiter hinten im Raum zwischen Hannover und der Weser. Ihre Divisionen waren aus der Front herausgezogen worden, um sich zu erholen und neu auszurüsten. Seltsamerweise wurde Sepp Dietrich erst viel später über die ihm zugeteilte Aufgabe unterrichtet und über den Plan konsultiert. Die meisten der Divisionskommandeure erfuhren davon erst wenige Tage vorher. Bei Manteuffels 5. Panzerarmee erfolgte die Weitergabe des Befehls bis in die vorderste Linie zeitlich abgestuft in drei aufeinanderfolgenden Nächten.

Diese strategische Tarnung kam der Überraschung zugute. Aber ein hoher Preis wurde für diese extreme Geheimhaltung bezahlt, vor allem bei der 6. Panzerarmee. Die Befehlshaber wurden so spät informiert, daß sie zuwenig Zeit hatten, ihre Aufgabe zu studieren, das Gelände zu erkunden und ihre Vorbereitungen zu treffen. Infolgedessen wurde vieles übersehen, und zahlreiche Pannen passierten, als der Angriff begann. Hitler hatte den Plan in seinem Hauptquartier zusammen mit Jodl bis ins Detail ausgearbeitet und schien zu glauben, dies genüge für seine Verwirklichung. Er beachtete weder die örtlichen Verhältnisse noch die speziellen Probleme derer, die den Plan ausführen mußten. Er dachte ebenso optimistisch über die materiellen Anforderungen der beteiligten Streitkräfte.

Rundstedt bemerkte dazu: »Es gab keine ausreichenden Verstärkungen und keinen Munitionsnachschub, und wenn auch die Zahl der Panzerdivisionen hoch war, so waren ihre jeweiligen Panzerstärken gering. Es war großenteils eine auf dem Papier stehende Stärke [1].«

Das schlimmste war die Betriebsstofflage. Manteuffel erklärte:

»Jodl hatte uns versichert, es werde genug Benzin dasein, um unsere Stärke voll zu entfalten und unseren Vorstoß durchzuführen. Diese Zusicherung erwies sich als völlig falsch. Zum Teil lag das daran, daß das OKW mit einer mathematischen Durchschnittsformel für den Benzinbedarf einer Division bei 100 Kilometer Fahrt rechnete. Meine Erfahrungen in Rußland

1 Dies wird in der offiziellen Kriegsgeschichte der USA von Dr. Hugh Cole bestätigt, der die durchschnittliche Panzerstärke der deutschen Divisionen auf 90 bis 100 beziffert, nur halb soviel, wie eine amerikanische Division hatte. Dies korrigiert die damalige, nur auf der Zahl der Divisionen beruhende Erklärung, daß dies die mächtigste Konzentration von Panzern sei, die man jemals in einem Krieg erlebt habe.

hatten mich aber gelehrt, daß bei wirklichen Kämpfen das Doppelte benötigt wurde. Jodl verstand dies nicht.

Nachdem ich die zusätzlichen Schwierigkeiten einer Winterschlacht in einem so schwierigen Gelände wie die Ardennen berechnet hatte, erklärte ich Hitler persönlich, das Fünffache der normalen Benzinmenge müsse zur Verfügung gestellt werden. Als aber die Offensive begann, hatten wir nur das Eineinhalbfache. Noch schlimmer: Ein großer Teil davon wurde viel zu weit hinten in großen Tankwagenkolonnen auf der rechten Rheinseite zurückgehalten. Sobald aber das neblige Wetter sich aufklärte und die alliierte Luftwaffe in Aktion trat, haperte es schwer mit dem Nachschub dieses Benzins.«

Die Truppe, die alle diese Mängel nicht kannte, hatte immer noch großes Vertrauen in Hitler und seine Siegesversprechungen. Rundstedt sagte dazu: »Der Kampfgeist der beteiligten Truppen war zu Beginn der Offensive erstaunlich hoch. Sie glaubten wirklich, der Sieg sei noch möglich – im Gegensatz zu den höheren Befehlshabern, welche die Tatsachen kannten.«

Rundstedt trat ganz in den Hintergrund, nachdem Hitler seinen »kleineren« Plan abgelehnt hatte, und überließ es Model und Manteuffel, die mehr Aussicht hatten, Hitler zu beeinflussen, um technische Abänderungen des Plans zu kämpfen – das war alles, was Hitler zu erwägen bereit war. Rundstedt nahm nur noch dem Namen nach an der Schlußbesprechung teil, die am 12. Dezember in seinem Hauptquartier in Ziegenberg bei Bad Nauheim stattfand. Hitler war anwesend und beherrschte das ganze Gespräch.

Was die technischen Änderungen und taktischen Verbesserungen betrifft, ist am aufschlußreichsten der Bericht Manteuffels, der mit späteren Informationen aus dokumentarischen und anderen Quellen übereinstimmt:

»Als ich Hitlers Offensivbefehle las, war ich erstaunt festzustellen, daß diese sogar die Methode und die Uhrzeiten des Angriffs festlegten. Die Artillerie sollte um 7.30 Uhr morgens das Feuer eröffnen, der Angriff der Infanterie sollte um 11 Uhr vormittags beginnen. Dazwischen sollte die Luftwaffe die feindlichen Hauptquartiere und Verbindungswege bombardieren. Die Panzerdivisionen sollten erst angreifen, nachdem die Masse der Infanterie den Durchbruch geschafft hatte. Die Artillerie sollte auf sämtliche Abschnitte der Front verteilt werden.

Dies schien mir in verschiedener Hinsicht töricht; daher arbeitete ich sofort einen anderen Plan aus und erklärte ihn Model. Model war einverstanden, aber bemerkte sarkastisch: ›Besser streiten Sie sich darüber mit dem Führer.‹ Ich antwortete: ›Gut, ich tue das, wenn Sie mit mir kommen.‹ So trafen wir beide am 2. Dezember mit Hitler in Berlin zusammen.

Ich begann mit den Worten: ›Niemand von uns weiß, wie das Wetter am Tage des Angriffs sein wird. Sind Sie sicher, daß die Luftwaffe trotz der alliierten Luftüberlegenheit ihre Aufgabe erfüllen kann?‹ Ich erinnerte Hitler an zwei frühere Beispiele, als es in den Vogesen für die Panzerverbände ganz unmöglich gewesen war, sich bei Tageslicht zu bewegen. Dann fuhr ich fort: ›Alles, was unsere Artillerie um 7.30 Uhr erreichen wird, ist, die Amerikaner zu wecken – und dann werden sie noch 3 1/2 Stunden Zeit haben, ihre Gegenmaßnahmen zu treffen, bevor unser Angriff beginnt.‹ Ich wies auch darauf hin, daß die deutsche Infanterie in der Masse nicht mehr so gut war wie früher und kaum imstande sein würde, einen so tiefen Durchbruch auszuführen, wie von ihr verlangt werde, zumal in einem so unwegsamen Gelände. Denn die amerikanische Verteidigung bestand aus einer Kette vorgeschobener Verteidigungsstellungen, und ihre Hauptwiderstandslinie war viel weiter hinten und würde schwerer zu durchstoßen sein.

Ich schlug Hitler eine Anzahl von Änderungen vor. Erstens sollte der Angriff schon um 5.30 Uhr morgens unter dem Schutz der Dunkelheit beginnen. Natürlich würde dies für die Artillerie die Zahl der Ziele begrenzen, aber es würde ihr gestatten, sich auf eine Anzahl wichtiger Ziele zu konzentrieren – wie feindliche Batterien, Munitionslager und Stabsquartiere –, die vorher genau ausgemacht werden müßten.

Zweitens schlug ich vor, in jeder Infanteriedivision ein

›Sturmbataillon‹ aufzustellen, das aus den kampferprobtesten Offizieren und Soldaten bestehen solle (ich wählte selbst die Offiziere aus). Diese ›Sturmbataillone‹ sollten um 5.30 Uhr in der Dunkelheit ohne jeden Feuerschutz der Artillerie vorgehen und zwischen die vorgeschobenen Verteidigungsstellungen des Gegners einsickern. Sie sollten soweit wie möglich Feindberührung vermeiden, bis sie weit genug vorgedrungen seien.

Scheinwerfer, von der Flak gestellt, sollten für diese Sturmtruppen den Weg beleuchten, indem sie ihre Strahlen auf die Wolken richteten, von wo sie zur Erde reflektiert werden könnten; ich war sehr beeindruckt von einer Vorführung dieser Art, die ich kurz vorher gesehen hatte, und war der Meinung, dies könne der Schlüssel zu einem schnellen Vorrücken vor Tagesanbruch sein.

Nachdem ich Hitler meine Alternativvorschläge erläutert hatte, erklärte ich, es sei nicht möglich, die Offensive in anderer Weise auszuführen, wenn wir eine einigermaßen sichere Erfolgschance haben sollten. Ich betonte: ›Um 4 Uhr nachmittags wird es schon dunkel. So haben wir, wenn der Angriff um 11 Uhr beginnt, nur 5 Stunden für den Durchbruch. Es ist sehr zweifelhaft, ob das in einer so kurzen Zeit geschafft werden kann. Wenn Sie aber meinen Plan annehmen, gewinnen wir noch 5 1/2 Stunden zusätzlich. Denn bei Dunkelwerden kann ich die Panzer vorschicken. Sie werden im Lauf der Nacht vorrücken, unsere Infanterie überholen und beim Morgengrauen des nächsten Tages ihren eigenen Angriff auf die feindliche Hauptstellung auf gesäuberten Vormarschwegen führen können‹.«

Laut Manteuffel nahm Hitler diese Vorschläge ohne Widerrede an. Das ist bezeichnend: Es scheint, daß er bereit war, auf Vorschläge zu hören, die ihm die wenigen Generale machten, zu denen er Vertrauen hatte – Model war auch einer davon –, aber daß er ein instinktives Mißtrauen gegen die meisten älteren Generale hatte, während sein Vertrauen zu seiner engeren militärischen Umgebung gemischt war mit der Erkenntnis, daß diesen Offizieren Kampferfahrungen fehlten.

Was diese taktischen Änderungen an den Aussichten für den Erfolg der Offensive besserten, wurde aber ausgeglichen durch eine Verminderung der Kräfte, die dafür eingestezt werden sollten. Die Befehlshaber erhielten bald deprimierende Nachrichten, daß ein Teil der ihnen zugesagten Kräfte nicht zur Verfügung stehen würde – infolge der Drohung einer russischen Großoffensive im Osten.

Infolgedessen wurde der konzentrische Angriff auf Maastricht durch die jetzt von Blumentritt befehligte 15. Armee aufgegeben – dadurch blieb den Alliierten die Möglichkeit, Reserven aus dem Norden heranzubringen. Außerdem hatte die 7. Armee, die als Flankenschutz für den südlichen Teil der Offensive vorrücken sollte, jetzt nur noch wenige Divisionen, davon keine einzige Panzerdivision.

Bei dieser Planung verdienen mehrere entscheidende Punkte Beachtung und müssen bei der ganzen Schilderung der Operationen dieser Ardennen-Offensive im Auge behalten werden. Der erste ist die Bedeutung wolkigen Wetters für die deutsche Planung: Die Deutschen wußten wohl, daß die Alliierten notfalls über 5000 Bomber in die Schlacht werfen konnten, während Göring nur etwa 1000 Flugzeuge verschiedener Art zur Unterstützung zu versprechen in der Lage war – Hitler, mittlerweile mißtrauisch gegen Luftwaffen-Versprechungen, kürzte diese Zahl sogar auf 800—900, als er seinen Plan Rundstedt vorlegte. In der Praxis wurde diese Zahl nur an einem einzigen Tag erreicht, als der Kampf am Boden schon entschieden war.

Ein zweiter Faktor war, daß nach der Juli-Verschwörung kein deutscher General Hitlers Plänen kategorisch widersprechen konnte oder wollte, so töricht diese auch waren; alles, was sie tun konnten, war, ihn zu technischen und taktischen Modifikationen zu überreden, und auch hier hörte er nur auf Vorschläge der Generale, denen er besonders vertraute. Andere wichtige Faktoren waren die Reduzierung der ursprünglich dafür angesetzten Kräfte und der den flankierenden Armeen zugedachten Aufgaben, die

Bindung von ursprünglich für die deutsche Gegenoffensive eingeplanten Divisionen durch die amerikanischen Angriffe im November im Raum Aachen, die Verschiebung der Offensive vom November auf Dezember, als die Bedingungen weniger günstig waren, und schließlich die vielen ausnahmslos für die Deutschen ungünstigen Unterschiede zwischen den »Blitzkriegen« von 1940 und von 1944.

Viel hing von einem schnellen Vorstoß der 6. SS-Panzerarmee Dietrichs ab, die an dem entscheidenden Abschnitt der Maas am nächsten war. Die Luftlandetruppen hätten dort wertvolle Arbeit leisten können, um den Weg freizukämpfen; aber sie waren großenteils bei den Bodenkämpfen an dieser Front verschlissen worden. Ganze tausend Fallschirmjäger wurden eine knappe Woche vor der Offensive zusammengekratzt und bildeten ein Bataillon unter Oberst von der Heydte. Als er sich mit dem Luftwaffenkommando in Verbindung setzte, stellte von der Heydte fest, daß über die Hälfte der dafür abgestellten Flugzeugbesatzungen keinerlei Erfahrungen mit Fallschirmjäger-Operationen hatten und daß die notwendige Ausrüstung fehlte.

Schließlich erhielten die Fallschirmjäger den Auftrag, nicht eines der mißlichen Hindernisse für den Vormarsch der Panzer zu beseitigen, sondern auf dem Mont Rigi in der Nähe der Straßenkreuzung Malmedy-Eupen-Verviers abzuspringen und die alliierten Verstärkungen aus dem Norden aufzuhalten. Aber am Vorabend der Offensive erschienen die versprochenen Transportmaschinen nicht, um die Fallschirmjäger zu den Flugplätzen zu bringen, und der Absprung wurde auf die nächste Nacht verschoben – als die Offensive schon begonnen hatte. Schließlich erreichte nur ein Drittel der Flugzeuge die richtige Absprungstelle, und da von der Heydte nur ein paar hundert Mann zur Verfügung hatte, konnte er nicht die Straßenkreuzungen erreichen und dort ein festes Hindernis aufbauen. Mehrere Tage lang belästigte er die Straßen mit kleinen Trupps, und als dann von Dietrichs Einheiten, die ihn entsetzen sollten, nichts zu sehen war, versuchte er sich nach Osten zu diesen durchzuschlagen und wurde dabei gefangengenommen.

Dietrichs Rechtsausleger wurde schon bald durch die zähe amerikanische Verteidigung von Monschau zum Stehen gebracht. Sein Vorstoß mit dem linken Flügel durchbrach die Front. Malmedy umgehend, überquerte er am 18. die Amblève jenseits von Stavelot nach einem Vormarsch von 60 Kilometern.

Dann kam der Vorstoß in diesem Schlauch zum Stehen und geriet durch einen amerikanischen Gegenangriff in Bedrängnis.

Neue Anstrengungen scheiterten, als amerikanische Reserven auf dem Schauplatz erschienen und den Gegner verstärkten, und so versandete der Angriff der 6. Panzerarmee.

An der Front Manteuffels hatte die Offensive einen guten Start. Mit seinen eigenen Worten:

> »Meine Sturmbataillone drangen rasch in die amerikanische Front ein, wie Regentropfen. Um 4 Uhr nachmittags rückten die Panzer vor und fuhren in der Dunkelheit weiter mit Hilfe unseres ›künstlichen Mondscheins‹.«

Jedoch nach der Überquerung des Flüßchens Our mußten die Panzer bei Clervoux eine andere unangenehme Enge passieren. Diese Hindernisse, zusammen mit den winterlichen Bedingungen, verursachten eine Verzögerung:

> »Der Widerstand schmolz dahin, wenn unsere Panzer in großer Zahl auftraten; aber die Schwierigkeiten der Bewegung glichen in diesem Anfangsstadium die Schwäche des Widerstandes aus.«

Am 18. Dezember gelangten die Deutschen in die Nähe von Bastogne, nach einem Vormarsch von fast 50 Kilometern; aber ihr Versuch, am 19. diese wichtige Straßenkreuzung zu nehmen, wurde vereitelt [1].

Eisenhowers zwei Reservedivisionen waren endlich freigegeben und am 18. an die Front in Marsch gesetzt worden. Aber zu diesem Zeitpunkt waren sie noch bei Reims, gut 160 Kilometer

1 Aber nicht nur durch die Verteidiger: Der Kommandeur einer Panzerspitze gab später in einer Unterhaltung mit mir zu, er habe in diesem entscheidenden Augenblick mit einer jungen »blonden und schönen« amerikanischen Krankenschwester geflirtet, die ihn in einem Dorf, das seine Truppen überrannt hatten, becircte. Schlachten werden nicht immer so entschieden, wie es die militärischen Lehrbücher erzählen!

entfernt — und, schlimmer noch, die für Bastogne bestimmte (die 101. Luftlandedivision) wurde irrtümlich nach Norden dirigiert. Jedoch dank einer Straßenverstopfung und der zufälligen Nachfrage eines Sergeanten der Militärpolizei drehte sie auf einen südlichen Umweg ab und gelangte so an dem entscheidenden Morgen des 19. nach Bastogne. Ihre Ankunft dank eines glücklichen Zufalls stärkte die Verteidigung.

In den nächsten zwei Tagen scheiterten wiederholte deutsche Vorstöße. So entschloß sich Manteuffel, Bastogne zu umgehen und zur Maas vorzustoßen. Doch jetzt kamen von allen Seiten alliierte Reserven in dem Raum an, in einer Stärke, die der der Deutschen weit überlegen war. Zwei Korps der Armee Pattons schwenkten nach Norden zum Entsatz von Bastogne und griffen auf den Straßen zu dieser Stadt die vorrückenden Deutschen an. Obwohl zunächst zum Stehen gebracht, verursachte dieser Gegenangriff eine erhebliche Abzweigung von Kräften, die Manteuffel für seinen eigenen Vormarsch brauchte.

Die große Chance war verpaßt. Manteuffels Flankenvorstoß zur Maas beunruhigte das alliierte Hauptquartier; aber er kam zu spät, um noch eine ernste Gefahr zu bedeuten. Nach dem deutschen Plan sollte Bastogne am zweiten Tag eingenommen werden; in Wirklichkeit wurde es erst am dritten erreicht und erst am sechsten Tag umgangen. Ein deutscher »kleiner Finger« gelangte am 24. bei Dinant bis auf 6 Kilometer an die Maas heran; aber dies war die äußerste Grenze des Vorstoßes, und dieser Finger wurde bald abgeschnitten.

Schlamm und Benzinknappheit waren starke Bremsen für die Offensive — wegen Benzinknappheit konnte nur die Hälfte der Artillerie in Aktion treten. Nachdem das neblige Wetter in den ersten Tagen die Deutschen begünstigt hatte, indem es die alliierte Luftwaffe am Boden festhielt, verschwand diese schützende Decke am 23., und die spärlichen Kräfte der Luftwaffe erwiesen sich als unfähig, die Bodentruppen vor schrecklichen Luftangriffen zu schützen. Dies vervielfachte die Strafe für die verlorene Zeit. Aber Hitler zahlte auch Strafe dafür, daß er die Hauptrolle seinem nördlichen Flügel zugedacht hatte, der 6. SS-Panzerarmee, in der seine geliebte Waffen-SS dominierte – ohne Rücksicht auf die Tatsache, daß das Gelände dort viel unwegsamer, die alliierten Verbände dichter und deren Reserven näher waren.

In der ersten Woche war die Offensive weit hinter den Hoffnungen zurückgeblieben, und der schnellere Fortschritt zu Beginn der zweiten Woche war illusorisch, weil er nur auf ein tieferes Eindringen zwischen den Hauptstraßen hinauslief, die jetzt fest in der Hand der Amerikaner waren.

Nach dieser allgemeinen Skizze der Operationen ist es angebracht, einige entscheidende Phasen der Schlacht auf den verschiedenen Abschnitten im einzelnen nachzuzeichnen.

Bei Dietrichs 6. SS-Panzerarmee – der die Hauptaufgabe zufiel, die aber nur einen relativ schmalen Frontabschnitt hatte – sollte nach dem Plan drei Infanteriedivisionen zu beiden Seiten von Udenbreth einen Durchbruch machen und dann, verstärkt von den zwei anderen Infanteriedivisionen, nach Nordwesten schwenken, um eine nach Norden blickende harte Schulter zu bilden; gleichzeitig sollten die vier Panzerdivisionen, je zwei auf einmal, durch die Lücke durchstoßen und auf die verkehrsmäßig wichtige große Stadt Lüttich vorrücken. Die Panzerdivisionen waren ausschließlich von der Waffen-SS gestellt: es waren die 1., 12., 2. und 9. Panzerdivision, die das I. und II. SS-Panzerkorps bildeten. Sie hatten zusammen etwa 500 Panzer, darunter 90 Tiger-Panzer. Es ist erwähnenswert, daß Dietrich selbst mit zwei seiner Panzerdivisionen durchbrechen wollte, aber sich gegen Model nicht durchsetzen konnte, der meinte, dieser Frontabschnitt sei für Panzer und für eine solche Aufgabe zu schwierig.

Der Frontabschnitt wurde von der 99. US-Infanteriedivision gehalten, der am südlichsten gelegenen Division von General Gerows V. Korps, und war etwa 30 Kilometer breit, ebenso wie der von den Divisionen von Middletons VIII. Korps gehaltene Abschnitt weiter südlich. Es war ein breiter Abschnitt für eine einzelne Division – das zeigte, wie wenig man mit einem deutschen Angriff gerechnet hatte.

Die Artillerie eröffnete am 16. Dezember um 5.30 Uhr morgens das Feuer, aber die deutsche Infanterie begann erst um 7 Uhr vorzurücken. Einzelne Vorposten wurden einer nach dem anderen überwältigt; aber viele wehrten sich tapfer gegen große Überlegenheit und fügten den Deutschen hohe Verluste zu, gleichzeitig den Vormarsch ihrer Panzerdivisionen verzögernd. Obwohl die Deutschen in den nächsten zwei Tagen nach Westen vorstoßen konnten, hinderte sie die zähe amerikanische Verteidigung des Raumes Berg-Butgenbach-Elsenborn daran, die nördliche »Schulter« zu nehmen, wie sie geplant hatten. Es war eine großartige Leistung von Gerows V. Korps, das vorher an der amerikanischen Offensive im Abschnitt Aachen teilgenommen hatte, aber jetzt nach Süden verlegt worden war.

Dieser Rückschlag ramponierte das Ansehen der SS-Truppen und trug wesentlich zu Hitlers Beschluß vom 20. Dezember bei, die Hauptaufgabe bei der Offensive der 5. Panzerarmee Manteuffels zu übertragen.

An Manteuffels Frontabschnitt war ein rascher Durchbruch auf dem rechten Flügel erfolgt, der Dietrichs Front am nächsten war. Dieser Abschnitt in der Schnee-Eifel war fast 35 Kilometer breit und wurde von der neu eingetroffenen 106. US-Division zusammen mit der 14. Kavallerie-Gruppe gehalten. Er deckte die Zugänge zu der wichtigen Straßenkreuzung von St. Vith. Bemerkenswert war, daß die Angreifer hier keine so überwältigende Überlegenheit hatten wie weiter nördlich – sie bestanden in der Hauptsache aus den zwei Infanteriedivisionen von Luchts LXVI. Korps zusammen mit einer Panzerbrigade. Aber es gelang den Deutschen, am 17. zwei Regimenter der 106. Division in einer Zangenbewegung zu umfassen und die Kapitulation von mindestens 7000, wahrscheinlich 8000–9000 Mann zu erzwingen. Dies war ein großer Erfolg der neuen Taktik Manteuffels: An seinem Frontabschnitt waren kleine Vorausabteilungen schon mitten in den amerikanischen Stellungen, als die große Flut hereinbrach. Nach Ansicht der amtlichen amerikanischen Kriegsgeschichte war die Schlacht in der Schnee-Eifel »der schwerste Rückschlag für die amerikanische Armee während der Operationen von 1944/45 in Europa.«

Weiter südlich an Manteuffels Frontabschnitt erfolgte der Hauptvorstoß an der rechten Flanke durch Krügers LVIII. Panzerkorps, an der linken Flanke durch Lüttwitz' XLVII. Panzerkorps. Das LVII. Korps überquerte die Our und stieß bis Houffalize vor, mit dem Ziel, zwischen Ardenne und Namur einen Brükkenkopf am linken Ufer der Maas zu bilden. Das XLVII. Korps sollte nach der Überquerung der Our die wichtige Stadt Bastogne nehmen und dann südlich von Namur Brückenköpfe an der Maas bilden. Amerikanische Vorposten von der 28. Division verlangsamten etwas die Überquerung der Our durch die Deutschen, aber konnten sie nicht verhindern, und in der zweiten Nacht, der zum 17., näherten sich die Deutschen Houffalize und Bastogne.

Am südlichsten Frontabschnitt hatte Brandenbergers 7. Armee von vier Divisionen (drei Infanterie- und eine Fallschirmjägerdivision) die Aufgabe, den Vorstoß Manteuffels offensiv zu dekken, indem sie über Neufchâteau nach Mézières vorstieß. Alle ihre Divisionen überquerten die Our und die 5. Fallschirmjägerdivision an der inneren Flanke gelangte in drei Tagen bis Wiltz, 19 Kilometer weiter westlich. Aber der rechte Flügel der 28. US-Division zog sich nur langsam zurück, während die zwei anderen Divisionen von Middletons VIII. Korps den Angriff zum Stehen brachten, nachdem er nur 5 bis 6 Kilometer weitergekommen war. Am 19. Dezember wurde es klar, daß die südliche Schulter der deutschen Angriffsfront fest in Schach gehalten wurde. Man wußte auch, daß die Amerikaner hier bald von Pattons 3. Armee verstärkt werden würden, die aus dem Saargebiet nordwärts heranrückte; an diesem Tag mußte das deutsche LXXX. Korps zur Defensive übergehen.

Manteuffel hatte dazu geraten, der ihm benachbarten 7. Armee eine Panzerdivision zur Verfügung zu stellen, damit diese mit seinem eigenen linken Flügel Schritt halten konnte. Aber dies war von Hitler selbst abgelehnt worden, und diese Ablehnung ist möglicherweise entscheidend gewesen.

Am nördlichsten Frontabschnitt, dem Dietrichs, kam der Panzervorstoß erst am 17. in Schwung, als die 1. SS-Panzerdivision, eine Elitetruppe, Lüttich von Süden umgehen wollte, nachdem ihr der Weg freigemacht worden war. Ihre Vorausabteilung – die »Kampfgruppe Peiper«, welche die Mehrzahl der 100 Panzer der Division besaß – kam fast ohne Widerstand voran; sie hatte das Ziel, bei Huy die Maas zu überschreiten. Auf ihrem Vormarsch machte sie sich einen schlechten Namen dadurch, daß sie mehrere Gruppen amerikanischer Kriegsgefangener und belgischer Zivilisten durch MG-Feuer tötete. (Peiper behauptete in seinem späteren Kriegsverbrecherprozeß, dies sei in Befolgung eines Führerbefehls geschehen, daß seinem Vormarsch eine »Terrorwelle« vorangehen solle; Peipers Einheit war aber die einzige, die während dieser Offensive so brutal vorging.) Die Kampfgruppe Peiper rastete in der Nacht kurz vor Stavelot, noch 67 Kilometer von der Maas entfernt – sie versäumte es, dort die wichtige Brücke und nur wenig weiter im Norden das riesige Treibstofflager zu nehmen, das über 2½ Millionen Galonen enthielt; beides war in dem Augenblick kaum bewacht. Auch das Hauptquartier der 1. US-Armee in dem bekannten Kurort Spa war nicht mehr weit entfernt. Im Laufe der Nacht gelangten aber amerikanische Verstärkungen dorthin, und am nächsten Tag wurde Peiper durch eine Barriere brennenden Benzins am Vormarsch gehindert, während unmittelbar vor ihm bei Trois Ponts die Brücken gesprengt wurden. Peiper versuchte dann einen Umweg durch ein Seitental, wurde aber bei Stoumont, nur 10 Kilometer weiter, zum Stehen gebracht. Unterdessen erfuhr er auch, daß er sich durch seinen Vorstoß von der übrigen 6. Panzerarmee isoliert hatte und dieser weit voraus war.

Im Süden, an Manteuffels Frontabschnitt, verstärkte sich der Druck auf die Straßenkreuzungen von St. Vith und Bastogne, deren Besitz für das Schicksal der ganzen Offensive entscheidend sein konnte. Die ersten Angriffe auf St. Vith (das bei Beginn der Offensive 19 Kilometer hinter der Front lag) erfolgten am 17. Dezember, aber nur in geringer Stärke. Am nächsten Tag kam das Gros der 7. US-Panzerdivision zur Verstärkung auf dem Schauplatz an. An diesem Tag, dem 18., fielen die Dörfer dieses Raumes eines nach dem anderen dem deutschen Angriff zum

Opfer, und dieser Druck verhinderte eine Entsetzung der beiden eingeschlossenen Regimenter der 106. Division. Deutsche Panzersäulen umgingen St. Vith sowohl vom Norden als auch vom Süden und mußten zurückgedrängt werden, während eine deutsche Panzerbrigade vorrückte, um den Angriff zu verstärken.

Am 18. hatte das XLVII. Panzerkorps v. Lüttwitz Bastogne mit zwei Panzerdivisionen und der 26. Volksgrenadierdivision eingeschlossen. Aber die Verteidigung der Stadt wurde durch frisch eingetroffene Truppen (eine Kampfgruppe der 9. US-Panzerdivision und Pionierbataillone) verstärkt. Ein zäher Kampf um jedes Dorf und Verkehrsverstopfungen hinter der deutschen Front verlangsamten den Angriff so sehr, daß die 101. Luftlandedivision aus Eisenhowers strategischer Reserve am Morgen des 19. Bastogne noch rechtzeitig im kritischen Moment erreichte. Die zähe Verteidigung von Bastogne, bei der sich besonders die amerikanischen Pioniere auszeichneten, machte es den Deutschen unmöglich, die Stadt in einem Schwung zu nehmen; ihre Panzerkolonnen umgingen die Stadt auf beiden Seiten und überließen es der Volksgrenadierdivision zusammen mit einer kleinen Panzergruppe, die Stadt zu belagern. So wurde Bastogne am 20. Dezember abgeschnitten.

Erst am Morgen des 17. hatten Eisenhower und seine wichtigsten Unterführer begonnen einzusehen, daß eine regelrechte deutsche Offensive begonnen hatte – und erst am 19. waren sie dessen zweifelsfrei sicher. Bradley befahl dann die 10. Panzerdivision nach Norden und bestätigte den aus eigener Initiative erteilten Befehl von General Simpson von der 9. Armee, die 7. Panzerdivision der 30. Division nach Süden nachzuziehen. Somit wurden über 60 000 Mann von frischen Einheiten in den gefährdeten Raum dirigiert, und in den nächsten acht Tagen wurden noch weitere 180 000 Mann dorthin in Bewegung gesetzt.

Die 30. Division unter General Hobbs, die in der Nähe von Aachen in Ruhestellung lag, erhielt zuerst den Befehl, sich in den Raum Eupen zu begeben; dann wurde sie nach Malmedy umgelenkt und schließlich weiter nach Westen dirigiert, um Peipers Panzer zum Stehen zu bringen. Stavelot wurde mit Hilfe von Jabos teilweise zurückerobert, und Peipers Verbindung mit der übrigen 6. Panzerarmee wurde abgeschnitten, während er bei Stoumont auf immer härteren Widerstand stieß. Am 19. war er schon äußerst knapp an Treibstoff, während die Ankunft der 82. US-Luftlandedivision und amerikanischer Panzerverbände das Kräftegleichgewicht zu seinen Ungunsten veränderte. Unterdessen lag das Gros der beiden SS-Panzerkorps noch weit hinten fest; die Straßen waren zu schlecht, als daß sie die große Zahl ihrer Panzer und Transportfahrzeuge richtig einsetzen konnten. Peipers Kampfgruppe, eingekesselt und ohne jeden Treibstoff, begann schließlich am 24., sich zu Fuß zurückzuziehen, alle ihre Panzer und sonstigen Fahrzeuge zurücklassend.

Weiter südlich, an Manteuffels Front, waren Teile der 3. und 7. US-Panzerdivision eingetroffen und blockierten den deutschen Vormarsch aus dem Raum St. Vith nach Westen. Die Verteidiger der Stadt gerieten unter furchtbaren Druck durch einen von Manteuffel selbst geleiteten Angriff und wurden unter schweren Verlusten aus der Stadt herausgedrängt. Zu ihrem Glück verhinderte eine große Verkehrsstockung auf den Straßen die Ausnutzung dieses Erfolges durch das deutsche 66. Korps und ermöglichte es den Resten der amerikanischen 106. Division und 7. Panzerdivision, sich auf sichere Stellungen zurückzuziehen. Dadurch wurde eine großräumige Ausweitung dieses Durchbruches durch einen schnellen Vorstoß bis zur Maas verhindert.

Als am 20. die alliierte Front weit aufgerissen war, sah sich Eisenhower veranlaßt, den Oberbefehl aller Streitkräfte auf der nördlichen Seite des Durchbruches, einschließlich der 1. und 9. US-Armee, Montgomery zu übertragen; Montgomery selbst hatte sein eigenes Reservekorps, das XXX., das aus vier Divisionen bestand, zum Schutz der Maas-Übergänge herangeführt.

Sein Optimismus war sehr wertvoll; aber die Wirkung wäre noch größer gewesen, wenn er nicht, wie einer seiner eigenen Offiziere schilderte, »in das Hauptquartier von Hodges hereingefahren wäre wie Jesus, als er die Wechsler aus dem Tempel jagte«. Noch größere Ressentiments erregte er, als er später auf einer Pressekonferenz so tat, als habe seine persönliche »Lenkung« der Schlacht die Amerikaner vor dem Zusammenbruch bewahrt. Montgomery äußerte dabei, er habe »die ganze verfügbare Kraft der britischen Heeresgruppe eingesetzt« und »mit voller Macht in die Schlacht geworfen«. Diese Äußerung erregte um so mehr Ärger, als Patton ja schon seit dem 22. Dezember einen Gegenangriff führte – und Bastogne am 26. entsetzte –, während Montgomery erklärte, er müsse erst die Lage »bereinigen«, und erst am 3. Januar seinen Gegenangriff vom Norden aus begann; bis dahin hatte er seine britischen Reserven aus der Schlacht herausgehalten.

Am 20. Dezember, als die alliierte Front umgruppiert wurde, erhielt General Collins das Kommando über die nördliche Seite des Durchbruches; sein 7. US-Korps war vorher bei der amerikanischen Offensive an der Rur beteiligt gewesen. Montgomery hatte erklärt, er wolle keinen anderen als Collins – der den Spitznamen »Blitz-Joe« führte – für diese entscheidende Aufgabe haben. Collins erhielt dafür die 2. und 3. Panzerdivision mit der 75. und 84. Infanteriedivision, um einen Gegenangriff nach Süden gegen Manteuffels vorrückende Panzerspitzen zu führen.

In Bastogne war unterdessen die Lage weiterhin kritisch. Wiederholte Angriffe zwangen die Verteidiger zum Rückzug, aber sie wurden nie gänzlich überwältigt. Am 22. schickte Lüttwitz eine Abordnung mit einer weißen Flagge zu der belagerten Garnison mit der Aufforderung zu einer Kapitulation unter ehrenvollen Bedingungen; aber er erhielt von General McAuliffe nur die lakonische, legendär gewordene Antwort »Quatsch«. Der Unterbefehlshaber an diesem Abschnitt, der die Antwort den Deutschen verständlich machen wollte, konnte sie nur mit den Worten formulieren: »Geht zum Teufel!«

Am nächsten Tag gestattete hochwillkommenes schönes Wetter den ersten Abwurf von Nachschub aus der Luft und zahlreiche Luftangriffe auf die deutschen Stellungen; gleichzeitig kamen Pattons Truppen vom Süden immer näher. Dennoch war die Lage immer noch kritisch, und am Weihnachtsabend wurde der Durchmesser der alliierten Stellungen auf 26 Kilometer reduziert. Aber Lüttwitz' Truppen erhielten nur noch wenig Verstärkungen und Nachschub und wurden immer mehr durch die alliierte Luftwaffe belästigt. Am ersten Weihnachtstag machten die Deutschen noch einen Großangriff; aber ihre neu eingetroffenen Panzer erlitten schwere Verluste, und die Verteidigung der Stadt war ungebrochen. Am nächsten Tag, dem 26., gelang es am Nachmittag der 4. US-Panzerdivision (die jetzt von General Gaffey befehligt wurde und zu Pattons 3. Armee gehörte), mit den Eingeschlossenen Kontakt herzustellen, nachdem sie sich von Süden her den Weg freigekämpft hatte. Die Belagerung von Bastogne war zu Ende.

Obwohl die deutsche 7. Armee bei ihrem Versuch, die vorrükkende linke Flanke Manteuffels zu decken, anfangs einige Fortschritte gemacht hatte, wurde sie durch ihre eigene Schwäche bald einem Gegenangriff von Süden ausgesetzt. Am 19. erhielt Patton den Befehl, seine Offensive im Saargebiet abzubrechen und sich mit zwei seiner Korps auf die Bereinigung des Manteuffelschen Durchbruchs zu konzentrieren. Am 24. war er so weit, daß sein XII. Korps die Divisionen der deutschen 7. Armee zurückdrängen und die südliche »Schulter« der Deutschen beseitigen konnte. Weiter westlich konzentrierte sich das 3. US-Korps auf den Entsatz von Bastogne. Die dazugehörende 4. Panzerdivision befolgte Pattons Befehl »Fahrt wie der Teufel!« Harter Widerstand wurde von den Fallschirmjägern der deutschen 5. Fallschirmjägerdivision geleistet, die aus jedem Dorf und jedem Wald vertrieben werden mußten. Nachdem aber die Luftaufklärung weniger feindliche Kräfte auf der Straße Neufchâteau-Bastogne festgestellt hatte, wurde der Schwerpunkt auf diese Vormarschstraße gelegt, und am 26. gelangten einige der wenigen noch eingesetzten »Sherman«-Panzer der 4. Division an den Südrand von Bastogne.

Unterdessen waren Manteuffels Panzerdivisionen, die Bastogne umgingen, in Richtung auf die Maas südlich von Namur vorgerückt. Um die Übergänge zu verteidigen, während frische amerikanische Truppen herangeführt wurden, hatte sich Horrocks' XXX. britisches Korps bei Givet und Dinant an beiden Ufern des Flusses festgesetzt, während amerikanische Pioniere bereitstanden, notfalls die Brücken zu sprengen.

Hitler, der jetzt nur noch bescheidenere Ziele anvisierte, konzentrierte seine Aufmerksamkeit auf die Maas. Er gab die 9. Panzer- und die 15. Panzergrenadierdivision aus seiner OKW-Reserve frei, um Manteuffel bei der Säuberung des Raumes Marche-Celles vor Dinant zu helfen. So planten beide Seiten eine Offensive für den Weihnachtstag, aber waren zu sehr in gegenseitige Kämpfe verstrickt, um sie durchzuführen.

Doch Collins' Truppen gewannen langsam an Boden; am Vormittag des 25. eroberten sie, unterstützt von der 29. britischen Panzerbrigade, das Dorf Celles zurück — den äußersten Punkt des deutschen Vorstoßes. Anschließend wurden zahlreiche isolierte »Taschen« durch Infanterie bereinigt oder durch Luftangriffe außer Gefecht gesetzt. Schon vom 23. Dezember an hatten die deutschen Panzerverbände unter schweren Luftangriffen zu leiden, und am 26. wurde ihnen verboten, bei Tage zu fahren. Auch die verspätete Ankunft der 9. Panzerdivision am Weihnachtsabend konnte die zähe Gegenwehr der 2. US-Panzerdivision nicht mehr brechen. Am 26. waren die Deutschen an dieser Front überall im Rückzug — und die Maas wurde als unerreichbar beschrieben.

Dietrichs 6. Panzerarmee hatte unterdessen Befehl erhalten, Manteuffels Vorstoß zu unterstützen, indem er nach Südwesten schwenken sollte; aber obwohl er seine Panzerdivision in Aktion treten ließ, erreichte er wenig gegen die amerikanische Verteidigung, die jetzt erheblich verstärkt und von ständigen Jabo-Angriffen unterstützt war. Seine 2. SS-Panzerdivision erzielte anfangs einen Einbruch, der die alliierten Stäbe alarmierte; aber sie erlitt schwere Verluste in einem langen Kampf um das Dorf Manhay. Alles in allem hatte die Offensive der 6. Panzerarmee nichts erreicht außer der Erschöpfung der eigenen Kräfte.

Lange bevor die eigentliche Gegenoffensive begann, hatten die Deutschen schon ihren nördlichen Vorstoß aufgegeben, und ihr südlicher Vorstoß hatte trotz einer letzten Anstrengung sein Ziel nicht erreicht. Diese letzte Anstrengung folgte dem verspäteten Entschluß Hitlers, das Schwergewicht nach Süden auf den Raum der 5. Panzerarmee zu legen. Aber die große Chance war vorbei. Voller Bitterkeit erklärt Manteuffel: »Erst am 26. erhielt ich den Rest unserer Reserven — und dann konnten sie nicht mehr bewegt werden: Sie lagen still wegen Treibstoffmangels, über mehr als 150 Kilometer verstreut, gerade als sie am nötigsten gebraucht wurden.«

Die Ironie der Situation war die, daß die Deutschen am 19. nur wenige hundert Meter von dem riesigen Treibstofflager bei Stavelot mit seinen 2 1/2 Millionen Galonen — hundertmal größer als der größte Treibstoffvorrat, den sie tatsächlich erbeuteten — entfernt gewesen waren!

Manteuffel berichtet:

»Wir hatten kaum diesen neuen Vorstoß begonnen, als die alliierte Gegenoffensive sich entfaltete. Ich rief Jodl an und bat ihn, dem Führer zu sagen, ich wolle meine Vorausabteilungen aus der Nase unseres Bogens zurückziehen ... Aber Hitler untersagte diesen Rückzug. So wurden wir, statt uns rechtzeitig zurückzuziehen, Schritt für Schritt durch die alliierten Angriffe zurückgedrängt und erlitten unnötige Verluste ... Unsere Verluste waren in diesem späteren Stadium viel höher als vorher, dank Hitlers Parole des ›kein Rückzug‹. Das bedeutete die Katastrophe, weil wir uns solche Verluste nicht leisten konnten.«

Rundstedt bestätigte dieses Urteil:

»Ich wollte die Offensive schon zu einem früheren Zeitpunkt stoppen, als es klargeworden war, daß sie ihr Ziel nicht erreichen konnte. Aber Hitler bestand wütend darauf, daß sie weitergehen müsse. Es war unser Stalingrad Nr. 2.«

Die Alliierten waren zu Beginn der Ardennen-Schlacht der Katastrophe nahe gewesen, weil sie ihre Verteidigung an dieser Flanke vernachlässigt hatten. Aber am Ende war es Hitler, der den militärischen Grundsatz »Angriff ist die beste Verteidigung« ad absurdum führte. Der Angriff erwies sich als die schlechteste Verteidigung — er vernichtete Deutschlands Aussicht auf jeden ernsthaften Widerstand in der Zukunft.

TEIL VIII

DAS ENDE

KAPITEL 36

VON DER WEICHSEL BIS ZUR ODER

Stalin hatte den westlichen Alliierten mitgeteilt, er werde etwa Mitte Januar eine neue Offensive von der Weichsel-Linie aus beginnen, die mit dem geplanten alliierten Vorstoß auf den Rhein zusammenfallen solle – dieser Vorstoß war freilich jetzt durch die Folgen der Ardennen-Gegenoffensive verzögert worden. Die führenden Kreise des Westens setzten keine großen Erwartungen auf diese russische Offensive. Einige russische Vorbehalte in bezug auf das Wetter, das fortgesetzte Ausbleiben ausreichender Informationen über die wirkliche russische Stärke und vor allem die lange Kampfpause, seit die Russen Ende Juli die Weichsel erreicht hatten – all dies führte zu einem Wiederaufleben der Neigung, die Potenz der Russen zu unterschätzen.

Kurz vor Ende Dezember gelangten unheildrohende Nachrichten zu Guderian – der in der letzten Phase des Krieges zum Chef des Generalstabes ernannt worden war. Gehlen, Chef der Abteilung »Fremde Heere Ost« der Heeresabwehr, berichtete, 225 russische Infanteriedivisionen und 22 Panzerkorps seien an der Front zwischen Ostsee und Karpaten festgestellt worden, zum Großangriff bereitstehend.

Doch als Guderian ihm diesen Bericht über massive russische Vorbereitungen vorlegte, weigerte sich Hitler, ihm zu glauben, und rief aus: »Dies ist der unverschämteste Bluff seit Dschingis-Khan! Wer ist für all diese unsinnigen Berichte verantwortlich«? Hitler zog es vor, den Berichten Himmlers und des SS-Nachrichtendienstes zu glauben.

Ebenso lehnte er den Vorschlag ab, die Ardennen-Offensive einzustellen und Truppen an die Ostfront zu verlegen, mit der Begründung, es sei von höchster Wichtigkeit, im Westen die Initiative zu behalten, die er jetzt »wiedergewonnen« habe. Gleichzeitig lehnte er auch Guderians Vorschlag ab, die im Baltikum abgeschnittene Heeresgruppe von 26 Divisionen auf dem Seeweg zu evakuieren und mit ihr das Eingangstor nach Deutschland zu verstärken.

Als letztes mußte Guderian bei seiner Rückkehr von einer Reise in sein Hauptquartier feststellen, daß Hitler seine Abwesenheit ausgenutzt und zwei Panzerdivisionen aus Polen nach Ungarn verlegt hatte, um dort einen Entsatz von Budapest zu versuchen. Damit hatte Guderian nur noch eine bewegliche Reserve von 12 Divisionen, um die 50 schwachen Infanteriedivisionen zu verstärken, welche die 1100 Kilometer lange Hauptfront in dünner Linie halten mußten.

Die westlichen Zweifel an der militärischen Schlagkraft der Russen wurde noch verstärkt durch die Nachrichten von der deutschen Gegenoffensive in Richtung Budapest; und dazu kam, ganz allgemein, der Schock, den die westlichen Alliierten selbst durch die jüngste deutsche Gegenoffensive erlitten hatten. Einige Tage lang machte der Vorstoß auf das eingeschlossene Budapest vielversprechende Fortschritte. Er begann bei Komorn, 60 Kilometer westlich der Stadt, und legte mehr als die halbe Entfernung von dort bis Budapest zurück. Aber dann machte die hartnäckige Weiterverfolgung trotz stärkeren Widerstandes die Operation zu einem verlustreichen Fehlschlag.

Die indirekten Verluste waren noch schwerer. Die Widerstandskraft dieser neuen »Igelstellung Budapest hatte Hitler in seiner üblichen Neigung bestärkt, ein allzu langes Stehenbleiben zu befehlen. Als dann infolgedessen seine Truppen dort eingeschlossen wurden, hatte Hitlers Angst vor einem »zweiten Stalingrad« ihn zu einem Schritt verleitet, der noch schlimmere Folgen hatte: Obwohl die zwei kostbaren Panzerdivisionen, die in Polen bereitstanden und die russische Winteroffensive erwarteten, in den letzten Tagen des alten Jahres herausgezogen wurden, um einen Stoßkeil für die Entsetzung Budapests zu bilden, wollte Hitler trotzdem keinen entsprechenden Rückzug von der Weichsel-Linie vor Beginn der russischen Offensive erlauben. Diese geschwächte Frontlinie mußte nun den ganzen Stoß des Angriffs aushalten, statt daß der Stoß durch einen rechtzeitigen Schritt zurück gemildert worden wäre. Wieder einmal wurden die Vorteile des Prin-

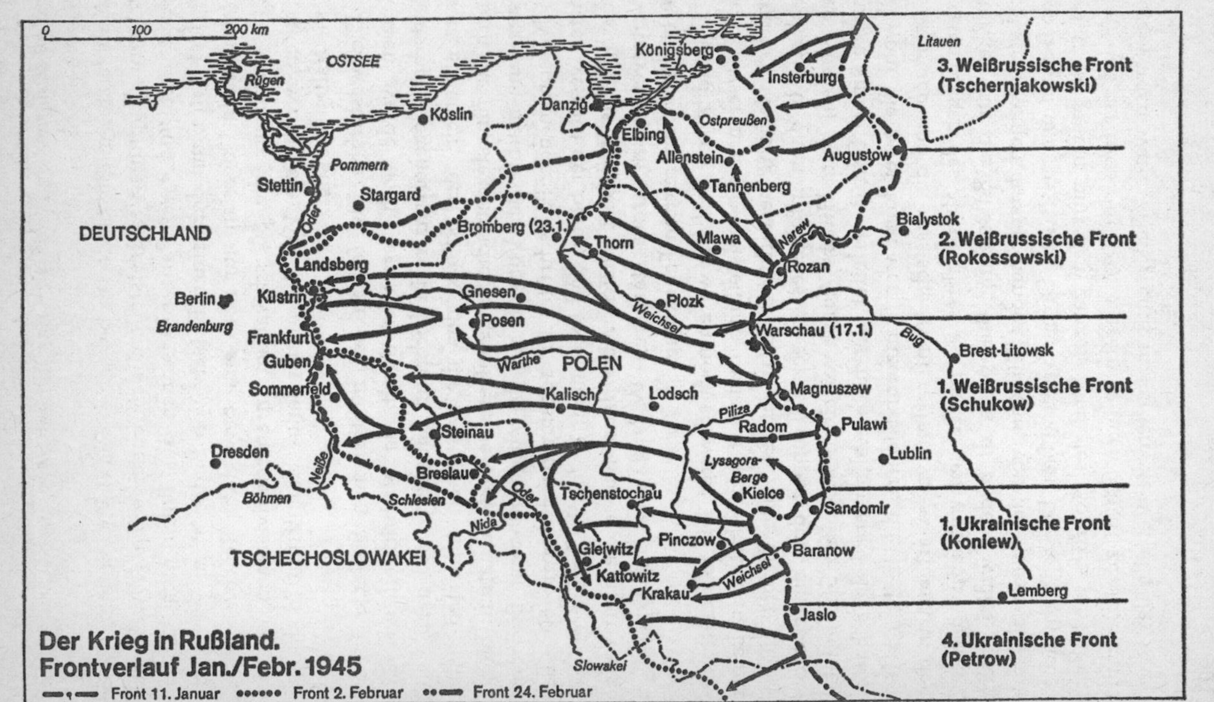

Der Krieg in Rußland.
Frontverlauf Jan./Febr. 1945

zips, unter allen Umständen zu halten, aufgehoben durch die strategischen Nachteile, und dies führte zur Katastrophe.

Das russische Oberkommando war jetzt gut darauf vorbereitet, die grundlegenden Schwächen der deutschen Situation auszunutzen. In klarer Erkenntnis der entscheidenden Bedeutung des möglichst langen Durchhaltens des ersten Angriffschwungs und des Handicaps überlanger Nachschubwege hielten sich die Russen zurück, bis die Eisenbahnen hinter der neuen Front instand gesetzt und von der europäischen Normalspur auf die breitere russische Spurweite umgebaut waren. Reichliche Nachschubvorräte wurden an den Eisenbahnknotenpunkten angehäuft.

Das Hauptziel sollte die Eroberung Oberschlesiens sein, des einzigen wichtigen deutschen Industriegebiets, das noch intakt und vor alliierten Bombenangriffen geschützt war. Dieses Ziel verlangte einen Vormarsch von über 160 Kilometern vom Brükkenkopf Baranow an der Weichsel im südlichen Polen aus. Aber Stalin und sein Generalstabschef Wassilewskij hatten bei diesem großen Plan, den sie entworfen hatten, noch weitergehende Ziele. Sie richteten ihr Augenmerk auf die Oder und darüber hinaus auf Berlin – fast 500 Kilometer von ihren Stellungen bei Warschau entfernt. Bei der Ausdehnung ihrer Offensive konnten sie den erweiterten Raum zum Manövrieren ausnutzen. Noch bedeutsamer als die zahlenmäßige Überlegenheit von fast 5:1 war die verbesserte Bewegungsfreiheit der Russen. Der ständige Zustrom amerikanischer Lastwagen hatte sie jetzt in die Lage versetzt, einen weit größeren Teil ihrer Infanteriebrigaden zu motorisieren und dadurch, zusammen mit der steigenden Produktion eigener Panzer, die Zahl der Panzerkorps und motorisierten Korps zur vollen Ausnutzung eines Durchbruchs zu vervielfachen. Vor allem die wachsende Zahl von »Stalin«-Panzern stärkte ihre Schlagkraft. Diese Ungetüme hatten ein 12,2-Zentimeter-Geschütz, verglichen mit dem 8,8-Zentimeter-Geschütz der deutschen »Tiger«. Sie waren auch stärker gepanzert als der »Tiger«, wenn auch nicht so stark wie der »Königstiger«.

Vor Beginn des neuen Feldzuges wurden die »Fronten« neu geordnet. Rußlands drei hervorragende offensive Führer sollten die drei Hauptvorstöße befehligen: Konjew behielt das Kommando der »Ersten Ukrainischen Front« in Südpolen; Schukow übernahm im Mittelabschnitt die »Erste Weißrussische Front« von Rokossowskij, der dafür den Oberbefehl der »Zweiten Weißrussischen Front« am Narew nördlich von Warschau erhielt.

Die russische Offensive begann um 10 Uhr vormittags am 12. Januar 1945 mit einem Vorstoß von Konjews Truppen aus dem Brückenkopf Baranow (der etwa 50 Kilometer breit und tief war) heraus. Zehn Armeen, darunter zwei Panzerarmeen, wurden eingesetzt; sie umfaßten zusammen etwa 70 Divisionen, unterstützt von zwei Luftflotten.

Anfangs wurde das Tempo des Vorstoßes gebremst durch den Nebel, der über dem Gelände hing und die Luftwaffe am Boden festhielt. Doch der Nebel trug andererseits dazu bei, die angreifenden Truppen zu verschleiern, und die große Masse der gut gelenkten Artillerie zerfetzte die Verteidigung, so daß am dritten Tag der Angriff bis Pinkzow, 30 Kilometer von der Ausgangslinie, vorstoßen konnte; die Nida wurde auf breiter Front überschritten, und dann begann die Phase der Ausweitung. Durch die Lücke hindurchstoßend, ergossen sich die Panzerdivisionen in einer immer größeren Welle über die polnische Ebene aus. Für den Augenblick war die Erweiterung des Durchbruchs aber bedeutender als seine Vertiefung. Am 15. wurde Kielce von einer Panzersäule genommen, welche, die Lysagora-Berge umgehend, nach Nordwesten vorpreschte und damit den Rücken der deutschen Streitkräfte an der Front Schukows bedrohte.

Am 14. hatte auch Schukow seine Offensive von seinen Brükkenköpfen bei Magnuszew und Pulawi aus begonnen. Sein rechter Flügel drehte nach Norden, in den Rücken von Warschau, während sein linker Flügel am 16. Radom nahm. Am gleichen Tag überschritten seine Panzerspitzen den Piliza-Fluß, nur 50 Kilometer von der schlesischen Grenze entfernt. Unterdessen hatten, ebenfalls am 14., die Streitkräfte Rokossowskijs aus ihren Brückenköpfen am Narew heraus angegriffen und die Verteidigung durchstoßen, die dem Süden Ostpreußens vorgelagert war. Der Einbruch in der Front war über 300 Kilometer breit, und insgesamt rollte eine Sturmflut von fast 200 Divisionen, einschließlich der Reservedivisionen, nach Westen.

Am 17. wurde Warschau von Schukows Truppen eingenommen, nachdem sie die Stadt an beiden Flanken umgangen hatten, und seine Panzerspitzen stießen bis Lodz nach Westen vor. Konjews Vorausabteilungen nahmen die Stadt Tschenstochau nahe der schlesischen Grenze und umgingen weiter südlich Krakau.

Am 19. Januar erreichte Konjews rechter Flügel schon die schlesische Grenze, während sein linker Flügel mit einem Umfassungsmanöver Krakau einnahm. Schukows Truppen eroberten Lodz, und Rokossowskijs Truppen erreichten bei Mlawa die südliche Grenze Ostpreußens. An den beiden äußersten Flanken hatten die Truppen Tschernjachowskijs und Petrows ebenfalls große Fortschritte gemacht. So war schon am Ende der ersten Woche die Offensive 160 Kilometer vorgestoßen, und ihre Frontlinie war auf fast 600 Kilometer erweitert worden.

In einem verspäteten Versuch, Schlesien zu schützen, wurden eilig sieben deutsche Divisionen aus der Slowakei herangezogen. General Heinrici, der in der Slowakei befehligte, hatte vor Ausbruch des Sturms geäußert, er könne einen Teil seiner Truppen abgeben, um Reserven für die Weichsel-Front zur Verfügung zu stellen; aber eine solche Umgruppierung widersprach Hitlers Grundsatz, daß »jeder Soldat kämpfen muß, wo er steht«, und seiner Gewohnheit, die einzelnen Teile des Feldzuges völlig getrennt voneinander zu führen. Auch nachdem die Front in der Slowakei fast ganz von Truppen entblößt war, hielt sie sich noch einige Wochen – ein Beweis, daß die ursprüngliche Truppenstärke höher war als notwendig. Doch die Ankunft von sieben neuen Divisionen am Nordrand der Karpaten zählte jetzt weniger, als das Eintreffen von zwei oder drei Divisionen vor der Offensive gezählt haben würde; denn der Durchbruch war schon zu breit geworden, um abgeriegelt werden zu können.

Der größte Teil des westlichen Polen ist so flach, daß er dem Angreifer einen natürlichen Vorteil bietet, der leicht auszunutzen ist, wenn er an Kräften oder an Beweglichkeit überlegen ist. Die Deutschen hatten im Jahr 1939 diesen Vorteil ausgenutzt. Jetzt waren sie selbst in der Defensive, und es fehlte ihnen sowohl an Kräften als auch an Beweglichkeit. Als ein Vertreter der motorisierten Kriegführung hatte Guderian erkannt, daß eine starre Verteidigung nutzlos war und daß die einzige Chance, einen Durchbruch aufzuhalten, in Gegenstößen von Panzerreserven lag. Aber er war gezwungen worden, an der Weichsel stehenzubleiben und mit anzusehen, wie unmittelbar vor dem großen Angriff ein Teil seiner spärlichen Panzerkräfte nach Budapest geschickt wurde. Indem er einen Teil seiner restlichen Panzer in den Raum Kielce warf, gewann er Zeit, um seine eingeschlossenen Truppen im Weichsel-Knie herauszuziehen; infolgedessen war die Zahl der deutschen Gefangenen in der ersten Woche der Offensive mit 25 000 erstaunlich klein für einen so gewaltigen Durchbruch. Aber die zunehmende Schwäche der deutschen Armee in bezug auf Beweglichkeit und Fähigkeit zu schnellem Rückzug spiegelte sich darin, daß in der zweiten Woche diese Zahl auf 86 000 stieg, sich also fast verdreifachte. Umgekehrt spiegelte sich die zunehmende Beweglichkeit der Russen in ihren ständigen Vorstößen.

Die überstürzte Evakuierung der Zivilbevölkerung aus den deutschen Städten nahe der Grenze war ein Zeichen, daß das Tempo des russischen Vormarsches alle Berechnungen über den Haufen geworfen und die deutschen Truppen auch aus allen Zwischenpositionen herausgeworfen hatte, die sie noch zu halten gehofft hatten.

Am 20. Januar überschritten Konjews Truppen die schlesische Grenze und befanden sich jetzt auf deutschem Boden. Ein noch schlimmeres Zeichen war Rokossowskijs Vordringen über die Südgrenze Ostpreußens hinweg bis zu dem historischen Schlachtfeld von Tannenberg. Diesmal gab es keine Wiederholung des großen russischen Rückschlages im Jahr 1914, und am nächsten Tag erreichten seine Panzerspitzen Allenstein, damit die Hauptbahnlinie durch Ostpreußen zerschneidend, während Tschernjachowskij auf seinem Vormarsch von Osten Insterburg nahm. Rokossowskij setzte seinen rechten Ausleger fort, erreichte am 26. bei Elbing die Bucht von Danzig und schnitt so alle verbleibenden deutschen Truppen in Ostpreußen ab. Diese zogen sich nach Königsberg zurück, wo sie gänzlich eingeschlossen wurden.

Vier Tage vorher hatte Konjew auf einer 600 Kilometer breiten Front die Oder im Norden des oberschlesischen Industriegebiets erreicht. Am Ende der zweiten Woche der Offensive war sein rechter Flügel auf zahlreichen Stellen entlang einer 90 Kilometer breiten Strecke schon über die Oder südlich von Breslau gesetzt – über 300 Kilometer von der Ausgangsbasis. Gleichzeitig hatten andere Verbände die schlesische Hauptstadt von Norden umgangen. Hinter diesen Panzerspitzen waren andere Verbände nach Süden gedreht, nahmen die Stadt Gleiwitz und schnitten damit das oberschlesische Industriegebiet ab. Die ganze Gegend war von Schützengräben, Stacheldrahtverhauen und Tankfallen durchzogen und mit Betonklötzen bedeckt; aber es gab kaum Truppen, um diese potentielle Festungszone zu halten. Die wenigen Truppen, die gleich verfügbar waren oder herangeführt wurden, waren durch die Masse ziviler Flüchtlinge behindert. Die Straßen waren voll von zerstörten Fahrzeugen und herrenlosem Vieh. Die allgemeine Verwirrung ausnutzend, konnten die russischen Verbände stets durch die Hintertür eindringen, wo ihnen die Vordertür noch verschlossen war. Berichte deutscher Luftbeobachter beschrieben den russischen Vormarsch sehr lebhaft wie eine ungeheure Spinne, die zwischen den schlesischen Städten große Spinngewebe zog. Sie sprachen davon, daß sie endlose Kolonnen von Lastwagen mit Nachschub und Verstärkungen auf dem Marsch sahen, die sich bis weit nach Osten erstreckten.

Noch sensationeller in seinem Ausmaß und noch lebensgefährlicher für die Deutschen war Schukows Blitzvormarsch an der Mittelfront. Sozusagen eine schiefe Schlachtordnung herstellend, hatte er die Masse seiner Panzerverbände an seinen rechten Flügel verlegt. Diese fuhren in den Korridor zwischen Weichsel und Warthe und benutzten diese unerwartete Schwenkung, um die ganze Seenkette östlich von Gnesen am schmalsten Teil dieses Korridors zu besetzen, ehe die schmalen Landstriche verteidigt werden konnten. Ihr Vorstoß führte sie in den Rücken der berühmten Weichsel-Festung Thorn und am 23. Januar nach Bromberg. Andere Panzerverbände näherten sich der noch wichtigeren Stadt Posen. Als sie dort stärkeren Widerstand vorfanden, umgingen sie die Festung und fuhren nach Westen und Nordwesten weiter; bis Ende der Woche hatten sie die Grenzen der Mark Brandenburg und Pommerns erreicht — 340 Kilometer von Warschau und nur noch knapp 160 Kilometer von Berlin. Gleichzeitig war auch Schukows linker Flügel nach der Überquerung der Warthe mit Konjews rechtem Flügel gleichgezogen und hatte Kalisch genommen.

Die dritte Woche begann mit der Besetzung von Kattowitz und anderen großen Industriestädten Oberschlesiens durch Konjews linken Flügel, während sein rechter Flügel bei Steinau einen neuen Brückenkopf an der Oder bildete, 60 Kilometer nordwestlich von Breslau. Am 30. Januar überschritten Schukows Panzerspitzen die Grenze von Brandenburg und von Pommern und zerschlugen den Widerstand, den die Deutschen an der zugefrorenen Oder leisteten. Am 31. wurde Landsberg genommen, und Schukows Panzerspitzen, an der Stadt vorbeifahrend, erreichten den Unterlauf der Oder bei Küstrin — nur noch 60 Kilometer vom östlichen Stadtrand Berlins. Nur noch 600 Kilometer etwa trennten die Russen von den am weitesten vorgeschobenen Positionen ihrer westlichen Alliierten.

Dann endlich kam das Gesetz der überlangen Verbindungslinien den Deutschen zu Hilfe; es verminderte den russischen Druck an der Oder und verstärkte die Widerstandskraft der Mischung von regulären und Volkssturm-Truppen, die das deutsche Oberkommando zusammengekratzt hatte, um die Oder-Linie zu halten. Die hartnäckige Verteidigung Posens trug auch dazu bei, die Straßen zu blockieren, auf denen die Russen Nachschub und Verstärkung für ihre vorgeschobenen Verbände heranbringen konnten. Das Tauwetter in der ersten Februarwoche wirkte ebenfalls als eine Bremse, indem es die Straßen in Schlammwüsten verwandelte und die Oder auftaute — dadurch wurde ihre Bedeutung als Hindernis verstärkt. Obwohl Schukows Truppen am Ende der ersten Februarwoche auf breiter Front an der Oder aufgeschlossen hatten und in der Nähe von Küstrin und Frankfurt an der Oder den Fluß überschritten hatten, fehlte es ihnen an Schlagkraft, diese Brückenköpfe auszunutzen, und sie wurden auf engem Gelände am Westufer festgehalten.

Konjew versuchte jetzt eine große Flankenbewegung und einen schrägen Vormarsch auf Berlin. Ihre Brückenköpfe nördlich von Breslau erweiternd, brachen seine Truppen am 9. Februar nach Westen vor und schwenkten dann nach Nordwesten in einem Vormarsch auf breiter Front entlang des linken Oder-Ufers. Am 13. erreichten sie Sommerfeld, 130 Kilometer von Berlin. Am gleichen Tag fiel endlich Budapest, und die Russen machten dort, alles in allem, 110 000 Gefangene. Zwei Tage später, über 30 Kilometer weiter, erreichten sie die Neiße kurz vor ihrem Zusammenfluß mit der Oder und zogen so mit Schukows Spitzen gleich.

Doch die deutsche Verteidigung profitierte jetzt davon, daß sie auf die innere Linie zurückgenommen worden war, die von der Neiße und dem Unterlauf der Oder gebildet wird. An dieser Linie hatte die deutsche Front nur noch einen Bruchteil ihrer früheren Breite: gut 300 Kilometer von der Ostsee bis zu den Sudeten. Diese erhebliche Verkürzung glich weitgehend den Kräfteverlust aus, und die Deutschen hatten dadurch ein besseres Verhältnis von Kräften und Raum, als sie es jemals gehabt hatten, seit das Geschick sich gegen sie gewandt hatte. Hinter der russischen Front hielt sich Breslau und wirkte dadurch als eine Bremse für Konjews Vormarsch, ebenso wie Posen –, das am 23. Februar endlich kapitulierte –, aber vorher den Vormarsch Schukows gebremst hatte.

Konjew kam an der Neiße zum Stehen, während Schukows direkter Vormarsch immer noch am Unterlauf der Oder blockiert wurde. In der dritten Februarwoche wurde die Ostfront mit Hilfe deutscher Verstärkungen, die von der Westfront und aus dem Landesinnern herangebracht worden waren, wieder stabilisiert. An dieser Oder-Neiße-Linie blieben die Russen stehen, bis durch den deutschen Zusammenbruch am Rhein der letzte Akt des Krieges eingeläutet wurde.

Doch die von dem russischen Vormarsch ausgelöste große Krise hatte zu der schicksalsschweren Entscheidung der Deutschen geführt, zugunsten der Verteidigung an der Oder die Verteidigung am Rhein zu opfern; den Vorrang hatte die Absicht, die Russen fernzuhalten. Dabei war noch wichtiger als die Zahl der Divisionen, die von der Westfront zur Ostfront verlegt wurden, die Tatsache, daß alle Verstärkungen, die überhaupt zur Wiederauffüllung der dezimierten deutschen Verbände zusammengerafft werden konnten, jetzt an die Ostfront kamen. Dadurch wurde es der britisch-amerikanischen Offensive erleichtert, den Rhein zu erreichen und zu überschreiten.

KAPITEL 37

DER DEUTSCHE ZUSAMMENBRUCH IN ITALIEN

Obwohl die deutsche Position im Winter 1944/45 auf der Landkarte ähnlich aussah wie die ein Jahr zuvor und fast ebenso stark, wenn auch 300 Kilometer weiter nördlich, so gab es doch mehrere für die Alliierten günstige Faktoren. Ende 1944 hatten die Alliierten die Goten-Linie hinter sich gelassen; vor ihnen lag keine andere so gut befestigte und so natürlich starke Stellung, und sie waren daher in einer weit besseren Ausgangsposition für ihre Frühjahrsoffensive von 1945. Es gab aber noch andere wichtige Faktoren, welche die alliierten Armeen relativ stärker machten.

Im März, am Vorabend ihrer Frühjahrsoffensive, hatten die Alliierten 17 Divisionen und außerdem sechs italienische Kampfverbände. Die Deutschen hatten 23 Divisionen und vier sogenannte italienische Divisionen, die Mussolini in Norditalien ausgehoben hatte, seit er von den Deutschen befreit worden war — sie waren aber kaum größer als Kampfgruppen. Doch jeder solche Vergleich der Zahl von Divisionen gibt ein grundlegend falsches Bild des Kräfteverhältnisses. Zu der Kampfstärke der Alliierten gehörten auch sechs selbständige Panzerbrigaden und vier selbständige Infanteriebrigaden — gleichwertig mit drei oder vier zusätzlichen Divisionen.

Die tatsächlichen Truppenstärken kommen dem wahren Kräfteverhältnis näher. Die 5. und die 8. Armee hatten zusammen etwa 536 000 Mann, dazu 70 000 Italiener. Die Deutschen hatten insgesamt 419 000 Mann, dazu 108 000 Italiener; aber von den Deutschen waren 45 000 Mann bei der Polizei oder bei der Flak eingesetzt. Die Zahl der Kampftruppen und der wichtigsten Waffen ergibt einen noch besseren Vergleichsmaßstab. Als beispielsweise die 8. Armee im April ihre Offensive begann, besaß sie eine Überlegenheit von annähernd 2:1 an Kampftruppen (57 000 gegen 29 000), 2:1 an Artillerie (1220 Geschütze gegen 665) und über 3:1 an gepanzerten Fahrzeugen (1320 gegen 400).

Außerdem konnten sich die Alliierten der Hilfe von etwa 60 000 Partisanen bedienen, die hinter den deutschen Linien viel Verwirrung stifteten und die Deutschen zwangen, Truppen von der Front abzuzweigen.

Noch wichtiger aber war die jetzt absolute Luftherrschaft der Alliierten. Ihr strategischer Bombereinsatz hatte eine so lähmende Wirkung, daß deutsche Divisionen nur noch unter großen Schwierigkeiten aus Italien auf andere Kriegsschauplätze hätten verlegt werden können, selbst wenn Hitler dies befohlen hätte. Dazu kam noch die zunehmende Knappheit der Deutschen an Treibstoff für ihre Panzer- und motorisierten Verbände – eine Knappheit, die jetzt so akut wurde, daß sie nicht mehr wie früher schnell eingreifen konnten, um Lücken in der Front zu schließen, und auch nicht mehr in der Lage waren, verzögernde Rückzugsmanöver durchzuführen. Aber Hitler war ohnehin weniger gewillt als je, irgendeinen strategischen Rückzug zu genehmigen, selbst als ein solcher noch möglich gewesen wäre.

Die dreimonatige Kampfpause seit dem Ende der alliierten Herbstoffensive hatte große Veränderungen im Kampfgeist und in der Ausrüstung der alliierten Truppen bewirkt. Sie hatten gesehen, wie in überreichem Maß neue Waffen an die Front gelangten – amphibische Panzer, gepanzerte Lastwagen zum Mannschaftstransport (die »Kangaroos«), Landefahrzeuge mit Schleppvorrichtung (die »Fantails«-, Sherman- und Churchill-Panzer mit großkalibrigeren Kanonen als bisher, Flammenwerfer-Panzer und »Panzerbrecher«. Außerdem gab es große Mengen modernen Brückenbaugeräts und riesige Munitionsreserven.

Auf deutscher Seite war Feldmarschall Kesselring im Januar von langem Erholungsurlaub zurückgekehrt; aber im März wurde er als Nachfolger Feldmarschall von Rundstedts zum Oberbefehlshaber der Westfront ernannt. Vietinghoff ersetzte ihn nun endgültig als Oberbefehlshaber der Heeresgruppe C in Italien. General Herr übernahm den Befehl der 10. Armee, die den östlichen Teil der Front hielt, mit dem I. Fallschirmjägerkorps (fünf Divisionen- und dem LXXVI. Panzerkorps (vier Divisionen). General von Senger, der Oberbefehlshaber der 14. Armee, hielt den westlichen Teil der Front – der breiter war, da auch der Bologna-Abschnitt dazu gehörte – mit dem LI. Gebirgsjägerkorps (vier Divisionen), das den Frontabschnitt bei Genua und dem Mittelmeer hielt, während das XIV. Panzerkorps (drei Divisionen) Bologna abdeckte. Da zwei deutsche Divisionen im Rücken der Adria-Front und zwei hinter Genua standen, um gegen amphibische Landungen hinter der Front vorgehen zu können, hatte die Heeresgruppe nur eine Reserve von drei Divisionen; doch auch diese drei Divisionen waren dazu bestimmt, in solchen Fällen einzugreifen.

Auf der alliierten Seite stand gegenüber der deutschen 10. Armee der rechte Flügel von Mark Clarks 15. Heeresgruppe; er bestand aus der 8. Armee unter McCreery, die das britische V. Korps mit vier Divisionen, das polnische Korps mit zwei Divisionen, das britische X. Korps (jetzt nicht viel mehr als ein Skelett mit zwei italienischen Kampfgruppen), eine jüdische Brigade und die von General Lovat befehligten »Pathfinder«-Verbände umfaßte, dazu das britische XIII. Korps, das praktisch nur noch die 10. indische Division enthielt. Die 6. Panzerdivision bildete die Reserve. Am westlichen Teil der Front stand die 5. Armee, jetzt unter dem Befehl von General Truscott; sie bestand aus dem II. US-Korps mit vier Divisionen, dem IV. US-Korps mit drei Divisionen und zwei weiteren Divisionen in Reserve, der 1. amerikanischen und der 6. südafrikanischen Panzerdivision.

Das Ziel und das Hauptproblem der alliierten Planer war, die deutschen Streitkräfte zu überrennen, bevor sie sich über den Po zurückziehen konnten. Dies konnte am besten von den Panzern in dem etwa 50 Kilometer breiten flachen Gelände zwischen dem Unterlauf des Reno und dem Po erreicht werden. (Anfang Januar, als es eine kurze Periode trockenen Wetters gab, hatte die 8. Armee bis zum Senio aufgeschlossen, der in der Nähe der Adriaküste in den Reno fließt.) Man hoffte, die 8. Armee würde durch die Einnahme des Abschnitts Bastia-Argenta westlich des Comacchio-Sees den Weg in die Poebene freikämpfen können. Die 5. Armee sollte dann einige Tage später im Raum Bologna angreifen; die beiden vereinigten Vorstöße sollten die Rückzugslinie der Deutschen abschneiden und sie einkesseln. Der 9. April wurde für den Beginn der alliierten Offensive festgesetzt.

Der Schlachtplan der 8. Armee war zwar kompliziert, aber geschickt entworfen. Simulierte Vorbereitungen für eine angebliche Landung nördlich des Po sollten die Aufmerksamkeit Vietinghoffs und seine Reserven dorthin lenken. Im Rahmen dieses Täuschungsmanövers nahmen Kommandotruppen und die 24. Gardebrigade Anfang April den flachen Sandstreifen zwischen Comacchio-See und dem Meer, und einige Tage später besetzte eine amphibische Spezialtruppe die kleinen Inseln in diesem großen Binnengewässer.

Den Hauptangriff sollten aber das britische V. Korps und das polnische Korps über den Senio hinweg führen. Das erstere sollte noch ziemlich weit am Oberlauf des Senio durchbrechen in der Hoffnung, die Deutschen dort aus dem Gleichgewicht zu bringen; ein Teil des Korps sollte dort nach rechts gegen die Flanke des Raumes Bastia-Argenta westlich des Comacchio-Sees schwenken, während ein anderer Teil nordwestlich vorrücken sollte, um Bologna von Norden zu umgehen und abzuschneiden. Die Polen sollten entlang der Nationalstraße Nr. 9, der Via Emilia, direkt auf Bologna vorrücken. Die 56. Division am rechten Flügel des V. Korps erhielt die Aufgabe, die Linie Bastia-Argenta (das sogenannte Loch von Argenta) durch eine Kombination von direktem Angriff und Umfassungsmanövern der »Fantails« über den Comacchio-See hinweg zu stürmen. Der linke Flügel der 8. Armee mit den Skeletten des X. und XIII. Korps sollte am Monte Battaglia vorbei nach Norden vorstoßen, bis er sich von dem sich vereinigenden Vormarsch der Polen und der Amerikaner eingeholt wurde; die 13. Panzerdivision sollte sich dann mit der 6. Panzerdivision zur Ausweitung des Durchbruchs vereinigen.

Nachdem die vorbereitenden Operationen auf der Sandbank und am Comacchio-See Vietinghoffs Aufmerksamkeit auf den Küstenabschnitt gelenkt hatten, begann am Nachmittag des 9. April ein Großangriff von etwa 800 schweren Bombern und 1000 mittleren Bombern und Jabos, während 1500 Geschütze sich zu fünf konzentrierten Feuerstößen von je 42 Minuten Dauer mit 10 Minuten Pause vereinigten — aus diesem Grunde nannte man dies eine »Blinder-Alarm«-Beschießung. Dann rückte zur Abenddämmerung die Infanterie vor, während die taktische Luftwaffe die Deutschen bewegungsunfähig machte. Die Deutschen waren konsterniert durch diesen Masseneinsatz von Bomben und Geschossen, und die flammenwerfenden Panzer, welche die Infanterie begleiteten, waren eine furchterweckende Neuerung. Am 12. April hatte General Keightleys V. Korps den Santerno überschritten und rückte weiter vor. Obwohl der Widerstand sich versteifte, als sich die Deutschen von dem ersten Schock erholt hatten, wurde die Brücke von Bastia am 14. genommen, ehe sie gesprengt werden konnte. (Die »Fantails« waren im Comacchio-See mit seinem seichten Wasser und weichen Boden eine Enttäuschung gewesen, aber bewährten sich weit besser in dem überschwemmten Gebiet beim »Loch von Argenta«.) Dennoch konnten die Briten erst am 18. endgültig dort durchstoßen. Die Polen stießen auf noch härteren Widerstand der deutschen 1. Fallschirmjägerdivision, konnten aber schließlich auch diese hervorragende Truppe überwinden.

Der Beginn der Offensive der 5. Armee verzögerte sich bis zum 14. April durch schlechtes Wetter, insbesondere schlechtes Flugwetter für die unterstützenden Flugzeuge, und sie mußte noch mehrere Bergketten überwinden, bevor sie bei Bologna die Ebene erreichte. Am 15. wurde ihr Vormarsch durch den Abwurf von 2300 t Bomben unterstützt — eine Rekordzahl für den ganzen Italien-Feldzug. Doch die deutsche 14. Armee leistete noch zwei weitere Tage zähen Widerstand; erst am 17. gelang der 10. Gebirgsjägerdivision des IV. US-Korps ein Durchbruch, und sie stieß dann bis zur großen Ostweststraße, der Nationalstraße Nr. 9, vor. In zwei Tagen brach jetzt die ganze deutsche Front zusammen; die Amerikaner erreichten die Stadtgrenze von Bologna, während ihre Panzerspitzen noch weiter in Richtung auf den Po vorstießen.

Das Gros der Streitkräfte Vietinghoffs war an der Front eingesetzt, und er hatte wenig Reserven — und noch weniger Treibstoff –, um einen alliierten Durchbruch aufzuhalten. Es war nicht mehr möglich, die Front zu stabilisieren oder auch nur die Streitkräfte rechtzeitig zurückzunehmen. Die einzige Hoffnung auf Rettung der Truppen wäre ein großer Rückzug gewesen. Doch Hitler hatte sogar General Herrs Vorschlag einer elastischen Verteidigung durch taktischen Rückzug von einem Fluß bis zum nächsten abgelehnt – dies hätte den Vormarsch der britischen 8. Armee erheblich beeinträchtigt. Am 14. April, unmittelbar vor Beginn der amerikanischen Offensive, hatte Vietinghoff bereits die Erlaubnis erbeten, sich über den Po zurückzuziehen, bevor es zu spät war. Sein Gesuch wurde selbstverständlich abgelehnt, aber am 20. befahl er einen solchen Rückzug auf eigene Verantwortung.

Doch da war es schon viel zu spät. Die drei alliierten Panzerdivisionen hatten mit zwei großen Zangenbewegungen den größten Teil der feindlichen Kräfte abgeschnitten und eingeschlossen. Obwohl viele deutsche Soldaten sich retten konnten, indem sie den breiten Po durchschwammen, war es doch nicht mehr möglich, eine neue Frontlinie zu bilden. Am 27. April überschritten die vorrückenden Briten auch den Etsch und durchstießen die venetianische Verteidigungslinie vor Padua und Venedig.

Die Amerikaner, die noch schneller vorstießen, hatten am Tag zuvor schon Verona genommen. Einen Tag früher, am 25. April, begann ein allgemeiner Aufstand der italienischen Partisanen, und überall wurden die Deutschen von ihnen angegriffen. Am 28. April waren von ihnen schon alle Alpenübergänge gesperrt – es war der Tag, an dem Mussolini und seine Geliebte Clara Petacci in der Nähe des Comer Sees von einer Partisanengruppe gefangengenommen und erschossen wurde. Überall ergaben sich jetzt die deutschen Truppen, und nach dem 25. April stieß der alliierte Vormarsch kaum noch auf Widerstand. Die Neuseeländer erreichten am 29. April Venedig und am 2. Mai Triest – wo ihre Hauptsorge nicht mehr die Deutschen, sondern die Jugoslawen waren.

Heimliche Verhandlungen über eine Kampfeinstellung an der Italien-Front hatten schon im Februar begonnen. Die Initiative dazu hatte SS-Obergruppenführer Karl Wolff ergriffen, der Befehlshaber der SS in Italien, und auf der anderen Seite wurden sie von Allen W. Dulles geführt, dem Chef der amerikanischen Office of Strategic Services (OSS). Die Verhandlungen begannen in der Schweiz zuerst über italienische und Schweizer Mittelsmänner, dann gab es aber auch direkte Gespräche. Wolffs Motive scheinen in einer Kombination des Wunsches, weitere sinnlose Verluste in Italien zu vermeiden, mit dem Gedanken eines Bündnisses mit den Westmächten zur Abwehr des Kommunismus bestanden zu haben. Dieser Gedanke war damals bei vielen Deutschen lebendig. Die Bedeutung Wolffs lag nicht nur in seiner hohen Stellung in der SS, sondern auch darin, daß er das Gebiet hinter der Front kontrollierte und dadurch eventuelle Pläne Hitlers zunichte machen konnte, sich in den Alpen ein befestigtes Gebiet für den Endkampf zu schaffen.

Die Unterhandlungen wurden verzögert, als auf deutscher Seite Vietinghoff zum Nachfolger Kesselrings ernannt wurde und als auf alliierter Seite die Russen den Wunsch nach Teilnahme äußerten; auf beiden Seiten störte auch das gegenseitige Mißtrauen, das stets mit solchen heimlichen Verhandlungen verbunden ist. Obwohl im März die Gespräche gute Fortschritte machten, wurden Wolffs Bemühungen Anfang April durch einen Befehl Himmlers auf Eis gelegt. Und als am 8. April auch Vietinghoff sich entschloß, eine Kapitulation zu erwägen, konnte diese nicht mehr rechtzeitig zustande gebracht werden, um die alliierte Offensive zu verhindern.

Bei einem Zusammentreffen am 23. April beschlossen Vietinghoff und Wolff jedoch, Befehle aus Berlin zur Fortsetzung des Widerstandes zu ignorieren und die Kapitulationsverhandlungen wiederaufzunehmen. Am 25. befahl Wolff seinen SS-Verbänden, der Machtübernahme durch die Partisanen keinen Widerstand mehr entgegenzusetzen – und Marschall Graziani erklärte die Bereitschaft der faschistischen Verbände zur Kapitulation. Am 29. April, 2 Uhr nachmittags, unterzeichneten deutsche Bevollmächtigte ein Dokument, das die bedingungslose Kapitulation für den 2. Mai, 12 Uhr mittags (2 Uhr nachmittags italienischer Zeit) vorsah. Trotz einer Intervention Kesselrings in letzter Minute trat diese Kapitulation vereinbarungsgemäß in Kraft – sechs Tage vor der deutschen Kapitulation an der Westfront. Wenn auch der militärische Erfolg der Alliierten schon den Sieg gesichert hatte, so ebnete dies doch den Weg zu einer rascheren Beendigung der Kampfhandlungen, die Menschenleben schonte und sinnlose Zerstörungen verhinderte.

KAPITEL 38

DAS ENDE DEUTSCHLANDS

Hitler hatte die Westfront entblößt und den größeren Teil seiner ihm verbliebenen Kräfte und Reserven nach Osten abgezweigt, um die Oder-Linie gegen die Russen zu halten – in der Annahme, die westlichen Alliierten wären nicht mehr in der Lage, nach dem vermeintlich lähmenden Schlag seiner Ardennen-Offensive, verbunden mit den neuen fliegenden Bomben, den V-Waffen, und dem Raketenbeschuß des Stützpunktes Antwerpen, wieder die Offensive zu ergreifen. Daher wurde der größte Teil der aus deutschen Fabriken und Instandsetzungsstätten fließenden Ausrüstung nach Osten geschickt. Doch zu derselben Zeit bauten die Westmächte eine überwältigende Streitmacht für einen Angriff auf den Rhein auf. Bei dieser neuen Großaktion war die offensive Hauptrolle Montgomerys zugedacht; außer seinen eigenen zwei Armeen, der 1. kanadischen und der 2. britischen, wurde ihm auch die 9. US-Armee unterstellt. Diese Entscheidung wurde von den meisten amerikanischen Generalen lebhaft mißbilligt; sie glaubten, Eisenhower habe den Forderungen Montgomerys und der Briten zum Schaden ihrer eigenen Interessen nachgegeben.

Dieser Unwille spornte sie aber zu noch kräftigeren Anstrengungen auf ihren Abschnitten an; denn sie wollten zeigen, was sie konnten. Und am Ende hatten gerade diese Anstrengungen durchschlagende Erfolge, da sie mit Kräften unternommen wurden, die zwar geringer waren als die riesigen Streitkräfte Montgomerys, aber doch weit größer als die Kräfte, welche die Deutschen ihnen noch entgegenstellen konnten.

Am 7. März durchbrachen die Panzer von Pattons 3. US-Armee die schwache deutsche Verteidigung in der Eifel und erreichten bei Koblenz den Rhein nach einem Vorstoß von 95 Kilometern in drei Tagen. Für den Augenblick wurden sie dort aufgehalten, da die Rheinbrücken vor ihrer Ankunft gesprengt worden waren. Doch ein kurzes Stück weiter nördlich hatte eine kleine Panzerspitze der benachbarten 1. US-Armee eine unverteidigte Lücke gefunden und war so schnell vorausgerast, daß die Brücke bei Remagen erreicht und genommen wurde, bevor sie gesprengt werden konnte. Umfangreiche Kräfte wurden hierher dirigiert und schufen einen strategisch wichtigen Brückenkopf am rechten Rheinufer.

Als diese Nachricht General Bradley, den Befehlshaber der Heeresgruppe, erreichte, erfaßte er schnell die Gelegenheit, die sich hier bot, die ganze feindliche Verteidigungslinie am Rhein zu überrumpeln — triumphierend rief er am Telefon aus: »Zum Teufel, das wird den Feind weit aufreißen.« Aber Eisenhowers Operationschef, der gerade Bradleys Hauptquartier besuchte, dämpfte seinen Enthusiasmus und sagte: »Sie werden dort bei Remagen nichts unternehmen — es paßt nicht in unseren Plan.« Und am nächsten Tag erhielt Bradley den klaren Befehl, keine großer Kräfte in diesen Brückenkopf zu werfen.

Dieser Haltebefehl wurde um so mehr bedauert, als auch die 9. US-Armee, nachdem sie vier Tage vorher in der Nähe von Düsseldorf den Rhein erreicht hatte, von Montgomery an der sofortigen Flußüberquerung gehindert worden war, die ihr Befehlshaber General Simpson gewünscht und vorgeschlagen hatte. Die Ungeduld mit einem solchen Zaudern dem Plan zuliebe wuchs von Tag zu Tag, da Montgomerys großer Hauptangriff auf den Rhein erst für den 24. März, drei Wochen später, geplant war.

Daher schwenkte jetzt Patton mit Bradleys Zustimmung nach Süden, um die deutschen Truppen westlich des Rheins aufzurollen und gleichzeitig den besten Platz für eine baldige Flußüberquerung auszusuchen. Bis zum 21. März hatte Patton das ganze Westufer des Rheins auf einer 110 Kilometer breiten Strecke zwischen Koblenz und Mannheim vom Feind gesäubert und die deutschen Truppen in diesem Raum eingeschlossen, bevor sie sich über den Fluß zurückziehen konnten. In der Nacht darauf überquerten seine Truppen den Rhein fast ohne Widerstand bei Oppenheim zwischen Mainz und Mannheim.

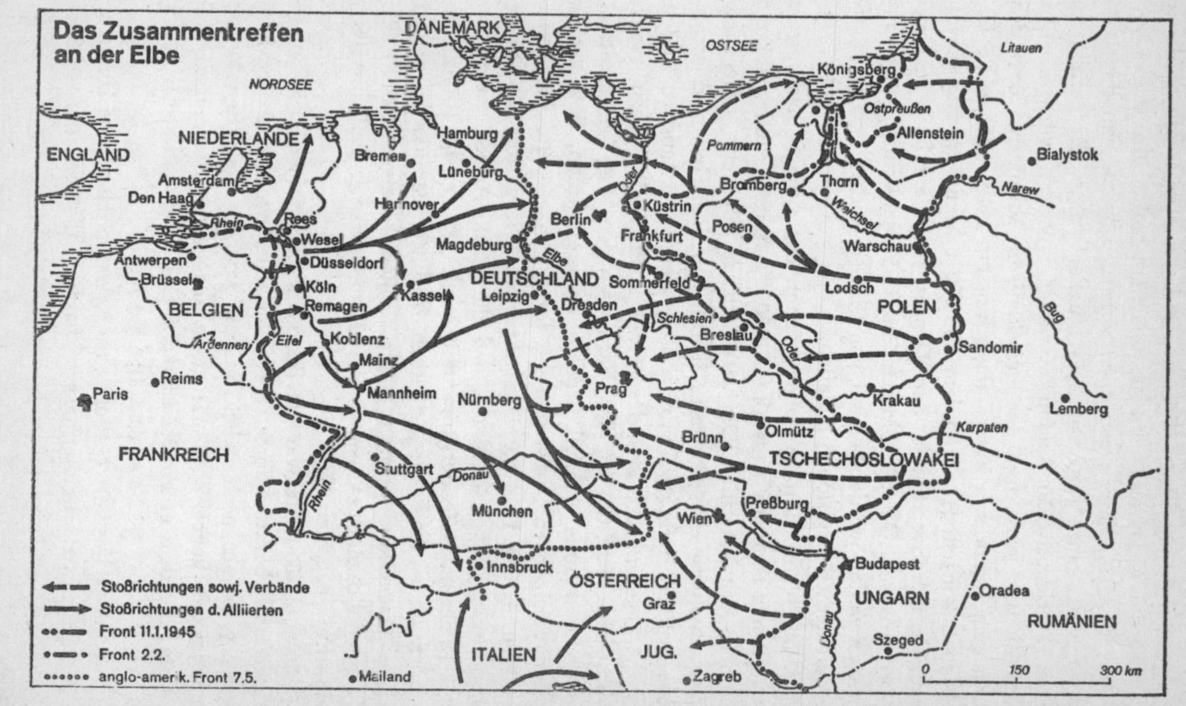
Das Zusammentreffen
an der Elbe
DÄNEMARK
OSTSEE
NORDSEE
Litauen
Königsberg
Ostpreußen
Allenstein
Bialystok
Narew
NIEDERLANDE
ENGLAND
Hamburg
Bremen
Lüneburg
Pommern
Bromberg
Thorn
Weichsel
Amsterdam
Den Haag
Hannover
Rees
Rhein
Oder
Küstrin
Berlin
Posen
Wesel
Frankfurt
Warschau
Magdeburg
Antwerpen
Düsseldorf
Elbe
Brüssel
Köln
DEUTSCHLAND
Sommerfeld
Lodsch
Kassel
Leipzig
Dresden
BELGIEN
Remagen
Schlesien
POLEN
Bug
Breslau
Eifel
Koblenz
Ardennen
Sandomir
Mainz
Reims
Paris
Mannheim
Prag
Krakau
Nürnberg
Lemberg
Olmütz
Karpaten
Brünn
FRANKREICH
TSCHECHOSLOWAKEI
Stuttgart
Donau
München
Preßburg
Wien
Budapest
Innsbruck
ÖSTERREICH
Oradea
Graz
UNGARN
RUMÄNIEN
ITALIEN
JUG.
Szeged
Mailand
Zagreb
0
150
300 km
Stoßrichtungen sowj. Verbände
Stoßrichtungen d. Alliierten
Front 11.1.1945
Front 2.2.
anglo-amerik. Front 7.5.

Als Hitler von diesem überraschenden Schlag erfuhr, forderte er sofortige Gegenmaßnahmen; aber man mußte ihm sagen, daß keine Reserven mehr vorhanden waren und daß, um das Loch zu stopfen, ganze fünf Panzer verfügbar waren, die zufällig in einer Werkstatt 150 Kilometer weiter repariert wurden. »Der Schrank war leer«, und der amerikanische Vormarsch über den Rhein im Raum von Wesel abgeschlossen. Hier hatte er 25 Divisionen konzentriert, nachdem 250 000 t Munition und gewaltige Nachschubvorräte in den Depots am Westufer angehäuft worden waren. Der 50 Kilometer breite Flußabschnitt, wo er angreifen wollte, wurde aber nur von fünf schwachen und erschöpften deutschen Divisionen gehalten.

In der Nacht zum 23. März begann der Angriff nach einem gewaltigen Feuerstoß aus über 3000 Geschützen und mehreren Bomber-Angriffswellen. Die vorauseilende Infanterie, unterstützt von schwimmenden Panzern, überquerte den Fluß und errichtete Brückenköpfe am Ostufer, ohne viel Widerstand zu finden. Nach Tagesanbruch wurden zwei Luftlandedivisionen weiter vorne abgesetzt, um für den Vormarsch den Weg freizumachen, während dahinter schnell Brücken gebaut wurden, über welche die nachfolgenden Divisionen mit ihren Panzern und Transportfahrzeugen den Fluß passieren konnten. Wie gering der Widerstand war, zeigte sich darin, daß die 9. US-Armee, welche die Hälfte der angreifenden Infanterie stellte, knapp 40 Tote zu beklagen hatte. Auch die britischen Verluste waren sehr gering; zäher Widerstand erfolgte nur an einem einzigen Punkt, dem Rheinstädtchen Rees, wo ein Bataillon deutscher Fallschirmjäger sich drei Tage hielt.

Bis zum 28. März war der Brückenkopf auf fast 50 Kilometer Breite und über 30 Kilometer Tiefe erweitert worden. Aber Montgomery, immer noch voller Respekt vor der deutschen Widerstandskraft, genehmigte erst einen allgemeinen Vormarsch nach Osten, nachdem er im Brückenkopf eine Streitmacht von 20 Divisionen und 1500 Panzern aufgebaut hatte.

Als dieser Vormarsch aber begann, waren das ärgste Hindernis die ungeheuren Trümmermassen, die durch die übermäßigen Bombenangriffe der alliierten Luftwaffe geschaffen worden waren, die somit die Vormarschstraßen weit wirksamer selbst blockierten, als es der Feind noch tun konnte. Denn jetzt war es der überwiegende Wunsch der Deutschen, sowohl der Truppen als auch der Bevölkerung, daß die Briten und Amerikaner so schnell wie möglich nach Osten vorstießen, um Berlin zu erreichen und so viel von Deutschland wie möglich zu besetzen, ehe die Russen die Oder-Linie durchbrechen konnten. Nur wenige waren geneigt, Hitler bei seiner Taktik der Obstruktion durch Selbstzerstörung zu folgen.

Am Vorabend des alliierten Übergangs über den Rhein hatte Hitler einen Befehl erteilt, den Kampf »ohne Rücksicht auf unsere eigene Bevölkerung« zu führen. Seine Gauleiter wurden angewiesen, »alle Industriebetriebe, alle Elektrizitätswerke, Wasser- und Gaswerke sowie alle Lebensmittelvorräte« zu vernichten, um vor dem Weg der Alliierten eine »Wüste« zu schaffen.

Jedoch sein eigener Rüstungsminister Albert Speer protestierte sofort gegen diesen Befehl. Auf seinen Protest erwiderte Hitler: »Wenn der Krieg verloren geht, dann wird auch das deutsche Volk zugrunde gehen. Daher ist es nicht nötig, darauf Rücksicht zu nehmen, was das Volk für sein Weiterleben braucht.« Entsetzt über diesen Zynismus wurde Speer in seiner Loyalität zu Hitler erschüttert. Hinter Hitlers Rücken suchte er die militärischen Befehlshaber und die Industrieführer auf und überredete sie ohne große Schwierigkeit, die Durchführung von Hitlers Befehl zu sabotieren.

Doch als das Ende jetzt näher kam, wuchsen auch Hitlers Illusionen wieder, und fast bis zur letzten Stunde rechnete er auf ein Wunder, das ihn retten würde. Er liebte es, das Kapital aus Carlyles »Geschichte Friedrichs des Großen« zu lesen oder sich vorlesen zu lassen, das erzählt, wie Friedrich in seiner schwärzesten Stunde, als seine Armeen dem Zusammenbruch nahe waren, durch den plötzlichen Tod der Kaiserin von Rußland gerettet wurde, der zum Auseinanderfall der feindlichen Allianz führte. Hitler studierte auch Horoskope, die voraussagten, ein Unglück im April würde durch einen plötzlichen Wechsel des Geschicks abgelöst und im August ein befriedigendes Kriegsende herbeigeführt werden.

Um die Mitternacht des 12. April erreichte Hitler die Nachricht, daß Präsident Roosevelt plötzlich gestorben war. Goebbels gab ihm die Nachricht telefonisch durch und sagte: »Mein Führer, ich beglückwünsche Sie. Das Schicksal hat Ihren größten Feind ausgeschaltet. Gott hat uns nicht aufgegeben.« Dies war, so schien es, das Wunder, auf das Hitler gewartet hatte – eine Wiederholung der russischen Zarin gerade zum kritischsten Zeitpunkt des Siebenjährigen Krieges. Hitler war überzeugt, daß die (wie Churchill es nannte) »Große Allianz« zwischen den Westmächten und Sowjetrußland jetzt an dem Gegensatz der rivalisierenden Interessen zerbrechen würde.

Aber diese Hoffnung ging nicht in Erfüllung, und knapp drei Wochen später sah sich Hitler genötigt, sich das Leben zu nehmen – wie es Friedrich der Große vorhatte, bis sein »Wunder« geschah und sein Schicksal wendete.

Anfang März hatte Marschall Schukow seinen Brückenkopf am linken Oder-Ufer verbreitert; aber noch gelang es ihm nicht, dort auszubrechen. Der russische Vormarsch an den äußersten Flanken ging freilich weiter, und Mittel April zogen die Russen in Wien ein. Unterdessen war die deutsche Front im Westen zusammengebrochen, und die alliierten Armeen stießen vom Rhein aus nach Osten vor, ohne nennenswerten Widerstand zu finden. Am 11. April erreichten sie die Elbe, knapp 100 Kilometer vor Berlin.

Hier blieben sie stehen. Und am 16. April nahm Schukow im Zusammenwirken mit Konjew, der den Übergang über die Neiße erzwang, seine Offensive wieder auf. Diesmal brachen die Russen aus ihren Brückenköpfen aus, und innerhalb einer Woche waren sie schon in den östlichen Vororten von Berlin – wo Hitler beschlossen hatte, persönlich den Endkampf zu führen. Am 25. April war die Stadt von den beiden Armeen Schukows und Konjews völlig eingeschlossen, und am 27. trafen Konjews Panzerspitzen an der Elbe mit den Amerikanern zusammen. Doch in

Berlin selbst leisteten die Deutschen noch zähen Widerstand, Straße für Straße; dieser Widerstand wurde erst endgültig überwunden, als der Krieg nach Hitlers Selbstmord mit Deutschlands bedingungsloser Kapitulation geendet hatte.

Offiziell endete der Krieg in Europa um Mitternacht am 8. Mai 1945. Doch in Wirklichkeit war dies nur die endgültige formelle Anerkennung eines Kriegsendes, das in der Woche vorher stückweise erfolgt war. Am 2. Mai hatten die Kampfhandlungen an der Südfront in Italien aufgehört, wo das Kapitulationsdokument schon drei Tage vorher unterzeichnet worden war. Am 4. Mai wurde in Montgomerys Hauptquartier in der Lüneburger Heide eine ähnliche Kapitulation von den Befehlshabern der deutschen Streitkräfte in ganz Nordwesteuropa unterzeichnet. Am 7. Mai wurde dann die letzte Kapitulationsurkunde, die sich auf sämtliche deutsche Streitkräfte bezog, in Eisenhowers Hauptquartier in Reims unterzeichnet — dies war ein zeremonieller Akt in Anwesenheit von russischen ebenso wie von amerikanischen, britischen und französischen Vertretern.

Diesen Kapitulationsformalitäten war der Tod Hitlers vorausgegangen. Am 30. April, einen Tag nach seiner Eheschließung mit der treuen Eva Braun, hatte er zusammen mit ihr in den Ruinen der Reichskanzlei in Berlin Selbstmord begangen, als ihm gemeldet wurde, daß die Russen schon in die Nähe gekommen waren. Die beiden Leichname wurden, seiner Anordnung gemäß, im Garten der Reichskanzlei unverzüglich verbrannt.

Von den drei offiziellen Kapitulationsurkunden war die erste die wichtigste; denn der Waffenstillstand an der Italien-Front wurde unterzeichnet, als Hitler noch lebte, in klarem Widerspruch zu seinen Befehlen. Dies war auch der Abschluß heimlicher Kapitulationsverhandlungen, die an dieser Front schon zwei Monate vorher begonnen hatten. Die deutschen Führer in Deutschland selbst waren aber Hitler zu nahe, um einen solchen Schritt wagen zu können, obwohl sie schon seit langem in vertraulichen Gesprächen seine Notwendigkeit erörtert hatten.

Viele der deutschen militärischen Führer hatten schon nach der alliierten Landung in der Normandie im Sommer 1944 die Hoffmung verloren. So gut wie alle hatten keine Hoffnung und keinen Kampfwillen mehr, nachdem Anfang 1945 ihre Gegenoffensive in den Ardennen gescheitert war und die Russen nach Ostdeutschland eingebrochen waren. Sie kämpften weiter in der Hauptsache aus Angst – Angst, ihren soldatischen Treueeid auf Hitler zu brechen, Angst vor seinem Zorn, Angst, wegen Ungehorsams gehängt zu werden, aber auch Angst vor der harten Strafe, welche die Alliierten nach ihrem Sieg im Zeichen der »bedingungslosen Kapitulation« dem Feind androhten.

In den letzten Monaten wurde der Krieg fast ausschließlich nur noch wegen Hitlers unerschütterlichem Kampfwillen weitergeführt. Er hätte viel früher enden können, wenn die Westmächte weniger starr in ihrer Forderung nach bedingungsloser Kapitulation und besser unterrichtet über deren Wirkung auf die deutsche Mentalität gewesen wären. Eine Lockerung dieser starren Haltung und maßvolle Zusicherungen über die Behandlung der besiegten Deutschen hätten sehr wahrscheinlich eine so gewaltige Flut von Kapitulationen zur Folge gehabt, angeführt von den militärischen Befehlshabern, daß die deutsche Front rasch zusammengebrochen wäre und das Nazi-Regime mit ihr. Hitler hätte dann keine Macht mehr gehabt, den Kampf fortzusetzen.

KAPITEL 39

DER ZUSAMMENBRUCH JAPANS

Zwei Faktoren trugen gemeinsam zur Niederlage Japans bei, und beide bedeuteten in ihrer Wirkung eine langsame Erdrosselung: der Seekrieg – oder, genauer gesagt, der Unterseekrieg – und der Luftkrieg. Von beiden gewann zunächst der erstere entscheidende Bedeutung.

Das japanische Reich war im Kern ein Seereich und noch stärker von überseeischen Einfuhren abhängig als das britische Empire. Japans Fähigkeit, Krieg zu führen, hing von der Einfuhr großer Mengen von Öl, Eisenerz, Bauxit, Kokskohle, Nickel, Manganerz, Aluminium, Zinn, Kobalt, Blei, Phosphat, Graphit, Pottasche, Baumwolle und Kautschuk ab; alle diese Einfuhren mußten auf dem Seeweg erfolgen. Außerdem mußte Japan zur Ernährung seiner Bevölkerung den größten Teil seines Bedarfs an Zucker und Sojabohnen, 20 Prozent seines Weizen- und 17 Prozent seines Reisbedarfs einführen.

Dennoch trat Japan in den Krieg mit einer Handelsmarine ein, die nur knapp 6 Millionen BRT umfaßte – erheblich weniger als ein Drittel der britischen Handelsmarine von 1939, die etwa 9500 Schiffe mit insgesamt 21 Millionen BRT zählte. Außerdem hatte Japan, trotz seiner expansionistischen Pläne und ungeachtet der Lehren, die es aus den ersten zwei Jahren des Weltkrieges hätte ziehen können, wenig zur Organisation eines ausreichenden Schutzes für seine Schiffahrt getan. Es gab kein Geleitzugsystem und keine Begleit-Flugzeugträger. Erst nachdem die japanische Schiffahrt schon schwer durch den Krieg gelitten hatte, wurden ernsthafte Anstrengungen unternommen, diese Unterlassungen nachzuholen.

Infolgedessen wurde die japanische Schiffahrt zu einem bequemen Angriffsziel für die amerikanischen U-Boote. In der ersten Phase des Pazifik-Krieges wurde dies durch die Kinderkrankheiten der amerikanischen U-Boot-Torpedos gemildert; aber nach

Behebung dieser Mängel wurde die amerikanische U-Boot-Offensive geradezu zu einem Massaker. Während die japanischen U-Boote ihre Angriffe auf Kriegsschiffe konzentrierten und später dazu dienen mußten, die vom Feind abgeschnittenen Inselbesatzungen mit Nachschub zu versorgen, griffen die amerikanischen U-Boote in erster Linie Handelsschiffe an. Im Jahre 1943 versenkten sie 296 Schiffe mit insgesamt 1 395 000 BRT; im Jahr 1944 wurde ihr Feldzug noch erfolgreicher: allein im Oktober versenkten sie 321 000 BRT. Die Auswirkung war zudem um so größer, als sich die Angriffe in erster Linie gegen japanische Tanker richteten. Ein Ergebnis war, daß das Gros der japanischen Kriegsmarine in Singapur blieb, um den Ölquellen näher zu sein, während in Japan selbst die Ausbildung der Luftwaffenpiloten durch den Benzinmangel schwer beeinträchtigt wurde.

Die amerikanischen U-Boote fügten aber auch der japanischen Kriegsmarine schwere Verluste zu; auf ihr Konto entfiel etwa ein Drittel der Kriegsschiffe, die versenkt wurden. In der Seeschlacht bei den Philippinen versenkten sie zwei japanische Flugzeugträger, die »Taiho« und »Schokaku«, und in den letzten Monaten des Jahres 1944 wurden drei weitere Flugzeugträger und fast 40 Zerstörer von ihnen versenkt oder für den Rest des Krieges kampfunfähig gemacht.

Zu der Zeit, als die amerikanischen U-Boote von der Subic-Bucht in Luzon aus operierten, war der größte Teil der japanischen Handelsmarine schon vernichtet, und gute Ziele wurden jetzt so selten, daß ein Teil der U-Boot-Flotte eingesetzt wurde, um Bomberbesatzungen aufzufischen, die beim Rückflug von Angriffen auf Japan im Meer notlanden mußten.

Alles in allem war der Beitrag der amerikanischen U-Boot-Waffe zur Kriegsführung gewaltig – nicht zum wenigsten auch dadurch, daß sie die japanischen Bemühungen vereitelte, militärische Verstärkungen und Nachschub zu den abgeschnittenen Besatzungen im Pazifik zu bringen. Doch ihre größte Leistung blieb die Versenkung von 60 Prozent der 8 Millionen Tonnen japanischen Schiffsraums, die im Krieg vernichtet wurden. Dies war der entscheidende Faktor bei Japans schließlichem Zusammenbruch

— entscheidend dadurch, daß seine wirtschaftliche Schwäche und seine Abhängigkeit von überseeischer Einfuhr in optimaler Weise ausgenutzt wurde.

Okinawa – das Tor zu Japan

Die letzten Vorbereitungen für den amphibischen Angriff auf Okinawa, der den Namen »Operation Eisberg« erhielt, waren schon im Gange, ehe die Einnahme von Iwojima abgeschlossen war. Der Tag für die Landung wurde auf den 1. April 1945 festgesetzt — knapp sechs Wochen nach der Landung auf Iwojima. Okinawa ist eine große Insel, die größte der Ryukyu-Gruppe, knapp 100 Kilometer lang und im Durchschnitt 12 Kilometer breit, groß genug, um eine gute militärische und maritime Basis für eine Invasion Japans abzugeben. Es liegt genau in der Mitte zwischen Formosa (Taiwan) und Japan, rund 540 Kilometer von beiden und 570 Kilometer von der Küste Chinas entfernt, so daß eine auf Okinawa stationierte Streitmacht alle diese drei Ziele bedrohte, während die Luftwaffe von der Insel aus die Zugangswege zu allen drei beherrschen konnte.

Die Insel ist bergig und bewaldet, außer in Teilen des Südens, wo die Flugplätze angelegt waren — und selbst dort konnten die Kalksteinhügel leicht ausgeschaltet werden. Sie besaß daher von Natur eine starke Verteidigungsstellung. Diese war noch erhöht durch die Verstärkung der Besatzung, der 32. Armee General Uschijimas, auf rund 77 000 Mann Kampftruppen und 20 000 Mann Versorgungseinheiten; außerdem gab es in den Höhlenstellungen sowohl leichte als auch schwere Artillerie in großer Zahl. Das japanische Oberkommando war entschlossen, Okinawa mit allen verfügbaren Kräften zu verteidigen, und es wählte dazu die Taktik hartnäckigen Widerstandes im Innern — ebenso wie auf Iwojima: Es sollten keine Kräfte bei einem Kampf an der Küste verausgabt werden, wo die amerikanischen Kriegsschiffe die japanischen Truppen zerfetzen konnten. Für eine Gegenoffensive hatte das Kaiserliche Hauptquartier über 2000 Flugzeuge auf Flugplätzen in Japan und Formosa in Reserve gehalten, und es plante, in größerem Stil als je zuvor dabei die Kamikaze-Taktik anzuwenden.

Das amerikanische Oberkommando erkannte, daß Okinawa eine harte Nuß sein würde, daß ein Angriff auf die Insel überlegene Kräfte verlangte und dadurch gewaltige logische Probleme schuf. Es plante, dort die neugebildete 10. Armee unter General Buckner zu landen und bei der ersten Landung fünf Divisionen mit insgesamt 116 000 Mann einzusetzen; zwei weitere sollten später folgen, und eine achte sollte in Reserve gehalten werden. Insgesamt bestand die angreifende Streitmacht von sieben Divisionen (vier der Armee und drei der Marineinfanterie) aus etwa 170 000 Mann Kampftruppen und 115 000 Mann der Versorgungseinheiten. Sie sollten aber nicht nur eine starke japanische Besatzung besiegen, sondern nachher auch eine Bevölkerung von fast einer halben Million Menschen in Schach halten.

Um die Gefahr feindlicher Gegenangriffe aus der Luft zu vermindern, führte Admiral Mitschers Gruppe schneller Flugzeugträger eine Woche vor der Landung, vom 18. bis 21. März, eine Reihe schwerer Angriffe auf Japan durch, bei denen etwa 160 feindliche Flugzeuge abgeschossen und viele am Boden zerstört wurden – freilich wurden dabei drei der Flugzeugträger (»Wasp«, »Yorktown« und »Franklin«) durch Kamikaze-Angriffe schwer beschädigt. In der folgenden Woche wurde die »B-29«-Superfortresses aus Guam zur Zerstörung der Flugplätze in Kyuschu (der südlichen Hauptinsel Japans) angesetzt, unter zeitweiliger Einstellung ihrer Großangriffe auf japanische Städte. Eine andere wichtige Vorbereitung war die Besetzung der Kerama-Retto-Inselgruppe 24 Kilometer westlich Okinawas, die als vorgeschobener Flottenstützpunkt benutzt werden sollte. Am 27. März besetzte eine amerikanische Division die Inseln, ohne viel Widerstand zu finden, und schon am nächsten Tag kamen Transportschiffe an, um dort die Reede instand zu setzen. Die britische Pazifik-Flotte unter Admiral Sir Bruce Fraser, die mit zwei Schlachtschiffen, vier Flugzeugträgern, sechs Kreuzern und 15 Zerstörern Mitte

März in dem Raum eingetroffen war, deckte den Abschnitt südwestlich von Okinawa ab.

Am 1. April, dem Ostersonntag, begann die Hauptlandung um 8.30 Uhr morgens nach dreistündiger schwerer Beschießung von See her und Bombenangriffen aus der Luft. Am gleichen Tag übernahm Admiral Turner den Oberbefehl über alle Streitkräfte im Raum Okinawa. Die Landung erfolgte an der südlichen Hälfte der Westküste, von wo aus man mit einem kurzen Vorstoß den ganzen Südteil der Insel abschneiden konnte. Sie stieß auf keinerlei Widerstand, und schon um 11 Uhr waren die beiden Flugplätze in dem 10 Kilometer langen Landeabschnitt besetzt, ohne daß sich der Feind zeigte – zum großen Erstaunen der Invasoren. Bis zum Abend war der amerikanische Brückenkopf auf 15 Kilometer verbreitert und 60 000 Mann sicher an Land gesetzt worden. Bis zum 3. April hatten sie die Insel überquert, und am nächsten Tag wurde der Brückenkopf auf 24 Kilometer verbreitert. Erst als die Amerikaner am 4. nach Süden schwenkten, stießen sie auf harten Widerstand der 2 ½ japanischen Divisionen im Südteil der Insel.

In der Luft waren die Japaner jedoch von Anfang an sehr aktiv gewesen, und seit dem 6. April verstärkten sich die Kamikaze-Angriffe; und am 6. und 7. wurden 700 Flugzeuge, zur Hälfte Kamikaze-Flugzeuge, nach Okinawa geflogen. Die meisten wurden abgeschossen, aber 13 amerikanische Zerstörer wurden versenkt oder beschädigt.

Am 6. April erfolgte auch die wichtigste »Selbstmord«-Aktion der japanischen Kriegsmarine in diesem Krieg: Das riesige Schlachtschiff »Yamato« erschien auf dem Schauplatz mit einigen wenigen Begleitschiffen, aber keinerlei Luftschutz und mit Brennstoff nur für die Hinfahrt. Seine Annäherung wurde schnell entdeckt, und das Schiff wurde ständig beobachtet, während die Flugzeugträger Mitschers einen Gegenangriff von 280 Flugzeugen vorbereiteten. Am Mittag des 7. wurde das Schlachtschiff mit Torpedos und Bomben pausenlos angegriffen, und nach zwei Stunden sank es unter großen Verlusten von Menschenleben. Wie die deutsche »Tirpitz« hatte die »Yamato« niemals die Chance gehabt, ihre großen Geschütze gegen ein feindliches Schlachtschiff zu richten, und ihr Schicksal bedeutete einen weiteren Beweis dafür, daß die Zeit für Schlachtschiffe vorbei war.

Die Landoperationen auf Okinawa dauerten länger. Am 13. April begannen die Japaner im Süden der Insel einen kleinen Gegenangriff, der leicht abgeschlagen wurde. Unterdessen war die 6. Marineinfanteriedivision nach Norden vorgestoßen, bis sie an der felsigen Halbinsel Motobu aufgehalten wurde; doch die Japaner hatten hier nur zwei Bataillone, und ihre starke Verteidigungsstellung wurde am 17. überwunden. Obwohl vereinzelte Gruppen noch bis zum 6. Mai Widerstand leisteten, war die Schlacht für die Amerikaner entschieden; eine Zählung der Gefallenen ergab 2500 tote Japaner und nur ein Zehntel soviel amerikanische Marineinfanteristen. Am 13. April hatte ein Verband der Marineinfanterie die Nordspitze Okinawas erreicht, ohne Widerstand zu finden. Zur gleichen Zeit wurden auch die benachbarten kleinen Inseln ohne Schwierigkeiten besetzt, abgesehen von Kämpfen auf Jeschima.

Am 19. April begann das XXIV. Korps von General Hodges mit drei Divisionen den großen Angriff auf die japanischen Positionen im Süden der Insel. Gewaltig einleitende Bomben- und Artillerieangriffe hatten nur wenig Wirkung auf die japanischen Höhlenbefestigungen. Die Geländegewinne waren gering und die Verluste hoch, selbst nachdem die 1. und 6. Marineinfanteriedivision zusätzlich an die Front geworfen wurden. Anfang Mai jedoch beschlossen die japanischen Befehlshaber in ihrer typischen Mißachtung einer reinen Defensivtaktik, so vorteilhaft sie in diesem Falle auch gewesen wäre, eine Gegenoffensive zu starten, in Verbindung mit einer neuen Welle von Kamikaze-Angriffen. Trotz eines Durchbruchs an einem einzigen Punkt wurde dieser Gegenangriff unter schweren Verlusten – etwa 5000 Toten – abgeschlagen. Dies erleichterte etwas die amerikanische Offensive, die am 10. Mai wiederaufgenommen wurde; doch in der folgenden Woche wurde ihr Fortschritt durch lang anhaltende schwere Regenfälle behindert. Erst Anfang Juni rückten die Amerikaner trotz des Schlamms wieder energisch vor, und bis Mitte des Monats wurden die Japaner bis in den äußersten Süden der Insel zurückgedrängt. Am 17. Juni wurde dort ihre starke Verteidigungsstellung durchbrochen, hauptsächlich durch den Einsatz von Flammenwerfern. Uschijima und sein ganzer Stab begingen Selbstmord, ebenso wie zahlreiche andere Offiziere und Soldaten; doch bei der anschließenden Säuberungsaktion ergaben sich nicht weniger als 7400 Japaner — ein bezeichnender Gegensatz zu ihrem bisherigen Verhalten.

Die Gesamtverluste der Japaner wurden auf 110 000 Mann geschätzt, darunter zahlreiche Okinawaner, die zur japanischen Armee eingezogen worden waren; die amerikanischen Verluste betrugen 49 000 Mann, darunter 12 500 Tote — die schwersten Verluste in einem einzigen Feldzug des Pazifik-Krieges.

Während der dreimonatigen Kämpfe auf Okinawa führte die japanische Luftwaffe zehn massierte Kamikaze-Angriffe — die sie »Kikusui« (fliegende Chrysanthemen) nannte. Sie bestanden aus über 1500 einzelnen Kamikaze-Angriffen und fast ebenso vielen ähnlichen Selbstmordangriffen anderer Flugzeuge. Insgesamt wurden dadurch 34 amerikanische Kriegsschiffe versenkt und 368 beschädigt. Diese schmerzlichen Erfahrungen führten zu eingehenden Überlegungen über das, was bei einer Invasion Japans geschehen würde, und trugen dadurch zu der späteren Entscheidung bei, die Atombombe einzusetzen.

Säuberung — im Pazifik und in Burma

Das Tempo des doppelten amerikanischen Vorstoßes im Pazifik war erheblich beschleunigt worden durch eine Strategie der Umgehung von Hindernissen — nur diejenigen Orte auf beiden Vormarschstraßen wurden angegriffen und genommen, die als strategische Stützpunkte für den Angriff auf Japan und zur Gewinnung der strategischen Kontrolle über den ganzen Pazifik benötigt wurden. Doch als die Amerikaner schließlich Japan nahe gekommen waren und sich auf den letzten großen Sprung vorbereiteten, hielten es die Vereinigten Stabschefs für wünschenswert, sich den Rücken frei zu machen, indem sie die isolierten Besatzungen der wichtigsten bei dem Vormarsch übergangenen Inseln ausmerzten. So erlebte man in der vorletzten Phase des Krieges eine große Zahl von Säuberungsaktionen in verschiedenen Räumen. Noch eindeutiger nötig war die Säuberung des südlichen Teils von Mittelburma nach General Slims schnellem Vorstoß auf Rangun und vor der vom Oberkommando geplanten amphibischen Operation zur Wiedereroberung Singapurs und Niederländisch-Indiens.

Burma

Als Slim Anfang Mai 1945 in Rangun einzog, waren noch etwa 60 000 Japaner in seinem Rücken übriggeblieben; sie standen westlich des Salween-Flusses, und es war wichtig, sie daran zu hindern, entweder ostwärts nach Thailand zu entweichen oder in den bei Slims schnellem Marsch auf Rangun überrannten Gebiet neue Unruhe zu stiften. Daher wurde ein Teil von General Messervys IV. Korps wieder zurückgeschickt, um die Übergänge über den Sittang zu besetzen, und ein anderer Teil sollte sich mit Stopfords XXXIII. Korps vereinigen, das den Irrawaddy entlang vorrückte. Im Laufe des Mai gelang es Stopford, zwei Versuche der Überreste von Sakurais 28. Armee aus Arakan zu verhindern, den Irrawaddy in östlicher Richtung zu überqueren; aber zahlreiche kleine japanische Verbände fanden ihren Weg über den Strom, und etwa 17 000 Mann erreichten den Raum zwischen Irrawaddy und Sittang. Ein Ablenkungsangriff der Überreste von Hondas 33. Armee, der ihnen helfen sollte, war ein Fehlschlag. Daher versuchten in der zweiten Junihälfte Sakurais Truppen, in zahlreichen kleinen Gruppen von nur einigen hundert Mann Messervys Sperrgürtel zu durchbrechen; doch die meisten dieser Gruppen wurden entdeckt und zersprengt. Nur weniger als 6000 Mann gelang es, das Ostufer des Sittang, der damals

Hochwasser führte, zu erreichen, und diese waren zu weiteren Kämpfen nicht mehr fähig.

Neuguinea – New Britain – Bougainville

Bei seinem »froschhüpfenden« Vormarsch an der Nordküste Neuguineas im ersten Halbjahr 1944 hatte MacArthur mehrere japanische Besatzungen links liegengelassen, und als die Amerikaner von dort auf die Philippinen übersetzten, ließen sie die Reste von fünf feindlichen Divisionen auf Neuguinea zurück. Eine große Zahl von Japanern war auch auf den Inseln New Britain und Bougainville von der Außenwelt abgeschlossen. Am 12. Juli 1944 übertrug MacArthur dem australischen Oberbefehlshaber Sir Thomas Blamey die Aufgabe, vom Herbst an für die »Neutralisierung« der restlichen japanischen Truppen in diesem Raum zu sorgen. Blamey interpretierte diese Direktive etwas offensiver, als sie gemeint war – obwohl er nur noch vier Divisionen, darunter drei Milizdivisionen, zur Verfügung hatte, nachdem zwei australische Divisionen der Empire-Streitkräfte für den philippinischen Feldzug abgezogen worden waren.

Die 6. australische Division wurde nach Aitape befohlen; von dort sollte sie ostwärts vorrücken – diese waren nicht nur von der Außenwelt abgeschnitten, sondern auch mangelhaft bewaffnet, unterernährt und von Epidemien geplagt. Der 150 Kilometer lange Marsch durch unwegsames Gelände war eine große Belastung des Transportsystems der Australier, und der Kampfgeist der Truppen litt sowohl unter Krankheiten als auch unter der Erkenntnis, daß es für diese Operation eigentlich keine strategische Notwendigkeit gab. Die Australier machten sehr langsame Fortschritte, und Wewak wurde erst im Mai 1945, sechs Monate später, eingenommen, während manche japanischen Truppen noch im Landesinnern aushielten, als der Krieg im August 1945 endete. In diesen Monaten hatten die Japaner ein Fünftel ihrer Truppen verloren; die Australier verloren knapp 1500 Mann in Kampfhandlungen, aber über 16 000 durch Krankheiten.

Nach New Britain im Bismarck-Archipel wurde die 5. australische Division geschickt, und ihr Befehlshaber General Ramsey bewies mehr Vernunft. Als die Division im November 1944 ankam, besaßen die Amerikaner bereits die Kontrolle über fünf Sechstel dieser großen Insel; aber der Rest wurde noch von fast 70 000 Japanern gehalten, die zum größten Teil in ihrer alten Basis Rabaul konzentriert waren. Nach einem kurzen Vormarsch zum Hals der Insel begnügten sich die Australier, diese kurze Linie zu sichern und im übrigen die große japanische Truppe »im eigenen Saft schmoren« zu lassen. So wurde diese Truppe unter minimalen eigenen Verlusten neutralisiert, bis sie nach Kriegsende kapitulierte.

Bougainville war die westlichste und die größte Insel der Salomon-Inselgruppe. Dorthin wurde General Saviges II. Korps mit der 3. australischen Division und zwei selbständigen Brigaden geschickt. Auch hier bestand keine wirkliche Notwendigkeit für eine offensive Operation, da die Japaner, meist im Südteil der Insel konzentriert, vollauf damit beschäftigt waren, Gemüse zu ziehen und zu fischen, um ihre dürftige Verpflegung zu vervollständigen. Dennoch begann Saviges Anfang 1945 eine Offensive. Sie machte nur langsame Fortschritte, da die Japaner hart kämpften, um ihre Verpflegungsbasis zu verteidigen, und nach sechs Monaten mußte sie wegen schwerer Sturmfluten abgebrochen werden. Ebenso wie in Neuguinea zeigten auch hier die australischen Soldaten wenig Begeisterung für eine Aufgabe, die sie mit Recht für nicht notwendig hielten.

Borneo

Die Initiative für die Wiedereroberung Borneos stammte von den Amerikanern, die Japan von seiner Öl- und Kautschukzufuhr abschneiden und den Briten ihre vorgeschobene Flottenbasis in der Bucht von Brunei zurückerobern wollten. Die britischen Stabschefs waren nicht sehr für diesen Plan, da sie einen Stützpunkt in den Philippinen lieber gesehen hätten, während die britische Pazifikflotte bereits im Raum Okinawa operierte und wenig Verlangen zeigte, ihre Flottenbasis wieder nach Süden zu verlegen. So wurde die Operation vom australischen I. Korps unter General Sir Leslie Morshead unter dem Schutz und mit der Hilfe der 7. US-Flotte durchgeführt. Am 1. Mai 1945 wurde die Insel Tarakan in der Nähe der Nordostküste genommen und am 10. Juni ohne großen Widerstand die Bucht von Brunei an der Westküste besetzt. Von dort rückten die australischen Truppen entlang der Küste nach Sarawak vor. Anfang Juli wurde nach lang anhaltenden Bombenangriffen das Ölgebiet von Balikpapan an der Südostküste angegriffen und nach einigem harten Widerstand genommen; dies war die letzte große amphibische Operation dieses Krieges.

Zu der Zeit waren die britischen Vorbereitungen für die Wiedereroberung Singapurs schon weit vorgeschritten, aber sie wurden durch Japans Kapitulation im August gegenstandslos. Als Lord Mountbatten am 12. September in Singapur eintraf, brauchte er nur noch die Kapitulation aller japanischen Streitkräfte in Südostasien entgegenzunehmen, die schon am 27. August in einem vorläufigen Abkommen in Rangun unterzeichnet worden war. Sie bedeutete die Übergabe von rund 75 000 Japanern.

Die Philippinen

Obwohl die Amerikaner in den fünf Monaten nach ihrer ersten Landung bei Leyte im Oktober 1944 die strategische Kontrolle über die Philippinen gewonnen hatten, standen im März 1945 noch zahlreiche japanische Truppen auf den Inseln. Allein auf der Insel Luzon waren es etwa 170 000 Mann, wie sich später herausstellte — weit mehr, als die Amerikaner damals annahmen. Die stärksten Verbände standen im Norden von Luzon unter General Yamaschita selbst; aber etwa 50 000 Mann unter General Yokoyama standen in den Bergen in der Nähe von Manila und kontrollierten die Wasserversorgung der Hauptstadt. Erste Versuche, sie zu vertreiben, schlugen fehl, und die Japaner führten sogar einen Gegenangriff gegen das ihnen gegenüberstehende XIV. Korps General Griswolds. Mitte März kam General Halls XI. Korps zur Verstärkung dazu, und Ende Mai nahm es die beiden wichtigen Staudämme bei Awa und bei Ipo. Doch da war Yokoyama nur noch halb so stark; seine Truppen waren durch Hunger und Krankheiten dezimiert und lösten sich in unorganisierte Gruppen auf, die nicht nur von den Amerikanern, sondern auch von philippinischen Guerillas gejagt und verfolgt wurden. Auf jeden im Kampf gefallenen Japaner kamen zehn, die durch Hunger oder Krankheit umkamen; bei Kriegsende waren nur noch knapp 7000 Mann übrig, die kapitulierten.

Gleichzeitig säuberten die Streitkräfte General Kruegers die Durchfahrt zwischen den Inseln Leyte und Luzon und begannen nachher eine Aktion zur Säuberung des südlichen Teils von Luzon. Andere amerikanische Verbände säuberten die Inseln südlich von Leyte und bildeten einen Brückenkopf auf Mindanao – wo über 40 000 Japaner stationiert waren, weil das Kaiserliche Hauptquartier der Ansicht gewesen war, diese Insel würde das erste Ziel der amerikanischen Invasion sein. Bis zum Sommer hatten sich alle verbliebenen japanischen Truppen auf den Philippinen in die Berge zurückgezogen, wo sie rasch durch Hunger und Krankheit dezimiert wurden.

Die letzte Operation dieser Art war die Offensive gegen Yamaschitas Truppen im Norden von Luzon. Sie begann am 27. April; drei amerikanische Divisionen, bald durch eine vierte verstärkt, stießen auf zunehmenden Widerstand, je mehr sie in die Berge vordrangen, wo Yamaschita noch über 50 000 Mann hatte – mehr als doppelt soviel, wie die Amerikaner geglaubt hatten. Er hielt sich noch, als der Krieg Mitte August zu Ende ging, und ergab sich mit 40 000 Mann, dazu weiteren 10 000 Mann in anderen Teilen des nördlichen Luzon. Die strategische Notwendigkeit dieser verlustreichen Säuberungsaktion ist sehr umstritten.

Die Luftoffensive gegen Japan wurde erst richtig wirksam, als sie von den Marianen aus geführt werden konnte – die, hauptsächlich zu diesem Zweck, im Sommer 1944 erobert worden waren.

Ihre stärkste Waffe war die Boeing B 29 »Superfortress«, der größte Bomber des Zweiten Weltkrieges, der eine Bombenlast von $7^2/_3$ t tragen, mit annähernd 550 km/h Geschwindigkeit und in einer Höhe von über 10 000 Metern fliegen konnte. Er hatte eine Reichweite von über 6000 Kilometern und war durch Stahlplatten im Rumpf ebenso wie durch seine 13 Maschinengewehre gut geschützt.

Mitte Juni 1944 wurde das japanische Stahlzentrum Yawata auf Kyuschu von etwa 50 B-29-Bombern angegriffen, die ihre Stützpunkte in China und Indien hatten. Aber dieser und auch spätere ähnliche Angriffe richteten wenig Schaden an: Nur etwa 800 t Bomben wurden durch Angriffe aus dieser Richtung in der zweiten Hälfte 1944 auf Japan abgeworfen, und die B 29 des 20. Bombenkommandos bedurften zu ihrer Instandhaltung so viel Material und Nachschub, das über den chinesischen »Buckel« geflogen werden mußte, daß sie angesichts der dürftigen Ergebnisse Anfang 1945 zurückgezogen wurden.

Aber Ende Oktober 1944 war der erste Flugplatz auf Saipan in den Marianen gebrauchsfähig geworden, und bald wurden die ersten 112 Maschinen des 21. Bomberkommandos dort stationiert. Einen Monat später, am 24. November, starteten 111 B 29 von dort zu einem Angriff auf ein Flugzeugwerk bei Tokio. Es war der erste Angriff auf Tokio seit Oberst Doolittles Angriff vom April 1942. Er leitete die neue Offensive ein, und obwohl weniger als ein Viertel der Bomber ihr genaues Ziel fanden, gingen nur zwei von ihnen verloren, trotz der 125 japanischen Jäger, die zu ihrer Bekämpfung aufstiegen.

In den nächsten drei Monaten setzten die B 29 ihre gezielten Bombenangriffe bei Tage fort, gestützt auf ihre Erfahrungen in Europa. Die Ergebnisse waren noch unbefriedigend, wenn auch die Japaner gezwungen wurden, mit einer breiteren Streuung ihrer Flugzeugfabriken und anderer kriegswichtiger Werke zu beginnen. Doch bis zum März 1945 war die Zahl der B 29 auf den Marianen verdreifacht worden, und General Curtis LeMay, der sie befehligte, beschloß, sie für Flächenangriffe bei Nacht aus niedriger Höhe einzusetzen – dadurch sollte die Schwäche der japanischen Nachtabwehr ausgenutzt, eine größere Bombenlast ermöglicht, die Belastung der Motoren vermindert und die zahlreichen kleineren Industrieziele besser getroffen werden.

Noch wichtiger war, daß LeMay beschloß, die B 19 sollten Brandbomben statt Sprengbomben mitführen: Jede B 19 konnte 40 Trauben von je 38 Brandbomben laden, die jede ein Gebiet von annähernd 6–7 ha in Brand setzen konnten. Die Ergebnisse dieser neuen Taktik waren erschreckend gut. Am 9. März verwüsteten 279 B 19, jede mit 6–8 t Brandbomben, das Stadtgebiet von Tokio. Fast 40 qkm, ein Viertel des gesamten Stadtgebiets, wurden ausgebrannt und über 267 000 Gebäude zerstört. Die Zivilbevölkerung hatte 185 000 Tote und Verletzte, während die amerikanischen Angreifer nur 14 Maschinen verloren. In den neun folgenden Tagen wurden die Städte Osaka, Kobe und Nagoya in ähnlicher Weise verwüstet. Am 19. wurden diese Angriffe eingestellt, da den Amerikanern die Brandbomben ausgegangen waren – in diesen zehn Tagen hatten sie fast 10 000 t abgeworfen!

Doch die Verwüstung wurde bald wiederaufgenommen und nahm an Umfang noch zu: im Juli war die abgeworfene Bombenmenge dreimal so groß wie im März. Außerdem wurden Tausende von Minen in das Wasser nahe den Küsten abgeworfen, um die japanische Küstenschiffahrt zu stören; über 1 1/4 Millionen t Schiffsraum wurden auf diese Weise versenkt, und die Küstenschiffahrt kam fast zum Erliegen. Die japanische Luftabwehr war nur noch ganz geringfügig.

Die Auswirkungen waren verheerend. Die Stimmung der Bevölkerung brach nach dem großen Brandangriff auf Tokio zusammen, erst recht als LeMay dann begann, Flugblätter mit genauer Vorankündigung der nächsten Angriffe abzuwerfen. 8 1/2

Millionen Menschen flohen daraufhin auf das Land; die ganze Rüstungsproduktion ging schlagartig zurück, und das zu einer Zeit, da Japans Kriegswirtschaft ohnehin fast am Ende war: Mehr als 600 größere Rüstungsbetriebe waren durch die Bombenangriffe zerstört oder schwer beschädigt worden.

Noch entscheidender aber war, daß der Bomberfeldzug der japanischen Bevölkerung vor Augen führte, wie wenig ihre Streitkräfte sie noch schützen konnten, und daß die Kapitulation selbst eine bedingungslose, jetzt als unvermeidlich erschien. Die Atombomben vom August bekräftigten lediglich das, was die große Mehrheit des japanischen Volkes, ausgenommen einige fanatische Militaristen, schon einzusehen begonnen hatte.

Die Atombombe und die Kapitulation Japans

Winston Churchill erzählt im letzten Band seiner Kriegserinnerungen, wie ihm am 14. Juli 1945, als er zusammen mit Präsident Truman und mit Stalin auf der Potsdamer Konferenz war, ein Zettel mit der geheimnisvollen Botschaft übergeben wurde: »Babies satisfactorily born« (Die Babys wurden zufriedenstellend geboren). Der amerikanische Heeresminister Stimson erklärte die Bedeutung: daß die versuchsweise Zündung der Atombombe am Tag vorher ein Erfolg gewesen war. Churchill fährt fort: »Der Präsident forderte mich anschließend auf, mit ihm zu konferieren. Er hatte General Marshall und Admiral Leahy bei sich.«

Churchills Bericht über diese Besprechung ist von so grundlegender Bedeutung, daß die wichtigste Stelle im Wortlaut zitiert zu werden verdient:

> »Plötzlich schienen wir im Besitz eines barmherzigen Mittels zur Abkürzung des Blutbades im Osten und einer Chance für eine glücklichere Zukunft in Europa zu sein. Ich habe keinen Zweifel, daß auch meine amerikanischen Freunde so dachten. Jedenfalls gab es niemals eine auch nur kurze Erörterung darüber, ob die Atombombe eingesetzt werden sollte oder nicht.

Eine riesige wahllose Schlächterei zu vermeiden, dem Krieg ein Ende zu machen, der Welt Frieden zu geben, die Leiden ihrer gequälten Völker zu heilen durch eine Demonstration überwältigender Macht auf Kosten einiger weniger Explosionen — das schien nach allen unseren Mühen und Gefahren geradezu ein segensreiches Wunder.

Die grundsätzliche britische Zustimmung zum Einsatz dieser Waffe war schon am 4. Juli vor dem Test gegeben worden. Die endgültige Entscheidung lag jetzt bei Präsident Truman, der die Waffe besaß; aber ich hatte niemals einen Zweifel, wie sie ausfallen würde, und ich habe seitdem auch nie bezweifelt, daß er recht hatte. Die historische Tatsache bleibt und muß auch aus der Sicht der späteren Ereignisse festgestellt werden, daß die Entscheidung, ob man die Atombombe einsetzen solle, um Japan zur Kapitulation zu zwingen, niemals eine Streitfrage war. An unserem Tisch bestand völlige und zweifelsfreie Übereinstimmung; ich hörte auch nie die leiseste Andeutung, daß wir anders handeln sollten.«

Später aber meldet Churchill selbst Zweifel an den Argumenten für die Atombombe an, wenn er schreibt:

»Es wäre ein Fehler anzunehmen, daß das Schicksal Japans von der Atombombe entschieden wurde. Japans Niederlage war schon sicher, ehe die erste Bombe fiel, und war durch die überwältigende Seemacht seiner Feinde herbeigeführt worden. Diese allein hatte es möglich gemacht, ozeanische Stützpunkte zu erobern, von denen man den letzten Angriff starten und die Armee im Heimatland zur Kapitulation zwingen konnte, ohne noch einen Schuß abzugeben. Japans Schiffahrt war bereits völlig vernichtet.«

Churchill erwähnt auch, daß drei Wochen vor dem Abwurf der Bombe Stalin ihn vertraulich von einer Mitteilung des japanischen Botschafters in Moskau unterrichtete, in der Japans Wunsch nach Frieden ausgesprochen wurde — und er fügte hinzu, bei der Weitergabe dieser Nachricht an Präsident Truman habe er vorgeschlagen, die alliierte Forderung nach bedingungsloser Kapitulation etwas zu mildern, um den Japaner den Weg zur Kapitulation zu ebnen.

Die japanischen Friedensfühler hatten in Wirklichkeit schon viel früher begonnen und waren der amerikanischen Regierung schon besser bekannt, als Churchill andeutet oder als er vielleicht selber wußte. Kurz vor Weihnachten 1944 hatte der amerikanische Nachrichtendienst in Washington den Bericht eines gut informierten diplomatischen Agenten in Japan erhalten, daß dort eine Friedenspartei entstanden sei und Boden gewinne. In dem Bericht wurde vorausgesagt, die Regierung General Koisos – die im Juli die Regierung Tojo, die Japan in den Krieg geführt hatte, abgelöst hatte – werde bald durch eine friedensbereite Regierung unter Admiral Suzuki ersetzt werden, die mit Unterstützung des Kaisers Friedensverhandlungen beginnen wolle.

Diese Voraussage erfüllte sich im April. Am 1. April waren die Amerikaner in Okinawa gelandet; der Schock dieser Nachricht, zusammen mit der unheildrohenden russischen Mitteilung über die Kündigung des Neutralitätspakts mit Japan, beschleunigte den Fall des Kabinetts Koiso am 5. April, und Suzuki wurde Premierminister.

Aber wenn auch die Führer der Friedenspartei jetzt in der Regierung die Oberhand hatten, wußten sie doch nicht recht, wie sie vorgehen sollten. Schon im Februar waren auf Initiative Kaiser Hirohitos Fühler nach Rußland ausgestreckt worden, das als »Neutraler« gebeten wurde, bei der Herstellung des Friedens zwischen Japan und den Westmächten als Vermittler zu dienen. Diese Annäherungsversuche wurden zuerst über den russischen Botschafter in Tokio und dann über den japanischen Botschafter in Moskau gemacht. Aber nichts erfolgte: Die Russen reichten dieses Angebot mit keinem Wort an die Westmächte weiter.

Es vergingen noch drei Monate, ehe es andeutungsweise bekannt wurde. Dies geschah erst Ende Mai, als Harry Hopkins, der persönlich Beauftragte des Präsidenten, zu Besprechungen mit Stalin nach Moskau flog. Bei der dritten Zusammenkunft schnitt Stalin die japanische Frage an. Auf der Konferenz von Jalta im Februar hatte er sich verpflichtet, in den Krieg gegen

Japan einzutreten, unter der Bedingung, daß er die Kurilen, ganz Sachalin und eine beherrschende Stellung in der Mandschurei erhalten solle. Stalin teilte nun Hopkins mit, daß seine verstärkten Armeen im Fernen Osten bis zum 8. August zum Angriff auf die Japaner in der Mandschurei bereit sein würden. Er fuhr fort, wenn die Alliierten an ihrer Forderung nach bedingungsloser Kapitulation festhielten, würden die Japaner bis zum bitteren Ende kämpfen, während eine Milderung sie zum Nachgeben ermuntern würde und die Alliierten könnten dann ihren Willen Japan aufzwingen und im Kern das gleiche Ergebnis erzielen. Stalin betonte ferner, Rußland erwarte, an der bevorstehenden Besetzung Japans beteiligt zu werden. Im Laufe dieser Unterhaltung enthüllt er, »von verschiedenen Elementen in Japan« würden Friedensfühler ausgestreckt; aber er machte es nicht klar, daß es sich um offizielle Schritte über die beiderseitigen Botschafter handelte.

Der Krieg selbst war schon lange vor dem Ende der Kämpfe auf Okinawa entschieden. Es war offensichtlich, daß nach der Eroberung der Insel die Amerikaner bald in der Lage sein würden, ihre Luftangriffe auf Japan selbst zu intensivieren, da die dortigen Flugplätze nur noch 600 Kilometer von Japan entfernt waren — knapp ein Viertel des Flugweges von den Marianen.

Die Hoffnungslosigkeit der Situation war jedem strategisch denkenden Kopf klar, insbesondere einem Marineoffizier wie Suzuki, dessen Kriegsgegnerschaft ihn schon 1936 einmal in Lebensgefahr gebracht hatte, als er von den militärischen Extremisten bedroht wurde. Aber er und sein friedensbereites Kabinett standen vor einm heiklen Problem: Die Annahme der alliierten Forderung nach bedingungsloser Kapitulation würde wie ein Verrat der Truppen an der Front aussehen, die so sehr bereit waren, bis zum letzten Atemzug zu kämpfen; diese Truppen, die ja immer noch viele Tausend halbverhungerte alliierte, zivile und militärische Gefangene als Geiseln in der Hand hatten, könnten vielleicht sich weigern, einen Befehl zur Einstellung der Kämpfe zu befolgen, wenn die Bedingungen eindeutig demütigend waren — vor allem wenn die Forderung nach Beseitigung des Kaisers erhoben wurde, der in ihren Augen nicht nur der Souverän, sondern eine göttergleiche Person war.

Es war der Kaiser selbst, der es unternahm, den Knoten zu durchhauen. Am 20. Juni berief er eine Konferenz der sechs Mitglieder des inneren Kabinetts, des Obersten Kriegsrats, ein und sagte ihnen: »Sie müssen die Frage der Beendigung des Krieges so bald wie möglich in Angriff nehmen.« Alle sechs Mitglieder waren sich darin einig; aber während der Premierminister, der Außenminister und der Marineminister zur bedingungslosen Kapitulation bereit waren, befürworteten die drei anderen — der Heeresminister, der Generalstabschef und der Admiralstabschef — eine Fortsetzung des Widerstandes, bis eine Milderung dieser Bedingungen erreicht wurde. Schließlich wurde beschlossen, den Fürsten Konoye zu Friedensverhandlungen nach Moskau zu schikken, und der Kaiser gab ihm die vertrauliche Anweisung mit, Frieden um jeden Preis zu schließen. Zur Vorbereitung dieser Mission setzte das Außenministerium am 13. Juli Moskau offiziell in Kenntnis, »daß der Kaiser Frieden wünscht«.

Diese Botschaft erreichte Stalin unmittelbar vor seiner Abreise zur Potsdamer Konferenz. Er sandte eine kühle Antwort: der Vorschlag sei nicht klar genug, als daß er handeln oder auch nur diese Mission empfangen könne. Diesmal jedoch erzählte er Churchill von der japanischen Initiative, und davon berichtete Churchill Präsident Truman, indem er seinen eigenen zaghaften Vorschlag hinzufügte, es sei klüger, die starre Forderung nach bedingungsloser Kapitulation zu mildern.

Zwei Wochen später sandte die japanische Regierung eine weitere Botschaft an Stalin, in der sie den Zweck der Mission noch klarer erläuterte; aber sie erhielt wieder eine ähnlich negative Antwort.

Unterdessen war die Regierung Churchill bei den britischen Wahlen geschlagen worden, so daß Attlee und Bevin Churchill und Eden in Potsdam abgelöst hatten, als am 28. Juli Stalin der Konferenz über diesen neuen Schritt berichtete. Die Amerikaner wußten jedoch bereits von Japans Wunsch, den Krieg zu beenden; denn ihr Nachrichtendienst hatte den Funkverkehr zwischen dem japanischen Außenministerium und dem Botschafter in Moskau aufgefangen und entziffert.

Doch Präsident Truman und die Mehrheit seiner Berater, vor allem Heeresminister Stimson und der Generalstabschef Marshall, waren jetzt ebenso sehr darauf erpicht, die Atombombe einzusetzen, um Japans Zusammenbruch zu beschleunigen, wie Stalin war, noch kurz vor dem Ende in den Krieg gegen Japan einzutreten, um sich eine vorteilhafte Stellung im Fernen Osten zu verschaffen.

Es gab aber einige, die mehr Zweifel in diesem Punkt hatten, als Churchill berichtet. Zu ihnen gehörte Admiral Leahy, der militärische Berater Präsident Roosevelts und dann Trumans, der vor dem Gedanken zurückschreckte, eine solche Waffe gegen die Zivilbevölkerung einzusetzen: »Mein Gefühl war, daß wir, wenn wir sie als erste einsetzten, auf den ethischen Standard der Barbaren aus finsterer Vorzeit zurückfallen würden. Ich hatte nicht gelernt, in dieser Form Krieg zu führen, und Kriege können nicht gewonnen werden, indem man Frauen und Kinder tötet.« Ein Jahr vorher hatte Leahy bei Roosevelt gegen einen Vorschlag protestiert, bakteriologische Waffen einzusetzen.

Die Atomwissenschaftler selbst waren geteilter Ansicht. Dr. Vannevar Bush war führend daran beteiligt gewesen, Roosevelts und Stimsons Unterstützung für die Atomwaffe zu gewinnen, und auch Lord Cherwell (früher Professor Lindemann), Churchills persönlicher Berater in naturwissenschaftlichen Fragen, war ein prominenter Befürworter der Bombe. Es war daher nicht überraschend, daß, als Stimson im Frühjahr 1945 eine Kommission unter Bushs Vorsitz einsetzte, welche die Frage des Einsatzes der Atombombe gegen Japan erörtern sollte, diese entschieden den Einsatz der Bombe zum frühesten Zeitpunkt befürwortete — und zwar ohne jede Vorankündigung ihrer Beschaffenheit, weil man fürchtete, die Bombe könne sich als »Niete« herausstellen, wie Stimson später erklärte.

Im Gegensatz dazu legte eine andere Gruppe von Atomwissenschaftlern unter Vorsitz von Professor James Franck in der zweiten Junihälfte Stimson einen Bericht vor, der zu anderen

Schlußfolgerungen kam: »Die militärischen Vorteile und die Schonung amerikanischen Menschenlebens durch den überraschenden Einsatz von Atombomben gegen Japan könnten aufgewogen werden durch eine Welle von Entsetzen und Abscheu, die sich über die ganze übrige Welt ausbreitet... Wenn die Vereinigten Staaten als erste dieses neue Massenvernichtungsmittel auf die Menschheit loslassen, dann verlieren sie die Unterstützung der Öffentlichkeit in der ganzen Welt, beschleunigen sie den Rüstungswettlauf und gefährden sie die Möglichkeit eines internationalen Abkommens über die künftige Kontrolle solcher Waffen... Wir glauben, daß diese Erwägungen gegen den Einsatz von Atombomben bei einem baldigen Angriff gegen Japan sprechen.«

Jedoch die Wissenschaftler, die den Staatsmännern näherstanden, hatten auch bessere Aussichten, die Öffentlichkeit zu erreichen, und ihre Argumente gewannen die Oberhand – unterstützt durch den Enthusiasmus, den sie bereits bei den Staatsmännern für die Atombombe als schnellsten und einfachsten Weg zur Beendigung des Krieges geweckt hatten. Für die zwei Bomben, die schon hergestellt worden waren, wurden von den militärischen Beratern fünf mögliche Ziele vorgeschlagen; von diesen wurden nach einer Erörterung der Liste durch Truman und Stimson die Städte Hiroshima und Nagasaki ausgewählt, da sie militärische Einrichtungen mit »Häusern und anderen Gebäuden, die leicht zu beschädigen sind«, vereinigten.

So wurde am 6. August die erste Atombombe auf Hiroshima abgeworfen. Sie zerstörte den größten Teil der Stadt und tötete etwa 80 000 Menschen, ein Viertel der Bevölkerung. Drei Tage später wurde die zweite Bombe auf Nagasaki abgeworfen. Die Nachricht vom Abwurf der Bombe auf Hiroshima erreichte Präsident Truman, als er zu Schiff von der Potsdamer Konferenz zurückkehrte. Nach Aussage der Anwesenden rief er triumphierend aus: »Dies ist das größte Ereignis der Geschichte.«

Die Wirkung auf die japanische Regierung war jedoch weit geringer, als man auf westlicher Seite dachte. Sie stimmte die drei Mitglieder des Rates der Sechs nicht um, die gegen eine bedingungslose Kapitulation gewesen waren; sie bestanden nach wie vor darauf, daß erst eine Zusicherung über die Zukunft des Landes gegeben werden müsse, insbesondere über die Aufrechterhaltung der »souveränen Stellung« des Kaisers. Und das japanische Volk selbst erfuhr erst nach dem Krieg, was in Hiroshima und Nagasaki geschehen war.

Die Kriegserklärung Rußlands am 8. August und sein sofortiger Einmarsch in die Mandschurei am nächsten Tag scheinen die Entscheidung mindestens ebenso sehr beschleunigt zu haben — und erst recht der Einfluß des Kaisers. Bei einer Sitzung des inneren Kabinetts unter seinem Vorsitz am 9. August erläuterte er die Hoffnungslosigkeit der Situation so klar und sprach sich so entschieden für einen sofortigen Friedensschluß aus, daß die drei Opponenten bereit waren, nachzugeben und einem »Gozenkaigi«, einer Versammlung der »älteren Staatsmänner« Japans, zuzustimmen, auf der der Kaiser selbst die endgültige Entscheidung treffen solle. Unterdessen gab die Regierung bereits über den Rundfunk ihre Bereitschaft zur Kapitulation bekannt, unter der Voraussetzung, daß die Souveränität des Kaisers respektiert würde — über diesen Punkt hatte sich die Potsdamer Erklärung der Alliierten vom 26. Juli in verdächtiger Weise ausgeschwiegen. Aber nach einigen Erörterungen stimmte Präsident Truman diesem Vorbehalt zu — einer wichtigen Modifizierung der »bedingungslosen Kapitulation«.

Dennoch gab es noch starke Meinungsverschiedenheiten bei dem »Gozengaigi« am 14. August. Aber der Kaiser entschied die Frage und sagte klar: »Wenn kein anderer noch eine Meinung vorzubringen hat, dann wollen wir unsere eigene zum Ausdruck bringen, und wir verlangen, daß Sie ihr zustimmen. Wir sehen nur noch einen Weg zur Rettung Japans. Aus diesem Grunde haben wir den Entschluß gefaßt, das Unerträgliche zu ertragen und zu erdulden.« Dann wurde Japans Kapitulation im Rundfunk bekanntgegeben.

Um dieses Ergebnis zu erzielen, war die Atombombe nicht wirklich nötig gewesen. Nachdem neun Zehntel des japanischen Schiffsraums versenkt, seine Luftwaffe und Marine zusammengeschossen, seine Industrie zerstört und die Lebensmittelversorgung des Volkes aufs schwerste gefährdet war, war der Zusammenbruch sicher — wie Churchill selbst sagte.

Auch der amtliche Bericht über den strategischen Bombenkrieg der USA gibt dies zu und fährt fort: »Die Zeitspanne zwischen dem Beginn der militärischen Impotenz und der politischen Anerkennung des Unvermeidlichen wäre kürzer gewesen, wenn die politische Struktur Japans eine schnellere und entschlossenere Formung der nationalen Politik gestattet hätte. Dennoch scheint es klar, daß unsere Luftüberlegenheit, selbst ohne die Atombombenabwürfe, genügend Druck hätte ausüben können, um die bedingungslose Kapitulation herbeizuführen und eine Invasion Japans nicht mehr notwendig zu machen.« Admiral King, der Oberbefehlshaber der amerikanischen Kriegsmarine, stellte seinerseits fest, auch die Seeblockade allein hätte die Japaner »durch Hunger zur Unterwerfung gebracht, wenn wir bereit gewesen wären zu warten« — durch den Mangel an Öl, Reis und anderen lebenswichtigen Waren.

Admiral Leahys Urteil über die Nutzlosigkeit der Atombombe ist noch deutlicher: »Der Einsatz dieser barbarischen Waffe bei Hiroshima und Nagasaki war für unseren Krieg gegen Japan keine konkrete Hilfe. Die Japaner waren bereits durch unsere wirksame Seeblockade die die erfolgreichen Angriffe mit konventionellen Bomben besiegt und zur Kapitulation bereit«.

Warum wurde dann die Bombe abgeworfen? Gab es dafür zwingende Gründe über den instinktiven Wunsch hinaus, den Verlust amerikanischen und britischen Menschenlebens so bald wie möglich zu beenden? Zwei Gründe sind hier aufgetaucht. Der eine wird von Churchill selbst in seinem Bericht über seine Besprechung mit Präsident Truman am 18. Juli nach der Meldung über den erfolgreichen Bombentest enthüllt. Zu den Gedanken, die beiden sogleich kamen, gehörte der folgende:

»Wir würden dann die Russen nicht mehr nötig haben. Das Ende des japanischen Krieges würde dann nicht mehr davon abhängen, daß sie ihre Armeen einsetzen ... Wir hatten es nicht mehr nötig, sie um Gefälligkeiten zu bitten. Einige Tage später sagte ich Eden: ›Es ist ganz klar, daß die Vereinigten Staaten keine Teilnahme Rußlands am Krieg gegen Japan wünschen‹.«

Stalins in Potsdam vorgebrachte Forderung, an der Besetzung Japans beteiligt zu werden, war sehr lästig, und die US-Regierung war bestrebt, dies zu vermeiden. Die Atombombe könnte dazu beitragen, das Problem zu lösen.

Der zweite Grund für den voreiligen Einsatz wird von Admiral Leahy enthüllt: »Die Naturwissenschaftler und auch andere wollten diese Waffe erproben wegen der riesigen Summen, die für dieses Projekt schon ausgegeben worden waren« – es waren etwa 2 Milliarden Dollar. Einer der höheren Beamten, die bei der Entwicklung der Waffe, an dem sogenannten »Manhattan District Project«, beteiligt waren, sprach es noch klarer aus:

»Die Bombe mußte einfach ein Erfolg sein – so viel Geld war bereits dafür ausgegeben worden. Hätte sie versagt, wie hätten wir dann diese hohen Ausgaben rechtfertigen können? Man denke an den Entrüstungssturm in der Öffentlichkeit ... Als die Zeit knapper wurde, suchten manche Leute in Washington General Groves, den Leiter des Manhattan Projects, zu überreden, mit der Sache herauszukommen, bevor es zu spät sei; und er wußte, der Schwarze Peter würde in seiner Hand bleiben, wenn wir versagten. Die Erleichterung aller Beteiligten, als die Bombe fertiggestellt und abgeworfen wurde, war enorm.«

Ein Menschenalter später ist es jedoch klar, daß der voreilige Abwurf der Atombombe der Menschheit keine Erlösung gebracht hat ...

Am 2. September 1945 unterzeichneten die Vertreter Japans das »Instrument der Kapitulation« an Bord des amerikanischen Schlachtschiffs »Missouri« in der Bucht von Tokio. Der Zweite Weltkrieg endete damit sechs Jahre und einen Tag nach seinem Beginn durch Hitlers Angriff auf Polen und vier Monate nach Deutschlands Kapitulation. Dies war das formelle Ende, eine Zeremonie, die den Wünschen der Sieger entsprach. Denn das wirkliche Ende war schon am 14. August eingetreten, als der

Kaiser Japans Kapitulation auf Grund der alliierten Bedingungen bekanntgegeben hatte und die Kämpfe aufhörten – eine Woche nach dem Abwurf der ersten Atombombe. Aber jener furchtbare Schlag, der die Stadt Hiroshima auslöschte, um die überwältigende Kraft der neuen Waffe zu demonstrieren, hatte die Kapitulation lediglich beschleunigt. Sie war bereits sicher, und es gab keine wirkliche Notwendigkeit, diese Waffe einzusetzen – unter derem düsteren Schatten die Welt seitdem lebt.

ENTSCHEIDENDE FAKTOREN UND WENDEPUNKTE

Dieser katastrophale Weltkonflikt, der damit endete, daß Rußland der Weg in das Herz Europas geöffnet wurde, erhielt von Churchill den treffenden Beinamen »der unnötige Krieg«. Bei den Bemühungen, den Krieg zu vermeiden und Hitler im Zaum zu halten, war die grundlegende Schwäche der britischen und französischen Politik der Mangel an Verständnis für strategische Faktoren. Dadurch schlitterten beide Länder zu dem für sie ungünstigsten Zeitpunkt in den Krieg und führten vorzeitig eine vermeidbare Katastrophe mit weitreichenden Folgen herbei. Großbritannien überlebte scheinbar nur durch ein Wunder – in Wahrheit aber, weil Hitler die gleichen Fehler machte, die aggressive Diktatoren schon so oft in der Geschichte gemacht haben.

Die Weichen werden gestellt

Rückschauend ist es heute klar, daß der erste, für beide Seiten schicksalsschwere Schritt die Wiederbesetzung des Rheinlandes im Jahr 1936 war. Für Hitler hatte dieser Schritt einen doppelten strategischen Vorteil: Er verschaffte ihm militärischen Schutz für Deutschlands lebenswichtiges Industriegebiet an der Ruhr und gleichzeitig ein Sprungbrett nach Frankreich hinein.

Warum ist man diesen Schritt nicht entgegengetreten? In erster Linie, weil Frankreich und Großbritannien ängstlich bestrebt waren, jedes Risiko eines bewaffneten Konfliktes zu vermeiden, aus dem ein Krieg entstehen konnte. Das Widerstreben gegen ein aktives Vorgehen wurde dadurch verstärkt, daß Deutschlands Wiedereintritt in das Rheinland nur die Berichtigung eines Unrechts zu sein schien, wenn diese auch nicht in der richtigen Art erfolgte. Besonders die Briten als ein politisch denkendes

Volk neigten dazu, die Rheinland-Besetzung mehr als einen politischen denn als einen militärischen Schritt zu betrachten, und übersahen seine strategischen Auswirkungen.

Auch bei seinem Vorgehen im Jahr 1938 zog Hitler wiederum strategischen Nutzen aus politischen Faktoren — dem Wunsch des deutschen und des österreichischen Volkes nach Vereinigung, dem starken Unwillen in Deutschland über die Behandlung der Sudetendeutschen durch die Tschechen. Auch da war wieder in beiden Fällen in den westlichen Ländern das Gefühl weit verbreitet, daß das Recht in gewissem Maße bei Deutschland war.

Doch Hitlers Einmarsch in Österreich im März 1938 legte die Südflanke der Tschechoslowakei militärisch bloß — und dieses Land war für ihn ein Hindernis bei seinen Plänen einer Expansion nach Osten. Im September gelang ihm dann durch die Drohung mit dem Krieg und dem daraus folgenden Münchener Abkommen nicht nur die Rückkehr des Sudentenlandes in das Reich, sondern auch die strategische Lähmung der Tschechoslowakei.

Im März 1939 besetzte Hitler dann die restliche Tschechei und umfaßte dadurch Polen von der Südflanke — dies war der letzte Streich einer Serie »unblutiger« Erfolge. Auf Hitlers Schritt folgte ein verhängnisvoll voreiliger Schritt der britischen Regierung: die Garantie, die plötzlich Polen und Rumänien angeboten wurde, zwei strategisch isolierten Ländern — ohne daß man sich zunächst irgendeine Zusicherung von Rußland verschafft hätte, der einzigen Macht, die Polen und Rumänien wirksam militärisch unterstützen konnte.

Nach ihrem Zeitpunkt mußten diese Garantien als Provokation wirken; und Hitler, wie wir heute wissen, hatte keine unmittelbare Absicht, Polen anzugreifen, bevor er mit dieser herausfordernden Geste konfrontiert wurde. Durch ihren geographischen Bezug auf europäische Länder, die für die britischen und französchen Streitkräfte unerreichbar waren, boten sie Hitler eine fast unwiderstehliche Versuchung. Damit unterhöhlten die Westmächte die grundlegende Basis der einzigen Strategie, die wegen ihrer jetzt geringeren Stärke für sie praktikabel war: Statt der Aggression eine starke Front gegen jeden Angriff im Westen entgegenzustellen, gaben sie Hitler eine bequeme Gelegenheit, einen schwachen Gegner zu überwältigen und so einen ersten Triumph einzuheimsen.

Die einzige Chance, den Krieg zu vermeiden, bestand jetzt darin, daß man sich die Unterstützung Rußlands verschaffte, der einzigen Macht, die Polen direkt zu Hilfe kommen und dadurch Hitler abschrecken konnte. Doch trotz der akuten Gefahr waren die Schritte der britischen Regierung zögernd und halbherzig. Und hinter dem britischen Zaudern standen die Einwände der polnischen Regierung und der anderen kleineren Länder Osteuropas gegen eine militärische Unterstützung durch Rußland – alle diese Länder fürchteten, eine Hilfeleistung durch russische Armeen würden gleichbedeutend mit einer russischen Invasion sein.

Hitlers Antwort auf die durch Großbritanniens diplomatische Unterstützung Polens geschaffene neue Situation war aber gänzlich anders. Großbritanniens heftige Reaktion und beschleunigte Rüstungsmaßnahmen erstaunten ihn, aber die Wirkung war das Gegenteil der beabsichtigten. Seine Lösung wurde bestimmt durch sein aus der Geschichte abgeleitetes Bild Großbritanniens. Da er die Engländer als kühle und rational denkende Menschen betrachtete, bei denen der Verstand die Gefühle überwog, glaubte er, sie würden nicht daran denken, Polen zuliebe einen Krieg zu beginnen, wenn sie nicht Rußlands Unterstützung gewonnen hätten. So schluckte er seinen Haß gegen den »Bolschewismus« herunter und bemühte sich mit aller Kraft, Rußland zu versöhnen und sich seiner Neutralität in dem Konflikt zu vergewissern. Es war eine noch krassere Kehrtwendung als die Chamberlains – und ebenso schicksalsschwer in ihren Folgen. Am 23. August flog Ribbentrop nach Moskau, und der Pakt wurde unterzeichnet. Er wurde begleitet von einem Geheimabkommen, auf Grund dessen Polen zwischen Deutschland und Rußland aufgeteilt werden sollte.

Dieser Pakt machte den Krieg unausweichlich – in dem erregten Zustand der öffentlichen Meinung, der durch Hitlers Serie von Aggressionen geschaffen worden war. Die Briten, die sich verpflichtet hatten, Polen zu unterstützen, glaubten nicht beiseite stehen zu können, ohne ihre Ehre zu verlieren – und ohne Hitler den Weg zu weiteren Eroberungen freizugeben. Und Hitler wollte von seinen Zielen in Polen nicht Abstand nehmen, selbst als er erkannte, daß dies einen allgemeinen Krieg im Gefolge haben würde.

So fuhr der Zug der europäischen Zivilisation in den langen dunklen Tunnel ein, aus dem er erst nach sechs schrecklichen Jahren wieder auftauchte. Doch selbst dann erwies sich das helle Sonnenlicht des Sieges als eine Illusion.

Die erste Phase des Krieges

Am Freitag, dem 1. September 1939, fielen die deutschen Armeen in Polen ein. Am Sonntag, dem 3. September, erklärte die britische Regierung Deutschland den Krieg, in Erfüllung der Garantie, die sie vorher Polen gegeben hatte. Sechs Stunden später folgte auch die französische Regierung, wenn auch zögernd, dem britischen Beispiel.

In weniger als einem Monat war Polen überrannt. Und innerhalb von neun Monaten wurde Westeuropa von der Flut des Krieges überschwemmt.

Hätte sich Polen länger halten können? Hätten Frankreich und Großbritannien mehr tun können, um Deutschlands Druck auf Polen zu mindern? Nach einem ersten Blick auf die beiderseitigen Truppenstärken, wie sie heute bekannt sind, scheint die Antwort auf beide Fragen ein Ja.

Die deutsche Armee war 1939 weit davon entfernt, kriegsbereit zu sein. Die Polen und Franzosen hatten zusammen 150 Divisionen – freilich einschließlich 34 Reservedivisionen und einiger Divisionen, die in Frankreichs überseeischen Gebieten gebunden waren. Die Deutschen hatten aber nur 98, und 36 davon waren noch mangelhaft ausgebildet und ausgerüstet; von den 40 Divisionen, die für die Verteidigung der Westgrenze abgestellt wurden, waren nur vier voll ausgerüstete und ausgebildete aktive Divisionen. Aber Hitlers Strategie hatte Frankreich in eine Lage versetzt, in der es Polen nur durch einen schnellen eigenen Angriff zu Hilfe kommen konnte – eine Aktion, für die Frankreichs Armee nicht vorbereitet war. Frankreichs altmodischer Mobilmachungsplan produzierte nur langsam die erforderliche Stärke, und die Offensivpläne des Generalstabs waren auf einer Massierung schwerer Artillerie aufgebaut, die nicht vor dem 16. Tag abgeschlossen war. Doch da brach der Widerstand der polnischen Armee bereits zusammen.

Polen hatte eine höchst ungünstige strategische Situation: Es lag wie eine »Zunge« zwischen Deutschlands Kiefern, und die polnische Strategie machte die Lage noch schlimmer, indem sie das Gros der Armee in die Nähe der Zungenspitze verlagerte. Außerdem waren Polens Streitkräfte veraltet in ihrer Ausrüstung und ihren militärischen Vorstellungen; sie erwarteten noch große Dinge von einer starken Kavallerie – die dann den deutschen Panzern gegenüber völlig hilflos war.

Die Deutschen hatten damals nur sechs Panzer- und vier motorisierte Divisionen einsatzbereit; aber dank der Begeisterung General Guderians und Hitlers Unterstützung für dessen Ideen hatten sie mehr als jede andere Armee den neuen Gedanken motorisierter Kriegführung im Blitztempo übernommen, der etwa 20 Jahre vorher von britischer Seite entwickelt worden war. Die Deutschen hatten ferner eine viel stärkere Luftwaffe aufgebaut als jedes andere Land, während nicht nur die Polen, sondern auch die Franzosen in der Luft zu schwach waren, um auch nur ihre Armeen zu unterstützen und zu schützen.

So erlebte Polen die erste triumphierende Demonstration der neuen Blitzkrieg-Taktik durch die Deutschen, während sich seine westlichen Verbündeten noch auf einen Krieg im herkömmlichen Stil vorbereiteten.

Am 17. September überschritt dann die Rote Armee Polens Ostgrenze – ein Dolchstoß in den Rücken, der das Schicksal des Landes besiegelte, da es kaum noch Truppen übrig hatte, um dieser zweiten Invasion entgegenzutreten.

Der schnellen Überwältigung Polens folgte eine Kampfpause von sechs Monaten – »phoney war« (der seltsame Krieg) von Zuschauern getauft, die sich durch den äußeren Schein der Ruhe täuschen ließen. Ein besserer Name wäre gewesen »Winter der Illusionen«. Denn die führenden Kreise ebenso wie die gesamte Öffentlichkeit der westlichen Länder verbrachten die Zeit damit, phantasievolle Pläne für Angriffe auf Deutschlands Flanken zu entwickeln – und sie redeten allzu offen darüber.

In Wirklichkeit bestand keine Aussicht, daß Frankreich und Großbritannien allein jemals die militärische Stärke aufbauen könnten, die zu einem Sieg über Deutschland nötig war. Ihre einzige Hoffnung – jetzt, da Deutschland und Rußland eine gemeinsame Grenze hatten – war, daß sich zwischen diesen von gegenseitigem Mißtrauen erfüllten Verschworenen Reibungen entwickeln würden, die Hitlers Gesicht wieder nach Osten statt nach Westen lenken könnten. Dies geschah auch ein Jahr später und hätte vielleicht früher geschehen können, wenn die Westmächte nicht so ungeduldig gewesen wären – wie es Demokratien oft sind.

Ihr lautes und bedrohliches Gerede über Angriffe auf Deutschlands Flanken spornte Hitler dazu an, ihnen zuvorzukommen. Sein erster Streich war die Besetzung Dänemarks und Norwegens im April 1940. Die später erbeuteten Protokolle seiner Besprechungen zeigen, daß er noch bis Anfang 1940 die Aufrechterhaltung der Neutralität Norwegens für das beste für Deutschland hielt, aber im Februar zu dem Schluß kam: »Die Engländer wollen dort landen, und ich will vor ihnen da sein.« Eine kleine deutsche Invasionsstreitmacht griff am 9. April Norwegen an, warf die britischen Pläne zur Gewinnung der Kontrolle über diesen neutralen Raum über den Haufen und eroberte schnell die wichtigsten Häfen, während die Norweger noch ihre Aufmerksamkeit auf das Erscheinen der britischen Kriegsmarine in ihren Gewässern richteten.

Hitlers nächster Streich war der Angriff auf Frankreich und die Beneluxländer am 10. Mai. Er hatte schon im Herbst 1939 mit den Vorbereitungen begonnen, als die Alliierten nach der Niederlage Polens sein Friedensangebot ablehnten; er glaubte, ein vernichtender Schlag gegen Frankreich sei die beste Chance, Großbritannien friedensbereit zu machen. Schlechtes Wetter und die Einwände seiner Generale hatten vom November an zu mehreren Verschiebungen des Angriffs geführt.

Dann verflog sich am 10. Januar ein deutscher Stabsoffizier, der wichtige Papiere über den Plan mit sich führte, auf dem Flug nach Bonn in einem Schneesturm und landete in Belgien. Dieses Mißgeschick veranlaßte eine Verschiebung der Offensive bis zum Mai, und bis dahin wurde der Plan völlig umgestaltet. Dies erwies sich als höchst unglücklich für die Alliierten und, auf kurze Sicht, als höchst glücklich für Hitler und änderte den ganzen Lauf des Krieges.

Denn der alte Plan, der einen Hauptvorstoß durch das mittlere Belgien vorsah, hätte zu einem sofortigen Zusammenstoß mit den besten Teilen der französisch-britischen Streitkräfte geführt und so wahrscheinlich einen Fehlschlag und eine Erschütterung von Hitlers Prestige zur Folge gehabt. Doch der neue Plan, den Manstein entworfen hatte, überraschte die Alliierten vollständig und warf sie aus dem Gleichgewicht, mit katastrophalen Folgen. Denn während sie noch Truppen nach Belgien warfen, um dem deutschen Angriff dort und in Holland entgegenzutreten, fuhr die Masse der deutschen Panzer – sieben Panzerdivisionen – durch die hügeligen und bewaldeten Ardennen, die das alliierte Oberkommando als unwegsam für Panzer betrachtet hatte. Sie überquerten die Maas ohne großen Widerstand, durchbrachen die schwache Flanke der alliierten Front und schwenkten dann nach Westen zur Kanalküste hinter dem Rücken der alliierten Armee in Belgien, deren rückwärtige Verbindungen abgeschnitten wurden. Dies entschied die Schlacht – noch bevor die Masse der deutschen Infanterie überhaupt eingegriffen hatte. Der britischen Armee gelang es nur mit knapper Not, von Dünkirchen aus über das Meer zu entkommen. Die Belgier und ein großer Teil der französischen Truppen mußten kapitulieren. Die Folgen waren nicht wiedergutzumachen. Denn als die Deutschen nach Dünkirchen wieder nach Süden schwenkten, waren die restlichen französischen Armeen nicht mehr in der Lage, ihnen Widerstand zu leisten.

Aber niemals hätte eine die ganze Welt erschütternde Katastrophe leichter vermieden werden können. Der deutsche Panzervorstoß hätte schon weit vor der Kanalküste durch einen konzentrierten Gegenangriff ähnlich starker Kräfte zum Stehen gebracht werden können. Doch die Franzosen hatten zwar mehr und bessere Panzer als der Feind, aber sie hatten sie im Stil von 1918 auf viele kleine Gruppen aufgeteilt.

Der deutsche Vorstoß hätte auch noch früher, schon an der Maas aufgehalten werden können, wenn die Franzosen nicht mit voller Kraft nach Belgien einmarschiert wären und ihren rechten Flügel so schwach gelassen, oder wenn sie schneller Reserven in diesen Raum geworfen hätten. Aber das französische Oberkommando betrachtete nicht nur die Ardennen als unpassierbar für Panzer, sondern rechnete auch, daß ein Angriff auf die Maas ein Lehrbuchangriff im Stil von 1918 sein und etwa eine Woche zur Vorbereitung brauchen würde; dadurch, glaubte man, würde Zeit genug bleiben, Reserven heranzuführen. Jedoch die deutschen Panzer erreichten den Fluß am Morgen des 13. Mai und erzwangen sich schon am gleichen Nachmittag den Übergang. Eine Aktion im »Panzertempo« überrundete eine altmodische Aktion im »Zeitlupentempo«.

Dieser Blitzkrieg war aber nur möglich, weil die militärischen Führer der Alliierten die neue Technik noch nicht begriffen hatten und daher auch nicht wußten, wie sie ihr begegnen sollten. Der deutsche Vormarsch hätte vor der Maas zum Stehen gebracht werden können, wenn auch nur die Straßen ausreichend vermint worden wären. Und selbst wenn man keine Minen gehabt hätte, würde das einfache Behelfsmittel ausgereicht haben, die zur Maas führenden Straßen durch die Wälder durch gefällte Bäume zu blockieren. Der Zeitverlust, der dadurch entstanden wäre, hätte für die Deutschen fatal werden können [1].

1 Ein französischer Freund von mir, der an dem Maas-Abschnitt kommandierte, bat das Oberkommando um Erlaubnis dazu, aber erhielt die Antwort, die Straßen müßten für den Vormarsch der französischen Kavallerie frei bleiben. Die Kavallerie

Nach dem Zusammenbruch Frankreichs neigte man allgemein dazu, diesen auf den schlechten Kampfgeist der Franzosen zu rückzuführen und für unvermeidlich zu halten. Dies ist ein Irrtum und ein Beispiel dafür, daß der Wagen vor das Pferd gespannt wird. Der Zusammenbruch des französischen Kampfgeistes erfolgte erst nach dem deutschen Durchbruch, der so leicht hätte vermieden werden können. Bis zum Jahr 1942 hatten dann alle Armeen gelernt, einen Blitzkrieg-Angriff aufzuhalten – viel Unheil wäre vermieden worden, wenn sie es schon vor dem Krieg gelernt hätten.

Die zweite Phase des Krieges

Großbritannien war jetzt der einzige noch übriggebliebene Gegner Nazi-Deutschlands. Aber es befand sich in einer höchst gefährlichen Lage – militärisch entblößt und bedrohlich konfrontiert mit einer über 3000 Kilometer langen feindlichen Küstenlinie. Seine Armee hatte Dünkirchen nur erreichen und der Gefangennahme nur entgehen können dank Hitlers seltsamen Befehl, seine Panzer zwei Tage lang anzuhalten, als sie nur knappe 15 Kilometer von dem noch dazu fast unverteidigten letzten verbliebenen Hafen entfernt waren. Dieser Haltebefehl war durch eine ganze Reihe von Motiven veranlaßt worden, zu denen Görings ruhmsüchtiger Wunsch gehörte, daß die Luftwaffe den letzten Erfolg an ihre Fahnen heften solle.

Aber wenn auch das Gros der britischen Armee heil zurückgekehrt war, so hatte sie doch den größten Teil ihrer Bewaffnung verloren. Während die Überlebenden von den 16 Divisionen, die zurückkehrten, militärisch neu formiert wurden, gab es nur eine einzige ordnungsgemäß bewaffnete Division zur Verteidigung des Landes, und die Kriegsmarine war in den fernen Norden ausgewichen, um außer Reichweite der deutschen Luft-

ritt auch in die Ardennen hinein, aber kam noch schneller mit blutigen Köpfen wieder heraus, mit den deutschen Panzern auf den Fersen.

waffe zu sein. Wenn die Deutschen zu irgendeinem Zeitpunkt im ersten Monat nach dem Zusammenbruch Frankreichs in England gelandet wären, dann hätte nur wenig Aussicht bestanden, sie zurückzuschlagen.

Doch Hitler und seine Wehrmachtsbefehlshaber hatten keinerlei Vorbereitungen für eine Invasion Englands getroffen – sie hatten nicht einmal Pläne für eine solche Operation ausgearbeitet, die doch eigentlich der Niederlage Frankreichs hätte folgen müssen.

Hitler ließ den entscheidenden Monat verstreichen in hoffnungsvoller Erwartung, daß Großbritannien zum Frieden bereit sein würde. Selbst als er dann in diesem Punkt desillusioniert war, blieben die deutschen Vorbereitungen halbherzig. Als es der Luftwaffe nicht gelang, die R. A. F. in der »Schlacht von England« aus dem britischen Himmel zu vertreiben, waren die Befehlshaber der Armee und Marine im Kern froh über die Entschuldigung, die sie jetzt hatten, um die Invasion abzublasen. Noch bemerkenswerter aber war Hitlers Bereitschaft, eine solche Entschuldigung zu akzeptieren.

Die Aufzeichnungen über seine vertraulichen Gespräche zeigen, daß dies zum Teil auf ein inneres Widerstreben zurückging, Großbritannien und das britische Empire zu zerstören, das er als ein stabilisierendes Element in der Welt ansah und immer noch als Partner zu gewinnen hoffte. Aber hinter diesem Widerstreben stand schon ein neuer Impuls: Hitler richtete seine Augen wieder nach Osten. Dies war der entscheidende Faktor bei der Rettung Großbritanniens.

Hätte Hitler sich voll und ganz auf die Besiegung Großbritanniens konzentriert, dann wäre dessen Untergang so gut wie sicher gewesen. Denn wenn er auch die beste Chance, England durch eine Invasion zu erobern, schon verpaßt hatte, so hätte er doch durch eine Kombination von Luft- und U-Boot-Krieg England so erdrosseln können, daß sein langsames Verhungern und schließlicher Zusammenbruch sicher waren.

Hitler jedoch glaubte, er könne es nicht wagen, alle seine Kräfte auf diesen See- und Luftkrieg zu konzentrieren, solange die russische Armee an seiner Ostgrenze stand und Deutschland zu Lande bedrohte. So glaubte er, der einzige Weg, Deutschlands Rücken frei zu machen, sei der Angriff und die Niederwerfung Rußlands. Sein Mißtrauen gegen Rußlands Absichten war um so stärker, als der Haß gegen den Kommunismus russischen Stils seit jeher sein tiefster emotionaler Impuls war.

Er machte sich vor, Großbritannien würde friedensbereit sein, sobald es nicht mehr auf eine russische Intervention in diesem Krieg hoffen könne. Ja, er glaubte sogar, Großbritannien hätte bereits Frieden geschlossen, wenn Rußland es nicht zum Weiterkämpfen ermuntert hätte. Als Hitler am 21. Juli 1940 die Besprechung abhielt, in der er zum ersten Mal die eilig entworfenen Pläne für eine Invasion Englands erörterte, enthüllte er seinen Gedankengang mit den Worten: »Stalin flirtet mit England, um es im Krieg zu halten und uns dadurch zu binden, mit der Absicht, Zeit zu gewinnen und sich dann alles zu nehmen, was er will; denn er weiß, er kann dies nicht bekommen, sobald wieder Frieden ist.« Daraus ergab sich die weitere Schlußfolgerung: »Unsere Aufmerksamkeit muß darauf gerichtet werden, das russische Problem anzupacken.«

Die Planung dafür begann sogleich, wenn auch erst Anfang 1941 der endgültige Entschluß gefaßt wurde. Die Invasion Rußlands begann am 22. Juni – einen Tag vor dem Datum des napoleonischen Einmarsches im Jahre 1812. Die deutschen Panzerverbände überrannten schnell die sowjetrussischen Armeen, die sofort kampfbereit waren, und drangen in weniger als einem Monat fast 700 Kilometer tief in Rußland ein – drei Viertel des Weges nach Moskau. Doch die Deutschen gelangten niemals dorthin.

Was waren die entscheidenden Faktoren für diesen Mißerfolg? Die nächstliegenden waren der herbstliche Schlamm und dann der Schnee. Aber wichtiger war die deutsche Fehlkalkulation der Reserven, die Stalin aus der Tiefe Rußlands heranführen konnte. Sie rechneten mit 200 russischen Divisionen, und bis Mitte August hatten sie diese geschlagen. Aber dann erschienen weitere 160 auf dem Kriegsschauplatz. Als auch diese überwunden worden waren, war es Herbst geworden, und als die Deutschen mitten im Schlamm nach Moskau vorstießen, fanden sie wieder neue Armeen auf ihrem Weg.

Ein weiterer grundlegender Faktor war Rußlands Primitivität – trotz aller technischen Fortschritte seit der kommunistischen Revolution. Es handelte sich nicht nur um die außerordentliche Leidensfähigkeit seiner Soldaten und seiner Bevölkerung, sondern auch um die Primitivität seiner Straßen. Wenn Rußlands Straßennetz ähnlich gut ausgebaut gewesen wäre wie das westlicher Länder, wäre Rußland wohl ebenso schnell überrannt worden wie Frankreich. Selbst so, wie die Verhältnisse waren, hätte die Invasion gelingen können, wenn die deutschen Panzer noch im Sommer direkt auf Moskau vorgestoßen wären, ohne auf die Infanterie zu warten – wie Guderian vorgeschlagen hatte, der aber in diesem Fall bei Hitler gegen die älteren Armeebefehlshaber nicht recht bekam.

Der erste Winter in Rußland wurde eine furchtbare Belastung für die deutschen Armeen – und sie erholten sich nie völlig davon. Dennoch scheint es, daß Hitler immer noch eine gute Siegeschance im Jahr 1942 hatte, als die Rote Armee noch schlecht ausgerüstet und Stalins Autorität bei ihr durch die schweren anfänglichen Niederlagen erschüttert war. Seine neue Offensive gelangte rasch bis an den Rand des kaukasischen Ölgebiets – von dem Rußlands Kriegsmaschine abhing. Aber Hitler zersplitterte seine Streitkräfte zwischen den beiden Zielen Kaukasus und Stalingrad. Mit Mühe und Not vor dem ersten Ziel zum Stehen gebracht, verschliß er seine Armee im wiederholten, hartnäckigen Bemühen, die »Stadt Stalin« zu erobern, und er war besessen von dem Gedanken an dieses Symbol des russischen Widerstandes. Weil er dann im Winter jeden Rückzug verbot, verurteilte er seine Armee in Stalingrad zur Einschließung und Gefangennahme, als Rußlands neu ausgehobene Armeen Ende 1942 in diesem Raum erschienen.

Die Katastrophe von Stalingrad ließ den Deutschen eine weit längere Front zurück, als sie mit ihrer verminderten Kraft noch halten konnten. Ein Rückzug, wie ihn die Generale vorschlugen, wäre die einzige Rettung gewesen; aber Hitler weigerte sich hartnäckig, ihn zu genehmigen. Taub gegen alle Argumente, bestand er auf dem Grundsatz »kein Rückzug«. Jedoch diese papageienhafte Parole konnte die Flut nicht aufhalten und hatte nur zur Folge, daß jeder Rückzug durch eine schwere Niederlage erzwungen wurde und um so größere Verluste kostete, weil er zu lange hinausgeschoben worden war.

Hitlers Streitkräfte litten auch immer mehr an den Folgen ihrer strategischen Überbeanspruchung — die schon Napoleons Ruin gewesen war. Die räumliche Überdehnung war um so schlimmer, als sich der Krieg im Jahr 1940 auf das Mittelmeer ausgedehnt hatte — nachdem Mussolini sich in den Krieg gestürzt hatte, um Frankreichs Zusammenbruch und Englands Schwäche auszunutzen. Dies hatte den Briten die Gelegenheit zur Gegenoffensive in einem Raum verschafft, wo ihre Seemacht zur Geltung gebracht werden konnte. Churchill erfaßte diese Gelegenheit rasch — zum Teil sogar zu rasch. Großbritanniens motorisierte Streitkräfte in Ägypten schlugen trotz ihrer geringen Zahl die überalterte italienische Armee in Nordafrika, ganz abgesehen von der Eroberung des italienischen Ostafrika. Sie hätten bis Tripolis weiterfahren können, mußten aber anhalten, damit ein britischer Truppenverband in Griechenland gelandet werden konnte — eine vorschnelle und schlecht vorbereitete Operation, die leicht von den Deutschen zurückgeschlagen werden konnte. Doch der italienische Zusammenbruch in Nordafrika veranlaßte Hitler, deutsche Verstärkungen unter General Rommel dorthin zu schicken. Da er jedoch seine Augen auf Rußland gerichtet hatte, schickte er nur gerade genug Truppen, um die Italiener zu stützen, und unternahm niemals einen energischen Versuch, das östliche, mittlere und westliche Tor des Mittelmeeres — Suez, Malta und Gibraltar — zu nehmen.

So wurde auf lange Sicht nur eine neue Beanspruchung der deutschen Kräfte geschaffen, die letzten Endes den Erfolg Rommels, die Säuberung Nordafrikas um mehr als zwei Jahre verzögerten, wieder ausglich. Die Deutschen standen nun in riesig langer Front auf beiden Seiten des Mittelmeeres und an der Küste

Westeuropas, während sie gleichzeitig eine gefährlich breite Front in den Tiefen Rußlands zu halten suchten.

Die unausweichlichen Folgen einer solchen Überdehnung der Fronten wurde verzögert, und der Krieg wurde verlängert durch Japans Kriegseintritt im Dezember 1941. Aber dies erwies sich als noch unheilvoller für Hitler, weil es das ganze Gewicht Amerikas in den Krieg hereinbrachte. Der Augenblickserfolg des japanischen Überraschungsangriffes bei Pearl Harbour, die die amerikanische Pazifikflotte lähmte, ermöglichte es den Japanern, alle alliierten Positionen im Südwestpazifik zu überrennen: Malaya, Burma, die Philippinen und Niederländisch-Indien. Aber bei dieser schnellen Expansion überschritten die Japaner bei weitem ihre Kapazität zum Festhalten dieser Gewinne. Denn Japan war nur eine kleine Insel mit begrenztem Industriepotential.

Die dritte Phase des Krieges

Nachdem Amerika seine volle Stärke entfaltet und Rußland den ersten Schlag überlebt hatte, um immer mehr seine Stärke zu entfalten, war die Niederlage der drei Achsenmächte Deutschland Italien und Japan sicher, da ihr gemeinsames militärisches Potential so viel kleiner war als das ihrer Gegner. Die einzige Ungewißheit war, wie lange die Niederlage dauern und wie vollständig sie sein würde. Das Beste, auf das die zu Verteidigern gewordenen Aggressoren noch hoffen konnten, war, Zeit zu gewinnen, bis die »Giganten« kriegsmüde oder unter sich uneinig geworden waren, und so bessere Friedensbedingungen zu erhalten. Doch die Aussichten eines solchen in die Länge gezogenen Widerstandes hingen davon ab, daß die Fronten verkürzt wurden; aber keiner der Führer der Achsenmächte konnte es sich leisten, durch freiwilligen Rückzug sein Gesicht zu verlieren, und so klammerten sie sich an jede Position, bis sie zusammenbrach.

In dieser dritten Phase des Krieges gab es keinen echten Wendepunkt mehr, sondern nur noch eine Flut, die immer näher heranrückte. Diese Flut strömte ungehinderter in Rußland und im Pazifik, weil dort eine immer größer werdende Überlegenheit der Kräfte mit ausreichendem Raum zum Manövrieren verbunden war. Im südlichen und im westlichen Europa stieß die Flut auf mehr Hindernisse, weil dort der Raum enger war.

Die erste Rückkehr britischer und amerikanischer Streitkräfte nach Europa — im Juli 1943 — wurde dadurch erleichtert, daß Hitler und Mussolini Truppen über das Meer nach Tunesien geschickt hatten in der Hoffnung, dort einen Brückenkopf zu halten, der den kombinierten Vormarsch der alliierten Armeen aus Ägypten und aus Algerien blockieren sollte. Tunesien erwies sich als eine Falle, und die Gefangennahme der gesamten deutsch-italienischen Armee dort ließ Sizilien fast ohne Verteidigung gegen die alliierte Invasion. Aber als die Alliierten im September 1943 von Sizilien auf das italienische Festland übergingen, wurde ihr Vormarsch in dieser bergigen Halbinsel zögernd und langsam.

Am 6. Juni 1944 landeten dann die alliierten Armeen, die in England für den Zweck der Invasion aufgebaut worden waren, in der Normandie. Hier war der Erfolg sicher, wenn sie an der Küste einen ausreichend großen Brückenkopf bilden könnten, um ihre überlegene Stärke aufzubauen und die deutsche Abwehrfront zu überfluten. Denn wenn die Alliierten erst aus dem Brückenkopf ausbrachen, dann lag ganz Frankreich als Manövrierraum für ihre Armeen offen — diese waren vollmotorisiert, und das Gros der deutschen Streitkräfte war es nicht. Die deutsche Verteidigung war daher zum Zusammenbruch verurteilt, wenn man nicht die Invasoren schon in den ersten Tagen ins Meer zurückwerfen konnte. Doch die Heranführung der deutschen Panzerreserven wurde entscheidend verzögert durch das Eingreifen der alliierten Luftwaffe, die dort eine Überlegenheit von 30:1 über die deutsche Luftwaffe besaß.

Aber selbst wenn die Invasion in der Normandie an der Küste zurückgeschlagen worden wäre, hätte die gewaltige Luftüberlegenheit der Alliierten durch direkte Angriffe auf Deutschland dessen Zusammenbruch herbeigeführt. Bis 1945 war die strategische Luftoffensive weit hinter der Reklame zurückgeblieben, die für sie als eine Alternative zur Landinvasion gemacht wurde, und ihre Auswirkungen waren weit überschätzt worden. Die wahllose Bombardierung von Städten hatte die deutsche Rüstungsproduktion nicht ernsthaft beeinträchtigt und ebensowenig den Kampfgeist der Bevölkerung gebrochen, wie man erwartet hatte: Kollektiv waren die Deutschen zu fest im Griff ihrer Machthaber, und Einzelpersonen können nicht vor Bombern in der Luft kapitulieren. In den Jahren 1944/45 wurde die Luftwaffe dann besser eingesetzt, mit ständig steigender Zielgenauigkeit und lähmenden Auswirkungen auf die Zentren der deutschen Kriegswirtschaft. Auch im Fernen Osten machte der Zauberschlüssel Luftherrschaft den Zusammenbruch Japans sicher, ohne daß die Atombombe noch notwendig gewesen wäre.

Das größte Hindernis für die Alliierten, seitdem die Gezeiten gewechselt hatten, war von ihnen selbst aufgebaut worden: die unkluge und kurzsichtige Forderung nach bedingungsloser Kapitulation. Sie war die größte Hilfe für Hitler, weil sie seine Stellung im deutschen Volk stärkte, und ebenso auch für die Kriegspartei in Japan. Wenn die alliierten Führer klug genug gewesen wären, irgendwelche Zusicherungen über ihre Friedensbedingungen abzugeben, hätte Hitler schon vor 1945 die Herrschaft über das deutsche Volk verloren. Schon drei Jahre vorher hatten Abgesandte der großen Anti-Nazi-Bewegung in Deutschland den alliierten Führern ihre Pläne zum Sturz Hitlers mitgeteilt, ebenso die Namen der vielen führenden Militärs, die bereit waren, an einer solchen Revolte teilzunehmen, wenn sie nur Zusicherungen über die alliierten Friedensbedingungen erhalten könnten. Aber damals wie später wurden ihnen keinerlei Zusicherung oder auch nur Andeutung gegeben, so daß es für die Verschwörer naturgemäß schwierig wurde, Unterstützung für einen Sprung ins Dunkle zu finden.

So wurde der »unnötige Krieg« noch unnötig verlängert. Millionen von Menschenleben wurden noch ohne Not aufgeopfert, und der Frieden, der schließlich zustande kam, enthielt die neue Drohung und Gefahr eines nächsten Krieges. Denn die unnötige Verlagerung des Zweiten Weltkrieges durch das Ziel der bedingungslosen Kapitulation des Gegners nützte im Ende nur Stalin – indem sie den Weg für die kommunistische Beherrschung Mitteleuropas ebnete.

KARTENVERZEICHNIS

PERSONENREGISTER

ZEITGESCHICHTE

Als Band mit der Bestellnummer 65 035 erschien:

Barbara Tuchman

AUGUST 1914

August 1914 – mit diesen ersten vier Wochen des damals noch »groß« genannten Krieges begann unser Jahrhundert wirklich.
Wie es zu diesem Wahnsinn kam, was in den Hirnen der Mächtigen und hinter den Kulissen vorging – all das entwirrt Barbara Tuchman minutiös in einer ebenso brillanten wie kritischen Gesamtdarstellung dessen, was wirklich geschah.

»Nirgendwo sonst ist das Zerbrechen einer scheinbar fest gefügten Welt mit solch umfassender Detailkenntnis beschrieben worden.« DIE ZEIT

Die Bücher der amerikanischen Historikerin Barbara Tuchman sind Welterfolge. Neben *August 1914* erschienen in deutscher Übersetzung u. a. *Die Zimmermann-Depesche* und *Der ferne Spiegel*.

ZEITGESCHICHTE

Als Band mit der Bestellnummer 65 028 erschien:

Charles Messenger

BLITZKRIEG

»Wir stießen durch das Niemandsland zum gegnerischen Stacheldraht vor, und als wir für Sekunden langsamer wurden, gab ich Vollgas und brach ohne Aufenthalt durch. Unsere Ketten walzten eine breite Spur, auf der die Infanterie folgte.« Mit diesen Worten beschrieb ein britischer Panzersoldat die Schlacht von Cambrai im November 1917. Sein Einsatz machte Geschichte; denn auf den Schlachtfeldern Frankreichs erlebten jene Waffen ihre Feuertaufe, die das strategische Denken bis in unsere Tage beherrschen: Panzer und Flugzeuge.
Von den Materialschlachten und Grabenkämpfen des Ersten Weltkriegs über Hitlers Blitzfeldzüge in Polen, Frankreich und Rußland bis zum israelisch-arabischen Krieg zeigt der britische Historiker in einer brillanten Analyse, wie eine neue Strategie Geschichte machte.

SACHBUCH

Als Band mit der Bestellnummer 63 020 erschien:

John Toland

ARDENNENSCHLACHT

Dezember 1944. Unter größter Geheimhaltung ist der Aufmarsch für den letzten deutschen Angriff im Westen erfolgt. Tigerpanzer sammeln sich in den Dörfern der Eifel, Munition und Benzin werden an die »Geisterfront« in den Ardennen gebracht. Am 16. Dezember, morgens um 5.30 Uhr, zerreißt das Donnern der Geschütze die Schneenacht. Das Ziel der deutschen Operation: Vorstoß über die Maas nach Antwerpen.

Pulitzer-Preisträger John Toland hat einen packenden, dokumentarisch belegten Bericht über die dramatischen Ereignisse auf beiden Seiten der Front während dieser letzten großen Schlacht des Zweiten Weltkriegs geschrieben. Durch Reisen zum Schauplatz der Kämpfe, Gespräche mit allen führenden Offizieren beider Parteien und das Studium der Angriffspläne und der militärischen Dokumente schuf er die Voraussetzung für eine Darstellung, die den Leser in ihren Bann schlägt.

ZEITGESCHICHTE

Als Band mit der Bestellnummer 65 038 erschien:

J. Costello / T. Hughes

ATLANTIKSCHLACHT

»Das einzige, wovor ich im Krieg wirklich Angst gehabt habe, war die U-Boot-Gefahr«, bekannte Winston Churchill in seinen Erinnerungen. In der Tat hat England in den ersten Jahren der Atlantikschlacht mehrmals am Rand der Niederlage gestanden. Die Autoren John Costello und Terry Hughes enthüllen, warum die Kriegsmarine trotz aller taktischen Erfolge auf See den Sieg nicht davontragen konnten. Sie beschreiben das Zusammenspiel zwischen Roosevelt und Churchill, die Wirkungen der deutschen Blockade auf Großbritannien, das gewaltige amerikanische Schiffsbauprogramm und die Reibereien zwischen den Westalliierten.

ZEITGESCHICHTE

Als Band mit der Bestellnummer 65 005 erschien:

John Toland

DAS FINALE

Die letzten hundert Tage

Januar 1945. Der Krieg in seiner letzten, entscheidenden Phase. Die Spitzen der sowjetischen Armeen stehen an der Oder, Briten und Amerikaner schicken sich an, den Rhein zu überschreiten. In der zerbombten Reichskanzlei aber spricht Hitler immer noch vom Endsieg.
Hundert Tage später lag Hitlers »Tausendjähriges Reich« in Scherben, hundert Tage sinnlosen Kampfes für eine längst verlorene Sache forderten weitere Hunderttausende von Toten. Unter den Schlägen massiver Einsätze brach auch der letzte deutsche geschlossene Widerstand zusammen. Im raschen Wechsel der Schauplätze und Ereignisse wird noch einmal die verhängnisvolle Konferenz von Jalta lebendig, Dresdens Flammentod im Inferno der Bombennächte, der erschütternde Zug ohne Wiederkehr aus dem Osten, die siegreiche Schlacht der Sowjets in den rauchenden Trümmerschluchten Berlins.
John Tolands Buch über den Untergang des Dritten Reiches zählt zu den »Klassikern« der Zeitgeschichte.

ZEITGESCHICHTE

Als Band mit der Bestellnummer 65 037 erschien:

Uwe Bahnsen/James P. O'Donnell

DIE KATAKOMBE

Was geschah wirklich Ende April 1945 in der Berliner Reichskanzlei? Ein aufsehenerregender Bericht über den letzten Akt der deutschen Tragödie, exakte Rekonstruktion und packende historische Reportage zugleich.
Die letzten Tage im Todesgewölbe des Diktators: ohnmächtiger Zorn betrogener Idealisten, letzte Lebensgier, jäh aufbrechendes Mißtrauen gegenüber den Vertrauten langer Jahre, makabre Intrigen, aber auch Tapferkeit, Kameradschaft und Opfermut kennzeichnen die Situation der Männer und Frauen in der Umgebung Hitlers.
Das Autorenteam recherchierte über zwei Jahre lang, interviewte Überlebende und sichtete das Dokumentarmaterial. Das Ergebnis vermittelt ein weithin neues Bild der dramatischen Vorgänge kurz nach dem »Tag Null« in der Reichskanzlei.